REAL ORDENANZA
PARA EL ESTABLECIMIENTO
E INSTRUCCIÓN DE INTENDENTES
DE EJÉRCITO Y PROVINCIA EN EL REINO
DE LA NUEVA ESPAÑA
1786

INSTITUTO DE INVESTIGACIONES HISTÓRICAS

Serie Facsimilar Nueva España /1

REAL ORDENANZA
PARA EL ESTABLECIMIENTO
E INSTRUCCIÓN DE INTENDENTES
DE EJÉRCITO Y PROVINCIA EN EL REINO
DE LA NUEVA ESPAÑA
1786

Introducción por Ricardo Rees Jones

UNIVERSIDAD NACIONAL AUTÓNOMA DE MÉXICO
México 1984

Primera edición, 1984

DR © 1984, Universidad Nacional Autónoma de México
Ciudad Universitaria, 04510 México, D. F.

Dirección General de Publicaciones

Impreso y hecho en México

ISBN 968-58-0622-5

SUMARIO DE LA INTRODUCCIÓN

ABREVIATURAS

AGI   Archivo General de Indias, Sevilla.
AGN   Archivo General de la Nación, México.
BL   British Library, Londres.
BNM   Biblioteca Nacional, México.
BPR   Biblioteca del Palacio Real, Madrid.
CEHM Centro de Estudios de Historia de México, México.

1. *Nueva España, 1787*

En la mañana del día 28 de abril de 1787 se avisó en la capital de México, con el repique de campanas acostumbrado, el feliz arribo a Veracruz del correo marítimo de España.

El bergantín "El Alvarado" había zarpado de La Coruña a principios de febrero y después de recalar en La Habana, fondeó bajo el sol ardiente de Veracruz el 23 de abril, para entregar la carga de sus bodegas:

1 279 arrobas de cera blanca
   62 libras de almidón
    6 frasqueras de aguardiente de Islas
   60 libras de dulce
   16 docenas de esponjas
   24 botijas de miel de abeja
   70 libras de tabaco en puros
   10 cajones dirigidos al superior gobierno de la Nueva España.[1]

Los diez cajones estaban marcados "REY ME^{co}" y contenían ciento noventa ejemplares de la *Real ordenanza para el establecimiento e instrucción de intendentes de ejército y provincia en el reino de la Nueva España*, fechada en Madrid el 4 de diciembre de 1786. Eran "diez libros de marquilla en pasta, cincuenta de marca común en media pasta, y los ciento treinta restantes a la rústica".[2]

El mismo día en que se oyeron doblar las campanas para celebrar la llegada del buque correo, Alonso Núñez de Haro y Peralta, arzobispo de México, tomó posesión de los empleos de virrey, gobenador y capitán general de la Nueva España y presidente de su Real Audiencia.

Esa mañana las tropas del regimiento de la corona formaron dos alas, desde el palacio real hasta el palacio del arzobispo, y éste fue conducido en su coche entre ambas, guarnecido por la real compañía de alabarderos. Se oyeron tres salvas de artillería y el arzobispo ascen-

---

[1] *Gazetas de México*. "Compendio de noticias de Nueva España que comprehenden los años de 1786 y 1787, dedicadas al excelentísimo señor don Bernardo de Gálvez. Por don Manuel Antonio Valdés", México, Felipe de Zúñiga y Ontiveros, s. f., vol. II, p. 343.

[2] AGN, *Correspondencia de virreyes*, Real Audiencia Gobernadora a José de Gálvez, 28 de abril de 1787, vol. 141, f. 243.

dió con solemnidad las escaleras del real palacio hasta ser recibido por la Real Audiencia, y tomar el bastón de manos del regente. Luego fue llevado a la sala del real acuerdo, donde se leyó la cédula en que su majestad le confería en forma interina esas graves comisiones.

Al día siguiente se celebró en la catedral una misa de acción de gracias por la llegada del correo marítimo, que fue autorizada por el nuevo virrey, en uno de sus primeros actos bajo la nueva investidura.[3]

Eran días grises y llenos de tensión. Había estado lloviendo, casi sin parar, desde fines del anterior mes de abril.[4] El 28 de marzo, poco después de las once de la mañana, se había estremecido la capital por un fuerte terremoto que duró seis minutos. Luego se repitió, con oscilaciones más lentas, cerca de las doce y volvió a temblar hasta otras cinco veces en el resto del día. Fue necesario que la Real Audiencia expidiera un decreto, ante el deterioro general de los edificios, prohibiendo que las mulas de los coches "troten o corran, sino que dejándoles un regular paso eviten el exceso indicado", bajo la pena irremisible que "se le sacará al dueño del coche de diez pesos de multa, yendo dentro de él, y al cochero de un mes de bartolina".[5] La Real Audiencia había estado gobernando en substitución del virrey Bernardo de Gálvez, muerto en Tacubaya el año anterior.

En la tarde del 10 de mayo y en la mañana del día siguiente, volvieron a doblar las campanas de todas las iglesias para avisar que en la catedral se celebraban solemnes honras fúnebres en memoria del virrey fallecido. Bajo la cúpula principal se erigió un monumento de tres cuerpos, de color de jaspe, y sobre un cojín de terciopelo negro se depositaron el bastón y la espada que eran las insignias de su poder político y militar.

El arzobispo virrey Núñez de Haro concurrió al oficio con la Real Audiencia y demás autoridades y la enorme catedral iluminada con cirios retumbó entonces con "solemnidad de música completa".[6]

El día 12 de mayo la voz penetrante de José Santos, indio ladino y pregonero real, apenas debió perturbar el bullicio del zócalo de México, mientras proclamaba un bando del arzobispo virrey. Pero iba con una escolta que llamaría la atención, tal como estaba previsto que ocurriera. Aparte del escribano del rey y del alguacil mayor de guerra, del sargento y de un cabo había pífanos, tambores y soldados del regimiento de la corona que conferían su propia solemnidad al acto.

[3] *Gazeta de México* de 22 de mayo de 1787, *op. cit.*, p. 354.

[4] *Ibid.*, p. 356.

[5] *Ibid.*, p. 327 y 338. El bando se publicó el 18 de abril de 1787. El 28 de abril la Real Audiencia le escribió a José de Gálvez, secretario de Indias y marqués de Sonora: "Aquí se ha lastimado mucho el real palacio, y con particularidad las salas de esta Audiencia, cajas reales, secretaría y vivienda del secretario." AGN, *Correspondencia de virreyes, ibid.*, f. 245.

[6] *Gazeta de México* de 22 de mayo de 1787, *op. cit.*, p. 354.

El bando informaba que el rey se había dignado resolver la erección de intendencias en la Nueva España y que Fernando José Mangino ocuparía los cargos de intendente general de ejército y hacienda de la capital y de superintendente subdelegado de la Real Hacienda.

Se fijaron ejemplares del bando en la esquina llamada de Provincia, en las dos bocas del portal de Mercaderes y en la puerta principal del palacio; ante "don Manuel Gómez, don Pedro Peralta y otras muchas personas que se hallaron presentes".[7]

Eran muchos, también, los que esperaban que el nuevo sistema de intendencias contribuiría a mejorar el mal estado de la Nueva España. Había desorden, falta de confianza en los gobernantes y hasta algunos murmullos de sedición. Los intendentes encarnaban un experimento político crucial para quienes lo patrocinaban: los altos jerarcas de la monarquía borbónica.

Un escritor, culto y anónimo, había hecho comentarios optimistas sobre la erección de intendencias casi dos años antes de que se publicara la ordenanza: "Además de los muchos beneficios que puede traer este establecimiento a las rentas reales, sin alterar su método sencillo y usual, al público de las jurisdicciones foráneas, a la agricultura, comercio y otros ramos de la industria."[8]

Quien escribió estas líneas estaba bien enterado del proyecto porque era una idea que se había discutido durante largos años, mientras se iba haciendo realidad en otras provincias americanas.

La vida mexicana, mientras tanto, proseguía su curso bajo el nuevo virrey. El doctor Francisco Berdeja puso en venta tres casas valuadas en dos mil seiscientos pesos, dos frente al convento de San Hipólito y la otra detrás del de San Diego. En la calle de San Francisco se inauguró una tienda de loza blanca de pedernal, "surtida de todas

[7] AGN, *Intendencias,* vol. 13, f. 50. Véase también Eusebio Ventura Beleña, *Recopilación sumaria de todos los autos acordados en la real audiencia y sala del crimen de esta Nueva España y providencias de su superior gobierno; de varias reales cédulas y órdenes que después de publicada la Recopilación de Indias han podido recogerse así de las dirigidas a las misma audiencia o gobierno, como de algunas otras que por sus notables decisiones convendrá no ignorar,* México, Felipe de Zúñiga y Ontiveros, 1787, vol. I, p. 217.

[8] El autor parece haber sido Hipólito Bernardo Ruiz Villarroel, que fue alcalde mayor de Cuautla Amilpas desde 1761 y de Tlapa a partir de 1773, aunque también vivió muchos años en la capital. En 1774, desde Tlapa (en la Sierra Madre del Sur, actual estado de Guerrero) dirigió un memorial al rey, exponiendo los problemas que aquejaban a los alcaldes mayores: "Sobre el modo de servirse las alcaldías mayores, y perjuicios que sufren de los oficios de México. Tlapa, abril 16 de 1774." BNM, ms. 1 378, f. 211-220 v. En 1788 figuró como "asesor de la Acordada", en una lista de los abogados del Ilustre Colegio de México, de aquellas que se imprimían para fijarlas en partes públicas, y así darlos a conocer de manera oficial. BNM, ms. 1 388, f. 283. La cita procede de la introducción, fechada en México el 20 de mayo de 1785, del manuscrito intitulado *México, enfermedades políticas que padece la capital de esta Nueva España en casi todos los cuerpos de que se compone: y remedios que la deben aplicar para su curación si se quiere que sea útil al rey y al público.* BL, add. 17 558, f. 57 v.

piezas para formar baxillas o medias baxillas para el uso de mesa, como generalmente se acostumbra por toda clase de personas en la Europa, sirviéndose de ella aún los primeros sugetos por su hermosura, permanencia y poco costo". Un médico catalán, Jaime Busquet, graduado en la Universidad de Gandía, ofreció su eficaz receta "contra el verdadero y legítimo dolor de costado o pleuresía: asegura que ocurriendo en tiempo no se le desgraciará ningún doliente de semejante dolor, como lo tiene experimentado y probado en el Perú, Goatemala y Oaxaca, pues en esta última ciudad de setenta enfermos sólo se le desgraciaron dos por no haber ocurrido en tiempo, como fue notorio".[9]

El arzobispo virrey le escribió al secretario de Indias, prometiendo que lograría que un tal José Hurtado regresara a España, "a hacer vida con su mujer doña Francisca González, vecina de Málaga, según ha solicitado ésta y manda Su Majestad en real orden de 24 de febrero de este año, apremiándolo en caso necesario para que lo ejecute".[10]

Y el oidor Eusebio Ventura Beleña anunció que la publicación de su obra *Recopilación sumaria de todos los autos acordados* se había demorado. Apenas comenzada su impresión, había llegado a México la nueva ordenanza de intendentes y el autor había decidido incluirla, por lo que los dos tomos no podrían darse a menos de quince pesos en lugar de los diez en que se habían ofrecido.[11]

Por esos días el virrey Núñez de Haro entregó "los diez caxones, y los 190 exemplares que contenían de la real ordenanza de intendentes que vinieron dirigidos al virrey difunto conde de Gálvez" a Fernando José Mangino, primer intendente general de ejército y hacienda de la capital.[12]

La propagación física de la ordenanza fue lenta, aunque era muy necesaria, ya que se trataba de un texto legal que implicaba grandes cambios. En febrero de 1788 el intendente Andrés Amat de Tortosa escribió desde Santa Fe de Guanajuato, con la queja de que "no me han llegado los juegos de ordenanzas que hace días me avisó el Sor Mangino había entregado a esos ministros de real hacienda para

[9] *Gazeta de México* de 22 de mayo de 1787, *op. cit.*, p. 359 y 360.
[10] AGN, *Correspondencia de virreyes*, Núñez de Haro a José de Gálvez, 26 de mayo de 1787, vol. 141, f. 307.
[11] *Gazeta de México, op. cit.*, p. 359. El primer ofrecimiento de la obra se publicó en la *Gazeta* del 10 de octubre de 1786. Cumpliendo lo prometido, Ventura Beleña incluyó el texto de la ordenanza en el segundo tomo. *Copias a la letra ofrecidas en el primer tomo de la Recopilación sumaria de todos los autos acordados de la Real Audiencia y sala del crimen de esta Nueva España y providencias de su superior gobierno de varias reales cédulas y órdenes que, después de publicada la Recopilación de Indias, han podido recogerse, así de las dirigidas a la misma audiencia o gobierno, como de algunas otras que por sus notables decisiones convendrá no ignorar,* México, Felipe de Zúñiga y Ontiveros, 1787, vol. II, p. i a lxxxvi.
[12] AGN, *Correspondencia de virreyes, op. cit.*, vol. 141, f. 292.

que me remitiesen", agregando que le hacían mucha falta, "pues como no tengo más que un ejemplar para cubrir mi responsabilidad en los ramos de hacienda he tenido que formar instrucciones comprehensivas de los principales artículos de dicha ordenanza, con bastante dispendio".[13] Cinco años después se seguían haciendo copias y extractos para repartir a los funcionarios afectados y el intendente de Puebla de los Ángeles, Manuel de Flon, acusó recibo al virrey por "veinte y cuatro exemplares de copias de los artículos 77 y 238 de la real ordenanza de intendentes, los cuales circularé a los subdelegados de esta provincia, conforme V. E. me previene".[14]

Mientras se iba difundiendo así el contenido de la ordenanza, las críticas en cambio se propagaron con gran rapidez.

Aquel autor anónimo, que parece haber sido Hipólito Bernardo Ruiz Villarroel, que en 1785 había vaticinado el éxito del sistema de intendencias, ya había cambiado de opinión. Escribiendo en julio de 1787, comentó que era grande la expectación que había existido en México por conocer el nuevo texto legal: "Es imponderable la conmoción que causó dicho reglamento, no sólo por suponerse perjudicial la nueva planta, sino también por la noticia de algunos de los sugetos principales y subalternos de que se echó mano para las operaciones." [15] Era un vaticinio de que el ponderado sistema de gobernar con intendentes, que ya se había aplicado en Francia y España, iba a enfrentar graves problemas en su implantación en el territorio mexicano.

La tensión política había estado en constante aumento desde mucho antes que el ancla del bergantín correo "El Alvarado" tocara fondo en Veracruz y que de sus bodegas repletas de cera, ron y tabaco se izaran los diez cajones de ordenanzas.

El virrey, en su condición de representante personal del rey, era la figura política suprema de Indias. Además de ese cargo, que le convertía en *alter nos* del monarca, era gobernador, presidente de la Audiencia, vicepatrono de la Iglesia, ordenador de la Real Hacienda, y capitán general de las fuerzas armadas. Por lo mismo, en cuanto fue conocido el proyecto de intendencias, se le estimó como una amenaza para la venerable institución virreinal.

Habían transcurrido menos de dos meses desde la difusión del bando que comunicaba el nombramiento del superintendente Mangino, cuando brotó una primera querella. El arzobispo virrey Núñez de Haro, en carta al secretario Gálvez, le pidió que se consultara al rey "acerca de la duda ocurrida sobre si es privativo del virreinato o de la superintendencia de real hacienda la concesión de licencias para abrir re-

[13] AGN, *Intendencias,* vol. 81, f. 286.
[14] AGN, *Intendencias,* vol. 16, f. s/n.
[15] BL, add. 17 559, f. 105.

gistros de los caudales particulares" de aquellos que del reino se embarcaban para los puertos de España.[16]

En la misma fecha, otra carta del virrey informó a Gálvez que la ciudad de Tlaxcala se había quejado de que en la ordenanza no se respetaban sus antiguos privilegios y exenciones, por lo que su ayuntamiento le había pedido que mandase suspender el nuevo establecimiento en la provincia de Puebla de los Ángeles, mientras ocurrían al rey.[17]

2. *Un modelo de gobierno: los intendentes de Francia*

Los primeros intendentes franceses tuvieron jurisdicción militar en Córcega y Lyons, en 1555. Los primeros *intendants de justice* con carácter permanente se establecieron en Lyons (1601-1607), como una evolución natural de los *commissaires de l'edit,* que eran agentes encargados de lograr el cumplimiento de los edictos reales.

Fue Luis XIV (1638-1715) quien, con la ayuda eficaz de su ministro Colbert, logró consolidar el sistema. El intendente esporádico de las épocas anteriores se hizo permanente y ejercía sus labores en la *généralité* a su cargo, como instrumento eficaz del desarrollo centralizado. Eran comisarios del propio rey y sus facultades emanaban en consecuencia de la respectiva *lettre de commission,* que señalaba la órbita de una muy amplia competencia.

Sus obligaciones incluían no sólo representar a la corona y vigilar la obediencia a las leyes, sino conseguir el buen fomento y la policía de sus provincias. Era una gama enorme. Se ocupaban de los asuntos militares, agrícolas, mineros, los servicios postales, las redes de caminos y puentes, el comercio y la recolección de impuestos directos e indirectos. Debían hacer respetar el orden público; supervisaban la administración de justicia y perseguían los delitos y las ofensas a la religión.

En 1773 Francisco Leandro de Viana, conde de Tepa y oidor de la Real Audiencia de México, redactó un *Discurso contra el plan de intendencias,* a petición del virrey Bucareli, refiriéndose al proyecto que habían propuesto para la Nueva España el visitador José de Gálvez y el virrey marqués de Croix. Sus comentarios sobre los intendentes franceses son muy interesantes, sobre todo porque representan impresiones vertidas en México cuando éstos gozaban aún de la plenitud de sus facultades, en las *généralités* de Luis XV:

---

[16] AGN, *Correspondencia de virreyes,* Núñez de Haro a José de Gálvez, 26 de junio de 1787, vol. 141, f. 362.

[17] *Ibid.,* f. 373. Después, una real cédula de 2 de mayo de 1793 separó a la gobernación de Tlaxcala de esa intendencia, dejándola sujeta a un gobernador militar independiente del intendente y subordinado directo del virrey.

Esta nueva planta sufrió grandes dificultades, hasta que Luis catorce regló las funciones de las intendencias, declarándolas como una inspección general sobre todo lo que pueda interesar al servicio del rey, y al bien de sus pueblos: deben velar que se haga justicia a todos, zelar el proporcionado repartimiento de los impuestos y contribuciones, la cultura de las tierras, el aumento de el comercio, la construcción y entretenimiento de los caminos, puentes y edificios públicos, y en fin deben hacer concurrir todas las partes de sus departamentos al bien del estado, y representar e informar todo lo que convenga mejorar o que tenga necesidad de reforma, según prescriben sus ordenanzas en los puntos relativos a las funciones de los intendentes y a su extensa jurisdicción, con las apelaciones a los respectivos tribunales conforme sean las materias de Guerra, Policía, Justicia y Hacienda.[18]

Tenían, en general, buenas aptitudes para desempeñar tales encargos. La mayoría había pertenecido al cuerpo de los *maitres des requetes,* abogados que eran magistrados y funcionarios de los consejos reales. Su nombramiento les confería el primer grado de la condición de nobleza; pero además eran expertos administradores y jueces, que constituían una auténtica *noblesse de la plume.* Además, en el siglo XVIII ya contaban con la asistencia de un *subdélégué géneral* y de un número variable de otros subdelegados auxiliares.

Existía, así, una línea jerárquica muy directa que se originaba en los salones refulgentes del monarca absoluto; pasaba por los despachos de sus ministros y llegaba hasta las oficinas provinciales de los intendentes, donde el poder real se transformaba en actos concretos de autoridad.

La gran época de los intendentes de Francia se extinguió al estallar la Revolución. El 22 de diciembre de 1789, cuando ya varios de ellos estaban siendo sometidos a procesos judiciales, la Asamblea Constituyente abolió todos sus poderes para siempre.

3. *Felipe V, rey de España y nieto de Luis XIV*

El imperio español se encontraba postrado en una grave crisis de poder y organización, cuando asumió la corona un príncipe francés perteneciente a la familia Borbón.

Felipe V (1683-1746) había nacido en Versalles y en ese ambiente

---

[18] BNM, ms. 1 385, f. 1-108. Es copia del *Discurso contra el plan de intendencias,* fechado en México el 1° de julio de 1773, y dirigido al virrey Bucareli, quien lo había solicitado al oidor Viana por oficio de 19 de mayo de 1773. Es un documento muy interesante, que describe la evolución de las intendencias desde que "los ebreos establecieron en cada quartel de Jerusalen" unos prefectos, continuando con los funcionarios de Roma y un detallado relato histórico de la intendencia francesa. Luego analiza el plan de Gálvez, punto por punto, a la luz de la realidad novohispana, con comentarios sobre las doce intendencias propuestas, las rentas reales, los indios, alcaldes mayores y repartimientos, sumando los argumentos que le movían a rechazar el proyecto.

espléndido recibió el título de conde de Anjou. Fueron sus padres el delfín Luis de Borbón y Mariana Cristina Victoria de Baviera. Era nieto de Luis XIV de Francia y bisnieto de Felipe IV de España.

Carlos II (1661-1700) lo instituyó heredero de la monarquía española y, al morir éste sin descendencia, aceptó esa corona, renunciando a todos sus derechos al trono francés.

En mayo de 1701 prestó juramento, en Madrid, en la iglesia de San Jerónimo el Real. Tenía diecisiete años e iniciaba una etapa de afrancesamiento que se extendió no sólo a la cultura sino que inspiró nuevos modelos de administración.

El joven rey sufría de graves depresiones que no le impidieron apoyar diversas iniciativas y sugerencias centralizadoras al estilo de los borbones franceses. Fueron suprimidas las autonomías de Cataluña y Aragón y los fueros de Aragón y Valencia. Las leyes de Castilla se extendieron a toda la península, con excepción de las secas y muy rebeldes tierras de Navarra y las provincias vascas.

En 1701 el rey Luis XIV envió al funcionario Jean Orry a España para que ayudara a su nieto en la administración financiera. Entre otras reformas se crearon cuatro nuevas secretarías. Además, Orry propuso que se consolidara el gobierno territorial mediante la asignación de las provincias a intendentes; pero cayó en desgracia y fue expulsado de España en 1715, antes de que esta última reforma pudiera ser puesta en vigor.

Felipe V estableció aquellas intendencias por una real ordenanza de 4 de julio de 1718, dándoles jurisdicción en materias de justicia, hacienda, guerra y policía. En los años siguientes estas facultades fueron evolucionando, mientras el aparato burocrático asimilaba el nuevo esquema.

Según el *Discurso contra las intendencias* del conde de Tepa, Felipe V designó a sus intendentes "adoptando, en la mayor parte, el sistema de la Francia" y movido por "el desconcierto universal de nuestra España en todos los ramos del gobierno, por las dilatadas sangrientas guerras" de la Sucesión. Había una "casi imposibilidad de justificarse ni concluirse las cuentas de muchos ramos" de derechos, tributos y donativos impuestos por la guerra; además de una "multiplicidad de ministros que intervenían y manejaban este encargo".[19]

El 13 de octubre de 1749 el rey Fernando VI (1713-1759) dictó una nueva ordenanza, por la que se suprimió a los corregidores de las capitales de las provincias, acumulando sus funciones judiciales a las de los intendentes. Así, éstos se convirtieron en las autoridades máximas de sus respectivos territorios; como ya había ocurrido mucho antes con los intendentes franceses en sus *généralités*.

[19] BNM, ms. 1 385, *op. cit.*, f. 7.

Este afán centralizador no constituía una novedad en el desarrollo del sistema de gobierno de la corona española. El concepto mismo del virreinato colonial equivalía a reunir grandes poderes en un solo funcionario, vicario del rey.

No resultaba sorprendente, entonces, que Felipe V y sus sucesores aplicaran aquel modelo francés, en un intento por consolidar esa fuerza que se iba debilitando en España y en sus enormes colonias.

4. *La propuesta de José del Campillo y las primeras intendencias americanas*

En una obra que circuló manuscrita a partir de 1743, y que se atribuye al secretario de Hacienda de Felipe V, José del Campillo y Cossío, se recomendó establecer las intendencias en América:

> Como el único objeto de esta obra se reduce a tratar de todo lo que pueda conducir para dar una nueva esfera a la América, y hacer de unos hombres, que apenas se contaban entre los racionales, una nación industriosa, dedicada a la agricultura, y a las artes, consiste mucho la perfección de todo esto en el modo de manejar tan grande operación; y para no errarlo, parece que lo más seguro será establecer allá la misma forma de gobierno que tenemos en España. Esto es, poner intendentes en aquellas provincias.[20]

Campillo proponía que se comenzara nombrando a un intendente en Buenos Aires, otro en Chile, y dos o tres en el Perú, Quito y Popayán. Uno más en Tierra Firme; y en Santa Fe y la Nueva España, cuantos fueran necesarios. En forma gradual, y de acuerdo con las experiencias del sistema, éste se iría extendiendo.

Lo primero que tendría que hacer un intendente sería realizar la visita general de su provincia, para poder así establecer un mejor "gobierno económico". Este era un ideal intenso en ese siglo xviii ilustrado, que creía en el progreso infinito de la humanidad, asegurado mediante una administración eficaz de la economía.

Según Campillo, uno de los puntos principales del gobierno económico sería "la buena policía"; que por entonces también inspiraba a los intendentes de Luis XVI (1754-1793) a procurar el *bonheur*

---

[20] José del Campillo y Cossío, *Nuevo sistema de gobierno económico para la América: con los males y daños que le causa el que hoy tiene, de los que participa copiosamente España; y remedios universales para que la primera tenga considerables ventajas, y la segunda mayores intereses*, Madrid, Benito Cano, 1789, p. 70. La obra fue impresa cuarenta y seis años después de que comenzó a pasar de mano en mano, y muchas de sus partes fueron reproducidas en un libro supuestamente escrito en 1762 por Bernardo Ward, secretario de Comercio de Fernando vi (1713-1759), quien parece haber plagiado el texto de Campillo. Véase Bernardo Ward, *Proyecto económico en que se proponen varias providencias dirigidas a promover los intereses de España, con los medios y fondos necesarios para su planificación*, 3 ed., Madrid, Joaquín Ibarra, 1782.

universel a través del fomento de las actividades productivas. Por lo mismo habría que distribuir las tierras para que fueran cultivadas, aplicando a los indios a la agricultura y las artes, para dar así salida a los frutos. En especial los intendentes deberían atender al cultivo de aquellos productos que tenían más consumo en Europa, "pues su buen despacho es el que ha de enriquecer a la América".[21]

Esta parece haber sido la primera iniciativa formal, que luego se hizo realidad al crearse las intendencias americanas de La Habana (1764) y Luisiana (1765) durante el reinado del gran rey reformador, Carlos III (1716-1788).

En 1765 Carlos III nombró a José de Gálvez visitador general de la Nueva España, miembro honorario del Consejo de Indias e intendente de ejército. Dotado de tan enorme autoridad, Gálvez viajó al virreinato para impulsar cambios urgentes en su administración y economía. Llevaba consigo una instrucción reservada, de 14 de marzo de 1765, que le encomendaba determinar si convenía establecer intendencias.

Cumpliendo el encargo, Gálvez y el virrey Carlos Francisco de Croix redactaron en 1768 un *Informe y plan de intendencias que conviene establecer en las provincias de este reino de Nueva España* en que se referían a los intendentes como "magistrados los más propios, por su instituto, para mejorar el gobierno civil y económico de las provincias" de la América Española, cuya decadencia amenazaba con una total y próxima ruina. Se proponía establecer una intendencia general y de ejército en la capital, más diez de provincia en Puebla, Oaxaca, Mérida o Campeche, Valladolid de Michoacán, Guanajuato, San Luis Potosí, Guadalajara, Durango, Sonora y Californias. Estos intendentes reemplazarían a los corregidores y alcaldes mayores en un proceso de depuración del gobierno y la justicia provinciales.[22]

Convencido el rey de que la situación era grave y de que el remedio propuesto era el más indicado, expidió una real orden el 10 de agosto de 1769 para que el virrey de Croix procediera a establecer las intendencias novohispanas.

El 26 de octubre de 1770 el virrey escribió al secretario de Indias, bailío fray Julián de Arriaga, enviándole un estudio que había redactado con el visitador Gálvez, para definir los límites de las intendencias.[23] Al mismo tiempo proponían a seis funcionarios que podrían gobernar algunas intendencias: [24]

---

[21] *Ibid.*, p. 73 y 148.
[22] BNM, ms. 1 378, f. 13-25. Es una copia, fechada en México el 26 de enero de 1768.
[23] *Ibid.*, f. 36-39. Es una copia.
[24] *Ibid.*, f. 40-41 (copia).

Veracruz: Pedro Antonio de Cossío
Puebla: Juan Antonio Valera
Oaxaca: Fernando José Mangino
San Luis Potosí: Felipe Cleere
Sonora: Pedro de Corbalán
Californias: Felipe Bazzi.

Gálvez había pensado nombrar intendente de Sonora a Eusebio Ventura Beleña, que había sido subdelegado suyo durante la visita de Sonora y Sinaloa, pero la propuesta declaraba que éste se había "indispuesto en su salud y retirado de aquellos destinos".[25] En 1771 De Croix y Gálvez nombraron a un primer intendente, Pedro de Corbalán, como funcionario provisional en los agrestes parajes de Sonora y Sinaloa, o Arizpe, donde era urgente contener a los feroces apaches, pimas y seris.[26]

El visitador Gálvez regresó a España en 1772; y, antes de irse, escribió un informe general dirigido al nuevo virrey, Antonio María Bucareli y Ursúa, en que le recomendaba todo el proyecto en forma encarecida para "que en ocasión oportuna contribuya a promover la obra con toda su autoridad y eficacia".[27]

Pero el virrey Bucareli no era partidario del sistema y en 1774 envió sus comentarios adversos al secretario Arriaga, asegurando que "la naturaleza de las provincias pide todavía distinto manejo que el de la metropoli, y poco a poco es como debe irse ganando la uniformidad". Por lo mismo, lo más probable sería que de establecerse, habría que restituir después las cosas "a su antiguo estado, por hallarse impracticable el gobierno de intendencias".[28]

[25] Navarro García comenta que Ventura Beleña había caído en desgracia ante Gálvez. Véase Luis Navarro García, *Intendencias en Indias*, Sevilla, Escuela de Estudios Hispano-Americanos de Sevilla, 1959, p. 26.

[26] AGN, *Intendencias*, vol. 5, f. 1 a 9.

[27] *Informe general que en virtud de real orden instruyó y entregó el excelentísimo Sr. Marqués de Sonora, siendo visitador general de este reyno al excelentísimo Sr. Virrey Frey don Antonio Bucareli y Ursúa, con fecha 31 de diciembre de 1771*, México, Imprenta de Santiago White, 1867, p. 18.

[28] "Copia del informe hecho al excelentísimo Sr. B. Fr. don Julián de Arriaga, por el excelentísimo Sr. B. Fr. don Antonio Bucareli y Ursúa, virrey de esta Nueva España, sobre los perjuicios que pueden ofrecerse con el establecimiento de intendencias en este reino. México, 27 de marzo de 1774", BNM, ms. 1 378, f. 42 a 51. Con este informe el virrey envió trece mapas, que se reproducen en estas páginas, de Yucatán, Oaxaca, Veracruz, Puebla, México, Villadolid de Michoacán, San Luis Potosí, Guanajuato, California, Sonora y Sinaloa, Durango, Guadalajara y Nuevo México. AGN, *Correspondencia de virreyes*, Bucareli a Julián de Arriaga, 27 de marzo de 1774, vol. 50, f. 349 a 361. Este es el libro segundo de documentos correspondientes a las copias de cartas escritas por la vía reservada de Indias en el mes de marzo de 1774. Los mapas incluyen las once intendencias propuestas por Gálvez y Croix, más uno de Veracruz y otro de Nuevo México. El hecho de que fueron enviados por el virrey junto con su informe antagónico queda demostrado en el índice de este libro de documentos, que tiene la misma fecha de 27 de marzo de 1774: "No. 6. Un

Uno de sus argumentos principales era que las rentas reales en la Nueva España no se encontraban en aquella decadencia y confusión que "obligaron en España a buscar al remedio y la claridad en el establecimiento de las intendencias".[29]

En esto coincidía con el *Discurso contra las intendencias* del conde de Tepa, que precisamente había sido dirigido en 1773 al virrey y que le debe haber servido de inspiración. En ese documento se afirmaba que "nunca ha estado la Nueva España más floreciente que ahora" por lo que la situación sería muy distinta a la de la España de Felipe V. Además, el hecho de que allá se hubiera tomado como modelo a las intendencias de Francia era razonable pues en ambos países "todos son católicos y blancos, sin mezcla de otras castas". Había similitud de poblaciones, carácter, climas y hasta en "las leyes penales, que pintan las costumbres de las naciones".[30]

En la inmensa Nueva España, en cambio, donde "hay haciendas de vasallos particulares que ocupan tanto territorio como la península de España" había pocos pobladores. La mayoría eran indios, pobres e ignorantes, que sumados a los negros, mulatos y demás grupos constituían un universo muy diferente al europeo. No sólo el clima era diverso, sino que las propias costumbres no tenían nada en común.

En lugar de establecer intendencias, sería mejor dar cumplimiento a la obligación de las Audiencias de enviar oidores visitadores cada tres años o antes, si conviniera. Los oidores velarían por el respeto a unas nuevas ordenanzas generales, que se dictarían "con inserción de las leyes respectivas, y declaración de muchos casos que no previenen, para que se publicaren en todas las cabeceras de indios; y que se guardasen en sus archivos con orden de que todos los años se leyesen, al tiempo de las elecciones de gobernadores y oficiales de la República".[31] Estos oidores serían "comisarios muy caracterizados como los de Francia en tiempo de Carlos IV".[32]

Se aplicaría, así, un régimen similar al de los *baillis* y *sénéchals* que en Francia fueron los prototipos más remotos de los intendentes.

De esta manera, paternal y erudita a la vez, el conde de Tepa sostenía que la Nueva España merecía reproducir un sistema de gobierno francés del siglo XIV.

Sin embargo, el régimen de intendencias iba a contar muy pronto con un apoyo renovado. Vuelto Gálvez a España en 1772, pasó a

---

libro que comprehende el distrito que deverían tener cada una de las intendencias según el proyecto formado."

[29] *Ibid.*, f. 49 v.

[30] BNM, ms. 1 385, f. 20 v. y 9 v.

[31] *Ibid.*, f. 11, 93 v. y 102 v. El virrey Bucareli también propuso que se aumentara el número de oidores de las audiencias de México y Guadalajara, para que llevaran a cabo las visitas de las alcaldías mayores.

[32] *Ibid.*, f. 95.

ocupar una plaza en el Consejo de Indias y en 1776 fue nombrado secretario de Indias, cargo que ocupó hasta su muerte en 1787. Desde Madrid mantuvo su interés por este gran proyecto, pero con un ángulo territorial mucho más extenso: toda la América Española.

La siguiente intendencia americana fue establecida en Caracas en 1776 y en el año siguiente se erigió una en Buenos Aires.

El 28 de enero de 1782 Carlos III dictó una *Real ordenanza para el establecimiento e instrucción de intendentes de ejército y provincia en el virreinato del Río de la Plata,* que establecía ocho intendencias, señalando a la de Buenos Aires como general de ejército y provincia.

La ordenanza tenía una introducción y doscientos setenta y seis artículos, impregnados del afán con que procuraba el rey "uniformar el gobierno de los grandes imperios que Dios me ha confiado y poner en buen orden, felicidad y defensa mis dilatados dominios de las dos Américas".[33]

Como primer esquema legal para las intendencias americanas, también rigió en otros territorios y sirvió de modelo cuando se fue extendiendo el nuevo sistema de gobierno.

En los años siguientes la corona continuó creando nuevas intendencias por esas vastas latitudes. En 1783, una en Quito, en el virreinato neogranadino; y al año siguiente, siete en territorio peruano, una en Puerto Rico y otra en Puno. Entre 1784 y 1786, cinco en Filipinas. En 1785, otra en San Salvador. En la Nueva España, en 1785 se nombró gobernador intendente del reino de Nueva Vizcaya a Felipe Díaz de Ortega; e intendente de Puebla de los Ángeles a Manuel de Flon; al año siguiente, a Juan Antonio de Riaño para Valladolid de Michoacán. En 1786 se establecieron dos en el reino de Chile, y en ese mismo año, las de Cuenca, en Nueva Granada; y Ciudad Real, León y Comayagua, en el reino de Guatemala.

5. *La "Real ordenanza para el establecimiento e instrucción de intendentes de ejército y provincia en el reino de la Nueva España", de 1786*

La ordenanza que demarcaba intendencias sobre el mapa de las valiosas tierras de ese reino se publicó en Madrid el 4 de diciembre de 1786.

También fue aplicada en otros territorios. Una real orden de 22 de abril de 1787 dispuso que rigiera en Guatemala; y lo mismo se ordenó para Venezuela, Luisiana y Cuba por sendas reales órdenes de 25 de mayo de 1787, 1º de febrero de 1789 y 12 de noviembre de 1791.

[33] *Real ordenanza para el establecimiento e instrucción de intendentes de ejército y provincia en el virreinato de Buenos Aires,* Madrid, 1782, introducción.

Tenía una introducción y trescientos seis artículos, muchos de ellos copias exactas de las normas de la *Real ordenanza para el establecimiento e instrucción de intendentes de ejército y provincias en el virreinato del Río de la Plata,* de 1782.

Se erigieron doce intendencias. La de la capital de México era "general de ejército y provincia" y su titular sería el superintendente subdelegado de hacienda, condición esta que muy pronto causó problemas con el virrey.

Las otras intendencias eran las de Puebla de los Ángeles, Veracruz, Antequera de Oaxaca, Mérida de Yucatán, Valladolid de Michoacán, Santa Fe de Guanajuato, San Luis Potosí, Guadalajara, Zacatecas, Durango y Arizpe, que comprendía los territorios de Sonora y Sinaloa.

Aunque la mayoría de los primeros intendentes fue elegida entre militares y funcionarios conocidos en México, el virrey segundo conde de Revillagigedo lamentó años después que "a excepción de uno u otro, todos los demás sujetos fueron, aunque algunos de ellos de mucho desinterés e integridad y el mejor celo y amor al real servicio; pero sin práctica alguna de mando político y experiencia o conocimiento de la constitución de estos reinos":

México: Fernando José Mangino
Puebla de los Ángeles: Manuel de Flon y Tejada
Nueva Veracruz: Pedro de Corbalán
Mérida de Yucatán: Lucas de Gálvez
Valladolid de Michoacán: Juan Antonio de Riaño y Bárcena
Santa Fe de Guanajuato: Andrés Amat de Tortosa
San Luis de Potosí: Bruno Díaz de Salcedo
Guadalajara: Antonio de Villaurrutia
Zacatecas: Felipe Cleere
Durango: Felipe Díaz de Ortega
Arizpe: Pedro Garrido y Durán (interino).

El poder formal de los intendentes novohispanos, tal como fue delineado en la ordenanza, era enorme. El rey les encomendó los ramos de justicia, policía, hacienda y guerra mediante normas detalladas que describían sus obligaciones en cada una de esas causas.[34]

Con el establecimiento de las intendencias se pretendía consolidar el poder de la corona, en el nivel de las provincias, sobre todo para agilizar el manejo de la hacienda, siempre tan difícil de controlar desde España.

[34] Véase *Ordenanza de la Nueva España,* principalmente los artículos 15 a 56 para la causa de justicia; artículos 57 a 74 para la de policía; artículos 75 a 249 para la de hacienda; y artículos 250 a 302 para la de guerra. Véase *Real Ordenanza para el establecimiento e instrucción de intendentes de ejército y provincia en el reino de la Nueva España.* De orden de su majestad, Madrid, s. p. i., 1786.

Había muchas razones para imponer un ajuste de la estructura administrativa para tratar de impulsar la vigencia de las leyes hasta el más remoto pueblo de indios. Así lo indicaba, por ejemplo, el hecho insólito de que los alcaldes mayores de la Nueva España parecían estar dispuestos a trabajar sin goce de sueldos.

Por medio de una real cédula de 14 de enero de 1767 se había solicitado a la Real Audiencia de México que informara sobre los motivos por los que no se pagaban sueldos a los alcaldes mayores, con exclusión de los destinados a fronteras, al parecer desde el reinado de Felipe V. La Audiencia envió su informe el 26 de marzo de 1770, confirmando que la Contaduría de Media Annata había estado recibiendo este impuesto de los alcaldes mayores en forma constante, respecto a los sueldos que habían dejado de cobrar hacía más de cincuenta años.

El rey dispuso por real cédula de 18 de abril de 1771 que desde entonces en adelante no se cobrase ese derecho por empleos que no disfrutasen sueldo, y por otra orden de 9 de septiembre del mismo año, pidió al virrey Bucareli que informara sobre toda la cuestión.[35]

La mejor explicación del asunto puede haberla dado el virrey Revillagigedo en 1794, al describir cómo antiguamente las alcaldías mayores "eran unas colocaciones apreciables, por las utilidades que adquirían en poco tiempo por medio de los repartimientos permitidos".[36] Por lo mismo, las tres ordenanzas indianas de intendentes prohibieron en forma tan categórica como infructuosa los repartimientos de efectos, frutos y ganados.[37]

La Ordenanza de Nueva España mandó que determinados gobiernos políticos, corregimientos y alcaldías mayores se unieran de inmediato a las intendencias de las provincias respectivas. Los demás corregimientos y alcaldías mayores de las doce intendencias se irían extinguiendo conforme fueran vacando o cumpliendo sus términos los titulares y, a medida que eso ocurriera, debía recaer la jurisdicción real que ejercían en los intendentes, como "justicias mayores de sus provincias".[38]

El jefe superior de los intendentes era el intendente general de ejército y hacienda establecido en la capital de México, que a la vez

[35] Fabián de Fonseca y Carlos de Urrutia, *Historia General de Real Hacienda,* México, impresa por Vicente G. Torres, 1845, vol. 2, p. 501 (reimpresión facsimilar, México, Secretaría de Hacienda, 1978). Véase también José Antonio Calderón Quijano, *Los virreyes de Nueva España en el reinado de Carlos III,* Sevilla, Escuela de Estudios Hispano-Americanos de Sevilla, 1967, vol. 1, p. 367 y s.

[36] *Instrucción reservada que el conde de Revilla Gigedo dio a su sucesor en el mando marqués de Branciforte sobre el gobierno de este continente en el tiempo que fue su virrey,* México, Agustín Guiol, 1831, p. 215.

[37] *Ordenanza del Río de la Plata,* artículo 9. *Ordenanza de Nueva España,* artículo 12. *Ordenanza general,* artículo 54.

[38] *Ordenanza de Nueva España,* artículos 7, 9, 10 y 11.

era el superintendente subdelegado de la Superintendencia General de Real Hacienda de Indias. Pero pronto surgieron roces y problemas que movieron a transferir su autoridad al virrey en 1787, tal como ocurrió en las demás capitales virreinales.

Aquel superintendente, en el esquema previsto, era el director general de la Real Hacienda, encargado de controlar y consolidar todo el flujo financiero de las provincias. Presidía la Junta Superior de Real Hacienda, tribunal de segunda instancia en materias de gobierno y administración de hacienda, y económico de guerra, en asuntos de propios y arbitrios, y bienes de comunidad de los pueblos, con recurso ante el rey por la vía reservada del Despacho Universal de Indias.[39]

En sus provincias los intendentes tenían la dirección principal de las rentas reales y de todos los derechos que correspondieran al erario. Asumieron la jurisdicción contenciosa de las oficinas reales y eran jueces de primera instancia, por sí o por sus subdelegados, de todas las causas ocurridas en materias de rentas, incluyendo aquellas de las rentas con administraciones especiales tales como las del tabaco, alcabalas y pulques, pólvora y naipes.[40]

Todos los caudales pertenecientes al erario, por rentas administradas o arrendadas, exceptuando las del tabaco que mantenía su propio giro, debían enterarse por las tesorerías provinciales. Para la administración ordinaria de hacienda contaban con el auxilio de funcionarios especializados tales como contadores, tesoreros y ministros de los diversos ramos. Con ellos celebraban juntas de gobierno semanales para revisar todo lo relativo a la operación del real erario. También funcionaba una Junta Provincial de Real Hacienda en cada capital provincial, para acordar los gastos extraordinarios en materia de sueldos y pensiones.[41]

La ordenanza establecía que entre los cuidados y encargos de los intendentes era el más recomendable establecer y mantener la paz en los pueblos de sus provincias, evitando que las justicias de ellos procedieran con parcialidad, pasión o venganza.[42]

Las apelaciones contra las resoluciones de los intendentes, sus subdelegados y demás jueces ordinarios, en materias contenciosas derivadas de la jurisdicción real ordinaria y causa de policía, eran conocidas por la Audiencia respectiva.[43]

Dentro de sus obligaciones en la causa de justicia, se incluían las del gobierno de los propios y arbitrios de los pueblos de españoles y de los bienes comunes de los indios. La inspección final quedaba a cargo de

[39] *Ibid.,* artículos 2, 4 y 249.
[40] *Ibid.,* artículos 7, 75 y s.
[41] *Ibid.,* artículos 230, 232, 233 y 103 a 105.
[42] *Ibid.,* artículo 22.
[43] *Ibid.,* artículo 6.

la Junta Superior de Hacienda, aunque muy pronto una real orden transfirió esta materia a la aprobación de las Audiencias.[44]

Para ejercer sus vastas atribuciones en la causa de justicia tenían como asesores a tenientes letrados, que eran nombrados por el rey por término de cinco años. Ejercían la jurisdicción contenciosa civil y criminal en las capitales de las provincias y sus resoluciones eran apelables ante las Audiencias respectivas.[45]

Las normas sobre la causa de policía se referían, en general, al buen gobierno de las provincias. Los intendentes debían mantener el orden público; cuidar caminos, posadas y puentes; velar por la circulación correcta de la moneda; y hacer reparar los edificios, entre otras tareas. Pero, sobre todo, debían fomentar la agricultura, la industria, el comercio y la minería.[46]

En la causa de guerra se les encomendaba todo lo concerniente que tuviera conexión con la Real Hacienda, incluyendo el pago de sueldos; la reparación de obras militares; el control de los víveres y otros encargos para "la subsistencia y curación de la tropa".[47]

Como vicepatronos subdelegados, con excepción de los intendentes de México, Guadalajara, Arizpe, Mérida de Yucatán y Veracruz, ejercían en sus provincias el vicepatronato real para presentar candidatos a las dignidades y los beneficios eclesiásticos.[48] Las relaciones entre la corona y las autoridades de la Iglesia se describían con detalles en artículos que trataban de limosnas, diezmos, rentas vacantes, derechos parroquiales, espolios, media annata y mesada eclesiástica, entre otras materias.[49]

Los intendentes indianos, como los de Francia, contaron con la asistencia de subdelegados.[50]

Los nombrados para los pueblos de indios debían ser españoles, y tenían facultades en las cuatro causas, incluyendo la recaudación de tributos por la que percibían un cinco por ciento de lo recogido.[51]

Los subdelegados de las cabeceras de los gobiernos políticos o militares y de las ciudades o villas muy pobladas, sólo tenían atribuciones para lo contencioso en las causas de hacienda y económica de guerra.[52]

Después, una real orden de 19 de enero de 1792 revocó la facultad

[44] Real orden de 14 de septiembre de 1788.
[45] *Ordenanza de Nueva España*, artículos 15 y 17 a 19.
[46] *Ibid.*, artículos 150 y s., para lo relativo al importante ramo de la minería novohispana.
[47] *Ibid.*, artículo 250.
[48] *Ibid.*, artículo 8.
[49] *Ibid.*, artículos 165 a 221 y 223 a 229.
[50] En el Archivo General de la Nación, México, se conserva un ramo llamado *Subdelegados*, compuesto por 65 volúmenes que contienen la correspondencia cursada entre estos funcionarios y los virreyes e intendentes.
[51] *Ordenanza de Nueva España*, artículos 12 y 132.
[52] *Ibid.*, artículos 10 y 77.

de los intendentes para nombrar por sí solos a los subdelegados, estableciendo que debían presentar ternas a los virreyes y que servirían cinco años en sus cargos.

Los intendentes permanecían en sus puestos mientras contaran con el real agrado y en caso de inasistencia justificada, les substituían en primer término los tenientes letrados asesores.[53] Al dejar sus empleos, quedaban sujetos a juicios de residencia ante el Consejo de Indias, por los cargos de justicia, policía y gobierno, junto con sus subdelegados, tenientes y demás subordinados.[54]

Tenían el tratamiento de señores y señorías y a los de provincia les correspondía la graduación de honores propia de los comisarios ordenadores. Donde hubiera tropas, a los de provincia se les daba una guardia equivalente a las de los coroneles, mientras que los de ejército la tenían como los mariscales de campo.[55]

Los intendentes de Puebla de los Ángeles, Veracruz, Guadalajara y Arizpe percibían sueldos anuales de siete mil pesos; los de Antequera de Oaxaca, Valladolid de Michoacán, Santa Fe de Guanajuato, San Luis de Potosí, Zacatecas y Durango, seis mil pesos; el de Mérida de Yucatán, cinco mil pesos. El intendente general de ejército y superintendente subdelegado de la Real Hacienda, en cambio, recibía doce mil pesos. No podían cobrar ninguna suma adicional, exceptuando ciertos derechos de firma, bajo amenaza de ser destituidos e inhabilitados por tener otros empleos. Además, debían cubrir todos los gastos de oficinas y secretarías con esos sueldos.[56]

Una de sus obligaciones más importantes era la de visitar sus provincias una vez al año "para aumentar la agricultura, promover el comercio, excitar la industria de los pueblos, favorecer la minería" en un esfuerzo por fomentar la felicidad de los vasallos.[57]

A pesar de esta legislación tan minuciosa es probable que en la larga historia colonial indiana pocas innovaciones legales hayan sido tan controvertidas como lo fueron esta ordenanza y el sistema de gobierno que establecía. En 1792 Bruno Díaz de Salcedo recordó cómo, al asumir cinco años antes el honroso cargo de intendente de San Luis de Potosí, "unos le miraban con compasión, y otros como momentáneo y transeúnte, por las vivas impresiones que havían concevido de su corta duración".[58]

[53] *Ibid.*, artículos 1, 15 y s.

[54] *Ibid.*, artículo 305.

[55] *Ibid.*, artículo 302 y real cédula circular de 1º de julio de 1788.

[56] *Ibid.*, artículo 303.

[57] *Ibid.*, artículo 26. Sin embargo, el virrey Revillagigedo pudo escribir en 1791 en su "Dictamen sobre las intendencias", que desde 1787 sólo habían realizado visitas los intendentes de Puebla de los Ángeles, Valladolid de Michoacán, Mérida de Yucatán, Zacatecas y San Luis de Potosí. Véase "Dictamen sobre las intendencias", AGN, *Correspondencia de virreyes,* Revillagigedo a López de Lerena, 5 de mayo de 1791, vol. 23, f. 132 y s.

[58] BL, eg. 1 801, f. 152.

Había un ambiente de crítica que a veces se enardecía con noticias que llegaban de Europa y los Estados Unidos de América. La corona intentaba controlar la situación. En la *Gazeta de México,* por esa época, el impresor madrileño Antonio de Sancha comunicaba a los suscriptores de la *Enciclopedia Francesa* que se había demorado la publicación al mandar el gobierno poner una advertencia en el primer tomo "para precaver los inconvenientes que pudieran resultar en los ánimos sencillos de los lectores incautos y desprevenidos".[59]

En julio de 1787 se terminó de escribir la llamada "Justa repulsa del reglamento de intendencias", o parte sexta del *México, enfermedades políticas,* obra anónima atribuida al asesor del tribunal de la Acordada, Hipólito Bernardo Ruiz Villarroel. Aunque no deben haber circulado muchos ejemplares del extenso manuscrito, sus páginas, cargadas de críticas, reflejaron la realidad de que eran muchos los que pensaban que el régimen de las intendencias tendría que ser reformado muy pronto.[60]

Pero el régimen de intendencias también contó con apoyos poderosos. Algunos años más tarde, en 1791, el virrey segundo conde de Revillagigedo afirmó en el ya citado "Dictamen sobre las intendencias", que debía aumentarse su número, aunque sin usurpar las funciones virreinales, para que sobre todo velaran por la causa de hacienda.[61]

Algunas de las primeras dudas sobre el establecimiento se manifestaron en la expedición de dos reales órdenes, ambas fechadas en San Ildefonso el 2 de octubre de 1787.

Una orden disponía que el intendente de México, Fernando José Mangino, procediera a entregar al virrey la superintendencia subdelegada y particular de esa capital y provincia para que las funciones se acumularan a las del virreinato. Era la culminación del primer en-

---

[59] *Gazeta de México* de 5 de agosto de 1788, *op. cit.,* p. 132. Esta no era la célebre enciclopedia de Diderot. El éxito de aquélla inspiró al francés Charles Panckoucke a publicar una *Encyclopédie méthodique,* que estaría exenta de controversias. El gobierno de Carlos III autorizó a Antonio de Sancha a hacer una edición española, pero el primer volumen de la obra apareció con un artículo que hizo necesario vindicar "varias proposiciones arrojadas que vierte en el artículo 'España' su autor M. Masson, mal informado del verdadero estado de nuestra monarquía" (*Gazeta de México, ibid.*) En 1788 se publicaron los dos primeros volúmenes de la traducción española, pero con la censura previa correspondiente del Santo Oficio.

[60] "Justa repulsa del reglamento de intendencias de quatro de diciembre de 1786. Motivos en que se funda, providencias que debieron tomarse con anticipación para que fuese menos difícil el establecimiento, y reglas que se prescriben para que pueda ser útil al rey y a los vasallos. Sirve también de apéndice a las enfermedades políticas; y remedios para su curación, del mismo autor." En la parte sexta del manuscrito *México, enfermedades políticas, op. cit.,* BL, add. 17 559.

[61] Véase Ricardo Rees Jones, *El despotismo ilustrado y los intendentes de la Nueva España,* México, UNAM, Instituto de Investigaciones Históricas, 1979, p. 221 a 284 y 293 a 387, donde se transcriben los textos completos de la "Justa repulsa del reglamento de intendencias" y de su contraste, el "Dictamen sobre las intendencias" de Revillagigedo.

frentamiento funcional que planteaba el nuevo cargo, esta vez con el propio vicario del rey.[62]

La otra real orden establecía que el virrey Manuel Antonio Flores informase, por vía reservada, sobre el plan de intendencias. Debía manifestar "con individualidad si halla conveniente que se haga alguna variación en los artículos de la real ordenanza o en su establecimiento, no solo por lo perteneciente a las intendencias subalternas del reyno, sino también y más particularmente por lo respectivo a la de esa provincia de México de que en virtud de otra orden de esta fecha debe V. E. encargarse".[63]

En cumplimiento de lo dispuesto, el virrey se dirigió a Eusebio Ventura Beleña, oidor de la Audiencia de México, mediante un oficio reservado del 12 de febrero de 1788, comentando que quería oír "a sugetos del carácter e instrucción de V. S., y de aquellos que contemplo imparciales, o sin las preocupaciones de que otros se hallan posehidos sobre la matheria".[64]

Mientras Beleña redactaba su informe, el virrey se dispuso a escribir al nuevo secretario de Guerra y Hacienda de Indias, Antonio Valdés y Bazán. En el Archivo General de México se conservan los borradores de dos escritos suyos, del 25 de febrero de 1788, donde se refiere al tema como "una matheria tan controbertida", y menciona la posibilidad de que fueran extinguidas las flamantes intendencias. En la segunda carta propuso que se nombrara al coronel Bernardo Bonavía y Zapata intendente de México por vía de comisión y corregidor en propiedad, para que le asistiera en el gobierno de la capital.[65]

Otro borrador, fechado el 24 de mayo de 1788, tiene el número 315. Su texto, con muchas enmiendas, se dirige también al secretario Valdés y contiene el dictamen del virrey sobre las demás intendencias.[66]

En un párrafo cruzado con tachaduras, el virrey se refirió a "aquellos indibiduos que llebados únicamente de una preocupación mal fundada, spiritu de partido, o de sus propios fines particulares, recibieron

[62] Mangino fue nombrado intendente por título de 22 de enero de 1787, que fue enviado con real orden de 25 de enero del mismo año. Apenas transcurridos unos meses, la nueva real orden citada dispuso que entregara al virrey la superintendencia, "para que por ahora las despache. S. Exa. en unión del virreinato". AGN, *Intendencias,* vol. 13, f. 50.

[63] *Ibid.,* f. 111.

[64] *Ibid.,* f. 112.

[65] *Ibid.,* f. 113 a 115. Una real orden de 19 de junio de 1788 acogió su idea, y Bonavía tomó posesión como intendente interino el 3 de octubre de 1788, *ibid.,* f. s/n.

[66] *Ibid.,* f. 116 a 117. Navarro García, al referirse a esta etapa, sólo menciona las dos cartas reservadas de Flores a Valdés, México, 25 de febrero de 1788, núm. 167 y 168 (AGI, *México* 1 974) y el hecho de que "Flores quedó en emitir posteriormente otro informe sobre las demás intendencias del virreinato". Es probable que este borrador nunca haya sido enviado en forma oficial, tal vez porque no contenía opiniones muy definidas sobre la materia consultada, aparte de describir esa opinión pública negativa que enfrentó la ordenanza desde su publicación. Véase Navarro García, *op. cit.,* p. 119.

mal semejante novedad, la sufren con desagrado y reclaman contra ella desaprovándola por supuesto". El virrey sugería:

> minorar el número de las intendencias, siempre que haian de subsistir. En Provincias Internas, por exemplo, según estoy enterado, basta con un intendente que lo sea de Sonora y Sinaloa, como lo fue antes don Pedro Corbalán, colocado oy en Veracruz. La misma operación tendrá lugar en las otras jurisdicciones, agregando a ellas el territorio de sus más inmediatas, de manera que las expresadas intendencias queden reducidas a las que se estimen por de preferente necesidad.

Cuando el virrey redactó estas frases ya debió conocer el informe que el oidor Beleña, trabajando "con bastante celeridad", le había preparado en diez apretados días. No resulta extraño comprobar que el virrey no aprovechó sus ideas, pues entre ellos había una discrepancia fundamental: mientras que el oidor consideraba "quan útiles y aún utilísimos" serían los intendentes; el virrey prefería que se redujera su número si no se podían suprimir.

6. *El informe de Eusebio Ventura Beleña sobre el plan de intendencias*

El informe del oidor Beleña está fechado el 22 de febrero de 1788 y hay una copia en la biblioteca del Palacio Real de Madrid, intitulada *Informe de don Eusebio Ventura Beleña, oidor de la Audiencia de México, sobre varios puntos de Hacienda, Agricultura y Minería de aquel Reyno.*[67]

Los comentarios del informe son prácticos y están orientados a lograr una mayor eficiencia administrativa. Entre otras sugerencias, Beleña planteó la conveniencia de dividir a la Junta Superior de Real Hacienda en dos, "una para lo contencioso y otra para lo económico y guvernativo", idea hecha después realidad en la *Ordenanza general para el gobierno e instrucción de intendentes de ejército y provincia,* de 1803.[68]

> 1. Exmo Señor: En oficio reservado de 12 de corriente mes se sirvió V. E. decirme lo siguiente:

[67] BPR, ms. 2 854, f. 50 a 90. La noticia de la existencia de este valioso documento la conocí gracias a la generosa iniciativa de la licenciada María del Refugio González, quien además proporcionó su texto para que fuera publicado en estas páginas.

[68] *Ordenanza general*, artículos 12 y 14. Navarro García atribuye la división de la Junta a la propuesta que en 1791 hizo el segundo conde de Revillagigedo ("Dictamen sobre las intendencias", *op. cit.*, f. 92), pero aparte de que es posterior en tres años al informe de Ventura Beleña, reproduce sus conceptos casi en los mismos términos. Véase Luis Navarro García, *op. cit.*, p. 125 y 130.

2. Como con la reunión a este Virreynato de la Superintendencia de Real Hacienda, e Yntendencia de esta Provincia me hallo ya particularmente constituido en la obligación de imponerme de cuanto conduzca para exponer qualesquiera informe de los que a cada paso se ofrecerá dar a la Superioridad, o pueden pedirseme de la misma acerca de los ramos respectivos, o del establecimiento de las Intendencias en general; me conviene por lo tanto solicitar todos los anticipados conocimientos, que yó concibo necesarios para fundar mis dictamenes y rectificar más las ideas que tengo formadas acerca del asunto, y segun los motivos que bayan ocurriendo.

3. Por la propia razón quiero oir a sugetos del caracter, é instrucción de V. S. y de aquellos que contemplo imparciales o sin las precauciones de que otros se hallan posehidos sobre la materia para que me manifieste V. S. lo que discurre de la utilidad del referido establecimiento, y si le parece que resultaria mayor a los intereses de S. M. haciendo alguna variación en los Artículos de la Novisima Real Ordenanza de Intendentes, con especialidad en lo respectivo a la Intendencia de México, y su Corregimiento puestos ahora á mi cargo.

4. Espero pues que con toda la ingenuidad que debo creer de V. S. y el posible detalle, me manifieste su sentir, por lo que convendrá á mi mejor acierto, é importe al mayor bien de estos Vasallos del Rey, y de su Real servicio.

5. Al paso que agradezco á V. E. tan apreciable confianza por el honor que de ella me resulta; conozco se ha equivocado en considerarme con la instrucción correspondiente para oir mi dictamen en un asunto tan importante y que lo han dado no solo otros muchos, y mas autorizados Ministros, sino también algunos Prelados y Virreyes de los que han governado esta Nueva España con tanto, tino y acierto en los veinte años há que se dirigió á S. M. el plan de Yntendencias.

6. Pero siendome preciso obedecer expondré a V. E. mi sentir con el posible detalle y segun los prácticos conocimientos adquiridos en veinte y tres años de America, sirviendo diversos encargos, los tres primeros en Puebla; uno en Guadalajara; tres en las Provincias de Sinaloa y Sonora; dos en esta Capital; quatro en la de Guatemala; y diez ultimamente aquí; asegurando á V. E. he pedido á Dios me de luces para explicarme con acierto y como sea más de su Santo servicio, el del Rey, y beneficio publico de estos Vasallos.

7. Siendo tres los puntos á que debo ceñirme en este informe, los tocaré por su orden, y con la posible concisión; pero sin omitir quanto juzgue substancial respecto de cada uno.

PUNTO PRIMERO

Que discurro de la utilidad del Establecimiento de Intendencias.

8. Crearonse en España el año de 1718 para ocurrir al deplorable estado del Reyno en sus quatro causas de Justicia, Policía, Hacienda y Guerra con la sucesión, y reunidas estas quatro Jurisdicciones evitar las competencias, y embarazos entre ellas, que tan frecuentemente se experimentarían estando separadas: cuya idea, habiendo nacido en España, fue luego aprovechada de otras Naciones con notorias ventajas de su govierno.

9. Produxo algunas a la nuestra este pensamiento, pero no siguieron con la pronta guerra de Italia, cuyas atenciones, y enormes gastos pusieron á la Corona en igual, ó mayor decadencia á la del año de 18, para cuyo remedio se consideró uno de los más á proposito, rectificar este establecimiento en la Ordenanza de 13 de octubre de 1749 siguiendo las reglas, de la de 4 de julio de 1718 con algunas moderaciones y ampliaciones, según lo que en la practica de ella mostró la experiencia ser útil, y poderse executar arreglado á las Leyes del Reyno, sin grave alteración de los Tribunales establecidos en él y subordinando respecto de estos á los Yntendentes conforme á los casos y cosas.

10. Si esta idea se adoptó para reparar los daños que padecía un Reyno en sus quatro causas de Justicia, Policia, Hacienda y Guerra, y efectivamente se consiguió su deseado efecto en mucha parte como es notorio y lo acredita la permanencia de Intendentes en España con muy cortas variaciones á lo dispuesto en sus dos citadas Ordenanzas, parece deberá aprovechar en otro del mismo Soberano, mayormente si al establecerse no estuviese en igual fatal constitución respecto de todas aquellas quatro causas, pues lo que sirvio para de malo ponerlo bueno, con mayor razón servirá para de bueno hacerlo mejor.

11. De las quatro causas encargadas á los Yntendentes desde su erección, se han segregado yá generalmente, ó en particular á algunos de estos, las dos primeras de aquellas; esto es lo respectivo á Justicia y Policia; pero nunca se les han separado las otras dos de Hacienda, ni Guerra como Economicas, y mas peculiares de su instituto; infiriéndose de esto que si entrasen Intendentes á ser lo de un Reyno brillante en su Real Hacienda y nada decadente en lo Economico de Guerra, debe esperarse prosperen estas dos causas hasta su ultimo grado de perfección.

12. La de qualquiera cosa buena se conoce por sus continuados sucesivos felices aumentos; y haviendolos tenido esta Real Hacienda tan grandes, y en la conformidad que demuestra al adjunto estado No. 1º se convence lo floreciente de este Erario en la actualidad, pues aunque se halle como se hallaba empeñado en 26 millones de pesos segun una operación del Tribunal de Qüentas de 25 de octubre ultimo; esto procede de los exorvitantes extraordinarios gastos de la reciente Guerra, sin los quales estaria mui sobrante, como se supone en la misma operación, computando sus anuales productos en 18 millones de pesos, y sus gastos ordinarios en nueve millones y medio, inclusos los 3 destinados á atenciones ultramarinas, por cuya cuenta quedarían, y con el tiempo quedarán sobrantes otros 8 millones y medio de pesos remisibles á España.

13. En esta nueva no hay decadencia respecto del ramo economico de Guerra porque hasta el año de 1764 no vino Tropa Veterana, y desde entonces se ha celado la inversión de sus caudales por los respectivos Oficiales Reales en calidad de Comisarios de Guerra con vastante escrupulosidad y esmero, sin desfalco alguno considerable.

14. Acaso se dirá, y aun se ha dicho yá que pues esta Real Hacienda há tenido progresos sin los Yntendentes, no hay necesidad de ellos, y que antes bien será aventurado su establecimiento, temiéndose resultas funestas al Erario.

15. Los valores del de España en el año de 1722 (exclusa la renta de Correos) fueron 235 535 889 reales vellón, segun asienta aquel gran Secretario del

Consejo de Indias el Señor Dn. Gerónimo Uztariz, añadiendo que al paso que se fomentase y floreciese el Comercio de España en Europa, y el grande que podia hacerse entre aquellos Reynos, y los de America, se irían aumentando las Ventas de S. M. en tanto grado, que no sería estraño se acercasen á 400 millones de reales, al mismo tiempo que estarían mas aliviados los Pueblos.

16. Ignoro si se há verificado este aumento, pero aun me inclino á que excederán yá aquellos valores de los 400 millones de reales; pues el año de 1759 (á la llegada de nuestro Soberano á Madrid) se calcularon en 360 747 882 reales, y sus gastos en 399 531 801 reales, faltando consiguientemente para cumplir las obligaciones del Estado 38 531 801 reales, siendo muy regular que en estos veinte y ocho años posteriores hayan subido sus valores con exceso de los 400 millones de reales para cuyo evento consideró muy feliz el Señor Uztariz á nuestra Nación en esta línea; pero como á proporción de los productos han tenido incremento los gastos, se hallan el Erario de la antigua y nueva España con los aumentos y atenciones que no crería el Señor Uztariz si viviera ahora y huviese tenido de este el practico solido conocimiento que tuvo de aquel.

17. En el año de 1759 iban ya diez años del restablecimiento de los Yntendentes y once de paz, con cuyos dos principales motivos, y el no menor de administrarse por cuenta de la Real Hacienda casi todas sus rentas se logró tan considerable aumento, como el de 125 388 992 reales comparados sus valores con los del año de 1722.

18. A esta ultima causa atribuyo principalmente el buen efecto del considerable sucesivo incremento de este Erario desde el año de 1765 que empezaron a administrarse muchas de sus rentas y se estableció la del Tabaco, contribuyendo tambien la venida de Regimientos veteranos pues enriquecen estos los países donde residen y consiguientemente toman vigor su Agricultura, Yndustria y Comercio, como aqui ha sucedido aunque de palabra y por escrito acaso habrá oido V. E. no una sino muchas veces, y no á personas vulgares, sino á mui condecoradas y que se preciarán de conocer el Reyno, hallarse este en la mas deplorable situación respecto de su Agricultura, Comercio, Mineria, y aun la poca industria que admite su constitución de no poder tener fabricas de primer orden.

19. Pero con solo reconocer V. E. los cinco adjuntos Estados numerados 2, 3, 4, 5 y 6, reconocerá igualmente no haver estado jamas la Nueva España tan floreciente en su Agricultura, Comercio y Mineria prescindiendo hablar de la separación del ramo de Yndustria por lo ultimamente insinuado en quanto á esta, y unicamente diré, que sus Fabricas de inferior orden como son las de paños de la Ciudad de Queretaro, mantas y colchas de la villa de San Miguel el Grande, Paños de rebozo de lana y seda de Puebla, estas y otras muchas cosas semejantes que se texen y fabrican en varias Poblaciones del Reyno, lexos de haver decaido, están en notorio conocido aumento.

20. Para nivelar el de la Agricultura no hay medida tan exacta, ni balanza mas fiel que la de su respectivo diezmo en qualquiera Población, ó Reyno, pues por los efectos se conocen las causas; y siendo la del Diezmo los frutos, que produce la Agricultura, verificado incremento en aquel es indubitable el de esta.

21. Sabe V. E. consiste el nervio de la población de Nueva España, y consiguientemente lo principal de su Agricultura, en los territorios correspondientes a las tres Mitras de México, Puebla y Valladolid. Pues si todos sus Diezmos han tenido en estos últimos años el asombroso aumento que demuestran los Estados 2, 3 y 4 ¿podrá dexarse de confesar está ahora la Agricultura de Nueva España en el auge que nunca há estado?

22. Para regularse el del comercio no hay computo tan seguro como el resultante de los productos de la Alcavala, y mayormente en un Reyno que es bien notorio consiste lo principal de aquellos en exigirse esta al introducirse en sus Poblaciones los generos, frutos y efectos ultramarinos en los que tampoco nadie ignora estriva sustancialmente el Comercio de esta nueva España, siendo por eso mas pasivo que activo. Pues si en los últimos 20 años comprehendidos en el Estado 5º han sido los productos de la Alcavala tan sucesiva y notablemente mayores: ¿habrá quien niegue se halla ahora este Comercio mas pudiente que nunca?

23. Igualmente lo está la Minería, pues viniendo todas sus producciones á esta unica casa de Moneda y resultado del Estado 6º: el increíble aumento de su acuñación por el orden progresivo de los tres últimos septenios que contiene ¿negará alguno excede ahora la saca de Metales en *general* a la de antes de 1765, que es notorio se amonedaban á lo mas once o doce millones de pesos cada año, quando en los de este ultimo septenio han pasado de diez y nueve millones?

24. Dixe *en general,* cuya expresión comprehende tambien á lo expuesto sobre el actual floreciente Estado de la Agricultura y comercio en *general;* pues aunque muchos particulares Labradores Comerciantes, ó Mineros se hayan perdido en sus respectivas negociaciones: esto no prueba en modo alguno la decadencia de la Agricultura, Comercio, ni Mineria en lo *general,* y unicamente probará la desgracia de aquellos, ocasionada acaso por justo castigo de Dios, ó por otra de las muchas particulares causas que no influyen á lo general del Cuerpo donde son miembros.

25. Demostrada yá la presente feliz constitución del Reyno en sus principales Ramos de Agricultura, Comercio y Mineria, á cuyos progresos son consiguientes los de su Erario, y en tanto grado, que siendo su entrada anual antes del año de 1765 la de 6 a 7 millones de pesos; hasta el de 71 la de 8 a 9 millones; y hasta el de 78 la de 12 a 13 millones: desde el año de 79 no há baxado año alguno de 16 millones, y (como dixe al Nº 12) estan regulados ahora sus totales productos anuales en 18 millones de pesos.

26. Para mayor y muy particular prueba de la prosperidad de este Imperio Mexicano, haré ultimamente otra consideración, sacada de los productos de la renta de Correos, como no comprehendidos en el Estado 1º.

27. Formalizó su administración por cuenta del Rey el Exmo. Señor Marques de Sonora, siendo Visitador General de este Reyno, y á su salida el año de 1772, dixo el Exmo. Señor Virrey Dn. Antonio Bucareli en la instrucción que dejó á S. E. havia yá tenido esta renta *un aumento de valores que puede llegar en breve á la cantidad anual de 100 mil pesos en el supuesto de que yá se acerca á 80 mil su producto liquido.*

28. ¿Pues que diria ahora S. E. si viviese y supiese ascendió a 185 729 pesos 3 reales en cada año del Quinquenio corrido, desde 1781 á 1785, y en solo este ultimo á 198 836 pesos 2 reales 8 granos? Diría no esperaba aumento tan quantioso en tan pocos años; y molestaría yó á V. E. si se detuviese

en explicar los motivos que inducen a ser esta otra convincente prueba de la prosperidad del Reyno.

29. Para la que consiguió nuestra Metropoli desde el año de 1722 al de 59 dixe al Nº 17 contribuyeron principalmente la erección de Yntendentes, y administrarse entonces casi todas las Rentas reales. Luego verificado aqui esto ultimo, especialmente desde el año de 1765 al de 1777, en que se cortaron aun los arrendamientos de Alcavalas no cumplidos; es muy verosimil, segun tambien insinué al Nº 10 se aumente su actual prosperidad, fomentándola los Yntendentes, como unos Magistrados autorizados que emplearán todo su celo en beneficio de sus Provincias y coadyuvarán eficazmente a la execución de quantas providencias se dirijan á sus Justicias y subalternos por V. E., la Real Audiencia y demás Tribunales.

30. Ni a este pensamiento se opone el apuntado al Nº 14 de que experimentando progresos en la Real Hacienda sin Yntendentes, no son necesarios, y aun será aventurado su establecimiento, temiendose perxudiciales consecuencias al Erario por que sus aumentos notables son desde el año de 1765 acá y estoy casi seguro de que no habrían sido ni una mitad de los verificados (especialmente en las Rentas de Alcavalas, Tabaco, Polvora y Naipes) sin la venida entonces de un Yntendente general como el Exmo. Señor Marques de Sonora, que autorizado con el caracter de Visitador de los Tribunales de Justicia y Hacienda; auxiliado de sus Subdelegados fuera de México, instruido personalmente de lo principal del Reyno; y sobre todo con sus superiores luces, y notorio infatigable justo celo por la Real Hacienda prosperó esta á impulsos de un Yntendente, sino excedente, equivalente (en mi concepto) á haverse establecido entonces los que, ya lo estan; baxo cuyo concepto no puede decirse tuvo aumentos considerables este Erario por su método anterior, sino por el nuevo, que en casi todas las rentas puso S. E. y como sobrevinieron las dos cualidades de ocupar este Mando aquel gran Virrey el Exmo. Señor Dn. Antonio Bucareli, que supo tan diestramente seguir las reglas dictadas á beneficio del Erario; y antes de morir este nunca bien ponderado General, entró S. E. al Ministerio de Yndias; completó sus ideas en esta linea con las oportunas providencias dirigidas por su mano, siendo en mi concepto uno de los mas utiles, haverse creado el año de 81, Fiscalía separada de Real Hacienda, y servirla desde entonces con tanto pulso, acierto y tino el Señor Dn. Ramón de Posada Ministro integro, laborioso, desinteresado, de una sobresaliente instrucción en todas materias, y que ha contribuido notoria y considerablemente a sus ultimos rapidos progresos.

31. Referidos ya en general los de la Real Hacienda y también los de la Agricultura y Mineria, me encargaré brevemente de dos particulares consideraciones que parece se hicieron en apoyo de ser inutiles los Yntendentes, siendo la primera que sin estos y con la Contaduría general de Tributos á donde se afianzaban por los Alcaldes Mayores a su ingreso, quedaba caucionado este Ramo, y se hacía su cobranza sin dispendio ni gasto alguno de la Real Hacienda.

32. Esto ultimo es cierto, pero tambien lo es no se han de hacer cosas buenas de donde salgan otras malas; y pocas serán tanto, como haver estado la cobranza de tributos en los mismos Alcaldes mayores; pues aun prescindiendo hablar de las opresiones, y vexaciones, que á cambio de esta cobranza hacían regularmente en la de sus casi siempre irregularísimos

Repartimientos por lo mucho, mucho que sobre este escrupuloso punto han escrito ya otras mejores plumas; es innegable que con ser Jueces y partes en sus exacción yá dexa discurrirse quantas injusticias podrían cometer; y como para evadirse de ellas los infelices Tributarios tenían que ocurrir precisamente á esta Capital acaso desde la distancia de ciento, o doscientas leguas, y acaso tambien por el corto ínteres de dos, quatro, seis, ocho, diez o doce pesos, cuya cantidad es de suma falta á un pobre, teniendo este como tendrá un pronto recurso al Yntendente debe esperarse evitarán muchas iniquidades en esta linea.

33. Tambien se evitará tener fiado el cobro total de un ramo tan interesante a un solo hombre que al fin lo ha de ser el Contador General de Tributos y consiguientemente expuesto á una quantiosísima quiebra; pues aunque tenía afianzado su cargo con 30 000 pesos, estos no corresponden á cubrir las resultas de un manejo anual de 900 000 que ahora produce, aumentándose este recelo si, como ahora sucede, aun no ha presentado, ni las cuentas respectivas al año de 1784 que debió hacerlo en fin de Diciembre de 85 y sucesivamente de las dos siguientes del mismo 85 y 86 cuyas omisiones no son tan de temer, ni las disimulará el Tribunal de Cuentas a los Contadores de las Yntendencias por que faltaran los respetos y no se apoyarán los recursos de estos, como ausentes y de menores proporciones que las de un Contador General de Tributos justamente reducido yá á serlo de Retasas en la conformidad que dispone el Artículo 126 de la Ordenanza de Yntendentes.

34. Quando estaba el importantísimo Ramo de Alcavalas á cargo de otro Contador General en México (á quien há subrogado el Director de Aduanas foráneas desde su ultima vacante el año de 1776) se decía de aquel Empleo respectivamente lo mismo que queda dicho del de Tributos, pues á cargo del de Alcavalas corria exigir fianzas, de sus Administradores, o Alcaldes mayores que las tenian en fieldad y por esto, opinaron algunos no eran tampoco necesarios ni sería útiles los Yntendentes para la recaudación de esta tan preciosa, como delicada renta.

35. Pero para ninguna otra los considero mas preciosos. ni dexaran de ser utilísimos, dedicándose á remediar los muchos desórdenes que generalmente se lamentan no los residentes en esta Capital, ni los cercanos á ella, ó que lo sean de Ciudades, ó Pueblos de consideración donde hay Administradores formales con sus respectivos Contadores, que regularmente se arreglan á lo justo en la exacción de este derecho, sino los muchísimos Yndios y otros infinitos de cortas ó medianas facultades avecinados en los pequeños y distantísimos Pueblos, que para ocurrir á qualquiera extorsión de sus exactores se veian obligados á solicitarla de esta Dirección en primera instancia, conociendo privativamente aun de las Jurisdicciones más remotas del distrito de la Audiencia de Guadalajara, y consiguientemente de la enorme distancia de quatrocientas, quinientas, ó mas leguas, cuya sola consideración ofrecía reflexionar mucho; pero lo omito, conociendo agraviaría a la notoria penetración de V. E. en detenerme á manifestar quanto podrán remediar los Yntendentes en esta sola materia, especialmente respecto de los no poco Receptores y Administradores dotados al 14 ó 16 por 100 de sus cobranzas, haciendo estas sin la menor intervención, ni sugecion y con la ocasión próxima de incidir en las continuas maldades de exigir Alcavalas que no correspondan ó más de lo que debido para

así aumentar su tanto por ciento, cuyo metodo deberá V. E. extinguir, dotándolos con sueldo fixo, y reuniendose todos estos Receptores, ó Administradores á los de Tabaco, como está mandado en varias Reales ordenes y especialmente en la de 19 de Noviembre de 1781 pues nada, nada es, ni será tan perxudicial al Publico, y aun al mismo ramo de Alcavalas como estos verdaderos Publicanos autorizados de Jueces en causa propia y con la seguridad de no tener mas Superior inmediato que el muy distante y dificil de saber, ni remediar sus excesos.

36. Bastaria lo insinuado para conocer quan utiles y aun utilísimos serán los Yntendentes, pues arreglarán a lo justo las cobranzas de esta delicada renta; pero lo serán tambien en cuidar rindan sus cuentas los respectivos Administradores, ya que la de ninguno se ha glosado desde el año de 1777 en que se cortaron aun los arrendamientos no cumplidos; admirando haya ahora mas de dos mil cuentas de Alcavalas sin glosar, ni esperanza de que se glosasen en el actual sistema, y de este tan increible como cierto desorden inferirá V. E. el en que precisamente se hallará el govierno economico y directivo de este apreciable ramo.

37. En quanto á los demas de Real Hacienda podría manifestar igual respectiva necesidad, o utilidad, corriendo, como correrán á cargo de los Yntendentes; pero sería difundirme mucho y no saber que a la perspicacia de V. E., su vasta instrucción y antiguos prácticos conocimientos en el arte de mandar, sobre insinuar una especie para que comprenda todas sus conexas é incidentes.

38. Expuestas por mayor las relativas a la utilidad de los Yntendentes ácerca de la recta Administración de la Real Hacienda; esto es no precisamente para que tenga mayores productos, sino para que unicamente se recauden y enteren los justos, á cuya mira, y no á aquella se dirige la de nuestro justísimo Soberano en todas sus provincias; no es dudable que para las concernientes a las obras tres causas de Justicia, Policía y Guerra serán igualmente utilísimos, pues sobre que su inmediata presencia y contínua vigilancia deberá producir buenos efectos en lo respectivo á todos, y á cada uno de estos tres Ramos: aun en el corto tiempo que lleva V. E. de este mando habrá ya conocido quan diversamente se puede cometer a un Yntendente la execución de un asunto arduo ocurrido en las Jurisdicciones de su distrito, que sería preciso fiarlo a un Alcalde mayor, cuyo menor caracter y estar casi todos dedicados á su principal obgeto de enriquecer con sus comercios dentro dentro de sus mismas Jurisdicciones, los ha tenido y tendría regularmente preocupados á solo este interes, no tomando tanto como el grande que probablemente tomarán los Yntendentes en quanto conspire al servicio de Dios, beneficio publico y del Rey, con lo que paso al

SEGUNDO PUNTO

Si me parece resultará mayor utilidad á los intereses de S. M. haciendo alguna variación en los Artículos de la novisima Real Ordenanza de Intendentes.

39. Asi como he manifestado considero utilísimo este Establecimiento me parece lo será no menos omitir algunos artículos de su Ordenanza moderar otros, aclarar varios, y hacer diversas ampliaciones en la forma siguiente.

ARTICULO 1°

40. Que se omita añadir la Yntendencia de Sinaloa conferida en Real Título de 17 de marzo ultimo al Señor Coronel Dⁿ. Agustin de las Cuencas, pues vasta para esta Provincia y la de Sonora un Yntendente que conviene sea Governador Político y Militar, pero residiendo en el Real del Rosario, por ser su primera, mayor, más rica Población, y está en ella la Caxa que tambien es suficiente sin necesidad de otra en Arispe, continuando su actual metodo de tener al oficial mayor de aquella en calidad de Pagador; de cuyo modo y subsistiendo el Comandante General en Arispe situado al extremo de ambas Provincias, podrán atender respectivamente al beneficio de una y otra visitándolas el Yntendente Governador conforme a su obligación.

ARTICULO 2°

41. La superintendencia subdelegada debe ser inseparable del Virreinato. Aquella estará siempre llena de competencias, desobediencias y consiguientemente desairada, faltándole los respetos de la superior autoridad del Virrey, pues aunque prescindiera por si de oponerse a las disposiciones del Superintendente, no podría prescindir de oir los continuados recursos que se harían como se han hecho contra las de este Empleo, y seguiría el perxuicio ya experimentado de no haver tenido efecto alguna providencia que seguramente estaría executada sin la desunión de estos dos sustancialmente inseparables Ministerios.

42. Aun quando estuviesen separados opinaría debía estarlo de la Superintendencia esta Yntendencia, porque sobre la inevitable confusion de sus oficinas era tambien precisa de resultas de hallarse reunidos en una persona dos destinos, siendo uno inferior del otro, como lo es de la Yntendencia, respecto de la Superintendencia, causando igualmente muchas incompatibilidades legales tal union.

ARTICULO 3°

43. Deberán los Yntendentes que tengan mando Politico jurar en las Audiencias de su distrito. De otro modo nunca creerán aquellos hallarse subordinados á estas, ni aun en lo que les prescribe su Ordenanza; y pues en ella se trata como preferente la causa de Justicia, por serlo a las otras tres: ¿por qué se han de escusar de hacer un juramento donde V. E. lo hace, aun siendo el Gefe superior de todo el Reyno? Asi tambien se disipará la perxudicial vulgaridad (introducida desde los principios de este pensamiento) de que los Yntendentes solamente se ponen para aumentar la Real Hacienda.

ARTICULO 4°

44. La Junta de que trata debe dividirse en dos, una para lo contencioso y otra para lo económico y guvernativo: componiéndose la primera del Virrey, Regente, Decano, otros dos Oydores (que anualmente se nombren por el primero) y Fiscal de Real Hacienda; no asistiendo aquel quando haya sido Juez ni teniendo voto; pero si lo tendrán informativo el Director, ó Gefe del Ramo de cuyo interes se trate en el negocio.

45. La segunda Junta se formará del Virrey, Yntendente de México, oydor Decano Fiscal de Real Hacienda, contador más antiguo del Tribunal de Cuentas, Superintendente de Casa de Moneda, Contador de la Yntendencia, los Directores de Alcavalas, Tabaco, Polvora y Naipes y superintendente de la Aduana.

46. Pero en una, ni otra Junta se ha de tratar, ni conocer del Ramo de Propios, y Arbitrios ó Bienes de Comunidad sobre los quales no corresponde alterar cosa alguna sustancial del metodo antiguo en quanto a conocer V. E. como Governador del Reyno, y de sus apelaciones la Audiencia, siendo asi conforme el destino de los productos de Propios y Arbitrios ó Bienes de Comunidad, que deben invertirse en beneficio público de los Pueblos, su Policía y gastos de Justicia, en cuyas dos ultimas causas concede apelación la Audiencia aun la misma ordenanza en sus Artículos 6 y 7 derogándose consiguientemente lo dispuesto desde el 28 hasta el 59 en quanto á cometer el conocimiento de Propios y Arbitrios ó Bienes de Comunidad a los Yntendentes en concepto de tales, pues lo han de tener como Corregidores, ó Governadores políticos; pero sin alterarse lo dispuesto en el art. 43 sobre la seguridad de estos caudales sobrantes que convendrá custodiarlos donde y como allí se dispone, cuyo metodo es conforme al actualmente observado en España: y para su mayor uniformidad convendría previniese V. E. al Contador General de estos Ramos fuese á despachar quanto menos una o dos veces en la Sala primera de la Audiencia los asuntos graves que ocurran ó cargarse V. E. con esta carga más de las insoportables que tiene sobre si, formando también V. E. algunas Juntas extraordinarias quando haya necesidad y con los Ministros que le parezca deben componerla para arreglar algun punto arduo económico o gubernativo.

ARTICULO 5°

47. Omitido adaptandose lo propuesto respecto del anterior.

ARTICULO 6°

48. Reformado en lo que trata de Propios y Arvitrios y Bienes de Comunidad de los Pueblos.

ARTICULO 7°

49. Que se aclare no haverse separado del Gobierno de Puebla su mando militar omitiéndose crear Corregimiento en Veracruz: y pues esta Yntendencia se aumentó con la principal mira de hacerla tambien de Marina se reunan en un oficial de ella el Gobierno y la Yntendencia, dotando ambos destinos con 10 000 pesos, por cuyo medio se ahorran 5 000 y evitarán las competencias, acaso continuas sin esta unión de mandos.

ARTICULO 8°

50. Que en su distrito sea tambien subdelegado del Virrey por lo tocante al Patronato el Gobernador Yntendente de Veracruz.

ARTICULO 9º

51. Que subsistan las Alcaldías mayores convenidas en la adjunta lista marcada con el Nº 7º, pues si en España no se suprimieron al crearse ni restablecerse los Yntendentes, no hay aqui menor necesidad de estos Jueces medianamente autorizados y antes bien la hay mayor de que todos sean letrados, para valerse de ellos los Yntendentes; la Real Audiencia y V. E. en los casos que ocurran en sus Partidos ó los Comarcanos, cuyo nombramiento podría hacerse por el Virrey previa Consulta de la Audiencia del distrito á donde correspondan.

52. Pues ha de subsistir la absoluta prohivicion de repartimientos mandada en el siguiente Artículo, servirá de dotacion á los que ocupen estas Alcaldías mayores el pago de su Judicatura; el 4 y 2 por 100 de que trata el Artículo 51 debe exigirse asi de los Propios y Arbitrios, como de los bienes de Comunidad de Yndios; el 4 por 100 del papel sellado que concede el Art. 56 cuyo expendio deberá correr a su cargo; y ultimamente el 5 por 100 de la cobranza de Tributos asignado a las Justicias en el Artículo 132 baxo las fianzas que para los subdelegados previene el 129.

53. Pero si puesto en practica todo lo referido conociesen los Yntendentes que ni de este modo quedasen suficientemente compensadas las Tareas de algunos de los Alcaldes mayores de su distrito; instruirán expediente proponiendo otros arbitrios al Virrey para que con previo voto consultivo del Real Acuerdo determine lo conveniente a su docente dotación, executándose lo resuelto (no siendo con gravamen de la Real Hacienda) y dandose cuenta a S. M. para su Soberana Deliberación.

ARTICULO 12º

54. Subsistente en todo lo que no se oponga á lo dicho respecto de los demás Artículos; pero no nombrándose subdelegados á los Administradores de Rentas, sino en el preciso caso de serlo por falta de otro vecino Español á propósito, pues debe evitarse exerzan ambos cargos de Exactores y Jueces: dándose cuenta al Virrey en los casos que dice se hiciera a la Junta Superior de Hacienda y según su naturaleza remitirá las causas a la primera Junta de que hablé en el Artículo 4º ó a la Audiencia.

ARTICULO 15º

55. El asesor de la Superintendencia subdelegada será diverso del de la Yntendencia y por muchos motivos convendrá lo sea un oydor dotado con mil pesos, perciviendo derechos en los negocios que haya Parte; pero sería mejor no los perciviese ni de estas y aumentar su dotación á tres mil pesos, regulando los dos para quienes le ayuden á su despacho.

ARTICULO 16º

56. La sucesion de mandos será respectiva a cada uno, entrando el Teniente Asesor á los de Governador, ó Corregidor; pero á los de Yntendente el Contador, aun quando sea menos antiguo que el Tesorero, continuando el Asesor en este cargo respecto de todo lo concerniente a la Yntendencia.

ARTICULO 17º

57. Subsistente menos en que suceda el tesorero al Yntendente siendo mas antiguo que el Contador.

ARTICULO 18º

58. La suspensión de los Tenientes Asesores se hará por la Audiencia ó la Junta de Hacienda para lo contencioso, segun fuese el caso.

ARTICULO 20º

59. Omitirán asistir á funciones publicas los Yntendentes Corregidores que lo sean de capitales, donde haya Audiencias conforme á la Real Orden de 19 de Abril de 1719 comunicada al Consejo de Castilla y mandada guardar en otro Real Decreto de 12 de Marzo de 1740; declarándose igualmente prefieran estos Yntendentes á los Oidores (pero no á los Regentes) concurriendo á algunas Juntas presididas de Virreyes ó Presidentes, á cuya continuación deberán sentarse.

ARTICULO 21º

60. Sería convenientísimo que además de las Recopilaciones de Indias y Castilla, hubiese precisamente en las Contadurías y Tesorerías de todas las Yntendencias la Practica de Ripia, el tratado de la Jurisdicción Ordinaria escrito modernamente por el Señor Dⁿ. Vicente Vizcaíno, Fiscal de la Coruña; y los dos tomos de la Politica Yndiana del Señor Solorzano: pareciéndome tambien que del segundo de estos tres Libros viniesen muchos exemplares, y se entregase uno á cada Subdelegado que se nombre por qualquiera Yntendente con obligación de reservarlo para su sucesor en aquel destino.

ARTICULO 27º

61. Para que salga el Comisario Subdelegado á visitar la Provincia ha de preceder califique el Virrey la necesidad y apruebe el nombramiento.

ARTICULO 61º

62. La cuenta que previene se diese á la Junta Superior de Hacienda, será a la segunda que propuse al Artículo 4º y por medio del Virrey.

ARTICULO 64º

63. El Ynforme deberá hacerse al Virrey, quien segun las resultas del expediente lo pasará al Real Acuerdo por voto consultivo, ó a la segunda Junta de Hacienda.

ARTICULO 66º

64. Igual limitación á la del precedente.

ARTICULO 67º

65. No solamente auxiliarán á los Ministros del Jusgado de la Acordada, sino que tendrán facultad de mandarlos salir donde y quando les parezca, como tambien para suspenderlos de sus destinos, dando cuenta al Virrey con justificación de las causas, y para quantos nuevos Subalternos nombre el Juez de la Acordada donde haya Yntendentes, deberá hacerlo precisamente en los sugetos, que este le avise serán á proposito en todo el distrito de su Provincia, aun por lo tocante a Bebidas prohividas.

ARTICULOS 69º y 70º

66. Igual limitación á la del Artículo 64.

ARTICULO 76º

67. Para más informar este establecimiento con el de nuestra Metropoli convendría declarar, que pues aun la tal qual Jurisdicción contenciosa que abusivamente exercían los Oficiales Reales se tranfiere á los Yntendentes, despachen con solo estos los Escribanos de Real Hacienda y que en nada lo hagan yá con los Contadores, ni Tesoreros, omitiéndose también las razones, é intervenciones que tomaban conforme al antiguo metodo de Caxas Reales, que yá parece ocioso este trabajo y aun servirá de confusión, no causándola el método mas sencillo mandado observar en el Artículo 108 por cuyo medio estarán los Escribanos más expeditos para las obligaciones peculiares de su instituto, ceñidas á despachar todo lo judicial con los Yntendentes y sacar de oficio quantos testimonios se necesiten para dar cuenta á algun superior subrogando la práctica de remitir comprobantes al Tribunal de Cuentas por testimonios, en certificaciones de los contadores.

68. Estos y los Tesoreros tendrán piezas separadas con sus respectivos Dependientes, situándose la de la Tesorería en lo más interior y de modo que nada pueda salir de ella, sino por la de la Contaduría, exerciendo unos y otros con total independencia sus correspondientes funciones, subrogándolas en caso de incompatibilidad ó imposibilidad conforme a lo prevenido en el Artículo 17, siendo consiguiente á esto tengan responsabilidad los Yntendentes por lo mal librado; los Contadores por lo mal intervenido y los Tesoreros por lo mal pagado, arreglándose todos en lo adaptable al método prescripto en las Instrucciones y Ordenanza de 4 de Julio de 1718 dadas con separación para los Yntendentes, Contadores y Pagadores ó Tesoreros, cuyos exemplares convendria huviese en todas las Yntendencias y Tribunal de cuentas.

ARTICULO 77º

69. Que hagan los nombramientos de Subdelegados para las dos causas de Hacienda y Guerra en los Alcaldes mayores donde subsistan conforme á lo expuesto en el artículo 9.

ARTICULOS 78º y 79º

70. Que las apelaciones sean á la primera Junta de las dos propuestas en el Artículo 4º y los Escribanos particulares de cada una de las Rentas del Tabaco, Alcavalas y Pulques, Polvora y Naipes se arreglen a lo que se mande respecto de los de Real Hacienda, conforme á lo dicho en el Artículo 76.

ARTICULO 81º

71. Que las apelaciones, ó cuentas sean á la Junta de lo contencioso y se despachen las confirmaciones por el Virrey en concepto de Superintendente Subdelegado.

ARTICULO 82º

72. Que la subordinación sea á la Junta de lo contencioso.

ARTICULOS 85º y 86º

73. Que las representaciones ó apelaciones sean á la Junta de lo contencioso.

ARTICULO 87º

74. Lo mismo respecto de las apelaciones de que trata, y concurrirá el oidor Decano (en lugar del Regente) á la Junta que dispone á su fin.

ARTICULO 88º

75. Que las apelaciones sean á la Junta de lo contencioso.

ARTICULO 95º

76. Veanse lo dicho en los artículos 76, 78 y 79 respecto de los Escribanos de Real Hacienda, ó de algunas rentas en particular, y las propuestas sean á la Junta de lo guvernativo y económico.

ARTICULO 96º

77. Que se omita poner caxa en Arispe y se traten en la Junta de lo guvernativo los puntos de que habla, no probeyéndose la primera Plaza que vacase de las dos de Mérida de Yucatán, pues bastaría uno en ella, puestos ya los dos Ministros en Campeche donde son necesarios.

ARTICULO 98º

78. Que no aumente el Ministro en las Caxas de Cimapan, ni Chihuahua, y se suprima la de Sombrerete por sus actuales cortísimos ingresos y estar situada en medio de las otras dos bien cercanas, Zacatecas y Durango; omitiéndose el informe de los Contadores comisionados (como extinguidos

por Real orden de 25 de octubre ultimo) y haciéndolo los Yntendentes de acuerdo con sus Contadores y Tesoreros á la Junta de lo guvernativo por medio del Virrey.

ARTICULO 99°

79. Subsistente en lo que no se oponga á lo propuesto en los Artículos 96 y 98, entendiéndose con la Junta de lo guvernativo respecto de su contenido.

ARTICULO 100°

80. Reformado con arreglo á lo propuesto en el Artículo 76 y observado para sus cuentas la Ynstruccion formada y aprobada por S. M. en 3 de septiembre de 1767 con las declaraciones ultimamente hechas en Real Orden de 25 de Octubre ultimo.

ARTICULOS 101°, 102°, 103° y 104°

81. Subsistentes con las limitaciones hechas en el precedente Artículo y el 76, entendiéndose que según la diversidad de casos se han de acordar los pagos en la Junta ordinaria de lo guvernativo ó en la extraordinaria de que hablan las Leyes citadas, al margen del Artículo 102.

ARTICULO 105°

82. Que se siente el Teniente Asesor después del Contador y antes del Tesorero, prefiriendo siempre aquel á este aunque sea menos antiguo.

ARTICULO 106°

83. Que se propongan las dificultades a la Junta donde corresponda según la naturaleza del caso.

ARTICULOS 108° hasta el 114°

84. Subsistentes con arreglo á las limitaciones hechas en dicha Real Orden de 25 de Octubre ultimo y á las propuestas en los Artículos 76 y el 100 hasta el 104.

ARTICULO 115°

85. Que la Presidencia del Tribunal de Cuentas sea inseparable del Virrey, como superintendente subdelegado.

ARTICULOS 116° al 125°

86. Que se entiendan con la Junta de lo guvernativo los puntos de que tratan.

ARTICULO 128°

87. Que las fianzas sean con arreglo a su respectiva responsavilidad segun lo propuesto en el Artículo 76.

ARTICULO 133º

88. La cobranza que previene se haga del tributo á los Criados de Virreyes, Magistrados, Prelados Eclesiásticos y qualesquiera otras personas exentas ó poderosas, deberá hacerse en sus principios con la mayor dulzura y sin usar de coacción alguna por si de este modo se consigue verificar tan justo pensamiento, cuya execución de otro modo podrá causar algunas sensibles resultas.

ARTICULO 134º

89. Deberá aprobarse la instrucción por la Junta de lo contencioso.

ARTICULOS 135º y 136º

90. Se dirigirán las cuentas á la Junta de lo guvernativo y entenderá esta en lo concerniente á ellas, mientras no ocurra punto contencioso, del que deberá conocer la otra.

ARTICULO 138º

91. La cobranza relativa a Criados, operarios de Minas y aun de obrages se hará en el modo propuesto al Artículo 133.

ARTICULOS 140º y 141º

92. Lo mismo que se dixo respecto de los Artículos 135 y 136.

ARTICULO 142º

93. Que se dé cuenta a la Junta de lo contencioso.

ARTICULOS 144º y 145º

94. Con atención á lo expuesto en el Artículo 12 y los numeros 34, 35 y 36 ni aun al Superintendente Administrador de esta Aduana dexaría la Jurisdicción contenciosa, y se la declararía al Yntendente; previniendo á todos no la deleguen á los mismos Administradores, sino quando absolutamente falte otro sugeto en quien hacerlo y que verifiquen quanto antes la extinción de Administradores dotados al tanto por ciento, reuniéndolo á los de Tabacos.

ARTICULO 151º

95. Se declarará que en todos los negocios y pleitos de Minas se asesoren los Yntendentes con sus Tenientes Letrados.

ARTICULO 152º

96. Tambien se declarará no ser el rescate exclusivo y que puedan hacerlo quantos quieran.

ARTICULO 154º

97. El arreglo de la Contaduría de Azogues se hará por la Junta de lo guvernativo y V. E. pudiera cometer al Yntendente de México cuidase proveher de Azogue á las Tesorerías de las demás provincias.

ARTICULO 156º

98. Subsistente sin otra limitación que la puesta al Nº 52 de agregarse el expendio del papel sellado a los Alcaldes mayores Letrados.

ARTICULO 157º

99. Que se examine la instruccion por la Junta de lo guvernativo.

ARTICULO 158º

100. Que las de regulaciones y cobranzas en México se encargue su Yntendente en concepto de tal.

ARTICULO 162º

101. Que sus puntos se traten en una de las dos Juntas, según fuere el caso.

ARTICULO 164º

102. Lo mismo que se dixo sobre el Artículo 105.

ARTICULO 166º

103. Que las apelaciones sean á la Junta de lo contencioso.

ARTICULO 167º

104. Que se examine la Ynstruccion en la Junta de lo guvernativo.

ARTICULOS 169º y 170º

105. Que el Ministro Tesorero solamente concurra por legitimo impedimento del Contador y este ó aquel prefieran al Teniente Asesor en asiento omitiendo substituir el ultimo al Yntendente donde haya Audiencia.

ARTICULO 173º

106. Que las apelaciones sean á la Junta de lo contencioso.

ARTICULOS 183º y 186º

107. Para su execucion convendria tomar por punto general el prudente y equitativo medio usado en Guatemala de computar el importe de la segunda

Casa excusada en un cinco por ciento de su total respectiva Gruesa decimal, cuya deducción se hizo el año de 1778 (conforme á la Ley citada en estos Artículos) respecto de la de aquel Arzobispado, que ascendió á 82 844 pesos líquidos, sacándose por primera partida la de 4 142 pesos y 2 reales para su segunda casa excusada.

ARTICULOS 188º y 190º

108. Para que tenga su debido efecto lo justísimamente dispuesto en estos dos Artículos (y aun en los dos anteriores) sería oportunísimo executarlos respecto de los Prelados y Capitulares que nuevamente se presenten, pues de otro modo, ni aun esto acaso se verificará.

ARTICULOS 211º y 216º

109. Téngase presente hallarse reformada por real orden de 25 de octubre último la Ynstruccion practica y provisional que citan.

ARTICULO 230º

110. Deberán tambien exceptuarse los caudales de las Ventas de Polvora y Naipes, viniendo todos á su Tesorería general, como unida á la del Tabaco en esta Capital y porque necesitándose usar diaria y frecuentemente de los de la primera para los gastos de sus Fabricas, mixtos, y demas atenciones, ocurrirían muchos casos de pedirlos á la Tesorería General de Exército lo que causaría confusión; atrayéndola igualmente no recivirse asi los de Naipes mediante remitirse todos sus productos liquidos á España por la dirección de este ramo en virtud de varias Reales Ordenes.

ARTICULO 231º

111. Convendría suprimir una plaza de Director de Tabaco y Subrogar en ella al de Polvora y Naipes, reuniéndose en estos dos lo directivo y económico de todos tres ramos; pero despachándolos con su debida separación los dos Contadores Generales de Tabaco, Polvora y Naipes.

112. Estos dos Directores concurrirán á una Junta (llamada de *unión*) todos los Martes, ó viernes de cada semana con el Director de Aduanas foráneas y el Superintendente de la de esta Capital, sentándose por su antiguedad de Empleos y presidiéndola en su posada el Yntendente, tratándose de los intereses, unión y mejor resguardo de estas y las demas Rentas según dispone el Artículo 149, como también á dar efectivo cumplimiento á la importante reunión de Administraciones foráneas, cuyo punto se ha olvidado por atender cada Director á hacer sus Propuestas con independencia de otro y yá manifesté al numero 35 quanto convendrá verificarlo, estendiendo sus Acuerdos el Escribano de la Yntendencia en un Libro destinado al efecto y pasando el Yntendente testimonios relativos de las especies respectivas al Gefe de cada ramo para su inteligencia y observancia.

ARTICULO 232º

113. En esta Capital se llevarán á la Junta de *unión* la Nota ó razón de que habla este Artículo por su respectivo Gefe, teniendo la otra su Yntendente en diverso dia y como se dispone, pero con solos los dos Ministros Contador y Tesorero Generales de Exército, no variándose cosa alguna respecto de las demas Yntendencias.

ARTICULO 233º

114. Que se dé cuenta á la Junta de lo guvernativo por manos del Virrey como Superintendente Subdelegado.

ARTICULOS 234º hasta el 237º

115. Que se arreglen á lo dispuesto en dicha Real Orden de 25 de Octubre ultimo.

ARTICULO 239º

116. Vease lo dicho en el Artículo 7º sobre la Yntendencia de Vera Cruz.

ARTICULO 240º

117. Que las apelaciones sean á la Junta de lo contencioso.

ARTICULO 242º

118. Será conveniente proponer á S. M. aumente á este Tribunal los Ministros, Contadores ó Dependientes, cuya necesidad califique V. E. previos los debidos informes, con atención á lo muy recargado que está de nuevas obligaciones y las que diré en el Artículo 244.

ARTICULO 243º

119. Que todo lo contencioso de que trata se vea en su respectiva Junta, conforme á lo dicho en el numero 44 y congregándose en el mismo Tribunal de cuentas, cuya Presidencia tendrá el Virrey en concepto de Superintendente Subdelegado.

ARTICULO 244º

120. Se tendrá presente hallarse reformada la Ynstruccion practica por dicha real orden de 25 de octubre ultimo; pero será convenientisimo pasen para su ultima glosa y revisión al Tribunal de Cuentas las de la renta del Tabaco, presentándose con año y medio de hueco, mediante las muchas y distantes Administraciones que comprehende, debiendo ir glosadas en particular por su Contaduria General y formada por esta la comprehensiva de todas ellas, en cuya igual conformidad remitirán las suyas al mismo Tribunal dentro de quatro meses siguientes al Contador principal de esta Aduana, y dentro de un año el General de las foráneas, ambos tambien

en quanto á Pulques y sin admitir escusa de ninguna de estas tres Contadurías, pues sobre hacerlo asi las de Polvora y Naipes, conviene asi por muchos motivos.

ARTICULO 247°

121. Se declararán por dias de riguroso precepto los en que obligue la Misa y que aun en estos asistan una hora al Tribunal de Cuentas, ú oficina los dias de recivo y salida de Correo si quedó algo sin concluir y que deba ir en el, moderando las horas de concurrencia diaria á quatro por la mañana y dos por la tarde, siendo aquellas en esta Capital por las mañanas de ocho á doce y por las tardes de tres á cinco desde 1° de Noviembre á 1° de Marzo, y en los meses restantes de quatro á seis.

ARTICULO 248°

122. Las Yntendencias de Mexico, Puebla y Vera Cruz convendrá sean particulares de Exército y esta ultima tambien de Marina pues en sus respectivos distritos há de estar aquartelada la Tropa Veterana en tiempo de paz y guerra; omitiéndose lo que declara sobre esta Yntendencia, separándola de la Superintendencia Subdelegada, como propuse al número 42.

ARTICULO 282°

123. Por lo que digo en el precedente artículo; porque despues de extendido quanto expuse al num. 13 se há descubierto una quiebra bien considerable del Abilitado del Regimiento de Zamora, dimanada acaso en mucha parte de no haverse hecho sus ajustes generales á este Cuerpo por las muchisimas notorias ocupaciones de estos Ministros, Contadores y Tesoreros Generales de Real Hacienda y porque regularmente hay en este Reyno varios oficiales sueltos, que conforme á su graduación toman su respectivo sueldo sin hacer cosa alguna; podría convenir destinar á dos de estos para pasar revistas y las demás funciones de Comisarios de Guerra, residiendo uno en Vera Cruz, y otro aqui, pasando este mensualmente á Puebla, y aquel á las Villas de Orizaba, Cordoba, Xalapa y Perote, cuyo medio facilitaría á los Ministros de Real Hacienda de estas tres Ciudades hacer sus ajustamientos generales á los Cuerpos sin detención, desembarazados del mucho tiempo que ocupan en las obligaciones de Comisarios de Guerra.

ARTICULO 303°

124. El Yntendente de Exército y Provincia de México gozará diez mil pesos y otros tantos el de Marina de Vera Cruz, segun expuse en el artículo 7°, reformándose la prohivición de poder ocupar los Yntendentes para su particular Secretaria los Subalternos destinados en oficinas de Real Hacienda; pues como en estas tenían antes el trabajo agregado ahora á los Yntendentes respecto de lo contencioso, no hallo reparo se valgan de aquellos, y aun será mas util á estos tener de Secretario un Sugeto instruido yá del Pais y de mucho de lo que corra á cargo de su respectivo Yntendente; por cuyas razones permitiría elegir á todos los foráneos

un Empleado á su satisfacción para Secretario, continuandole el sueldo, de su destino, y con opcion á los de este, cuya igual facultad ampliaría al de México, para que en concepto de oficiales de su Secretaría particular sacase otros dos de los Escribientes de cada una de las Contadurías de Tabaco y Alcavalas, ó Pulques foráneos.

125. Verificado quanto dexo propuesto á los numeros 40, 49, 77, y 124 resultarán de ahorro á la Real Hacienda treinta y un mil pesos, quedando estos en Veinte y ocho, ó treinta mil segun se resuelva la especie tocada al numero 55 cuya cantidad será superabundante para si tuviese efecto el aumento insinuado al núm. 118 y voi a tratar de el

PUNTO TERCERO

Que utilidad producirá a los intereses de S. M. variándose algunos articulos de la ordenanza, con especialidad en lo respectivo á la Yntendencia de México y su Correximiento, puestos ahora á cargo de V. E.

126. Yá dixe á los numeros 42 y 124 consideraba debia servirse esta Yntendencia y Corregimiento con separación del Virreynato y aun de la Superintendencia Subdelegada, como tambien que su dotación sea de diez mil pesos; y ahora añado se consigne su paga en los mil quatrocientos pesos que de sus Propios daba la Ciudad en esta forma: ochocientos al Corregidor y seiscientos al Oidor Superintendente, cuya comision se reune al Yntendente en el Artículo 28.

127. Los restantes ocho mil quatrocientos pesos se cobrarán de Real Hacienda la que antes contribuia al Corregidor en concepto de tal tres mil ochocientos treinta y ocho pesos y un real por cuya cuenta parece se gravaría en quatro mil quinientos sesenta y un pesos y siete reales.

128. Pero lexos de esto ahorrará un mil quinientos sesenta y un pesos un real porque reunidas igualmente al Yntendente en los Artículos 28 y 153 las comisiones del Desague de Huehuetoca, y ramos de Azogue, Papel sellado, Medias-Annatas y Lanzas, en solas aquellas tres primeras, se pagaban tres mil cien pesos, y regulándose á la ultima otros tres mil pesos que al menos importaba su cinco por ciento consignado al Juez: salen á favor de la Real Hacienda dichos un mil quinientos sesenta y un pesos un real, y aplicados de estos los un mil consignados al Teniente Asesor de la Yntendencia (que le continuarán, aun no sirviendo la de la Superintendencia) aun quedan á favor del Erario quinientos sesenta y un pesos y un real.

129. Tambien deberán quedar los de los destinos siguientes, como que cesarán por la reunion de su respectiva Jurisdiccion contenciosa á la Yntendencia, con cuyo Asesor y Fiscal deben despacharse á saber, las Asesorias de Tributos, Medias Annatas, Tabaco, Polvora, Naipes y las Fiscalías de Aduanas foráneas y Azogues, cuyas dotaciones ascendían á quatro mil y setecientos pesos, que unidos á los anteriores quinientos sesenta y un pesos un real componen cinco mil doscientos sesenta y un pesos un real, agregándose otros un mil pesos más que tiene el Asesor de esta Aduana y cesarían admitiéndose lo propuesto al num. 94.

130. Conforme al Artículo 126 se ha reunido á los Yntendentes de México, Puebla, Vera Cruz, Oaxaca, Mechoacan, Guanajuato y San Luis Potosi

la Jurisdicción contenciosa del antiguo Contador general de Tributos por lo tocante á este Ramo en los distritos de aquellos, con cuyo motivo tenía un Escribano dotado con mil pesos anuales, quien deberá continuar despachando con este Yntendente (según el artículo 95) pero segun lo que se disminuirán sus tareas estará bien dotado con quinientos pesos y uniendo los otros quinientos á los precedentes seis mil doscientos sesenta y un pesos, un real, harán seis mil setecientos sesenta y un pesos y un real.

131. De estos aplicaría un mil quinientos pesos al Fiscal de la Yntendencia, quedando aun á beneficio del Erario cinco mil doscientos sesenta y un pesos y un real, que agregados á los otros veinte y ocho o treinta mil deducidos al núm. 125 resultarán de utilidad á este treinta y cinco mil doscientos sesenta y un pesos y un real ó treinta y tres mil doscientos sesenta y un pesos y un real, cuando menos con lo que concluí este tercer punto y consiguientemente mi informe, cuyos defectos disimulará V. E. tanto por ser de especies agenas de mi profesión, como por haverlo trabajado con bastante celeridad, obligándome esta á no dar razón de algunos pensamientos, pero procuraré manifestársela a V. E. de palabra o por escrito, en quanto sea servido prevenírmelo, ratificando a V. E. he continuado pidiendo a Dios se dignase darme luces para explicarme con acierto segun su Santo Servicio, el del Rey, y beneficio público de estos vasallos. Dios guarde a V. E. muchos años. México, 22 de febrero de 1788. Excelentísimo señor Eusebio Ventura Beleña. Excelentísimo señor Don Manuel Antonio Flores.

7. *Principales modificaciones de la Ordenanza de Nueva España, 1787-1803*

En 1803 Manuel de Flon, intendente de Puebla de los Ángeles, le escribió al virrey Iturrigaray, que "sería muy molesto y necesitaría mucho tiempo para reconocer el archivo y relacionar en este informe las interpretaciones, variaciones y derogaciones que han tenido los artículos de la ordenanza y los casos en que hemos sido desayrados con perjuicio de las facultades que el rey quiso concedernos".[69]

[69] AGN, *Intendencias,* vol. 64, f. 119. Para esta lista y la relativa al periodo 1804-1821, que se inserta más adelante, se utilizaron las fuentes siguientes:

I) AGN

A) *Intendencias,* vol. 1 a 82, donde hay frecuentes aunque aisladas alusiones a reformas de la ordenanza.

B) *Historia,* vol. 74, f. 263 a 304, que contiene informes de intendentes tales como Bruno Díaz de Salcedo y Felipe Díaz de Ortega y de diversos funcionarios como el director de la Real Lotería y el contador de Real Hacienda de San Luis de Potosí, que cumplían una orden del segundo conde de Revillagigedo, de 18 de febrero de 1794, para que le informaran sobre las alteraciones de la ordenanza. Horst Pietschmann ha publicado uno de estos documentos, que no está firmado y que se encuentra entre f. 266 y 270. Véase Horst Pietschmann, "Dos documentos significativos para la historia del régimen de intendencia de Nueva España", *Boletín del Archivo General de la Nación,* México, serie 2, 3-4, 1971, p. 399-414.

II) BNM, Fondo de origen, Sección de manuscritos

A) Ms. 1 388, f. 37 a 38, "Advertencia o noticia de los artículos adicionados de la real ordenanza de intendencias: y dudas que ocurren en quanto a otros."

	Artículos afectados
R(eal) O(rden) de 28 de marzo de 1787, sobre que los intendentes pudieran subdelegar en los corregidores y alcaldes mayores que por su buena conducta conviniera mantener en su empleo, aunque hubiesen cumplido su tiempo.	12
R. O. de 2 de octubre de 1787, agregando la superintendencia subdelegada de Real Hacienda e intendencia de México y su provincia al virreinato, con calidad provisional respecto de la provincia.	1, 2 y 3
R. O. de 25 de octubre de 1787, sobre que los intendentes notifiquen a los virreyes los nombramientos de los subdelegados, quienes a su vez lo comunicarán a las Audiencias, y que los intendentes presenten sus despachos al virrey para el cúmplase correspondiente	77 y 103
R. O. de 25 de octubre de 1787, que dejó sin efecto el establecimiento del método de cuentas por el arte de partida doble, y mandó seguir el método de la instrucción de 3 de septiembre de 1767.	96, 98, 100, 211, 216, 234, 235, 236, 237 y 244
R. O. de 22 de diciembre de 1787, que mandó se cumpliera la ley 10, título 3, libro 5 de la Recopilación, sobre que los virreyes confirmaran las elecciones de alcaldes ordinarios y otros oficios anuales.	11
R. O. de 16 de enero de 1788, que aprobó la determinación de la Junta Superior de Real Hacienda, para que sus ministros otorgaran las fianzas a satisfacción de sus respectivos intendentes.	76

B) Real ordenanza para el establecimiento e instrucción de intendentes de ejército y provincia en el reino de la Nueva España. De orden de su majestad, Madrid, s. p. i., 1786. Es un ejemplar (clasificación D 344.872) que contiene anotaciones manuscritas en los márgenes, sobre modificaciones a sus artículos.

III) Gisela Morazzani de Pérez Enciso, *Las ordenanzas de intendentes de Indias*, Caracas, Universidad Central de Venezuela, 1966.

IV) Fabián de Fonseca y Carlos de Urrutia, *Historia General de Real Hacienda, op. cit.*, vol. 1 a 6.

Aparte de haber inspirado y guiado todas estas páginas, el maestro Roberto Moreno de los Arcos señaló la existencia de las fuentes de la Biblioteca Nacional.

	Artículos afectados
R. O. del 17 de enero de 1788, que aprobó que en cumplimiento de otra de 26 de octubre de 1787, los virreyes hubieran nombrado sujetos idóneos para residencias.	305
R. O. de 21 de febrero de 1788, sobre manejo y gobierno de los propios y arbitrios, y bienes de comunidad de los indios, y sobre que no se innueve en cuanto a la subsistencia y gobierno con que se ha manejado el juzgado de indios.	6, 28, 29, 31, 32, 33, 34, 35, 44, 45, 46, 47, 48, 49, 50, 51, 52 y 53
R. O. de 23 de marzo de 1788, sobre que no se innueve en cuanto a la administración de diezmos y conocimiento de sus causas, mientras S. M. no resuelva, después de conocer los informes y dictámenes que ha solicitado.	172
R. O. de 30 de abril de 1788, que confirmó lo resuelto en la Junta Superior de Real Hacienda, sobre que los alcaldes mayores pudieran cobrar los adeudos del repartimiento que hubiesen hecho.	12
R(eal) C(édula) de 6 de mayo de 1788, que concedió plazo de tres meses a los intendentes morosos que no hubiesen presentado sus fianzas.	304
R. O. de 9 de mayo de 1788, que ordenó a los virreyes y presidentes asumir la superintendencia de Real Hacienda.	2
R. O. de 19 de junio de 1788, que nombró intendente interino de México al coronel Bernardo Bonavía y Zapata.	1 y 2
R. O. de 23 de junio de 1788, que determinó que los militares que obtuvieran intendencias por real concesión conservaran en sus provincias el mando militar correspondiente a su graduación o antigüedad; y que lo perdieran aquellos que las obtuvieran por pretensión suya	302

	Artículos afectados
R. C. circular de 1º de julio de 1788, sobre que a los intendentes les correspondía el tratamiento de señores y de señorías, y a los contadores de cuentas sólo el de señores.	302
R. C. de 23 de agosto de 1788, sobre que la parte del comiso correspondiente al juez se divida entre el que aprehenda e inicie la causa, y el que la sentencie.	80, 82, 83, 239, 240 y 303
R. O. de 14 de septiembre de 1788, sobre inversión de sobrantes de propios y arbitrios y bienes de comunidad, para que se haga a propuesta de las justicias ordinarias, cabildos y ayuntamientos, por conducto de los intendentes, a las Reales Audiencias, para su aprobación.	6, 10, 28, 29, 31, 35, 44, 45 y 47
R. O. de 7 de octubre de 1788, que mandó que los subdelegados fueran nombrados por los intendentes y se diera cuenta para su aprobación al virrey, quien podría prevenirles por dos veces nombraran a sujetos idóneos, pudiendo entonces los intendentes proceder a nombrarlos, dando cuenta al rey de lo actuado.	9 y 12
R. O. de 22 de octubre de 1788, que suprimió la asesoría de la intendencia de ejército y Real Hacienda, y de la superintendencia general subdelegada de la Nueva España.	15
R. O. de 22 de octubre de 1788, que reprodujo la anterior y agregó que el intendente interino de México se asesorara con el que tuviera como corregidor, o con algún otro letrado que propusiera.	15
R. O. reservada de 23 de octubre de 1788, para que en caso de no haberse puesto en vigor los capítulos de la Ordenanza de Intendentes que se refieren a los diezmos, se continúe la antigua práctica, sin innovar hasta que se dicte nueva resolución.	168 y s.

R. C. de 15 de enero de 1789, que declaró privativo de los intendentes la cobranza de cualquier ramo de la Real Hacienda.

Artículos afectados
78

R. O. de 24 de marzo de 1789, que ordenó reunir las dos provincias de Sonora y Sinaloa en un solo gobierno e intendencia.

1

R. O. de 1º de abril de 1789, que dispuso que la administración y recaudación de los derechos de lanzas y medias annatas corrieran por cuenta de la Real Hacienda y que se designara un comisionado o encargado de la regulación de esos derechos.

153 y 158

R. O. de 12 de junio de 1789, que declaró como atribuciones de los intendentes de ejército las de elegir a los suplentes, por ausencia o enfermedad de los titulares de las escribanías de hacienda y registro.

95

R. O. de 3 de agosto de 1789, sobre que los oidores de la Audiencia se turnaran, sin señalamiento alguno, en la comisión de juez conservador de la Real Lotería, extinguiendo el gravamen del sobresueldo de que gozaban.

222

R. C. de 11 de noviembre de 1789, sobre que practicase el virrey lo que se expresa en cuanto a las residencias que su antecesor encontró sin tomar, después de pasados los cinco años de las fechas de las respectivas cédulas, con la advertencia de que carece de facultades para nombrar jueces de residencias.

305

R. C. de 19 de noviembre de 1789, sobre el conocimiento de los bienes de difuntos, que corresponderá a un ministro de la Audiencia respectiva, de quien serán subdelegados los intendentes y sus subdelegados en los partidos.

83

R. O. de 29 de diciembre de 1789, sobre que la Tesorería de Cruzada de Oaxaca se incorporase a las respectivas cajas reales de provincia

165

R. O. de 15 de febrero de 1790, sobre aprobación de la entrega que hizo el Consulado del Real Desagüe de

Huehuetoca y del nombramiento de Cosme de Mier como subdelegado de la obra y juez superintendente de los propios y arbitrios de la ciudad de México.

Artículos afectados

28

R. O. de 1º de abril de 1790, sobre que el fiscal de Real Hacienda no puede ni debe tener voto en la Junta Superior de ella, en ninguno de los asuntos en que hubiese intervenido por su Ministerio.

4

R. O. de 5 de abril de 1790, que revocó los artículos 6, 28 y siguientes hasta el 54 de la Ordenanza de la Nueva España, mandándose observar las leyes 13, 4 de la Recopilación de Indias; y el artículo 44, que prevenía que la Junta Superior de Hacienda conociera de las cajas de censo y bienes de comunidad de los indios restituyendo dicho conocimiento a los virreyes, presidentes y audiencias.

6, 28 a 54 y 44

R. O. de 18 de abril de 1790, que concedió jubilación al intendente de ejército y de la provincia de Nueva Veracruz, Pedro de Corbalán, encargando interinamente del despacho de dicha intendencia al gobernador de la plaza, mariscal de campo Pedro de Gorostiza.

7

R. C. de 20 de mayo de 1790, que ordenó se providenciara sobre el más exacto cumplimiento de la ley 24, título 20, libro 8 de la Recopilación, recomendado por real cédula de 13 de diciembre de 1782 en cuanto al modo con que deben despacharse los títulos de oficios vendibles y renunciables.

162

R. O. de 21 de mayo de 1790, que aprobó que el corregidor intendente de México continuara desempeñando el empleo de juez conservador de la Real Lotería, con la prevención de que en las causas criminales o de derecho se asesorara con uno de los ministros de la Audiencia.

222

R. O. de 25 de junio de 1790, sobre extinción de la Contaduría de Lanzas y Medias Annatas y la agregación del ramo a los oficiales reales respectivos.

158

R. O. de 27 de junio de 1790, sobre que sin perjuicio de las facultades de los intendentes, se mantuviera a los directores de la Renta del Tabaco la de poder suspender de sus empleos a sus subalternos.

Artículos afectados

238 y 79

R. O. de 6 de julio de 1790, que dispuso que los gobernadores del Nuevo Reino de León y Santander quedaran en calidad de subdelegados del intendente de San Luis Potosí, por lo tocante a las causas de hacienda y económica de guerra, y también los de Coahuila y Texas.

77

R. O. de 7 de julio de 1790, sobre que se llevara a efecto la distribución en las causas de contrabandos y comisos de mar y tierra, no habiendo apelación o duda, bajo responsabiildad de la contaduría que haga la operación, en caso de hallarse defectuosa.

240

R. O. de 23 de julio de 1790, que ordenó reunir la intendencia de México al virrey.

1 y 2

R. C. de 28 de septiembre de 1790, sobre que los oficiales reales y los ministros de Real Hacienda que los subrayen, donde se hallan establecidas las intendencias, deben entrar con espada y bastón a las juntas de tribunales.

4

R. O. de 6 de noviembre de 1790, que relevó del derecho de composición de pulperías a las tiendas pequeñas, debiendo calificarse los casos.

160

R. O. de 11 de enero de 1791, sobre que fuera el Consejo Supremo de Indias quien conociera de todas las apelaciones de las sentencias de las Juntas Superiores de Real Hacienda.

6

R. O. de 15 de febrero de 1791, sobre la distribución y administración de las vacantes mayores y menores, su cobro, inversión y remisión de relaciones de su producto.

204

R. C. de 18 de marzo de 1791, que ordenó al presidente de la Audiencia de Guadalajara cumplir las

	Artículos afectados
disposiciones de la R. O. de 7 de octubre de 1782 y dar aviso al virrey de los nombramientos de subdelegados que se hayan aprobado y estén en posesión de sus cargos.	9 y 12
R. C. de 23 de mayo de 1791, que dividió en cinco clases las causas de comisos y sus circunstancias, para determinar las formas de substanciarlas.	239 y 240
R. O. de 3 de junio de 1791, que restableció la Sala de Ordenanzas del Tribunal de la Contaduría de Cuentas y ordenó seguir el mismo método que tenía antes de haberse expedido la Ordenanza de Intendentes.	243
R. O. de 8 de junio de 1791, que aprobó la providencia del virrey, según dictamen de la Junta Superior de Real Hacienda, que permitió al cabildo de Guadalajara distribuir el sobrante de los cuatro novenos beneficiales.	204 y s.
R. O. de 13 de enero de 1792, que dispuso que sin embargo de lo expuesto por el virrey acerca de que subsista separada la provincia de México, se cumpla lo determinado en reales órdenes de 27 de marzo de 1791 y 23 de julio del mismo año.	1 y 2
R. O. de 19 de enero de 1792, que revocó la facultad de los intendentes para nombrar por sí solos a los subdelegados y previno la propuesta en terna a los virreyes o presidentes y que éstos eligieran de ellos o fuera de ellos, dándose cuenta al rey para su aprobación, misma que necesitaban también para el ejercicio del empleo, que servían por sólo cinco años y del que no podían ser removidos sin causa.	12
R. C. de 4 de febrero de 1792, para que en los reinos de Indias continuase la exacción de la mesada eclesiástica en los términos que se expresan, con copia de la traducción original del breve pontificio.	216
R. C. de 6 de abril de 1792, que declaró que los virreyes podrían asistir a las Juntas de Real Hacienda en que se viesen los recursos de quejas de las provincias de sus antecesores, votando en ellas sin impedimentos.	78

R. C. de 15 de abril de 1792, que declaró que de los tres ministros togados que componen las Juntas de Justicia que se celebran en el Tribunal de Cuentas, hicieran sentencia dos votos conformes, de los que tienen decisivo, aunque el tercero fuera de diferente sentir.

Artículos afectados

243

R. O. de 11 de mayo de 1792, que prohibió a los intendentes-gobernadores hacer cualquiera solicitud de aumento de sueldos, por considerar que se encontraban suficientemente dotados.

303

R. O. de 1º de junio de 1792, que aprobó lo determinado para relevar a los subdelegados de las fianzas de ramos de posesión y de intestados, con prevención de que se instruya mejor al rey del número de fiadores a que han quedado reducidos.

129

R. O. de 8 de junio de 1792, que aprobó que provisionalmente se expidieran en la aduana de Veracruz las guías, según se practicaba antes del establecimiento de las intendencias.

241

R. O. de 8 de septiembre de 1792, que aprobó que se agregue a la intendencia de México el partido de Quautla Amilpas y a la de Puebla de los Ángeles, los de Tlapan e Igualapan.

Razón de las jurisdicciones y territorios (Apéndice)

R. O. de 12 de septiembre de 1792, que redujo los sueldos de los intendentes a cuatro mil pesos, exceptuando los de aquellos que ya estuviesen en posesión de sus cargos.

303

R. O. de 8 de noviembre de 1792, que aprobó las determinaciones dadas, sobre que los subdelegados no debieran dar fianzas por las rentas de alcabalas y pulques.

129

R. C. de 19 de noviembre de 1792, sobre los ajustes y liquidación del ramo de propios y arbitrios, su remisión a la Real Audiencia y, de ésta, a la Contaduría principal de la provincia.

28, 31 y 33

R. O. de 15 de enero de 1793, que dispuso cesara la contribución del 2% que se exigía a los arrendatarios de diezmos, sobre la cantidad del valor del primero de los cinco años en que se remataban, por razón de derechos a la Contaduría.

Artículos afectados

198

R. O. de 2 de febrero de 1793, que aprobó la determinación de la Junta Superior de Hacienda, en expediente suscitado por el intendente de Puebla de los Ángeles, sobre nombramiento de escribano de Real Hacienda de dicha intendencia, pero que no por esto se prohibía absolutamente a los intendentes la elección de escribanos reales para las actuaciones, en calidad de escribanos de las intendencias.

95

R. O. de 5 de febrero de 1793, que derogó los artículos 26, 63 y 151 de la Ordenanza de la Nueva España, en cuanto a la minería.

26, 63 y 151

R. O. de 15 de marzo de 1793, que dispuso se procediera al reconocimiento del Real Desagüe de Huehuetoca, en la manera prevista por R. O. de 18 de noviembre de 1790 y que, luego que se recibiera se diera posesión a Cosme de Mier de la superintendencia de propios y arbitrios.

28

R. O. de 27 de marzo de 1793, que previno que las funciones de gobernador político e intendente de Nueva Veracruz debía ejercerlas el teniente letrado, por ausencia u otro impedimento del gobernador propietario y de ningún modo el teniente del rey.

18

R. O. de 18 de abril de 1793, sobre que el virrey sirva la intendencia de la provincia de México, con el número de oficiales que actualmente tiene la Secretaría de Cámara, y que el expediente relativo a la necesidad de aumentar oficiales, con motivo de la reunión de la intendencia, se pase a voto consultivo del real acuerdo.

1 y 2

R. C. de 2 de mayo de 1793, que declaró que el gobierno de la ciudad de Tlaxcala no sería subdelegado del intendente de Puebla de los Ángeles y que con total independencia de éste, quedaría subordinado sólo al virrey.

9 y 12

R. O. de 4 de junio de 1793, que declaró que el conocimiento de las materias relacionadas con la apertura o la construcción de caminos correspondería privativamente a los intendentes, con apelación al rey, por la vía de gracia y justicia.

Artículos afectados

64

R. O. de 26 de julio de 1793, que ratificó las cédulas de 26 de enero y 31 de julio de 1777, que designó una parte del producto de la media annata eclesiástica para el montepío militar.

210

R. O. de 22 de septiembre de 1793, que estableció que los gobernadores, intendentes, corregidores y demás jueces legos que gozaren de asesorías, estuvieran exentos de responsabilidad en las sentencias que se dieren con acuerdo y parecer del asesor; que sólo les está permitido el asesor debidamente designado y que contempló el rechazo de su dictamen mediante la consulta formulada a las autoridades superiores, a quienes se les expondrían los motivos, anexándose el expediente respectivo.

15

R. O. de 17 de noviembre de 1793, que declaró a los intendentes en igualdad de condiciones que a los oidores y contadores, con el mismo tratamiento establecido en el libro 3, título 15, ley 88 de la Recopilación de Indias.

1 y 302

R. O. de 16 de abril de 1794, sobre que la jurisdicción del Tribunal de Cuentas no es contenciosa.

79 y 145

R. O. de 24 de mayo de 1794, que prohibió a los intendentes dar cuenta en derechura de los asuntos de oficio, mandando lo hicieran a los superintendentes.

56

R. O. de 4 de agosto de 1794, que dejó sin efecto los artículos 88 y 91 de la Ordenanza de la Nueva España, prohibiendo para los empleados de la dirección, administración y resguardo de las rentas, en toda América, la realización de cualquier trato, comercio o granjería, con excepción de los que proceden de sus propias haciendas, restableciéndose los artículos 45 y 48, título 4, libro 8 de la Recopilación de Indias.

88 y 91

R. O. de 1º de octubre de 1794, que declaró que a los intendentes se les diese el tratamiento de Señores y Señorías y que para los contadores sólo se empleara el de Señores.

Artículos afectados

1 y 302

R. O. de 28 de febrero de 1795, sobre la decisión en materia de construcciones de obras, reparaciones urgentes y otros gastos militares y sobre lo privativo del superintendente y los atributos que corresponden a la Junta Superior de Hacienda.

105

R. C. de 9 de mayo de 1795, que dispuso que el ejercicio del vicepatronato era competencia de los intendentes aun en su carácter de interinos, como tales subdelegados de los virreyes.

8

Real declaración de 1º de abril de 1796, a consulta del Consejo. Ratificó que la jurisdicción de Real Hacienda sólo residía en el intendente. A los oficiales reales, administradores y demás ministros de hacienda sólo competía reconvenir judicialmente a los deudores en nombre del fisco, ante los tribunales de la intendencia o de sus subdelegados. Asimismo se autorizó a los intendentes para conferir en favor de sus ministros las atribuciones judiciales pertinentes, a fin de proceder contra los deudores del fisco.

76

R. C. de 13 de julio de 1796, sobre las vacantes de los virreyes, presidentes de audiencias y gobernaciones, que incluye otra de 2 de agosto de 1789 sobre la misma materia.

16

R. C. de 23 de marzo de 1798, que resolvió la otorgación de dispensas de la segunda remisión de autos a la Junta Superior, para aquellos que solicitaran la expedición de títulos de tierras realengas o baldías, siempre y cuando no alcanzasen la suma de doscientos pesos.

81

R. C. de 12 de marzo de 1799, sobre el fallecimiento de intendentes, administradores, contadores u otros dependientes de la Real Hacienda, contra quien resultare algún delito u obligación, en favor del fisco.

86

R. C. de 26 de junio de 1799, sobre suplencia del intendente de Puebla de los Ángeles, encontrándose al mismo tiempo vacante la plaza de su teniente asesor. Se resolvió que sea cubierta por el ministro más antiguo de la Real Hacienda, cuando se trate de este ramo y que el alcalde ordinario asuma el mando político. Por lo que a esta parte se refiere, quedó derogado el artículo 16 de la Ordenanza de la Nueva España. En cuanto al mando de guerra, se dispuso lo prevenido en las reales cédulas de 2 de agosto de 1789 y 13 de julio de 1796.

16

R. C. de 24 de agosto de 1799, que resolvió que los nombramientos de los jueces de residencia de los virreyes, presidentes y gobernadores de La Habana, Puerto Rico y Provincias Internas y de los gobernadores intendentes e intendentes corregidores, serían expedidos por el rey, remitiéndose sus residencias al Consejo y que clasificó a los juzgados en tres categorías.

305

R. C. de 18 de abril de 1800, circulada a los intendentes de la Nueva España, que permitió la división de tierras vinculares, en proporciones pequeñas, capaces cada una de poder mantener a una familia, con prohibición de incorporarlas al mayorazgo y con expreso mandato de concederse en remate al mejor postor y de constituirse por su importe, censo reservativo a favor de las vinculaciones.

61

R. C. de 2 de julio de 1800, sobre responsabilidad de los gobernadores intendentes, corregidores y demás autoridades, por las sentencias dictadas por sus asesores y sobre su aceptación y rechazo.

19

R. O. circular de 2 de marzo de 1802, sobre que a los intendentes de ejército y provincia que no tengan anexo mando militar, no debe hacerse descuentos de inválidos, sino lo correspondiente a ministros de hacienda, en cuya clase han de estimarse.

94

R. C. de 16 de julio de 1802, dirigida a los contadores directores generales de Indias, sobre el método y reglas con que han de proceder a la exacción de los derechos reales y distribución de comisos de mar y tierra.

Artículos afectados
80, 239 y 240

Real decreto de 16 de diciembre de 1802, que aclaró el texto del real decreto de 5 de enero de 1786 sobre la absoluta independencia de los intendentes de ejército, de los capitanes y comandantes generales de provincia, estableciendo que ésta sólo debía entenderse en lo puramente gubernativo y económico de la administración de hacienda y que ratificó que los intendentes de provincia estaban subordinados a los de ejército en lo que a guerra se refiere.

2 y 299

Real decreto de 2 de junio de 1803, que estableció intendencias provinciales en México, Lima, Santa Fe y Buenos Aires.

1 y 2

Reglamento de la Ordenanza del Real Cuerpo de Ingenieros de 11 de julio de 1803, que dispuso la derogación de todas aquellas normas anteriores sobre asuntos militares que le fueran opuestas.

293, 294, 295 y 296

Ordenanza general para el gobierno e instrucción de intendentes de ejército y provincia, de 23 de septiembre de 1803, que derogó la ordenanza de 1786 de la Nueva España.

1 a 306

Instrucción que, conforme al artículo 41 de la Ordenanza General de Intendentes de 1803, se dio a los subdelegados para el más fácil y cabal cumplimiento de las obligaciones de sus empleos, de 23 de septiembre de 1803.

12 y s.

Instrucción que, conforme al artículo 74 de la Ordenanza General de Intendentes de 1803, se dio a los intendentes sobre el modo de ejecutar las visitas de su provincia, de 23 de septiembre de 1803.

26 y 27

8. *La Ordenanza general para el gobierno e instrucción de intendentes de ejército y provincia, de 1803*

El 23 de septiembre de 1803 se expidió en San Ildefonso una ordenanza general, que derogó expresamente las ordenanzas del Río de la Plata, de 1782 y de la Nueva España, de 1786.

El nuevo texto legal pretendía resumir y completar las ordenanzas anteriores, consolidando el sistema de intendencias. El rey disponía que "sin volver a oir quejas, ni representaciones de ninguna clase contra las intendencias, no solo continúen las que ya están establecidas, sino que se establezcan en los demás reinos y provincias de América donde no lo estén".[70]

Se hacían pocos cambios en la organización territorial, manteniendo la de Nueva España. En México y las demás capitales virreinales se establecían intendencias de provincias. Para evitar conflictos con estos funcionarios, se dispuso que los virreyes seguirían siendo los superintendentes de hacienda y sus facultades respectivas fueron delimitadas con mayor claridad.[71]

Pocos meses más tarde, una real orden de 11 de enero de 1804 dispuso que se recogiera la Ordenanza general suspendiendo sus efectos.[72]

Sin embargo, en 1804 se designó a Francisco Manuel de Arce como intendente provincial en la capital de México y ejerció su cargo desde abril del año siguiente hasta que el 12 de abril de 1809 la Junta Central expidió reales órdenes transfiriendo a los virreyes las atribuciones de los intendentes de las capitales virreinales.[73] En las demás provincias novohispanas los intendentes seguían trabajando en las causas de justicia, policía, hacienda y guerra.

Pero se acercaban días de tormentas pues desde 1810 ya eran muchos los que clamaban en la América Española por una insurrección abierta contra el poder de la corona.

9. *Principales modificaciones de la Ordenanza de Nueva España, 1804-1821*

	Artículos afectados
R(eal) O(rdenanza) de 11 de enero de 1804, que ordenó dejar sin efecto alguno y recoger la Ordenanza general de Intendentes de 1803.	1 a 306

---

[70] *Ordenanza general,* introducción.

[71] *Ibid.,* artículos 10, 11, 34 y 63.

[72] Esta ordenanza contenía disposiciones incompatibles con la *Ordenanza del Cuerpo de Artillería* de 1802, y la *Ordenanza del Real Cuerpo de Ingenieros* de 1803 y estos hechos se invocaron al dejarla sin efecto.

[73] AGN, *Intendencias,* vol. 69, f. s/n. y vol. 3, f. 63.

R. O. de 22 de octubre de 1804, que describió las funciones del nuevo intendente de provincia en la capital virreinal de la Nueva España, especificando sus atribuciones.

Artículos afectados

1, 2 y s.

R. O. de 16 de marzo de 1805, que declaró que la sucesión del gobierno de la superintendencia subdelegada de Real Hacienda debía recaer en los regentes y, en su falta, en el oidor más antiguo.

16

R. O. de 23 de octubre de 1806, que dispuso que en los virreinatos y gobiernos donde hay audiencias, el mando político y militar y presidencias fuera suplido en caso de vacantes por el militar de mayor graduación y no inferior a coronel de ejército, o en el regente u oidor decano, de no haber oficial de esa graduación.

16

R. O. de 12 de abril de 1809, sobre que el intendente de México, Francisco Manuel de Arce, regresara a España quedando refundidas provisionalmente en el virrey sus obligaciones y facultades.

1 y 2

R. O. de 12 de abril de 1809, que devolvió a los oficiales reales como ministros de la Real Hacienda y a los administradores de aduanas, la jurisdicción coactiva con arreglo al libro 8, título 3, ley 2 de la Recopilación de Indias, que las ordenanzas de intendentes habían atribuido a estos últimos.

76 y s.

R. O. de 18 de abril de 1809, que resolvió que los gobiernos de intendentes en Indias se sirvan por el término de cinco años, como los demás cargos militares y políticos.

1

Real decreto del Consejo de Regencia de 26 de mayo de 1810, que en nombre de Fernando VII nombró a Ramón Gutiérrez del Mazo intendente corregidor de México.

1 y 2

Constitución política de la monarquía española de 19 de marzo de 1812, que estableció el gobierno provincial por los Jefes Superiores, asistidos por diputaciones provinciales presididas por dichos jefes y de las que eran miembros los intendentes.

1, 2 y s.

R. O. de 20 de mayo de 1812, que resolvió que no admitieran en las oficinas de hacienda supernumerarios, meritorios ni entretenidos con sueldo, a excepción de los aprobados por reglamento.

R. O. de 11 de septiembre de 1813, que insertó un decreto de las Cortes de 5 del mismo mes, que mandó establecer una intendencia en la Villa de Santiago del Saltillo, con el territorio de las provincias internas del oriente, Coahuila, Texas, Nuevo Reino de León y Nuevo Santander.

Decreto de las Cortes, de 13 de septiembre de 1813, sobre el establecimiento de juzgados para los negocios contenciosos de la hacienda pública, de acuerdo con la Constitución política de la monarquía y el decreto de 17 de abril de 1812 que suprimió el Consejo de Hacienda; que dispuso el cese de las funciones judiciales y el llamado de las causas pendientes en justicia, que hasta entonces ejercieron los intendentes españoles y de ultramar con las excepciones que se señalaron respecto a las audiencias y los jueces de primera instancia.

Decreto real de 15 de junio de 1814, que derogó el decreto de las Cortes de 13 de septiembre de 1813 y restituyó a los intendentes y subdelegados de rentas, toda la autoridad y jurisdicción gubernativa y contenciosa que les asignaban las ordenanzas, leyes e instrucciones anteriores a 1808.

R. O de 5 de agosto de 1814, que resolvió que los intendentes y subdelegados percibieran la parte de comisos que les correspondía con arreglo a las órdenes e instrucciones que regían en el mes de abril de 1808 y que fueron suspendidas por orden de las Cortes de 22 de junio de 1811.

R. C. circular de 17 de diciembre de 1815, que eximió de fianza a los subdelegados interinos por tres meses o menos de labor y autorizó a los intendentes para nombrar de su cuenta y riesgo a los vecinos más abonados.

Artículos
afectados

245

1

78

78 y s.

303

11

	Artículos afectados
R. O. de 21 de febrero de 1816, que previno a los capitanes generales y jefes de los cuerpos militares que tratasen con la debida atención a los intendentes y demás empleados del ramo de hacienda.	299
R. O. de 19 de enero de 1820, sobre los ingresos de las rentas en las cajas, juntas provinciales de hacienda, arcas mensuales y anuales y estado de los valores, que ratificó las funciones de los intendentes y subdelegados en cuanto al conocimiento del estado de las rentas y los exhortó al cuidado de los arqueos.	230 a 237
R. O. de 26 de enero de 1820, que declaró que las distinciones que se especifican en el artículo 302 de la Ordenanza de la Nueva España para los intendentes de ejército y provincia, debían entenderse para los efectivos y no para los honorarios y que por lo mismo, aunque los de provincia habían de conservar el tratamiento, fuero, preeminencias y distinciones que como tales les competía, en lo respectivo a la guardia de honor que habían de tener en sus casas, cuando estuvieren en sus provincias se entenderá por la de coronel.	302
Real decreto de 22 de octubre de 1820, que dispuso la separación de las intendencias de las comandancias y gobiernos militares en las provincias americanas.	1, 10, 300 y 301
R. O. de las Cortes al secretario de Estado y del Despacho de Hacienda, de 9 de noviembre de 1820, que autorizó al gobierno para realizar la separación de las superintendencias de los virreinatos de ultramar en la misma forma en que se encontraban los de la península.	2
Real decreto de 21 de enero de 1821, que estableció la separación del cargo de superintendente para los virreyes de México y Lima.	2
Real decreto de 2 de enero de 1821, que ordenó llevar a efecto la separación de las superintendencias generales de hacienda pública de los virreyes de ultramar	

y comunicó al mismo tiempo la creación de las super-intendencias de México y Lima, instruyendo para su gobierno.

Artículos afectados
2

Resolución de las Cortes de 9 de abril de 1821, sobre las asignaciones con que debía dotarse a los super-intendentes generales y a sus secretarios en México, Lima, Buenos Aires y Santa Fe, y al intendente general de Guatemala y se fijó para el de México la cantidad de 12 000 pesos fuertes que señalan las orde-nanzas, deduciéndose de los 60 000 pesos que devengan los virreyes.

303

Decreto de las Cortes de 24 de noviembre de 1821, sobre creación de una junta general directiva de Ca-sas de Moneda en Madrid y otra subalterna en Mé-xico que presidirá su superintendente y que cuidará de las casas establecidas en la Nueva España, Guate-mala y demás de las Indias.

1

10. *La extinción legal de las intendencias en México*

En forma paulatina, el proceso de erosión de las autoridades reales fue asumiendo ciertas formas legales. Aunque muchas de estas nor-mas no llegaron a tener una vigencia efectiva, el solo hecho de que se escribieran sobre el papel sirvió para ir marcando señales al movi-miento de emancipación.

En lo referente a las provincias, la Constitución que promulgaron las Cortes de Cádiz en 1812 dispuso que su mando político pasara a los llamados jefes superiores asistidos por diputaciones provinciales. Los intendentes eran miembros de esas diputaciones pero las presidían los jefes superiores.[74] Para el gobierno interior de los pueblos se estable-cieron ayuntamientos también presididos por los jefes superiores donde los hubiere y en su defecto por los alcaldes.[75]

Otras disposiciones de la Carta de Cádiz transfirieron a tribunales, diputaciones, ayuntamientos, tesorerías y cortes las facultades de los intendentes en materias de justicia, hacienda y guerra derogando así en forma tácita las bases mismas de su poder.

[74] *Constitución política de la monarquía española. Promulgada en Cádiz a 19 de marzo de 1812*, Cádiz, en la Imprenta Real, 1812, artículos 324 y 325.

[75] *Ibid.*, artículos 309, 320 y s. Véase también la *Instrucción para los ayuntamientos consti-tucionales, juntas provinciales y gefes políticos superiores, decretada por las cortes generales y extraordinarias en 23 de julio de 1813*, México, reimpresa en la oficina de don Juan Bautista de Arizpe, 1820.

La primera Constitución de la nación mexicana fue proclamada en Apatzingán, el 22 de octubre de 1814. Este *Decreto Constitucional para la libertad de la América Mexicana*, inspirado por José María Morelos, mantuvo la figura de los intendentes, pero ceñida "su inspección al ramo de hacienda, y sólo podrán administrar justicia en el caso de estar desembarazadas del enemigo las capitales de sus provincias, sujetándose a los términos de la antigua ordenanza que regía en la materia".[76] Pero las armas realistas lograron estrechar su cerco y Morelos fue fusilado en diciembre de 1814.

Después, Agustín de Iturbide intentó fundar en 1822 su imperio mexicano. Dentro de un programa encaminado a conseguir un poder ejecutivo fuerte, reservó a los intendentes el papel de ser "exclusivamente los jefes de la hacienda pública, que dirigirán conforme a las ordenanzas y reglamentos vigentes, y se entenderán directa e indirectamente con el ministro de hacienda".[77]

En 1823 Antonio López de Santa Anna enarboló en Veracruz su propio estandarte republicano y se le unieron los generales Guadalupe Victoria, Vicente Guerrero y Nicolás Bravo. En marzo de ese mismo año, el emperador Agustín I convocó al Congreso que antes había disuelto y en mayo le presentó su abdicación.

El país estaba fragmentado y en provincias como Guadalajara, Zacatecas y Mérida de Yucatán se discutía con pasión sobre la autonomía. Pero la idea de que los intendentes continuaran ayudando a gobernar el convulsionado territorio mexicano no se había abandonado por completo.

En noviembre de 1823 el secretario de Estado y del Despacho de Hacienda, Francisco de Arrillaga, presentó al Congreso Constituyente una memoria sobre los ramos a su cargo. En su presupuesto para 1824 incluyó gastos por novecientos doce mil trescientos treinta y nueve pesos, tres reales, para "las trece intendencias de esta América Septentrional", pues a las doce novohispanas se agregaba la de Chiapas. Estos egresos se subdividían en gastos generales, pensiones y sueldos; e incluían sesenta y nueve mil pesos por los sueldos de "intendentes propietarios y jubilados":

---

[76] *Decreto Constitucional para la libertad de la América Mexicana*, sancionado en Apatzingán a 22 de octubre de 1814, Imprenta Nacional, artículo 210.

[77] "Reglamento Provisional Político del Imperio Mexicano" de febrero de 1823, citado por Felipe Tena Ramírez, en *Leyes fundamentales de México 1804-1975*, México, Editorial Porrúa, 1975, p. 125 a 144. Iturbide había disuelto el Congreso para dar al imperio cierto aspecto de legalidad, designó una Junta Nacional Instituyente que elaboró este reglamento provisional. Un decreto imperial de 11 de junio de 1822 había resuelto que la jurisdicción de los subdelegados letrados se extendía a todo su partido, ante una consulta de la diputación provincial de Puebla sobre si debía circunscribirse al pueblo de su residencia o extenderse a todos los demás de su partido, aunque tuvieran alcaldes constitucionales. CEHM, Fondo XLI-1, Impresos, Independencia, documento 1 348. Es interesante el hecho

México	609 088 5 6
Guadalajara	19 206 4 6
Veracruz	83 511 6 10
Puebla	16 781 4 6
Durango	38 080 7 10
Sonora	19 009 3 0
Valladolid	13 554 0 8
Oajaca	14 016 1 0
Zacatecas	17 684 5 10
San Luis Potosí	17 465 1 0
Guanajuato	33 024 7 0
Mérida de Yucatán	25 351 1 0
Chiapa	5 564 2 4

912 339 3 0 [78]

Y en la sesión del 26 de mayo de 1824, se leyó en el Congreso una triste solicitud de doña Josefa Alcázar, esposa del coronel Manuel Ampudia, antiguo intendente de San Luis Potosí. La señora reclamaba quinientos pesos, en reintegro de mil "que dice debieron ministrarle a su marido en calidad de viático al tiempo de su emigración a la península, y que de hecho se ministraron a otros capitulados que habían obtenido igual empleo". Se mandó devolver la solicitud a la interesada, para que ocurriera directamente al gobierno.[79]

Poco después, el Congreso Constituyente terminó de redactar la Constitución que, fechada el 4 de octubre de 1824, estuvo en vigor hasta 1835.

Se instaló una república representativa, popular y federal, con una exacta separación de los tres poderes, aunque con supremacía del legislativo. También se reafirmó la autoridad de los estados en una nueva división del territorio que comprendía diecinueve estados y cuatro territorios.[80]

Pocos días antes de que se proclamara esta nueva Constitución, el

de que este decreto fue publicado en Puebla por Carlos García y Arriaga, "intendente de esta provincia y gefe superior político de la misma en ausencia del señor capitán general".

[78] *Memoria que el secretario de Estado y del despacho de Hacienda presentó al soberano Congreso Constituyente sobre los ramos del ministerio de su cargo, leída en la sesión del día 12 de noviembre de 1823, impresa de orden del mismo Soberano Congreso*, México, Imprenta del Supremo Gobierno, en palacio, p. s/n.

[79] *El Sol*, 28 de mayo de 1824, México, imprenta a cargo de Martín Rivera, p. 1393. Al intendente Ampudia se le había dado licencia por enfermedad en 1804, después de una severa investigación dispuesta por el virrey, respecto a sus abusos de autoridad y malas costumbres. Véase Ricardo Rees Jones, *op. cit.*, p. 193.

[80] *Constitución Federal de los Estados Unidos Mexicanos sancionada por el Congreso General Constituyente el 4 de octubre de 1824*, México, Imprenta del Supremo Gobierno de los Estados Unidos Mexicanos en palacio, 1824.

21 de septiembre de 1824, el Congreso Constituyente decretó que los intendentes cesaran en sus funciones:

No 81. El Soberano Congreso general constituyente de los Estados Unidos Mexicanos ha tenido a bien decretar lo siguiente:

1° Por lo que toca a la federación cesan los intendentes, ministros de cajas principales y foráneas y todos los empleados en rentas que no se han reservado a la federación.

2° De los intendentes y demás cesantes, nombrará el gobierno en cada estado en que le parezca necesario, un comisario general para los ramos de hacienda, crédito público y guerra.

3° Estos comisarios serán en el Estado u Estados y territorios de su demarcación, gefes superiores de todos los ramos de hacienda. En consecuencia son responsables de la puntual ejecución de las leyes que arreglan su administración, y les estarán subordinados todos los empleados de ella.[81]

Otra circular de la Secretaría de Hacienda, de la misma fecha, dispuso lo siguiente: "1. Entretanto se nombran los comisarios generales según lo prevenido en el decreto N° 81, desempeñarán provisionalmente todas sus funciones los Intendentes, o los gefes que hazen sus vezes." [82]

Después, una instrucción de 22 de diciembre de 1824, firmada por el secretario de Hacienda del gobierno de Guadalupe Victoria (1824-1829), estableció el sistema de comisarías generales:

1. Habrá comisarías generales en los estados de Chiapas, Durango, Guanajuato, Michoacán, Oajaca, Puebla, San Luis Potosí, Sonora y Sinaloa, Veracruz, Xalisco, Yucatán y Zacatecas, desempeñando por ahora las funciones de comisarios generales, los mismos que últimamente han ejercido las de intendentes, con los propios sueldos de que están en posesión, entre tanto nombra el gobierno los sugetos que han de servir estos empleos.[83]

11. *México, 1824*

El año de 1824 se inauguró en México con noticias alarmantes. El viernes 2 de enero los lectores del periódico *El Sol* (*Post nubila Phoebus* era su lema) leyeron lo siguiente:

Por un conducto fidedigno acaba de asegurarse que La Habana ha sucumbido ya al dominio absoluto de Fernando, y que se disponían allá cinco mil

[81] Secretaría de Hacienda, circular de 22 de septiembre de 1824, que contiene el decreto núm. 81 de 21 de septiembre de 1824. CEHM, Fondo I-2, Impresos, Luis Gutiérrez Cañedo, documento núm. 1 376.

[82] Secretaría de Hacienda, circular de 22 de septiembre de 1824. CEHM, *ibid.*, documento núm. 1 377.

[83] *Instrucción provisional para los comisarios generales que han de administrar los ramos de la hacienda pública del gobierno federal de los Estados Unidos Mexicanos*, México, Imprenta del Supremo Gobierno de los Estados Unidos Mexicanos en palacio, 1824, artículo 1.

hombres para empezar la conquista por Yucatán. ¡Liberales todos, los que habitais en esta nación! o nos unimos despreciando las diputas para mejor ocasión, o perecen entre pocos meses nuestra libertad e independencia bajo el despotismo inquisitorial y real.[84]

Las banderas de la corona seguían desplegadas sobre los muros y baluartes de la fortaleza de San Juan de Ulúa, la lleve de Veracruz, puerta tradicional de la antigua Nueva España. Un decreto del Supremo Poder Ejecutivo mexicano, presidido por José Mariano Michelena, de 8 de octubre de 1823, había declarado en estado de bloqueo a la fortaleza, ordenando además que todos los buques mercantes españoles salieran de los puertos mexicanos en veinticuatro horas y prohibiendo la importación de productos españoles.[85]

Los periódicos publicaban extractos del "Diario de observaciones sobre el enemigo y el horizonte" que se hacían tanto para vigilar a los españoles encerrados en San Juan de Ulúa, como al horizonte veracruzano, con frecuencia oscurecido por el viento norte que podría ocultar a una flota invasora:

> Veracruz, 28 de julio, 1824. Ayer se largaron de Ulúa cinco hombres en un bote con dirección a esta plaza; pero El Palomo los aprendió a media canal, y hoy se han oído descargas en la fortaleza, de que se infiere los habrán pasado por las armas.[86]

> 2 de octubre. Salieron dos botes de Ulúa y fueron a bordo de la fragata inglesa, dirigiéndose uno de ellos a la isla de Sacrificios, de donde después de estar un rato regresaron a su fortaleza: a su bordo iban solo marineros y un oficial.[87]

El 16 de octubre se informó que un centinela de la fortaleza había logrado huir con su armamento y que declaró que sólo comían galletas y carne salada. Había muchos enfermos de escorbuto y fiebres malignas y un "disgusto casi general", debido en gran parte a que "las cartas recibidas de España y La Habana les manifestaban que no deben esperar ausilios con oportunidad".[88]

Mientras tanto, la nación preparaba sus armas. A fines de 1824 el antiguo intendente de México, Ramón Gutiérrez del Mazo, ya se había transformado en su comisario general y ordenaba lo necesario para proveer de víveres al bergantín de guerra "Morelos".[89] Para ciento cincuenta plazas y noventa días, el presupuesto consistía "en 103 quintales de galleta ordinaria, 48 quintales de carne salada de baca y novillo en

[84] *El Sol,* 2 de enero de 1824, p. 808.
[85] CEHM, Fondo I-1, Impresos, Luis Gutiérrez Cañedo, documento núm. 1 207.
[86] *Águila Mexicana,* 6 de agosto de 1824, México, Imprenta de la Águila, p. 2.
[87] *Águila Mexicana,* 12 de octubre de 1824, p. 2.
[88] *Águila Mexicana,* 16 de octubre de 1824, p. 2.
[89] AGN, *Intendencias,* vol. 57, f. s/n.

salmuera, 15 quintales de tocino en salmuera, 8 id. menestra fina de arros, 15 íd. de íd. ordinaria de frijoles negros y ballos por mitad, 16 quintales de manteca de serdo, 4 íd. de chile pasilla negro, 4 íd. de sal, y 300 cabezas de ajo". Como víveres "de dieta" se disponían 4 quintales de galleta fina, uno de menestra fina, 6 libras de chocolate, 100 gallinas, 50 cuartillos de vino Xerez u otro blanco de su especie. Para "gasto común", 200 cuartillos de vinagre y 600 velas de sebo de dos y cuarta onzas cada una.[90] Pero también se comentaban noticias más sencillas, que eran los reflejos de la vida cotidiana en la capital.

En la noche del 6 de enero se había conducido a la cárcel "a un hombre que estaba quitando los vidrios ladillos a un coche" y a otro "que estaba estropeando a su familia en la calle del tornito de Regina, por haberlo insultado y no querer contenerse".[91]

Junto a la violencia inevitable de la ciudad, también se registraban sus notas culturales. En la librería de la esquina de Tacuba se vendía a precio cómodo una esfera armilar francesa.[92] En el Teatro Antiguo se presentaba la comedia "Cuantas veo tantas quiero", con una pieza de canto en el intermedio. En el Moderno, la ópera "Los dos gemelos o los tíos burlados", con una pieza de baile.[93]

Como ha ocurrido siempre, no todos los estrenos tenían éxito. El 17 de septiembre se ofreció la ópera "Adolfo y Clara". Poco después, un aficionado protestó por "lo chocante y ridículo que es el uso que se observa en este coliseo de encargar el papel de una jovencita a la primera dama que no lo es, y que no tiene aquella linda figura y gracia necesarias para ejecutar el de Clara en la ópera de que se habla". Días más tarde, otro lector indignado preguntó: "¿cuál causa se tuvo para que la ópera de Adolfo y Clara saliese tan malditamente ejecutada?"[94]

Dentro de una gran variedad de espectáculos, en septiembre también se estrenó "Eduardo en Escocia, o la terrible noche de un proscripto", una comedia amenizada con canto y baile; en el mes siguiente la ópera "El Califa de Bagdad" y la tragedia "La viuda de Padilla".[95]

Los precios de los productos españoles habían subido desde que se prohibió su importación. Un barril de aguardiente refino catalán costaba cerca de noventa y cinco pesos y uno de vino de Málaga sesenta y seis. La siempre apreciada cera blanca de La Habana se vendía en cuarenta y dos pesos por arroba y el fierro de Vizcaya en diecisiete

[90] *Aguila Mexicana,* 25 de noviembre de 1824, p. 4.

[91] *El Sol,* 8 de enero de 1824, p. 832.

[92] *Ibid.*

[93] *Ibid.,* 9 de enero de 1824, p. 836.

[94] *El Sol,* 17 de septiembre de 1824, p. 380; 21 de septiembre de 1824, p. 396 y 26 de septiembre de 1824, p. 416.

[95] *Aguila Mexicana,* 21 de septiembre de 1824, p. 4; 1º de octubre de 1824, p. 4 y 8 de octubre de 1824, p. 4.

y medio pesos el quintal.[96] Pero llegaban productos de otros países y "en el cajón de modas francesas e inglesas del Nº 11 de la primera calle de Plateros" se ofrecían "plumas negras y blancas muy hermosas y verdadera esencia de rosa de Constantinopla".[97]

Entre los productos mexicanos había arroz a seis y medio pesos el quintal y frijol parraleño a nueve pesos la carga. Ambos se podían sazonar con chile pasilla lengua de pájaro, que costaba veinticinco reales la arroba.[98]

En el número 5 de la primera calle de Plateros, junto a la botica, se abrió una pequeña tienda con este título: "Sedería, listonería y otros varios efectos de buen gusto". Entre éstos, ofrecía "al bello secso" medias francesas caladas o bordadas, mantillas negras de blonda, pañoletas y mascadas. No se fijaban precios, "por dar a los compradores el gusto de que los lleven por aquello que ofrezcan, siempre que dejen alguna utilidad por corta que sea, pues su dueño no aspira sino a una moderada retribución".[99]

Otro aviso comunicó que "el encargado por la administración de correos para repartir las cartas atrasadas y que se conoce con el nombre de cartero, tiene el honor de avisar al público que vive en la calle del puente de los Gallos Nº 7".[100]

El gobierno británico ya había enviado agentes diplomáticos a México y el 19 de diciembre regresó a Londres su comisionado principal, Mr. Lionel Harvey. *El Sol* exaltó su decidido interés por la consolidación de la independencia mexicana y su perfecto uso del idioma nacional, asegurando que su memoria sería "conservada como la del primer inglés que con carácter representativo del gobierno británico visitó la América meridional, antes esclava, y al presente por beneficio de la Providencia, Soberana e Independiente".[101]

Una noticia, ominosa y escueta, reflejó angustias muy lejanas: "Semlin, setiembre 8. Las noticias de Constantinopla anuncian que el patriarca griego y todo su sínodo han perecido sofocados y que el Sultán fue detenido por las calles por los jenízaros, obligándole a meterse en el serrallo."[102]

La nación iba fortaleciendo su propia identidad, que a veces se representaba con la imagen de un recio nopal. En octubre el supremo gobierno puso en venta una edición de la nueva Constitución, en octavo, que incluía "una lámina fina en que se representan las armas

[96] *El Sol*, 6 de agosto de 1824, p. 212.
[97] *Ibid.*, 6 de junio de 1824, p. 1 y 432.
[98] *Ibid.*, 6 de agosto de 1824, p. 212.
[99] *Águila Mexicana*, 15 de octubre de 1824, p. 4.
[100] *El Sol*, 3 de octubre de 1824, p. 444.
[101] *Ibid.*, 23 de diciembre de 1824, p. 804.
[102] *Ibid.*, 25 de diciembre de 1824, p. 811.

de la nación, su libertad, y en un nopal planta propia de nuestra América, el número de estados y territorios de que se compone la federación". El libro costaba cinco reales y empastado con papel muy fino, diez.[103]

Como parte del ambiente constitucional se quería unir a todos los mexicanos y el Congreso Constituyente dictó su decreto número 138:

1º Se concede amnistía a todos los que estuvieren procesados, sentenciados o sufriendo alguna pena por opiniones políticas.
2º Se esceptúan de esta gracia los que hayan conspirado contra la independencia y los que hayan delinquido por las mismas opiniones políticas después de publicada la constitución.[104]

En la misma fecha del decreto de amnistía, se terminaron con solemnidad las sesiones del Congreso Constituyente. Asistió a cerrarlas el nuevo presidente, Guadalupe Victoria, quien en su discurso proclamó las esperanzas con que la nación enfrentaba su futuro: "Vengados estamos del degradante concepto con que se nos vilipendió en Europa; y ella que por miles de años nos precede en la carrera de la civilización, envidiará nuestros progresos y felices aplicaciones de la política, a la verdadera legitimidad de los gobiernos." [105]

Los antiguos intendentes borbónicos habían desaparecido porque ya no tenían funciones que desempeñar en la eufórica realidad de ese México nuevo.

[103] *Águila Mexicana*, 24 de octubre de 1824, p. 4.
[104] CEHM, Fondo I-2, Impresos, Luis Gutiérrez Cañedo, documento núm. 1 456. El decreto fue fechado el 24 de diciembre de 1824.
[105] *El Sol*, 25 de diciembre de 1824, p. 810 y 812.

ANEXO

SOBRE LOS EJEMPLARES DE LA ORDENANZA

El Exmo. Sr. D. Diego de Gardoqui me participa de órden del Rey con fecha de 5 de agosto último lo que sigue:

"Exmo. Sr. — Para evitar el crecido gasto que ocasionaria la reimpresión, encuadernación y envio á Indias de la Real Ordenanza dada para el establecimiento é instruccion de intendentes de ejército y provincia en los virreinatos de Buenos Aires y Nueva España el año de 1782 y 86; y teniendo presente el Rey que por haber mandado adoptar la primera en el virreinato del Perú, no han quedado exemplares de ella que entregar á los nuevos provistos en empleos, que deben tenerla presente y arreglarse á sus disposiciones: ha venido S. M. en mandar que V. E., y todos los gefes subalternos y oficiales del distrito de su mando, hagan entrega á sus sucesores de los ejemplares que hayan recibido en los propios términos que deben ejecutarlo de los otros libros y papeles pertenecientes á su gobierno; y de su real órden lo participo á V. E. para que disponga su cumplimiento."

Y lo inserto á V. para su puntual observancia en lo que le toca, y que archivándola con el ejemplar ó ejemplares que haya recibido de la citada Ordenanza y con los demas papeles que deba entregar á su sucesor, me dé cuenta de su ejecución para la conveniente constancia.

Dios guardé a V. muchos años. Mégico, 9 de enero de 1797.—Branciforte.

FUENTES

1) *Fuentes impresas*

Águila Mexicana, México, Imprenta de la Águila, 1824.

BELEÑA, Eusebio Buenaventura, *Recopilación sumaria de todos los autos acordados de la Real Audiencia y Sala del Crimen de esta Nueva España y providencias de su superior gobierno, de varias reales cédulas y órdenes que después de publicada la Recopilación de Indias han podido recogerse así de las dirigidas a la misma audiencia o gobierno, como de algunas otras que por sus notables decisiones convendrá no ignorar*, México, Felipe de Zúñiga y Ontiveros, v. I y II, 1787.

CALDERÓN QUIJANO, José Antonio, *Los virreyes de Nueva España en el reinado de Carlos III*, Sevilla, Escuela de Estudios Hispano-Americanos de Sevilla, vol. I, 1967.

CAMPILLO Y COSSÍO, José del, *Nuevo sistema de gobierno económico para la América: con los males y daños que le causa el que hoy tiene, de los que participa copiosamente España, y remedios universales para que la primera tenga considerables ventajas, y la segunda mayores intereses*, Madrid, Benito Cano, 1789.

Circular de la Secretaría de Guerra y Marina de 8 de octubre de 1823, que contiene el decreto de la misma fecha del supremo poder ejecutivo sobre bloqueo al castillo de San Juan de Ulúa, expulsión de barcos mercantes españoles y prohibición de importar productos españoles, México, s. p. i., 1823.

Circular de la Secretaría de Hacienda de 22 de septiembre de 1824, que contiene el decreto Nº 81 del Congreso Constituyente de 21 de septiembre de 1824 sobre cese de funciones de intendentes y otros funcionarios, y creación de comisarías generales, México, s. p. i., 1824.

Circular de la Secretaría de Hacienda de 22 de septiembre de 1824, sobre que los intendentes desempeñaran provisionalmente las funciones de comisarios generales, México, s. p. i., 1824.

Circular de la primera secretaría de Estado, sección de gobierno, de 24 de diciembre de 1824, que contiene el decreto Nº 138 del

Congreso Constituyente, de la misma fecha, sobre amnistía, México, s. p. i., 1824.

Constitución Política de la Monarquía Española, promulgada en Cádiz a 19 de marzo de 1812, Cádiz, en la Imprenta Real, 1812.

Constitución Federal de los Estados Unidos Mexicanos, sancionada por el Congreso General Constituyente, el 4 de octubre de 1824, México, Imprenta del Supremo Gobierno de los Estados Unidos Mexicanos en palacio, 1824.

Decreto Constitucional para la libertad de la América Mexicana sancionado en Apatzingán a 22 de octubre de 1814, Imprenta Nacional, s. f.

El Sol, México, Imprenta a cargo de Martín Rivera, 1824.

Fonseca, Fabián de y Carlos de Urrutia, *Historia General de Real Hacienda,* México, Impresa por Vicente G. Torres, vol. i a vi, 1845 (reimpresión facsimilar, México, Secretaría de Hacienda, 1978).

Gálvez, José de, *Informe general que en virtud de real orden instruyó y entregó al Excmo. Sr. marqués de Sonora siendo visitador general de este reyno el Excmo. Sr. virrey D. Antonio Bucareli y Ursúa, con fecha de 31 de diciembre de 1771,* México, Imprenta de Santiago White, 1867.

Gazetas de México, Compendio de noticias de Nueva España, que comprehenden los años 1786 y 1787 dedicadas al excelentísimo señor don Bernardo de Gálvez. Por don Manuel Antonio Valdés, México, Felipe de Zúñiga y Ontiveros, vol. ii, s. f.

Institución para los ayuntamientos constitucionales, juntas provinciales y jefes políticos superiores. Decretada por las Cortes generales y extraordinarias en 23 de junio de 1813, México, reimpresa en la oficina de don Juan Bautista de Arizpe, 1820.

Instrucción provisional para los comisarios generales que han de administrar los ramos de la hacienda pública del gobierno federal de los Estados Unidos Mexicanos, México, Imprenta del Supremo Gobierno de los Estados Unidos Mexicanos en palacio, 1824.

Memoria que el secretario de Estado y del despacho de Hacienda presentó al soberano Congreso Constituyente sobre los ramos del ministerio de su cargo, leída en la sesión del día 12 de noviembre de 1823, impresa de orden del mismo soberano Congreso, México, Imprenta del Supremo Gobierno en palacio, 1823.

Morazzani de Pérez Enciso, Gisela, *Las ordenanzas de intendentes de Indias,* Caracas, Universidad Central de Venezuela, 1972.

Navarro García, Luis, *Intendencias en Indias,* Sevilla, Escuela de Estudios Hispano-Americanos de Sevilla, 1959.

Ordenanza general formada de orden de su magestad y mandada imprimir y publicar para el gobierno e instrucción de intendentes subdelegados y demás empleados en Indias, Madrid, en la imprenta de la viuda de Ibarra, 1803.

Pietschman, Horst, "Dos documentos significativos para la historia del régimen de intendencias de Nueva España", *Boletín del Archivo General de la Nación,* México, serie 2, 3-4, 1971.

Real Ordenanza para el establecimiento e instrucción de intendentes de exército y provincia en el virreinato de Buenos Aires. De orden de su majestad, Madrid, Imprenta Real, 1782.

Real Ordenanza para el establecimiento e instrucción de intendentes de exército y provincia en el reino de la Nueva España. De orden de su majestad, Madrid, s. p. i., 1786.

Rees Jones, Ricardo, *El despotismo ilustrado y los intendentes de la Nueva España,* México, UNAM, Instituto de Investigaciones Históricas, 1979.

Revillagigedo, Segundo conde de, *Instrucción reservada que el conde de Revillagigedo dio a su sucesor en el mando marqués de Branciforte sobre el gobierno de este continente en el tiempo que fue su virrey,* México, Agustín Guiol, 1831.

Tena Ramírez, Felipe, *Leyes fundamentales de México, 1808-1975,* México, Editorial Porrúa, 1975.

Ward, Bernardo, *Proyecto económico en que se proponen varias providencias, dirigidas a promover los intereses de España, con los medios y fondos necesarios para su plantificación,* Madrid, Joaquín Ibarra, 1782.

2) *Manuscritos*

Esta lista contiene los principales ramos consultados. Los documentos se citan en las notas del texto.

A) Archivo General de la Nación, México

  a) *Correspondencia de virreyes.*
  Bucareli, vol. 50.
  Núñez de Haro, vol. 141.
  Revillagigedo, Segundo conde de, vol. 23.

  b) *Historia,* vol. 31 y 74.

c) *Intendencias,* vol. 1 a 32.
d) *Subdelegados,* vol. 1.

B) Biblioteca Nacional de México

Fondo de origen, Sección de Manuscritos.
Ms. 1 378, 1 385 y 1 388.

C) British Library, Londres

Add. 17 558 y 17 559.
Eg. 1 801.

D) Biblioteca del Palacio Real, Madrid

Ms. 2 854.

MAPAS

NOTA: Los trece primeros mapas fueron enviados por el virrey Bucareli, como apéndices de su informe contrario al establecimiento de intendencias en México, dirigido al secretario de Indias. AGN, *Correspondencia de virreyes,* Bucareli a Julián de Arriaga, 27 de marzo de 1774, vol. 50, f. 349 a 361.

El mapa de Zacatecas está en AGN, *Historia,* vol. 31, f. 215, y está fechado en 1797.

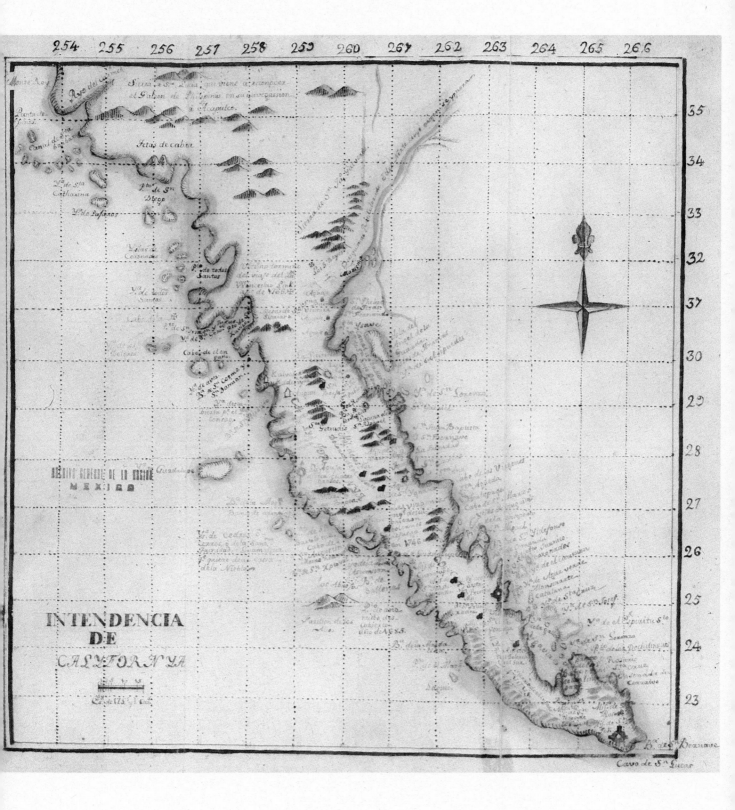

Intendencia de California.

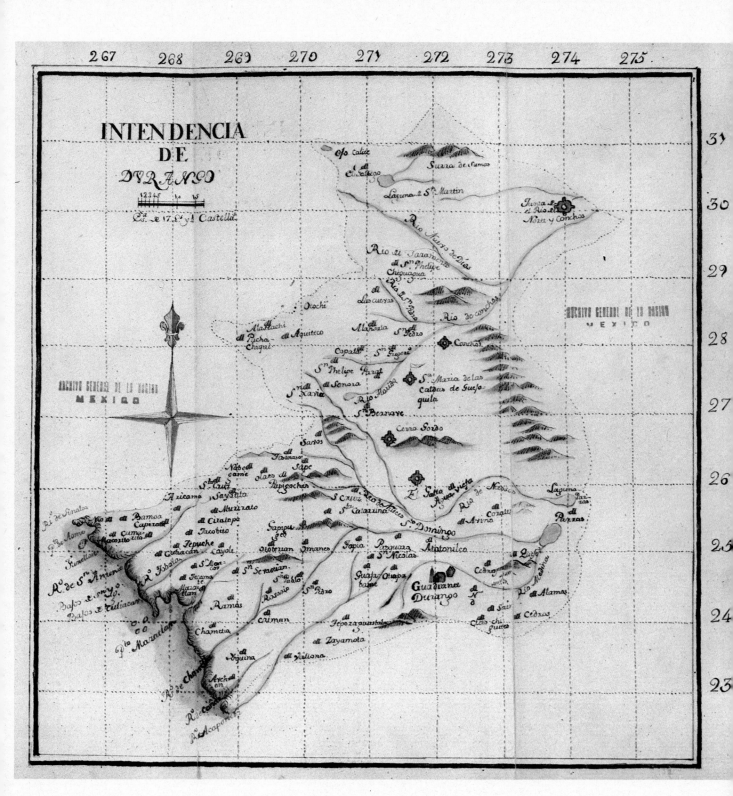

Intendencia de Durango.

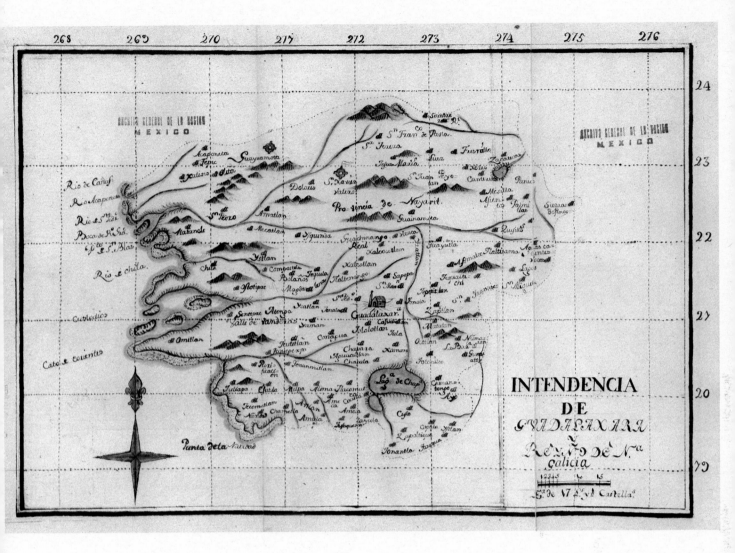

Intendencia de Guadalajara.

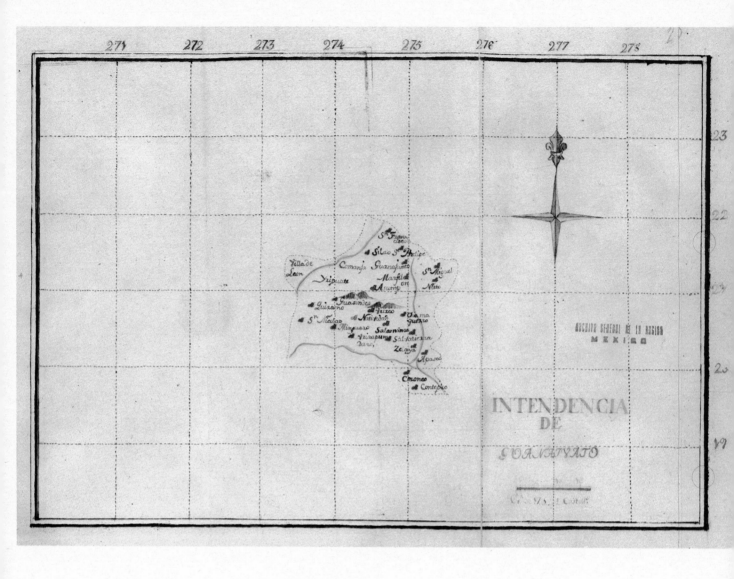

Intendencia de Guanajuato.

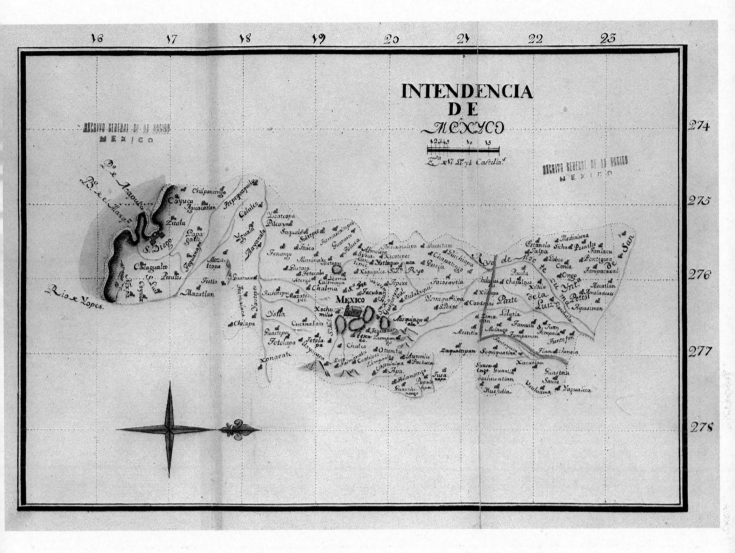

Intendencia de México.

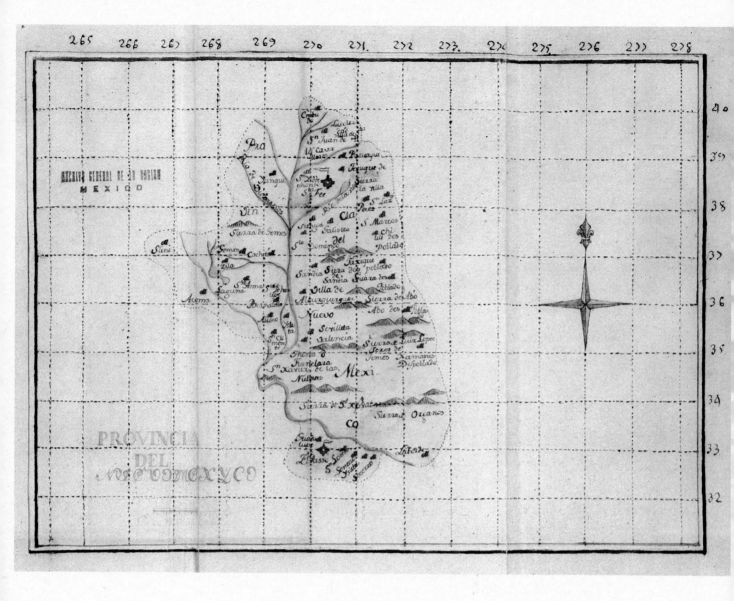

Provincia del Nuevo México.

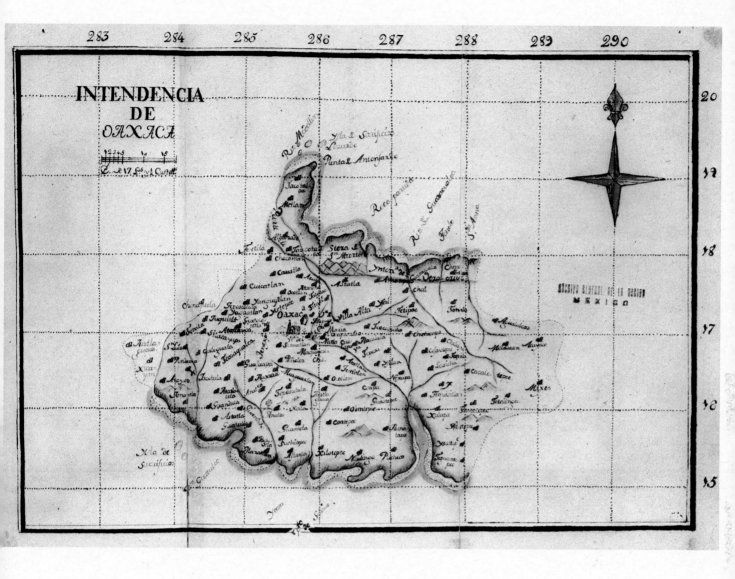

Intendencia de Oaxaca.

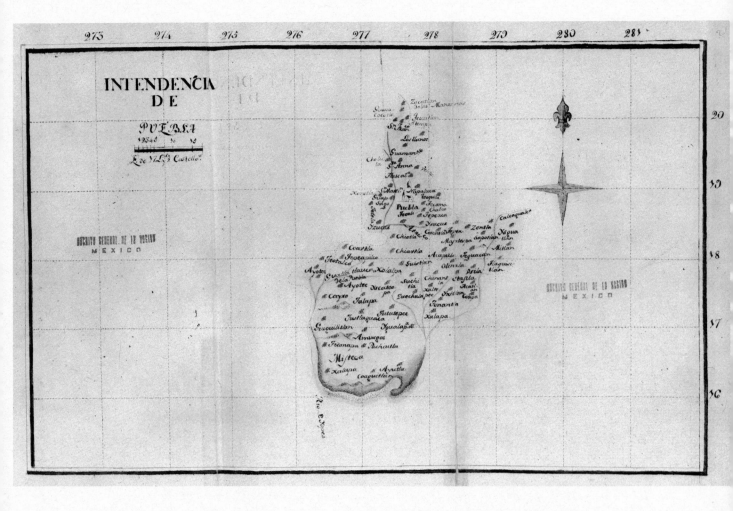

Intendencia de Puebla.

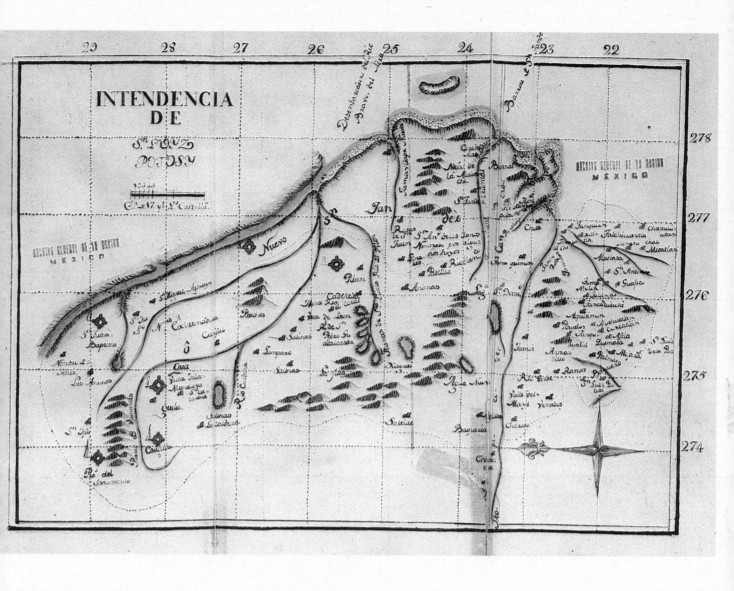

Intendencia de San Luis Potosí.

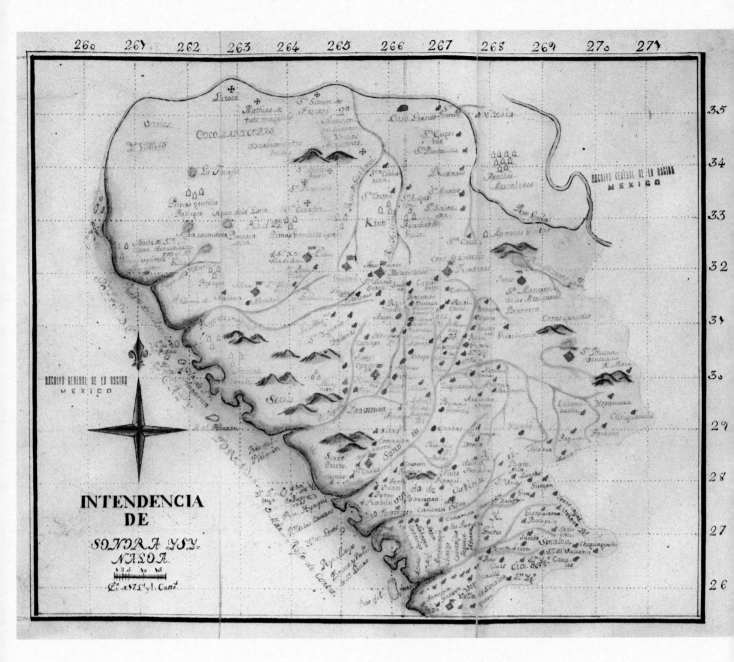

Intendencia de Sonora y Sinaloa.

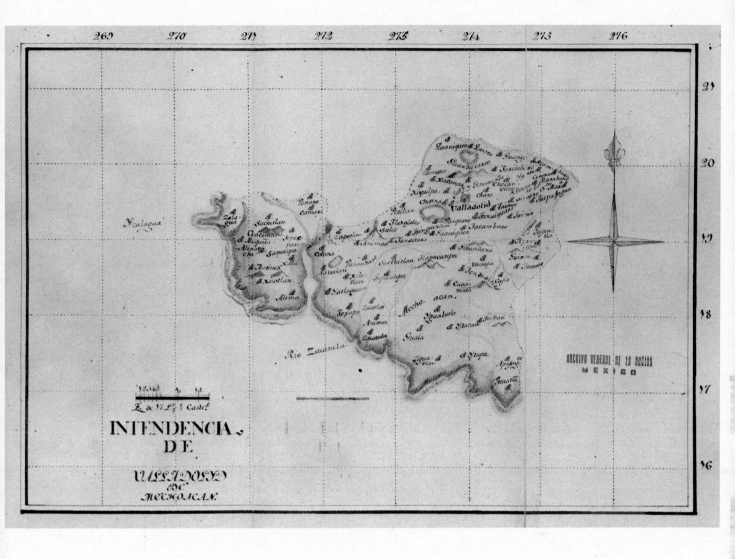

INTENDENCIA
DE

VALLADOLID
DE
MECHOACAN.

Intendencia de Valladolid.

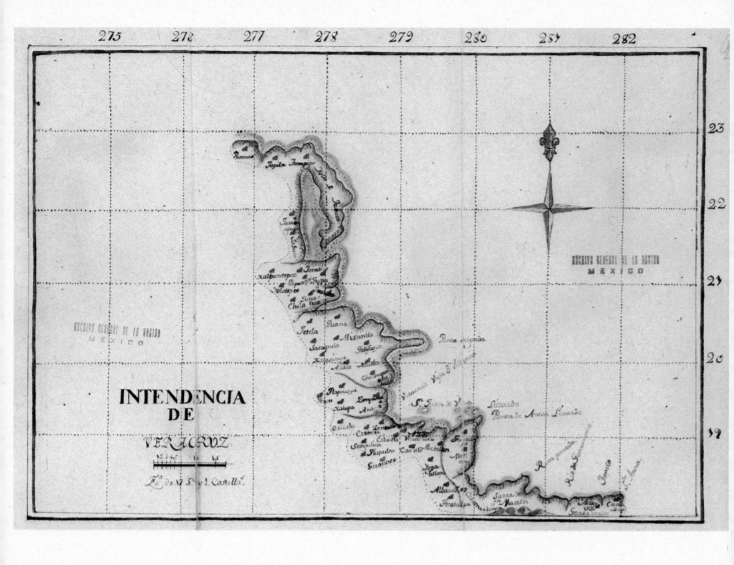

Intendencia de Veracruz.

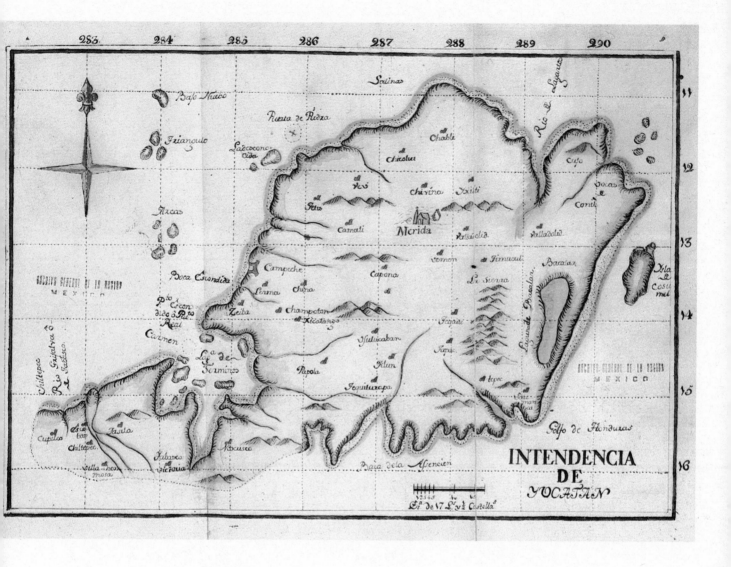

Intendencia de Yucatán.

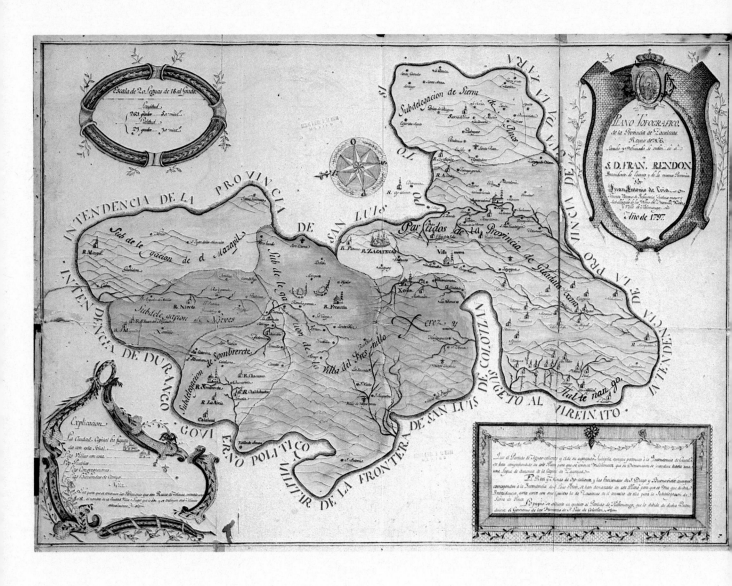

Plano topográfico de la Provincia de Zacatecas.

PLUS ULTRA

J. Camaron la inv i dib.º   J. Joaquin Fabregat la gr.º

REAL ORDENANZA

PARA

EL ESTABLECIMIENTO

É INSTRUCCION

DE

INTENDENTES

DE EXÉRCITO Y PROVINCIA

EN

EL REINO DE LA NUEVA=ESPAÑA.

DE ÓRDEN DE SU MAGESTAD.

MADRID.

AÑO DE 1786.

ÍNDICE

DE LAS PRINCIPALES MATERIAS

DE QUE TRATA ESTA ORDENANZA

EN CADA UNO DE SUS ARTÍCULOS,

CON EXPRESION

De las páginas donde éstos se hallan.

CAUSA DE JUSTICIA.

CAUSA DE POLICÍA.

CAUSA DE HACIENDA.

Mesada Eclesiástica, con su 18 por 100, de las Dignidades y demas Piezas que no adeudan Media-anata: su origen por concesiones Pontificias: calidades de éstas, y de su última próroga corriente: motivos que obligan á variar las reglas ántes observadas en el manejo de este Ramo; y dónde se prescriben las que en lo sucesivo deben gobernar-

CAUSA DE GUERRA.

Los Intendentes cuiden en las Provincias de su

Dase á esta Instruccion y Ordenanza fuerza de Lei: se revocan las disposiciones, establecimientos, costumbres ó prácticas contrarias: se prohibe su interpretacion y glosa; y se manda observar por todos los Tribunales y Gefes Seculares

EL REY

Movido del paternal amor que me merecen todos mis Vasallos, aun los mas distantes, y del vivo deséo con que desde mi exâltacion al Trono he procurado uniformar el gobierno de los grandes Imperios que Dios me ha confiado, y poner en buen órden, felicidad y defensa mis dilatados Dominios de las dos Américas, he resuelto, con mui fundados informes y maduro êxámen, establecer en el Reino de Nueva-España Intendentes de Exército y Provincia para que, dotados de autoridad y sueldos competentes, gobiernen aquellos Pueblos y Habitantes en paz y justicia en la parte que se les confía y en-

A

carga por esta Instruccion, cuiden de su policía, y recauden los intereses legítimos de mi Real Erario con la integridad, zelo y vigilancia que prefinen las sabias Leyes de Indias, y las dos Reales Ordenanzas que mi augusto Padre y Señor D. Felipe Quinto, y mi amado Hermano D. Fernando Sexto publicaron en 4 de Julio de 1718, y 13 de Octubre de 1749; cuyas prudentes y justas reglas quiero se observen exâctamente por los Intendentes del expresado Reino con las ampliaciones y restricciones que van explicadas en los Artículos de esta Ordenanza é Instruccion.

I

A fin de que mi Real voluntad tenga su pronto y debido efecto, mando se divida por ahora en doce Intendencias el distrito de aquel Imperio sin incluir las Californias, y que en lo sucesivo se entienda por una sola Provincia el territorio ó demarcacion de cada Intendencia con el nombre de la Ciudad que hubiese de ser su Capital, y en que habrá de residir el Intendente, quedando las que en la actualidad se titulan Provincias con la denominacion de Partidos, y conservando éstos el nombre que tienen aquéllas. Será una de dichas Intendencias la General de Exército y Provincia que se ha de establecer en la Capital de México. Las otras once serán sólo de Provincia, y de ellas se habrá de establecer úna en la Ciudad de la Puebla de los Ángeles; ótra en la Ciudad y Plaza de la Nueva-Veracruz; ótra en la Ciudad de Mérida de Yucatan; ótra en la Ciudad de Antequera de Oaxaca; ótra en la Ciudad de Valladolid de Mechoacan; ótra en la Ciudad de Santa Fe de Guanaxuato; ótra en la Ciudad de San Luis Potosí; ótra en la Ciudad de Guadalaxara; ótra en la Ciudad de Zacatecas; ótra en la Ciudad de Durango, y la restante será la que ya se halla establecida en la Ciudad de Arispe, y se extiende á las dos Provincias de Sonora y Sinalóa. Cada una de las expresadas Intendencias ha de ser comprehensiva de las Jurisdicciones, Territorios y Partidos que respectivamente se las señalan en el final de esta Instruccion, la qual se en-

tregará á los nuevos Intendentes que Yo
elija con sus correspondientes Títulos , (que
por ahora se expedirán por la Secretaría de
Estado y del Despacho Universal de Indias)
pues me reservo nombrar siémpre y por el
tiempo de mi voluntad para estos empléos
personas de acreditado zelo , integridad , inteligencia y conducta , como que descargaré
en ellas mis cuidados , cometiendo al suyo el inmediato gobierno y proteccion de mis Pueblos.

2

Ha de continuar el Virréi de la Nueva-
España con todo el lleno de la superior autoridad y omnímodas facultades que le conceden mi Real Título é Instruccion , y las
Leyes de Indias , como á Gobernador y Capitan-General en el distrito de aquel mando , á cuyos altos empléos está agregado el de
Presidente de la Audiencia y Chancillería de
la Capital Metrópoli de México ; pero dexando la Superintendencia y arreglo de mi Real
Hacienda en todos los ramos y productos de
ella al cuidado , direccion y manejo de la In-

tendencia General de Exército y Hacienda que se ha de crear en dicha Capital, y á que estarán subordinadas las demas de Provincia que en el mismo Reino mando tambien erigir por esta Instruccion.

3

Para que en ningun caso, ni en modo alguno se confunda la suprema autoridad que tengo conferida y depositada en mis Virreyes, quiero y mando que el de la Nueva-España, y sus Sucesores en aquel Virreinato, pongan el *Cúmplase* no sólo en los Títulos de Intendentes que se despachen á los de las Provincias comprehendidas en el distrito de su mando, como lo hace en los de sus Gobernadores, sino tambien en el que se expida al Intendente General de Exército y Real Hacienda del propio Reino; pero éste lo debe tambien poner después en los Despachos de los de Provincia como Superintendente de mi Real Hacienda, respecto de que en todo lo perteneciente á ella le han de estar subordinados segun se dispone por esta Ordenanza, y se indicó en el Artículo antecedente. Por la misma razon pondrá dicho Superintendente tambien el *Cúmplase* en los Despachos que se expidan á los Intendentes de Arispe y de Durango, y presentados así al Comandante-General de las Fronteras, les pondrá igualmente el suyo, tomándose ántes razon de ellos en la Contaduría de Cuentas de México, como de los demás á su tiempo, y de únos y ótros después en las Contadurías Principales de Provincia á que respectivamente corresponda.

4

La Superintendencia que ha de exercer el dicho Intendente General de Exército se ha de entender como delegada de la General de mi Real Hacienda de Indias, que reside en mi Secretario de Estado y del Despacho Universal de ellas. Y con el justo fin de proporcionar al expresado Superintendente Subdelegado algun alivio en sus importantes encargos, y de auxîliar al mismo tiempo este establecimiento de Intendencias, reuniendo la direccion de tódas para uniformar su gobierno en quanto lo permita la diferencia de aquellos Pueblos y Provincias, ordeno y mando al propio Superintendente Subdelegado que, de acuerdo con mi Virréi, establezca desde luego en la Capital de México una Junta Superior de mi Real Hacienda, á que debe concurrir como su Presidente, componiéndose además, en conformidad de la lei 8 título 3.º lib. 8.º, del Regente de aquella Audiencia Pretorial; del Fiscal de mi Real Hacienda, con voto en todos los asuntos y expedientes que no actuare como parte; del Ministro mas antiguo del Tribunal de la Contaduría de Cuentas, y del Ministro mas antiguo Contador ó Tesorero General de Exército y Real Hacienda. Y debiendo sentarse los Vocales por el órden que van nombrados, presidirá las Juntas á que no pueda concurrir el Superintendente Subdelegado aquél á quien por el mismo órden le corresponda; y asistirá siémpre á ellas el Escribano de la Superintendencia para autorizar los acuerdos y resoluciones que no sean sobre el ramo de Propios y Arbitrios, ó Bienes de Comunidad : con advertencia de que le substituya, quando la necesidad lo pida, su Oficial Mayor, á cuyo fin le habilito en toda forma, y de que úno y ótro éntren á dichos actos sin Espada ni Sombrero, y tomen asiento en Banco raso colocado fuera de la Tarima y en la testera opuesta á la que ocupa el Ministro que presida la Junta.

5

Si por ausencia, enfermedad ú otra justa causa no pudiese concurrir á la expresada Junta Superior de Hacienda alguno de sus Vocales, suplirá por el Superintendente Subdelegado el Asesor de la Superintendencia; por el Regente de la Audiencia, el Decano de ella; por el Fiscal de la Real Hacienda, el que sirva la Fiscalía; por el Ministro del Tribunal de Cuentas, su inmediato en antigüedad, y por el Ministro Contador ó Tesorero General de Exército y Hacienda, su Compañero: entendiéndose que el Asesor de la Superintendencia se sentará despues del Ministro del Tribunal de Cuentas, y que todos los Vocales nominados para cada caso de los que se han explicado en éste y en el anterior Artículo, inclusos los expresados Ministros de Real Hacienda conforme á la lei 12 título 3.º lib. 8.º, han de tener voto decisivo sin distincion de causas tocantes á mi Real Hacienda, aunque no sean Togados; pero guardándose siémpre respecto de tódos la disposicion de la lei 17 de los citados título y libro.

6

La mencionada Junta deberá celebrarse una, ó dos veces cada semana, en los dias y horas que señalare el Superintendente Subdelegado segun sus graves ocupaciones, y las de los demas Vocales; pero si ocurriere alguna urgencia podrá convocar otras Juntas extraordinarias. En todas ellas se ha de tratar, con arreglo á esta Instruccion y á las Ordenes que Yo diere en lo sucesivo, de reducir en las Provincias de aquel Imperio á un método igual, en quanto fuere posible, el gobierno y administracion de justicia en materias de mi Real Hacienda, y en lo económico

B

de Guerra; cuidando privativamente la expresada Junta Superior no sólo de los dichos dos ramos ó causas, sinó tambien del de los Propios y Arbitrios, y Bienes de Comunidad de los Pueblos: para cuya direccion y conocimiento la concedo quanta jurisdiccion y facultades sean necesarias, con absoluta inhibicion de todos mis Tribunales, y la sola dependencia de mi Real Persona por la Via reservada del Despacho Universal de Indias; dexando los asuntos contenciosos que traigan orígen de la Jurisdiccion Real ordinaria y causa de Policía y Gobierno, en apelacion de los Intendentes, sus Subdelegados y demas Jueces ordinarios, sujetos á la respectiva Audiencia del distrito, como lo están por las Leyes recopiladas de Indias.

7

Los Gobiernos políticos de la Puebla de los Ángeles, de la Nueva-Vizcaya, y de Sonora y Sinalóa; los Corregimientos de México y Antequera de Oaxaca; el de Veracruz, que ha de crearse, y las Alcaldías Mayores ó Corregimientos de Valladolid, Guanaxuato, San Luis Potosí y Zacatecas, han de ir precisa y respectivamente unidos á las Intendencias que establezco en dichas Capitales y sus Provincias, quedando extinguidos los sueldos que en la actualidad gozan los que sirven algunos de los referidos empléos, y á cargo por ahora del Presidente Regente de la Audiencia de Guadalaxara el servir aquella Intendencia. Y mando que los Intendentes tengan por consiguiente á su cargo los quatro ramos ó causas de Justicia, Policía, Hacienda y Guerra, dándoles para ello, como lo hago, toda la jurisdiccion y facultades necesarias, con respectiva subordinacion y dependencia en quanto corresponda á las dos priméras, los de Arispe y Durango al Comandante-General de sus Provincias, los diez restantes al Virréi, y tódos á las Audiencias territoriales, segun la distincion de mandos, naturaleza de los casos y asuntos de su conocimiento, y conforme á las Leyes recopiladas de Indias como se explicará en el cuerpo de esta Ordenanza, por no ser mi Real ánimo que las jurisdicciones establecidas en ellas se confundan, alteren ó impliquen con motivo de concurrir tódas en una persona, quando se dirige principalmente esta disposicion á evitar los freqüentes embarazos y competencias que resultarían entre los Intendentes y los Gobernadores, Corregidores ó Alcaldes Mayores, si quedaran separados estos empléos antiguos en las Capitales y Provincias donde ahora se establecen los nuevos.

8

A excepcion de los Intendentes de México, Guadalaxara, Arispe, Mérida de Yucatan y Veracruz, todos los demás han de exercer en sus Provincias el Vice-Patronato Real conforme á las Leyes, y en calidad de Subdelegados de los respectivos propietarios; pero quedando reservadas á éstos todas las presentaciones eclesiásticas que como á tales Vice-Patronos les correspondan, y tambien el absoluto exercicio de esta suprema regalía de mi Corona en los distritos de las Intendencias donde tienen sus fixas residencias: de modo que en el de la de México corresponderá al Virréi, en el de la de Arispe al Comandante-General de las Fronteras, en el de la de Guadalaxara al Presidente Regente de su Real Audiencia, y en la de la de Mérida y Provincia de Yucatan á su Gobernador Capitan-General; pero en el territorio de la Intendencia de Veracruz á que no se extiende la jurisdiccion de aquel Gobernador, corresponderá al Intendente de la Puebla el exercicio que ya le queda declarado para su propia Provincia, así como al dicho Gobernador, y al del Nuevo-Reino de Leon en los distritos de sus respectivos mandos con la misma calidad de Subdelegados del Vice-Patrono propietario, (que en ambas partes lo es el Virréi) y con la ya explicada reserva á su favor.

9

Los demas Corregimientos y Alcaldías Mayores de toda la comprehension de las enunciadas doce Intendencias que no se expresaron en el Artículo 7, inclusas tambien las dos de Tixtla y Chilapa, se han de extin-

guir conforme vayan vacando , ó cumpliendo
su tiempo los provistos por Mí en únas y
ótros ; y entretanto estarán inmediatamente
sujetos y subordinados á los respectivos Intendentes de su distrito , y éstos les subde-
legarán sus encargos para que así se uniforme desde luego el gobierno de todas las Provincias , y se evite la confusion que siémpre
causa la diversidad de jurisdicciones y Ministros. Y aunque mi Soberana voluntad es que
en la prefinida extincion se comprehendan
tambien los Corregimientos y Alcaldías Mayores de los Estados del Valle y de Atlixco
para igualar enteramente la condicion de todos mis Vasallos de la Nueva-España , continuarán , sin embargo , los provistos actuales
en los indicados empléos , bien que sujetos á
las reglas que se establecen por esta Ordenanza , ínterin cumplen , y se conviene con
los poseedores de dichos Estados en la justa
recompensa que se les dará por sus respectivos derechos y privilegios.

10

Quedarán exîstentes los Gobiernos políticos y militares de Yucatan, Tabasco, Veracruz, Acapulco, Nuevo-Reino de Leon, Nuevo-Santander, Coahuila, Texas y Nuevo-México, y han de continuar por consiguiente con las causas de Justicia y Policía reunidas al mando Militar en sus respectivos territorios ó distritos, excepto lo correspondiente á Propios y Arbitrios, y Bienes de Comunidad de los Pueblos, que ha de ser privativo de los Intendentes con subordinacion á la Junta Superior de Hacienda: entendiéndose que la Jurisdiccion del Gobernador ó Castellano de Acapulco en quanto á lo político y de justicia ha de quedar ceñida á la Ciudad de los Reyes y su Puerto, con las tres Cabeceras que la corresponden. Y con el fin de afianzar en todo aquel Reino el logro del importante objeto manifestado por el anterior Artículo en razon de las subdelegaciones que dispone, mando que los respectivos Intendentes las hagan igualmente en los dichos Go-

bernadores, (exclusos los de Yucatan y Veracruz) y en el Teniente de Rei de la Ciudad de Campeche, por lo tocante á las dos
causas de Hacienda y económico de Guerra
en los territorios de sus respectivos mandos.

I I

A medida que se vayan suprimiendo los
Corregimientos y Alcaldías Mayores indicados en el Artículo 9, ha de recaer la Jurisdiccion Real que exercen en los Intendentes
respectivos como Justicias Mayores de sus
Provincias, sin perjuicio de la que corresponde á los Alcaldes Ordinarios que debe haber
en las Ciudades, Villas y Lugares de Españoles con restriccion á sus distritos ó jurisdicciones, pues en los Pueblos que hasta ahora no los tuvieren, siendo de competente vecindario, (sin exceptuar las Capitales de las
Intendencias, ni las de los Gobiernos que se
dexan exîstentes) se han de elegir del mismo modo tambien dos el primer año en que
se verifique esta providencia; y donde no hubiere formal Ayuntamiento que pueda exe-

cutarlo conforme á las Leyes que tratan del
asunto (*), harán siémpre estos nombramientos cada Gobernador político y militar en su
distrito, y en lo restante de las Provincias
los respectivos Intendentes, arreglándose únos
y ótros al espíritu de las indicadas Leyes, y
sin necesidad de confirmacion respecto de ser
mi Real voluntad que, entendiéndose expresamente derogada la lei 10 tít. 3 lib. 5, recaiga privativa y respectivamente, conforme á lo
que va declarado, en los mismos Gobernadores é Intendentes la facultad de confirmar las
elecciones que hiciesen los Ayuntamientos, tomando para lo úno y lo ótro previamente
los informes que regularen conducentes á fin
de que se verifiquen dichos empléos en los
sugetos que juzguen mas á propósito para la
buena administracion de Justicia, y la correspondiente seguridad de los intereses de
mi Real Hacienda que debiesen entrar en su
poder conforme á lo que por esta Instruccion se dispone. Y tanto en los unos como
en los otros Pueblos, esto es, con Ayuntamiento, ó sin él, sólo se elegirá cada año de

(*)
Exprésanse ba-
xo el Núm.º 1
las Leyes que
se indican.

C

los sucesivos uno de los dichos Alcaldes para
que su oficio sea bienal en tódos, y que el
mas antiguo instruya al que entrare de nuevo: advirtiéndose que para continuar con éste en el segundo año ha de quedar el de
primer voto de los nombrados en el primero,
y que anulo expresamente la facultad ó arbitrio que los Gobernadores en quanto á lo político, Corregidores y Alcaldes Mayores, hubiesen tenido de poner Tenientes en algunas
Ciudades, Villas ó Lugares de los que se indican en este Artículo.

I 2

En cada Pueblo de Indios que sea Cabecera de Partido, y en que hubiese habido
Teniente de Gobernador, Corregidor ó Alcalde Mayor, se ha de poner un Subdelegado, que lo ha de ser en las quatro causas,
y precisamente Español, para que, precediendo las fianzas que dispone la lei 9 título 2 libro 5, administre justicia en los Pueblos que
correspondan al Partido, y mantenga á los
Naturales de él en buen órden, obediencia y

civilidad. Su nombramiento ha de hacerlo con Título formal, y sin derechos, el Intendente de la Provincia por sí sólo, y por el tiempo de su voluntad, en aquellos Pueblos Cabeceras que no sean del distrito de alguno de los Gobiernos exceptuados; y en los que lo fuesen, lo harán de un acuerdo, y con la misma calidad, el dicho Intendente y el respectivo Gobernador, tomando para ello úno y ótro individuales informes y noticias acerca de los sugetos, y prefiriendo en iguales circunstancias á los Administradores de Tabaco, Alcabalas ú otros ramos de mi Erario donde los hubiere. Pero ni los dichos Subdelegados, ni los Alcaldes Ordinarios, ni los Gobernadores que quedan exîstentes, ni otra persona alguna sin excepcion, han de poder repartir á los Indios, Españoles, Mestizos y demas castas, efectos, frutos ni ganados algunos, baxo la pena irremisible de perder su valor en beneficio de los Naturales perjudicados, y de pagar otro tanto, que se aplicará por terceras partes á mi Real Cámara, Juez y Denunciador; y en casos de reincidencia, formada Sumaria por el Intendente, y dando cuenta con ella á la Junta Superior de Hacienda, oidas las partes, y justificado el delito, se aumentará el castigo hasta la confiscacion de bienes y destierro perpetuo de los delinqüentes; cuya execucion suspenderá para con sólo los Gobernadores referidos miéntras me consulte la sentencia, y nó para con los demás sinó hubiere lugar al recurso de apelacion á mi Real Persona : entendiéndose que los Indios y demas Vasallos mios de aquellos Dominios quedan, por conseqüencia, en libertad de comerciar donde y con quien les acomode para surtirse de todo lo que necesiten. Y si ademas de los Pueblos Cabeceras que van indicados reconociese el Intendente ser necesario en alguno otro de su Provincia, y de meros Indios, nombrar tambien Subdelegado, podrá hacerse segun va prevenido, y precediendo consulta á la Junta Superior de Hacienda y su aprobacion, la qual, en tal caso, me dará cuenta por la Via reservada de las Indias para mi noticia.

13

Sin embargo de esta providencia de poner Jueces Españoles en los Pueblos Cabeceras de meros Indios que por el Artículo antecedente se indican, es mi Real voluntad conservar á éstos, por hacerles bien y merced, el derecho y antigua costumbre, donde la hubiere, de elegir cada año entre ellos mismos los Gobernadores ó Alcaldes, y demas Oficios de República que les permiten las Leyes y Ordenanzas para su régimen puramente económico, y para que exîjan de los mismos Naturales el Real Tributo que pagan á mi Soberanía en reconocimiento del vasallage y suprema proteccion que les está concedida, á ménos que no corra á cargo de otros Naturales que los Intendentes ó sus Subdelegados tuviesen á bien nombrar por tales Gobernadores, ó Cobradores, segun la práctica, para la mencionada exâccion y mayor seguridad de mi Real Hacienda en esta parte. Y á fin de evitar los disturbios, pleitos y alborotos que freqüentemente se originan entre aquellos Naturales con motivo de sus elecciones de oficios, mando que siémpre asista y presida en sus Juntas el Juez Español, ó el que éste, hallándose ausente ó legítimamente impedido, nombrare para ello, con tal que tambien sea Español; y que de otro modo no puedan celebrarlas, ni tener validacion lo que acordaren en ellas.

I4

Hechas estas elecciones de los Indios al tiempo acostumbrado y en la forma aquí prevenida, darán cuenta de ellas el Subdelegado ó Alcaldes Ordinarios con informe al Intendente de la Provincia, ó al Gobernador respectivo si fuesen en el distrito de alguno de los que quedan exîstentes, á fin de que las apruebe, ó reforme, prefiriendo á los que sepan el Idioma Castellano y mas se distingan en las recomendables aplicaciones de la Agricultura ó Industria, y procurando con oportunidad, y por los medios que regule mas suaves, inclinar á los Naturales á que atiendan tambien las expresadas circunstancias en dichas elecciones : las quales, así despachadas por el Intendente ó Gobernador, las devolverá al Juez que ha de executarlas, sin permitir exâccion alguna de derechos á los Indios : entendiéndose expresamente derogada qualquiera práctica ó costumbre contraria á esta disposicion. Y á fin de que no quede ceñido al solo medio que va ordenado el importantísimo objeto de estimular á los Naturales á que se dediquen á la Agricultura é Industria, y á hablar el Castellano, protegerán en todo los Intendentes, sus Subdelegados y Alcaldes Ordinarios respectivamente, á los que mas sobresalgan en lo úno, ó en lo ótro.

CAUSA DE JUSTICIA.

15

El Intendente General de Exército y Real Hacienda, y cada uno de los de Provincia, ha de tener un Teniente Letrado que exerza por sí la Jurisdiccion contenciosa Civil y Criminal en la Capital y su particular territorio, y que al mismo tiempo sea Asesor ordinario en todos los negocios de la Intendencia, supliendo las veces del Gefe de ella en su falta, enfermedades, y ausencias que hiciere á visitar su Provincia, ó con otra justa causa: entendiéndose que el Asesor del Intendente General lo ha de ser tambien en todo lo respectivo á la Superintendencia de mi Real Hacienda que exerce, y suplir en ella sus ausencias, enfermedades ó falta. Y para que dichos Tenientes tengan todas las circunstancias que requieren sus empléos, han de estar exâminados y aprobados por mis Consejos, Chancillerías ó Audiencias, y serán nombrados por Mí á consulta de la Cámara de Indias, que me propondrá para cada Tenencia tres sugetos de literatura y providad conocidas, á fin de que Yo elija de ellos (quando no lo hiciere fuera de consulta como lo executo con los primeros) el que estimase mas conveniente á mi Real Servicio.

16

Como es mui posible el que falten á un tiempo, yá por muerte, ó yá por enfermedad ó ausencia, el Intendente-Corregidor de alguna Provincia y su Teniente Asesor, declaro que en qualquiera de estos casos deberá suplir interinamente las veces y funciones del Intendente el Ministro mas antiguo de los dos Principales de Real Hacienda de la Provincia, y el Letrado que éste elija las del Teniente Asesor: entendiéndose que en el primero de dichos casos, esto es de muerte, lo harán úno y ótro sólo entretanto que, con acuerdo del Superintendente Subdelegado, elija mi Virréi sugetos de toda satisfaccion, y acreditada aptitud y literatura, que respectivamente desempeñen la Intendencia y Corregimiento interinos, y la Tenencia. Pero si fallecieren el Intendente General de México y su Teniente, es mi Soberana voluntad que supla por el primero el Ministro mas antiguo del Tribunal de la Contaduría de Cuentas, y que por el segundo elija el

D

Virréi con su acuerdo un Asesor interino;
dándoseme cuenta de éstas y aquéllas vacantes por la Vía reservada de Indias para que
Yo las provéa.

17

Porque son incompatibles en la práctica
no sólo el exercicio de las veces y funciones de Intendente y el de las de Ministro
Contador ó Tesorero de mi Real Hacienda,
sino tambien el debido desempeño de únas
y ótras por los distintos lugares y unidad de
tiempo en que respectivamente han de ac-
tuarse, quiero y ordeno que, quando en observancia de lo dispuesto por el anterior Artículo, y mediante qualquiera de los dos casos que previene, se verificare en alguna
Provincia recaer el exercicio de su Intendencia en el mas antiguo de sus Ministros Principales de Real Hacienda, nombre éste un
sugeto de su satisfaccion, yá sea de dentro
yá de fuera de las mismas Caxas Reales, que
asista al despacho de ellas con su representacion miéntras él hiciere de Intendente, auto-

rizándole á dicho fin con el correspondiente
Poder, pues siémpre ha de ser suya la responsabilidad en la parte que le toca como
tal Ministro Contador ó Tesorero.

18

Para que los dichos Tenientes puedan
desempeñar sus oficios con decoro y entera
libertad, les señalo, ademas de los derechos
de Arancel, la dotacion de mil pesos sobre
los caudales de Propios y Arbitrios; y en mis
Tesorerías Reales otros mil al del Intendente
General, y quinientos á cada uno de los demas, como Asesores de Rentas: y mando
que los sirvan por cinco años, y el mas tiempo que duraren los Intendentes con quienes
fuesen destinados, ó el que Yo tuviere á bien
prorrogarles; y no los podrán remover sin
precedente justificacion y conocimiento de
justas causas, y declaracion mía, ó de mi
Consejo de las Indias. Pero podrán ser sus-
pendidos por la Junta Superior de Hacienda
si con previo reconocimiento de las causas
que les hubiesen formado los Intendentes ha-

llase mérito para ello , dándome de todo cuenta.

19

De los autos ó sentencias que dieren los referidos Tenientes como Jueces ordinarios, deben admitir las apelaciones y recursos de las Partes para la Audiencia del distrito conforme á las Leyes de aquellos Reinos ; y si fueren recusados , han de acompañarse con arreglo á la última Real Cédula expedida por punto general para estos casos en 18 de Noviembre de 1773 (*); y lo mismo observarán los Intendentes en las causas y negocios de su inspeccion quando ante ellos se recusare á sus Tenientes en calidad de Asesores ordinarios, pues nunca deben separarlos del conocimiento , teniendo título mío, y obligacion á responder de sus dictámenes.

(*)

Hállase baxo el Núm.º 2 *la Real Cédula que se cita.*

20

Los Intendentes-Corregidores han de presidir los Ayuntamientos de sus Capitales , y las funciones públicas de ellos ; y quando no puedan asistir por ausencia , enfermedad ú otro impedimento , lo harán sus Tenientes, y, en defecto de ámbos , los Alcaldes Ordinarios , si los hubiese , ó el que segun la lei, privilegio ó costumbre deba executarlo, dando cuenta despues al Intendente , si se hallare en la Capital , de lo que se hubiese tratado en los Cabildos para que , instruido, disponga su cumplimiento , no encontrando reparo grave en perjuicio del público , ó en agravio de algunos particulares que lo reclamen con derecho á ser oidos.

2 I

Así los Intendentes-Corregidores , como sus Tenientes, tendrán mui á la vista, y harán particular estudio de todas las Leyes de Indias que prescriben las mas sabias y adaptables reglas para la administracion de justicia , y el buen gobierno de los Pueblos de aquellos mis Dominios ; y tambien exâminarán con particular atencion lo establecido en las de estos Reinos , á que deben arreglarse en defecto de aquéllas , no siendo únas ni ótras contrarias á lo prevenido en esta Instruccion. Y dando exemplo los Jueces con su propia observancia, han de cuidar eficazmente de que todos los demás, tanto Españoles, como Naturales y de otras castas, respeten y guarden dichas Leyes con la obediencia y exâctitud debidas.

22

Entre los cuidados y encargos de los Intendentes es el mas recomendable establecer y mantener la paz en los Pueblos de sus Provincias, evitando que las Justicias de ellos procedan con parcialidad, pasion ó venganza: á cuyo fin deben interponer su autoridad, y remediar los daños que de las enemistades resultan á la Causa pública y á mis Vasallos; y en estos casos podrán llamar á sus Tenientes, Subdelegados, Alcaldes Ordinarios y demas Jueces subalternos, para advertirles su obligacion y exhortarlos á que cumplan con ella; pero sino bastase, darán cuenta con justificacion al Tribunal Superior que sea competente segun la calidad del negocio, á efec-

to de que se les corrija , y se disipen las inquietudes que suele ocasionar el poder abusivo de las Justicias , y de otras personas que
fomentan en las Repúblicas la envidia, el odio
y la discordia , con grave perjuicio de sus
conciencias.

23

Cuidarán tambien los Intendentes con
igual vigilancia del breve y regular despacho
de las causas y negocios de su conocimiento , y de que no se moleste á las Partes con
dilaciones, ni se las cobren mas derechos que
los debidos segun Aranceles ; y si entendie-
ren con verídicos informes que los Jueces
subalternos de sus Provincias hacen extorsio-
nes sobre estos puntos , les advertirán de sus
descuidos ó excesos ; y quando esta providencia no baste á contenerlos , informarán
con justificacion al Superior respectivo para
que sean condignamente castigados.

24

Quando por mi Consejo de las Indias se

despachen las Residencias de que se tratará
en esta Instruccion, ó por mis Audiencias algunas Comisiones ó Pesquisas á las Ciudades,
Villas ó Lugares de las Provincias, que no
sean contra sus Intendentes en quanto Corregidores, estarán éstos á la mira de si cumplen los Jueces de ellas con lo prevenido en
las Leyes y sus Instrucciones, informándose
exâctamente de si dexan disimulados ó tole-
rados los delitos dignos de castigo, por contemplacion ó interes: si se detienen voluntariamente, y ocupan mas tiempo del que necesitan; y si cobran excesivas dietas ó derechos, para amonestarles que se contengan y
moderen, ó dar cuenta, sino bastare su re-
convencion, al Fiscal del Consejo en lo respectivo á Residencias, y al de la Audiencia
del distrito en lo tocante á las Comisiones
que emanaren de ella; entendiéndose lo mismo con los Receptores de las Audiencias y
qualesquiera otros Jueces que exerzan jurisdiccion delegada en sus Provincias. Y como
que los Intendentes deben estar enterados de
los abusos que haya en los Pueblos de su ter-

ritorio, podrán instruir de ellos á los expresados Jueces de residencia, ó pesquisa, con
toda reserva y secreto; y éstos y los demas
Comisionados tendrán obligacion por lo mismo de noticiar y presentar sus comisiones a
los Intendentes-Corregidores de la Provincia
donde fueren destinados, pues les debe constar la autoridad y jurisdiccion con que se hallen asistidos, y para su libre exercicio ha
de preceder que les presten el uso y auxîlios
dispuestos por derecho.

25

Ínterin duraren los Corregidores y los Alcaldes Mayores que hasta ahora se hallan
provistos por Mí, y respectivamente por los
poseedores de los Estados del Valle y de A-
tlixco, y cuyos empléos deben suprimirse segun queda prevenido, cuidarán los Intendentes con especial vigilancia de que las visitas
que hagan á los Pueblos de sus jurisdicciones no las executen sin darles cuenta antes
de salir á ellas; y en el caso de permitirlas
por las justas causas que les expongan, sea

E

con la prevencion indispensable de que no graven los Propios con derechos indebidos, ni hagan costa alguna á los Vecinos y Naturales, á quienes deben pagar los bagages y mantenimientos que les subministraren ; advirtiéndoles tambien que no dexen disimulados los excesos de las Justicias ordinarias por negociacion ni respeto alguno.

26

Los mismos Intendentes estarán perpetuamente obligados á visitar sus Provincias en las estaciones que mejor lo permitan respectivamente , practicándolo cada año en los Territorios y Partidos que puedan reconocer y exâminar con la seria reflexîon que deben hacerlo unos Magistrados prepuestos para aumentar la Agricultura , promover el Comercio , excitar la Industria de los Pueblos , favorecer la Minería , y procurar , en suma, por quantos medios quepan en su arbitrio y facultades que les están concedidas, la felicidad de aquellos Vasallos , que son el objeto de mis desvelos y Reales atenciones.

27

Estas Visitas las han de practicar los Intendentes sin gravámen alguno de los Pueblos y con los fines explicados en esta Instruccion y en las Leyes del tít. 2 lib. 5 de la Recopilacion de Indias (*); y sólo en el caso de hallarse imposibilitados enteramente de executarlas por sí mismos, enviarán Comisarios Subdelegados de su entera satisfaccion con instrucciones individuales de lo que deben practicar en beneficio público, y desagravio de los particulares que se hallasen quexosos ó perjudicados de las Justicias subalternas, ó de los Poderosos que suelen oprimir á los pobres y desvalidos.

(*) *Baxo el* Núm.º *3 se expresan las Leyes que se indican.*

28

Con el objeto de arreglar uniformemente el gobierno, manejo y distribucion de todos los Propios y Arbitrios de las Ciudades y Villas de Españoles, y de los Bienes comunes de los Pueblos de Indios de aquel Imperio, cometo privativamente la inspeccion de únos y ótros á la Junta Superior de Hacienda, con la jurisdiccion que la queda declarada en el Artículo 6, derogando, como expresamente derogo, qualquiera otra disposicion que hubiese en contrario, aunque se halle aprobada. Y mando que subsista la Contaduría General de este ramo en la Capital de México como la estableció de mi órden el Visitador General de aquel Reino en el año de 1766, reservándome nombrar el Contador y Oficiales necesarios para que lleven la mas exâcta cuenta y razon de estos caudales públicos, y que por la misma Oficina se despachen los expedientes, órdenes y providencias que acordase la expresada Junta Superior. Y supuesto que en la Capital de México hai un Ministro de la Real Audiencia comisionado con nombre de Juez Superintendente de los Propios y Arbitrios de aquella Ciudad, y del Desagüe de Huehuetoca, ha de cesar desde luego en estos encargos, que mando unir á la Intendencia General como privativos de ella.

29

Para que la misma Junta Superior pueda con el debido conocimiento establecer una regla general en la administracion y manejo del expresado ramo en todos los Pueblos del Reino, pedirá á los Intendentes quantas noticias conceptúe precisas; y con êxámen de ellas les comunicará sus providencias y resoluciones por medio del Contador General de Propios y Arbitrios, que debe ser Secretario de la Junta en todo lo respectivo á este negociado, siguiéndose por él la correspondencia en quanto le sea relativo.

30

Para que el mencionado Contador General de Propios y Arbitrios pueda desempeñar debidamente el dicho encargo de Secretario de la Junta Superior, ha de asistir á todas las que por ella se celebren para tratar de lo concerniente al expresado ramo, substituyéndole, quando las circunstancias y necesidad lo pidan, su Oficial Mayor, para

cuyo efecto le habilito en toda forma. Y á fin
de evitar dudas, y aun disputas, sobre el modo de la concurrencia del Contador á dichos
actos, mando que entre y asista á ellos con
Espada y Sombrero: que tome asiento despues del último. Vocal de la Junta, y en Silla sin brazos supuesto que los tengan las que
ocupen aquéllos, ó que se sienten en Ban-
cos de respaldo: que por qualquiera de los
Vocales, yá sea nato yá substituto, se le
trate de Merced; y que mediante no desnu-
darle la qualidad de Secretario de la de Contador General, tenga, en quanto tal, voto
informativo, y en uso de él y de los conocimientos que por su dicho oficio adquiera
de todo lo concerniente al referido ramo,
pueda y deba exponer á la Junta verval-
mente, yá sea preguntado por ella ó alguno de sus Vocales, ó yá de motu propio,
quanto estimare conducente al mayor acierto en la resolucion que se hubiese de acordar, sin que para hacerlo en qualquiera de
dichos casos obste el que como tal Contador haya producido ya su informe por escri-

to en el asunto de que se trate : entendiéndose todo lo que va expresado tambien con
el Oficial Mayor quando substituya á su Gefe , excepto lo de asiento , pues deberá tomar
el mismo que por el Artículo 4 se señala al
Escribano de la Superintendencia de mi Real
Hacienda y su Junta Superior.

31

Luego que los Intendentes tomen posesion de sus empléos han de pedir á cada una
de las Ciudades, Villas y Lugares de Españoles , y Pueblos de Indios de sus Provincias , una razon puntual, y firmada de las Justicias y Escribanos de Ayuntamiento , donde los hubiere , de los Propios y Arbitrios,
ó Bienes de Comunidad que gozan; de la
concesion y orígen de ellos; de las cargas
perpetuas , ó temporales que sufren; de los
gastos precisos , ó extraordinarios á que están
sujetos; de los sobrantes , ó faltas que resultan al fin de cada año; y de la exîstencia,
custodia y cuenta de estos caudales , previniendo que serán responsables los Jueces sub-

alternos y Escribanos á la certeza y exâctitud de estas noticias.

32

Ademas de ellas, así en las Capitales de
Provincia por sí mismos, ó por medio de sus
Tenientes, como en sus restantes Jurisdicciones y Partidos por el de los Alcaldes Ordinarios y Subdelegados, se informarán los Intendentes mui por menor de los Arbitrios que
gozaren los Pueblos; si para ésto tienen facultades reales; por qué motivos, y con qué
destinos se les concedieron; y si la causa
subsiste, ó ha cesado: en cuyo caso, ó en
el de haberse cumplido el tiempo de la concesion y sus prorrogaciones, si las hubiere,
representarán á la Junta Superior para que
se extingan dichos Arbitrios, haciendo lo
mismo quando hayan de subsistir, con inda-
gar ántes si convendrá alterar ó mudar su
imposicion sobre distintas especies en que sea
menor el gravámen del Comun.

33

Con prolixo êxámen de todas las noticias indicadas en los dos Artículos antecedentes, y de sus documentos comprobantes, que pedirán los Intendentes quando los regularen precisos, han de formar un Reglamento interino para los Propios y Arbitrios, ó Bienes de Comunidad de cada Pueblo, moderando , ó excluyendo las partidas de gastos que les parecieren excesivas , ó superfluas, aunque éstas se hallen señaladas y permitidas por Ordenanzas ó Reglamentos antiguos aprobados; y, remitiéndole firmado con órden de que se observe en todas sus partes hasta nueva providencia , dirigirán copia de él á la Junta Superior de Hacienda con la razon dada por las Justicias, y el correspondiente informe de los fundamentos y motivos que hubiesen tenido en consideracion, á fin de que le apruebe ó modifique con pleno conocimiento del asunto , dándome la misma Junta cuenta por la Via reservada para que recaiga mi confirmacion, ó resuel-

F

va lo que fuese de mi Soberano agrado. Y mediante no ser mi Real ánimo variar los destinos que las Leyes del lib. 6 tít. 4 de la Recopilacion dan á los Bienes comunes de los Pueblos de Indios , y ser aquéllos en parte mui diferentes de los que tienen y deben darse á los Propios y Arbitrios de los Pueblos de Españoles , ordeno que para la formacion de los prevenidos Reglamentos respectivos á Pueblos de meros Indios y á sus Bienes de Comunidad , inclusos sus censos, se tengan presentes y en la debida consideracion las 38 leyes de los citados libro y título , en quanto no se opongan á lo dispuesto por esta Instruccion.

34

En los mencionados Reglamentos particulares se han de dividir las partidas de gastos en quatro clases : la primera , de las dotaciones , ó ayudas de costa señaladas á las Justicias, Capitulares y Dependientes de los Ayuntamientos , y salarios de los Oficiales públicos, Médico ó Cirujano , donde los haya , y Maestros de Escuela que deben precisamente establecerse en todos los Pueblos de Españoles é Indios de competente vecindario : la segunda , de los réditos de censos, ú otras cargas que legítimamente se pagaren por los mismos Pueblos , estando impuestos con facultad Real ó convertidos en beneficio comun, y justificada su pertenencia : la tercera , de las festividades votivas , y limosnas voluntarias ; y la quarta , de los gastos precisos , ó extraordinarios y eventuales que no tengan quota fixa: advirtiendo que para estos últimos señalarán los Intendentes la cantidad anual que les pareciere correspondiente segun las circunstancias y facultades de los Pueblos ; y quando no alcanzare , éstos se lo representarán con justificacion de la urgencia y de haberse consumido la dotacion asignada , pues no excediendo el gasto de quarenta pesos en las Ciudades ó Villas de Españoles , y de veinte en las Poblaciones de Indios , podrán librarlo los Intendentes ; pero si fuere de mayor suma han de dar cuenta á la Junta Superior , y esperar su resolucion.

35

Aprobados por élla dichos Reglamentos
á proporcion que los Intendentes los vayan
remitiendo, se los devolverá el Contador General de Propios y Arbitrios, dexando copia
de cada uno en su Oficina, con la prevencion
de que, quedando otra en las Contadurías
Principales de Provincia, se remitan los originales á los respectivos Pueblos para su observancia y puntual execucion miéntras que
por Mí no se determine y ordene otra cosa.

36

Se ha de establecer á este fin en cada
Ciudad, Villa ó Lugar de Españoles, inclusas las Capitales de las Provincias, una Junta Municipal á cuyo cargo han de correr la
administracion y manejo de estos efectos,
compuesta del Alcalde Ordinario de primer
voto ó mas antiguo, que la debe presidir, de
dos Regidores, y del Procurador-General ó
Síndico, sin voto, para promover en ella lo
que sea mas útil al Comun; previniendo que

donde hubiere mas de dos Regidores deben turnar por años en este encargo con la mira de que todos se instruyan de su importancia y gobierno económico; sin que el Cuerpo de los Ayuntamientos pueda mezclarse en esta materia, ni embarazar con pretexto alguno las disposiciones de sus Juntas Municipales, pues ellas han de sacar anualmente los ramos de Propios y Arbitrios á pública almoneda, segun irá prevenido en el Artículo siguiente, para rematarlos en el mayor postor, sin admitir prometidos, ni otras reprobadas inteligencias; y, en defecto de Arrendadores, los administrarán con la pureza y legalidad correspondientes.

37

Nada es tan importante á la causa pública como el que tambien haya exâctitud en los hacimientos de los Propios de los Pueblos, y el mayor cuidado en los Abastos públicos, pues se interesan los Comunes de ellos en que los priméros se rematen por su justo valor, y en que los segúndos se tengan con

la mayor comodidad de precios ; y siendo indispensable para ésto evitar las ligas y mo-
nopolios que suele haber dentro y fuera de
los Ayuntamientos , deben zelar sobre ello
los Intendentes-Corregidores, y cuidar de que
en las Capitales de sus Provincias las Juntas
Municipales que establece el Artículo antecedente desempeñen con fidelidad y desinteres la obligacion de asistir , con su Teniente
Asesor , en el lugar público acostumbrado,
ó en el que se señalare , á intervenir y hacer los remates , así de los Propios , como
de los Abastos donde los hubiere establecidos , despues de pregonados por treinta días,
y de haber despachado sus avisos y requi-
sitorias á los Pueblos que convenga , fixando
Edictos para que llegue á noticia de tódos;
y puedan hacer qualesquiera posturas y pu-
jas asegurados de la libertad de su admision,
sin que los Regidores , sus parientes ó pa-
niaguados se utilicen con perjuicio del Comun , ni hagan patrimonio , mediante su autoridad , del ménos valor de los Propios , ó
del exceso en el precio de lo que debe ser-

vir á la manutencion de los Pueblos.

38

Esto mismo mandarán los Intendentes á las demas Justicias y Juntas Municipales de las Ciudades, Villas y Poblaciones de sus Provincias, para que en tódas se obre con uniformidad, desterrando los abusos que contribuyen á su decadencia; pero sino bastaren sus órdenes y advertencias, darán cuenta á la Junta Superior de Hacienda, y á mi Fiscal comprehendido en ella, por lo que sea relativo á Propios y Arbitrios, y al Virréi, ó al Comandante-General de las Fronteras respectivamente, por lo que toque á los Abastos, á fin de que se provéa de remedio, y proceda, segun los casos, al castigo de los que cometieren ó disimularen estos perjudiciales excesos.

39

Siempre que dichas Juntas Municipales consideraren que los arrendamientos de los ramos de Propios y Arbitrios en su todo, ó

parte, serán ventajosos haciéndose por mas
tiempo que el de un año, lo representarán
al Intendente de la Provincia, y éste lo habrá de informar á la Junta Superior de Hacienda con expresion de los fundamentos y
causas que haya para dispensar sobre el asunto, en que la concedo facultad de que pueda hacerlo, no excediendo los contratos de
cinco años.

40

Los Vocales de cada Junta Municipal han
de nombrar anualmente de su cuenta y riesgo un Mayordomo ó Depositario abonado,
en cuyo poder entrarán precisamente todos
los caudales de Propios y Arbitrios con exâcta cuenta y razon, señalándole por su responsabilidad y trabajo uno y medio por ciento de lo que cobrase, y nó de las exîstencias que quedaren de un año para otro; con
la prevencion indispensable de que mensualmente se han de poner los caudales en Arca
de tres llaves, y de que éstas han de estar
en el Alcalde Presidente de la Junta, en el

Escribano del Ayuntamiento, si le hubiere, ó el Regidor mas antiguo por defecto de aquél, y en el Mayordomo de Propios, sin que puedan confiárselas únos á ótros por ningun motivo: entendiéndose que en qual-quiera día del mes que, por ser de conside-racion los caudales que entren ó se hallen en poder del Mayordomo, ó por alguna otra razon, quieran y propongan los otros dos Claveros ponerlos en dicha Arca, deberá executarse, sin que tenga arbitrio á resistir-lo el dicho Mayordomo.

41

En fin de año ha de formar su Cuenta ju-rada el Mayordomo ó Depositario, ciñéndo-la exâctamente al cargo que le resultare por Testimonio de los hacimientos de rentas y sus cobranzas, y á la data de las partidas consig-nadas por el Reglamento, ó posteriores ór-denes del Intendente ó de la Junta Superior, y satisfechas con libramientos formales de la Municipal, teniendo éstos á su continuacion recibos legítimos de los Interesados. Y para

G

facilitar el êxámen y aprobacion de estas cuentas se han de formar con preciso arreglo al órden y método prefinidos en los Reglamentos, y á los Formularios que con ellos debe remitir la Contaduría General del Ramo por mano de los Intendentes, conforme al Artículo 35.

42

Esta cuenta la ha de presentar el Mayordomo á la Junta Municipal de su año en todo el mes de Enero del siguiente, y si de ella le resultare alcance le enterará en el Arca de tres llaves á presencia de los individuos de la misma Junta, con asistencia de los sugetos que compusieren la nueva, y del Mayordomo ó Depositario que ésta hubiese nombrado; y extendiendo á continuacion de dicha cuenta la diligencia que lo acredite con fe de Escribano, si le hubiere, se pondrá seguidamente una formal atestacion, que firmarán todos los individuos de la antigua Junta, de no haber producido los ramos públicos mas valores ni adehalas, y ésta dará vista de todo al Ayuntamiento, con asistencia del Procurador del Comun, para que consienta ó adiccione la cuenta, en la qual pondrá su Decreto de aprobacion ó reparos de partidas; y vuelta á la Junta, ésta la remitirá original al Intendente sin retardacion con los recados justificativos, dexando en su Archivo copias íntegras de todo para el gobierno sucesivo, de que se pondrá constancia al pie de la misma original.

43

Con la mencionada cuenta, y la correspondiente seguridad, ha de remitirse tambien á la Capital de la Provincia, y disposicion del Intendente, el caudal que, segun el cargo y data de ella, resultase sobrante y debiese haber efectivo, dexando únicamente en el Arca aquella cantidad que permitiese el Reglamento para atender á los gastos asignados por él miéntras se deban verificar las primeras entradas ó cobranzas de los productos del año, y formalizándose esta operacion por diligencia auténtica extendida en el final de la referida cuenta. Y estos caudales así remitidos los mandará el Intendente recibir en la Tesorería Principal de Provincia, donde se pondrán y custodiarán, baxo la debida cuenta y razon con total independencia, en una Arca que ha de haber en dicha Oficina destinada sólo para estos fondos públicos, la qual tendrá tres llaves, y de ellas la úna el mismo Intendente, y las ótras dos los Ministros de Real Hacienda Contador y Tesorero; y éste, baxo la intervencion de aquél, llevará á cada Ciudad, Villa, ó Pueblo su cuenta formal de lo que le pertenezca de dichos caudales, y de lo que se fuese entregando de ellos por resoluciones de la Junta Superior de Hacienda, y consiguientes órdenes del Intendente, para los fines que dispone el Artículo 47 de esta Instruccion y los demás en que deben invertirse conforme á las leyes que tratan de la materia (*), y tambien por lo que corresponda al quatro y dos por ciento de que habla el Artículo 51, puesto que su importe se ha de tomar y rebaxarse de estos caudales efectivos.

(*)

Las Leyes que se indican se expresan baxo el Núm.º 4.

44

Iguales reglas á las que van prevenidas respecto de las expresadas Juntas Municipales deberán observar proporcionalmente los Subdelegados Españoles que han de establecer los Intendentes en los Pueblos Cabeceras de meros Indios indicados en el Artículo 12 por lo que mira á la direccion y manejo de las Tierras y otros Bienes de sus Comunidades, y las de los demas Pueblos de su jurisdiccion y conocimiento, y á la custodia, cuenta y razon de los caudales que anualmente produxeren; pues, labradas dichas tierras por los Indios de la respectiva Parcialidad ó República en comun, conforme á la lei 31 título 4 lib. 6, ó en su defecto (en el todo ó parte de ellas) arrendadas ó administradas con los otros bienes por disposicion de dichos Jueces subalternos, interviniendo precisamente con ellos los Gobernadores ó Alcaldes de los mismos Naturales, cuidarán mui particularmente de cobrar sus productos, ponerlos en una Arca de tres llaves establecida en la misma Cabecera donde residan, y formar al fin de año la Cuenta justificada de valores y gastos en la forma prevenida, para remitirla al Intendente con el caudal sobrante, si le hubiere, haciendo constar por documento ó diligencia fidedigna la personal asistencia de los dichos Oficiales de República Indios. Y para que éstos se instruyan por sí mismos del buen órden y seguridad con que se han de manejar los productos de sus Bienes comunes, tendrán el Gobernador ó Alcalde, y el Regidor mas antiguo de éllos, dos llaves del Arca de sus caudales, quedando siémpre la tercera en poder del Juez Español, y la referida Arca en las Casas Reales del Pueblo Cabecera de su residencia, ó en otro parage bien resguardado.

45

Tocará á los Contadores Principales de Provincia el êxámen y fenecimiento de estas cuentas, sean de Propios y Arbitrios, ó de Bienes de las Comunidades de Indios, y se las pasarán los Intendentes luego que las reciban con el Decreto correspondiente para que, hallándolas arregladas, extiendan los Finiquitos que, con la aprobacion y *Visto-bueno* de los mismos Intendentes, han de enviar éstos á las Juntas Municipales, ó Jueces Subdelegados de los Pueblos; pero si los dichos Contadores hallaren algunos reparos, pondrán Pliegos de ellos á media margen, expresando los motivos que tuvieren en cada uno, y los pasarán á la Junta Municipal, ó Subdelegado remitente, con la prevencion de satisfacerlos en el término que señalare el Intendente, y que, de no executarlo, se excluirán las partidas reparadas, y se procederá al reintegro de su importe.

46

Fenecidas las cuentas de uno ó de otro modo, enviará el Intendente á la Junta Superior de Hacienda un extracto de cada una certificado por el Contador Principal de su Provincia, con expresion, yá de los ramos, sus valores, gastos que hayan tenido, y caudales que resultaren en Arcas, y existentes

en deudores, primeros ó segundos contribuyentes con distincion, ó yá del alcance que
haga el Mayordomo de Propios, para que la
Junta Superior en los casos que ocurran pueda dar sus providencias con suficiente instruccion. Y si ella regulare conveniente alguna
vez que la Contaduría General del ramo re-
véa estas cuentas particulares, las pedirá al
Intendente con los recados de justificacion,
y las mandará devolver despues de exâmina-
das á fin de que se archiven con las demás
en la Contaduría de Provincia.

47

El caudal que cada Pueblo tuviere por
sobrantes anuales del producto de Propios y
Arbitrios, ó Bienes de Comunidad, despues
de cubiertas las cargas señaladas en su particular Reglamento, se convertirá en la compra de Fincas, é imposicion de Rentas para
que, teniendo las suficientes al pago de sus
obligaciones y socorro de las necesidades comunes, se extingan los arbitrios, que siémpre
gravan al Público; y en el caso de no tener-

los , ni Censos que redimir sobre los Propios
ó Bienes comunes, se aplicarán dichos sobrantes á fomentar establecimientos útiles á los
mismos Pueblos y sus Provincias , precediendo propuestas de los Intendentes , y aprobacion de la Junta Superior para qualquiera de
estas inversiones.

48

Sin embargo de que haya espirado el
tiempo de las concesiones de algunos Arbitrios , podrá la Junta Superior de Hacienda,
con justas causas, permitir su continuacion;
y tambien lo hará en los establecidos por consentimiento comun , estando los Pueblos bien
hallados con ellos , ó precisados á tolerarlos
por falta de Propios : bien que en estas circunstancias de faltarles dotacion para cubrir
sus obligaciones , deben aquéllos representarlo á la misma Junta Superior por medio del
Intendente de su Provincia , y proponer el
arbitrio que sea menos gravoso á sus Vecinos , con el fin de que, exâminada la necesidad , se acuerde su concesion ; y en qual-

H

quiera de los dos casos hará la Junta poner interinamente en práctica lo que determine, dándome cuenta por la Via reservada de Indias para que recaiga mi aprobacion, ó resuelva lo que fuese mas de mi Soberano agrado.

49

Todos los Expedientes de este ramo se han de instruir y formalizar por los respectivos Intendentes del distrito, cuyas órdenes deberán obedecer las Juntas Municipales y Justicias subalternas sin excusa ni demora alguna. Y para que las providencias gubernativas sean mas claras y expeditas no las darán los Intendentes por medio de Escribanos, y sí por el de los Contadores Principales de Provincia, que extenderán las que acordaren en vista de los expedientes, que han de correr por sus Oficinas, respecto de que en ellas se deben archivar las cuentas y papeles respectivos á este negociado, con separacion de los demás, y de que han de despacharlo sin llevar á las partes derechos, propinas, ni emolumentos algunos.

50

Quando las Juntas Municipales y Justicias subalternas se consideraren agraviadas de las providencias de sus respectivos Intendentes, aunque éstas dimanen de la Junta Superior de Hacienda , cuya circunstancia se deberá siémpre expresar en ellas, bien sea sobre reparos en las cuentas, reintegro de caudales, aumento ó reduccion de partidas señaladas por los Reglamentos, proposicion de nuevos arbitrios, ú otro qualquiera punto relativo á la administracion y gobierno de estos ramos, podrán hacer sus recursos, con la moderacion y justificacion debidas, á la misma Junta Superior en derechura, ó por mano del Intendente de su Provincia, para que, instruida de los fundamentos y razones que expongan los agraviados, tome la providencia que regulare justa.

51

Como para un establecimiento de tanta

importancia y utilidad de los mismos Pueblos es preciso que los Intendentes tengan los auxîlios inmediatos y respectivos de los Contadores y Tesoreros Principales de sus Provincias, y éstos el de los precisos Subalternos que les ayuden al despacho de lo perteneciente á dicho ramo, y á llevar la cuenta y razon de él conforme úno y ótro va indicado, mando que del total valor de Propios y Arbitrios en cada año se deduzca un quatro por ciento en las Ciudades, Villas y Lugares de Españoles, segun se hace en estos Reinos, y un dos por ciento solamente del producto de Bienes comunes de los Pueblos de Indios, y que todo su importe entre con separacion, é intervenido por los Contadores Principales de las Provincias, en las Tesorerías Principales de ellas, para que de este caudal se satisfagan á los expresados Contadores, Tesoreros y Oficiales las ayudas de costa y moderados salarios que regularen los Intendentes con aprobacion de la Junta Superior, y los gastos de Escritorio que legítimamente se causaren en el despacho del mismo ramo; precediendo para el pago mensual de únos y ótros la Relacion que de los priméros deberán formar los Contadores, la Cuenta certificada que de los segúndos habrán de poner á su continuacion, y el correspondiente Decreto del Intendente al pie de todo.

52

Los mencionados Tesoreros Principales de Provincia han de formar anualmente la respectiva cuenta del producto y distribucion del quatro y del dos por ciento, arreglada á las ayudas de costa que á éllos y á los Contadores Principales se les hubieren asignado, á los salarios de los Oficiales destinados al despacho de dicho ramo, y á los gastos de Escritorio que en él se hubieren causado; y reconocida y cotejada por el Contador Principal de Provincia mediante los asientos de su intervencion, y poniéndola su *Visto-bueno* el Intendente, éste la remitirá á la Contaduría General de Propios y Arbitrios, para que, exâminada en aquella Oficina, instruya de las resultas á la Junta Superior de Hacienda, y despache con su aprobacion el correspondiente Finiquito. Y el sobrante que quedare, despues de pagados los referidos gastos y sueldos, ha de estar á disposicion de la dicha Junta Superior para satisfacer las dotaciones de la misma Contaduría General.

53

Tambien enviarán los Intendentes á la referida Junta Superior de Hacienda en principios de cada año un Estado individual, y certificado de los Contadores Principales de Provincia, que acredite el que tienen los Propios, Arbitrios y Bienes comunes de todos los Pueblos de sus distritos, con expresion de los valores, cargas y sobrantes de ellos, censos que se hubieren redimido, y arbitrios que hayan cesado, ó concedídose de nuevo, para que la misma Junta disponga que de tódos se forme por la Contaduría General de estos ramos otro Estado general con separacion de Provincias, y las mismas distinciones, y le dirija á mis Reales manos por la Via reservada de Indias, y á mi Supremo Consejo de ellas, exponiéndome al propio tiempo lo que se la ofreciere en beneficio comun de mis Vasallos, y lo que, por su experiencia sobre este punto, hallare que necesita ampliacion ó reforma, á fin de perficionar el gobierno y manejo de los caudales públicos en aquel Reino.

54

La fidelidad y legalidad de los Escribanos y Notarios no sólo interesan la Causa pública, sino tambien la honra, vida y hacienda de mis Vasallos; y debiendo por conseqüencia serlo personas de limpieza, integridad y pureza, está prevenido en las Leyes Reales de estos y aquellos Dominios (*) todo lo conveniente para que cumplan con la obligacion de sus oficios, y que los Protocolos y Papeles de su cargo se mantengan en segura custodia, evitándose toda falsedad, suplantacion y omision : en cuyos supuestos cuidarán los Intendentes-Corregidores con

(*) *Baxo el* Núm.º *5 se expresan las Leyes de Indias que se indican.*

especial vigilancia de que en sus Provincias y distritos se observen y guarden inviolablemente las reglas prefinidas por las Leyes, y Cédulas expedidas, ó que se expidieren sobre este punto, con advertencia de que serán responsables de qualquiera tolerancia ó descuido, sin admitirles excusa alguna.

55

Asimismo zelarán los Intendentes que las penas pecuniarias y multas impuestas por los Alcaldes Ordinarios y sus Subdelegados, bien sean pertenecientes á mi Real Cámara, ó á la Causa pública, no se oculten ni malversen, y que se lleve cuenta exâcta de este ramo, y se dé bien justificada con arreglo á las Leyes de Indias (*) y Ordenanzas que tratan de esta materia, correspondiéndose sobre ella con los Regentes de las Audiencias respectivas, puesto que son Subdelegados de este ramo en el distrito del Tribunal conforme al Art. 57 de la Instruccion que por Mí les está dada con fecha de 20 de Junio de 1776 para el exercicio de sus empléos.

(*)
Exprésase baxo el Núm.º 6 *la Lei que corresponde.*

56

Aunque de todo lo que en esta Causa ocurra digno de remedio deben los Intendentes, como va prevenido, dar cuenta al Virréi ó al Comandante-General de las Fronteras respectivamente, y á los Tribunales superiores de aquel Reino segun la naturaleza de los casos y distincion de mandos, quiero me informen al mismo tiempo por la Via reservada de Indias de los asuntos graves que se ofrecieren y estimaren dignos de mi Real noticia, expresando si han dado cuenta, ó nó, á los enunciados Superiores y Tribunales, y las providencias tomadas por ellos si es que las hubiesen dado, para que se les comunique por la misma Via mi resolucion.

CAUSA DE POLICÍA.

57

A la recta administracion de justicia y demás prevenido en los anteriores Artícu-

I

los, debe unirse el cuidado de quanto conduce á la Policía y mayor utilidad de mis Vasallos por unos medios que aseguren el conocimiento exâcto y local de aquel Reino, y los ventajosos efectos que me he propuesto en este establecimiento; y para facilitarlos mando á los Intendentes que, por Ingenieros de toda satisfaccion é inteligencia, hagan formar Mapas topográficos de sus Provincias, en que se señalen y distingan los Términos de ellas, sus Montañas, Bosques, Rios y Lagunas, y que á este fin los Ingenieros á quienes lo encargaren executen sus órdenes con la exâctitud, puntualidad y expresion posibles.

58

Por medio de los mismos Ingenieros, y sus relaciones individuales, se informarán particular y separadamente del temperamento y calidades de las tierras que comprehende cada Provincia; de sus producciones naturales en los tres Reinos Mineral, Vegetal y Animal; de la Industria y Comercio activo y pasivo; de sus Montes, Valles, Prados y Dehesas; de los Rios que se podrán comunicar, engrosar y hacer navegables; á quánta costa, y qué utilidades podrán resultar á aquel Imperio, y á mis Vasallos, de executarlo; dónde se podrá y convendrá abrir nuevas Acequias útiles para regadío de las tierras de labor, y fabricar Molinos; en qué estado se hallan sus Puentes, y los que convendrá reparar, ó construir de nuevo; qué Caminos se podrán mejorar, y acortar para obviar rodéos; qué providencias se deberán dar para su seguridad; en qué parages se hallarán maderas útiles para construccion de Vaxeles, ó exquisitas para comerciarlas en Europa; y qué Puertos hai capaces de que en ellos se abriguen embarcaciones, y que por lo mismo convenga asegurarlos como útiles, ó cegarlos por perjudiciales: de suerte que, con estas relaciones y las visitas personales que han de hacer los Intendentes de sus Provincias, se instruya cada uno del estado de la suya, de la calidad de los terrenos que contiene y de los medios de mejorarla, para darme anualmente, y á mi Supremo Consejo de las Indias, todas las noticias conducentes á la conservacion, aumento y felicidad de aquellos Dominios.

59

Con todo el cuidado y esmero que corresponden á mi confianza deben solicitar por sí mismos, y por medio de los Jueces subalternos, saber las inclinaciones, vida y costumbres de los Vecinos y Moradores sujetos á su gobierno, para corregir y castigar á los ociosos y malentretenidos que, léjos de servir al buen órden y policía de los Pueblos, causan inquietudes y escándalos, desfigurando con sus vicios y ociosidad el buen semblante de las Repúblicas, y pervirtiendo á los bienintencionados de ellas: sin que se entienda que baxo este pretexto se haya de hacer caso de delaciones infundadas, ni entrometerse á exâminar la vida, genio y costumbres domésticas, ó privadas, que no pueden influir en la tranquilidad, buen exemplo y gobierno público, y que no ceden en perjuicio de los demas Ciudadanos, pues han de hermanarse en este particular la vigilancia y cuidado que debe tener el que manda, con la prudencia que tambien ha de serle inseparable.

60

Con la indicada mira, y la de que florezcan las virtudes de los buenos, cuidarán los Intendentes de que en los Pueblos de sus Provincias no se consientan Vagamundos, ni gente alguna sin destino y aplicacion al trabajo, haciendo que los de esta clase, si fueren hábiles y de edad competente para el manejo de las Armas ó la Marinería, se apliquen á los Regimientos fixos de aquel Reino ó al servicio de los Vaxeles de guerra y mercantes que llegaren á sus Puertos del Norte y Sur, y, en su defecto, á las obras públicas ó Reales por el tiempo que arbitraren conforme á las circunstancias de los casos; y si fueren inútiles para estos destinos, ó Mendigos de profesion, los harán recoger en Hospicios perpetuos, ó provisionales, donde se ocupen segun sus fuerzas. Pero justificándose ser sugetos inquietos, poco seguros y de mal vivir, les impondrán las penas establecidas por las Leyes de Indias (*), aplicando al trabajo de las Minas, ó al de los Presidios en calidad de forzados, á aquellos que corresponda segun lo permitido por las propias Leyes.

(*) *Baxoel* Núm.º *7 se citan las Leyes que se enuncian.*

61

Serán objetos mui dignos y del privativo encargo de los Intendentes no sólo fomentar y extender en los terrenos mas á propósito de sus respectivos distritos el precioso fruto de Grana fina ó Cochinilla, que se criaba ántes con abundancia en muchas Provincias de aquel Imperio, y hoi se halla reducida á la de Oaxaca, auxîliando eficazmente á los Indios que se dedicaren á esta utilísima grangería para que la comercien libremente en el mismo Reino, ó la envíen á España de su cuenta, si quisieren, como les está concedido por la lei 21 título 18 lib. 4; sino tambien cuidar de que se apliquen con preferencia aquellos Naturales y demas castas de la Plebe , á la siembra, cultivo y beneficio del Cáñamo y Lino conforme á la lei 20 del propio título y libro. Y si para lograr tan importantes fines necesitaren los Intendentes hacer repartimientos de tierras Realengas ó de privado dominio , les concedo facultad de que puedan executarlo, dando cuenta con justificacion á la Junta Superior de Hacienda ; pero entendiéndose respecto á las heredades de particulares con sólo aquellas que por desidia ó absoluta imposibilidad de sus dueños estuviesen sin cultivar , disponiendo la expresada Junta se satisfaga su valor de los caudales de causa pública ; y en quanto á las tierras Valdías ó Realengas , sin perjuicio de las Comunes y Exidos que conforme á las Leyes (*) debe precisamente tener cada Pueblo ó Comunidad. Y las de dicha segunda clase se distribuirán por los mismos Intendentes en suertes proporcionadas á los Indios casados que no las tuvieren propias por sí ó por sus mugeres, con prohibicion de en-

(*) *Exprésanse baxo el* Núm.º 8 *las Leyes que se indican.*

agenarlas, para que sucedan en ellas sus hijos y descendientes de ambos sexôs ; pues mi **Real** voluntad es que todos aquellos Naturales gocen una competente dotacion de bienes raices , y que las tierras que se repartan para los prevenidos fines, yá sean compradas con fondos públicos, yá Valdías ó Realengas, pasen á los que les cupieren, sean Indios ó de otras castas , con sólo el dominio útil, quedando el directo reservado á mi **Real Corona** y al fondo público respectivamente, y cuidando los Intendentes de que únos y ótros las cultiven en su propio beneficio , haciéndoles conocer y entender quanto interes y utilidad les resultará de esta piadosa disposicion mía ; y á aquellos que no se aplicaren á utilizar debidamente las tierras que se les hubiesen repartido se les quitarán, (como mando se execute sin contemplacion) y darán á ótros que lo cumplan.

62

Asimismo será mui conveniente que procuren fomentar las abundantes cosechas del

Algodon que se da en todos los paises cá-
lidos y templados, y de la Seda silvestre que
se produce en las Sierras de la Misteca y
otros parages de aquel Reino. Y para que
este fruto, el de la Lana burda y fina la-
vadas de que trata la lei 2 tít. 18 lib. 4,
y el Cáñamo y Lino en cerro, é hilados, se
traigan á España como primeras materias
mui útiles al Comercio y Fábricas naciona-
les, les concedo á tódos la misma libertad
de derechos en su salida y entrada por los
Puertos, que goza ya el Algodon de mis Dominios de América.

63

Con igual atencion y cuidado han de procurar los Intendentes-Corregidores, por quantos medios sean posibles, que los Hacendados y Naturales de sus Provincias, aprove-
chando las aguas corrientes y subterraneas
para el riego y fertilidad de las tierras, au-
menten la Agricultura y siembras de granos,
especialmente la de trigo al auxîlio de la
exêncion de derechos Reales que gozan las

K

Harinas en su extraccion por Veracruz y
demas Puertos de aquel Reino : que los Labradores, á proporcion de sus facultades, tengan Ganados vacuno y lanar para el beneficio y cultivo de sus Haciendas, y que se
apliquen á la cria del mular, á la de caballos generosos y útiles á mi Real servicio,
y al aumento del vacuno : zelando tambien
con especial vigilancia la conservacion de los
Montes y Bosques, dedicándose sobre todo
á proteger la Industria, la Minería y el Comercio, como ramos que directamente contribuyen á la riqueza y felicidad de aquellos y estos mis Dominios.

64

Cuidarán asimismo de que todos los Jueces y Subdelegados de sus Provincias tengan bien reparados los Puentes, y compues-
tos los Caminos públicos de sus respectivos
Términos en beneficio comun ; de que no
permitan á los Labradores se introduzcan en
ellos, poniendo á este fin sus Hitos ó Mo-
jones, y procediendo á castigar á los contra-

ventores con las multas y penas correspondientes, además de obligarles á reparar el daño á su costa; y de que si necesitaren de mayor ensanche, de nuevos puentes ó calzadas que faciliten los tránsitos, les dén cuenta con la necesaria justificacion para que, informando á la Junta Superior de Hacienda, resuelva lo conveniente en lo que los Pueblos del territorio donde deban hacerse estas obras ó reparos no puedan costear conforme á lo que dispone la lei 53 tít. 3 lib. 3 de la Recopilacion.

65

Tambien prevendrán á las Justicias de su territorio que, para la mayor comodidad de los Pasageros, hagan poner en todos los sitios donde se junten dos ó mas caminos ó sendas, un madero levantado y fixo con su Targeta que diga: *Camino para tal Lugar*, en disposicion de que los que pasen de ida y vuelta vayan con segura noticia, y sin rezelo de extraviarse; debiéndose por lo mismo añadir en la inscripcion los que fueren de herradura, ó para carruage. Y supuesto que por un abandono sensible y perjudicial se halla casi extinguido en la Nueva-España el uso de los Carros y Carretas, que fueron mui comunes, y facilitaban á precios cómodos los transportes de efectos, géneros y frutos, se aplicarán los Intendentes con el mayor esmero á fomentar que en las Provincias de su cargo se restablezca la Carretería; cuidando con igual desvelo de que los Jueces subalternos se dediquen tambien á este importante objeto, promoviéndolo con los Hacendados y Vecinos de sus particulares jurisdicciones.

66

Por ser igualmente sensible á los traficantes ó pasageros la falta de Posadas, y en ellas de lo necesario, deben cuidar los Intendentes-Corregidores conforme á la lei 18 título 2 libro 5, y á la 1 título 17 libro 4 de la Recopilacion de Indias, de que en todos los Pueblos y parages de tránsito haya Ventas y Mesones de suficiente capacidad, con la competente provision de víveres, camas limpias, y lo demás preciso al buen hospedage, asistencia y alivio de los Caminantes á la ménos costa posible, y de modo que sin considerable gravámen de ellos puedan los Posaderos satisfacerse de su cuidado, gasto y adelantamiento en la provision. Y para que se hagan Ventas ó Mesones en los precisos tránsitos donde no los hubiere, informarán á la Junta Superior de Hacienda, y ésta resolverá que se construyan de los sobrantes de Propios y Arbitrios, ó por medio de repartimiento entre los que recibieren el beneficio, conforme á la lei 1 título 16, y á la 7 título 15 libro 4 de la misma Recopilacion.

67

Zelarán los Intendentes-Corregidores con todo cuidado por sí mismos, y por los Jueces subalternos de cada Pueblo, que los Alcaldes Provinciales, ó de la Hermandad y sus Quadrilleros, donde los hubiere, cumplan exâctamente la obligacion que les imponen las Leyes de reconocer los Campos y

Montes para tener en seguridad los caminos, y libre el comercio de los pasageros, apercibiéndolos á este fin con las penas convenientes, y la responsabilidad de qualquiera insulto ó robo que se cometa en sus distritos si para evitarlos no visitaren freqüentemente los tránsitos y despoblados por sí, ó sus Guardas de Montes, procediendo en esto con la vigilancia que merece la comun seguridad, y auxiliando eficazmente á los Ministros del Juzgado de la Acordada que se halla establecido en aquel Reino contra los Ladrones y otros delinqüentes públicos.

68

Deben prevenir con igual cuidado á las Justicias de todos los Pueblos de sus Provincias que se esmeren en la limpieza de ellos, ornato, igualdad y empedrados de las Calles; que no permitan desproporcion en las fábricas que se hicieren de nuevo para que no desfiguren el aspecto público, especialmente en las Ciudades y Villas populosas de Españoles; y que si algun Edificio ó Casas

particulares amenazaren ruina , obliguen á sus
dueños á repararlas en el término correspondiente que les señalaren , y , de no hacerlo,
lo mandarán executar á costa de los mismos
dueños : procurando tambien que quando se
hagan obras y casas nuevas , ó se derriben
las antiguas , queden las Calles anchas y de-
rechas , y las Plazuelas con la posible capacidad ; y disponiendo asimismo que , si los propietarios de las arruinadas no las reedifica-
ren , se les obligue á vender sus Solares á
justa tasacion para que los compradores lo
executen , y que en los pertenecientes á Mayorazgos , Capellanías ú otras fundaciones
perpetuas , se deposite judicialmente su precio hasta nueva imposicion.

69

En los Pueblos de Indios procurarán que
éstos fabriquen en buen órden sus Casas , cuidando de que mantengan reparadas las Reales donde las hubiere , las de Comunidad y
demas edificios públicos. Y por lo respectivo
á las Poblaciones grandes de Españoles han

de tener los Intendentes igual cuidado, y dispondrán que se vayan cercando las Capitales, por lo mucho que esto facilita su mejor gobierno, policía y resguardo, proponiendo para ello á la Junta Superior de Hacienda los medios que regularen ménos gravosos á los Comunes sinó hubiere caudales suficientes en el sobrante de sus Propios y Arbitrios, á fin de que resuelva, ó me consulte, segun las circunstancias de los casos.

70

Cuidarán asimismo de que en ningun Pueblo de los de su mando se construya Iglesia alguna, ni otro edificio público, sin que preceda que los dibuxos de sus planes, alzados y cortes se les presenten, para que, remitiéndolos á la Junta Superior, ésta los haga exâminar por Ingenieros ó Arquitectos, y, rectificados por éllos en la parte que lo exîjan y mire á la mayor firmeza y duracion de la obra, como á la hermosura, buena distribucion y demas partes que recomienda la facultad, proponiendo tambien los medios que conceptúen mas adaptables al logro de los proyectos que se formen, con proporcion al gasto que quieran, ó puedan hacer las personas ó ramos que los costeen, recaiga la aprobacion de la misma Junta. Y porque se experimenta el total abandono que generalmente hai en la reparacion de las Iglesias, y que de ello resulta considerable gravámen á mi Real Hacienda, tanto por no acudirse con prontitud á estas obras, quanto porque casi siémpre es forzoso que ella sufra los grandes costos que en tales casos son indispensables, á causa de no administrarse é invertirse como corresponde el derecho de sepulturas y demás que por Leyes Canónicas están destinados á la fábrica material de los Templos y cosas anexâs á ella, como son las Casas Curales donde las hai : se dedicarán los Intendentes, de acuerdo con los Ordinarios de su distrito, á inspeccionar y arreglar este importante punto para que en él se practique lo que es debido, zelando que oportunamente se acuda con los indicados fondos á la reedificacion que necesiten los dichos edificios.

L

71

Cada quatro meses darán los Intendentes-Corregidores cuenta respectivamente al Virréi ó al Comandante-General de las Fronteras, y al Intendente General de Exército, de la escasez ó abundancia de frutos que hubiere en sus Provincias, y de sus respectivos precios corrientes, para que, con la noticia individual del estado de ellas en esta parte, y combinando los objetos de mi servicio y causa pública que están á cargo de cada uno, providencien de acuerdo, y en tiempo oportuno, al socorro de sus necesidades, ó al beneficio y comercio (que siémpre ha de ser libre) de sus frutos sobrantes, á fin de que, animados los Labradores con la ventaja de los precios, no minoren las siembras, ni se retraigan de sus útiles trabajos.

72

Han de inquirir el estado de los Pósitos de la Capital y demas Pueblos de sus Provincias donde se hayan establecido; y si los hallaren desfalcados, ó extinguidos, deberán averiguar las causas, y proveer que se reintegren, mantengan y administren segun sus Ordenanzas; pero sino las tuviesen, las formarán con arreglo á las Leyes mirando á los fines de su establecimiento bien explicados en la 11 título 13 libro 4 de la Recopilacion de Indias, y las pasarán yá al Virréi, ó yá al Comandante-General de las Fronteras con el informe que estimen conveniente para que, oyendo sobre ellas el dictámen del Acuerdo de la Audiencia del territorio, que podrá rectificarlas si lo necesitaren, las apruebe interinamente, y mande poner en práctica con la misma calidad miéntras recaiga mi confirmacion á Consulta de mi Supremo Consejo de las Indias, á cuyo Tribunal las dirigirá para ello el propio Virréi, ó el Comandante-General en su caso.

73

Con atencion á los beneficios que se siguen á las Ciudades y Villas principales de que haya en ellas Alhóndigas para su abas-

to público, y á remediar los daños que las
causan los Regatones y Revendedores de trigo, harina y otros granos, mando á los Intendentes-Corregidores que las establezcan en
las Poblaciones grandes si convinieren para
utilidad de sus Comunes, y que, formando
las correspondientes Ordenanzas para su gobierno y administracion conforme á la lei 19
título 14 libro 4 de la Recopilacion de Indias, las remitan con el correspondiente informe al Virréi, ó al Comandante-General
de las Fronteras; y éste, ó aquél, oyendo
en su razon al Acuerdo de la Audiencia del
territorio para que las arregle en quanto lo
exîjan, y aprobándolas interinamente como
dispone la lei citada, mandará se pongan en
práctica con la propia calidad, y las enviará á mi Supremo Consejo de las Indias á
fin de que, consultándome sobre ellas, recaiga mi Real confirmacion, ó provéa lo que
regulare mas conveniente. Y en quanto á las
Alhóndigas ya fundadas, si las hubiere en algunos Pueblos, deben los Intendentes inda-
gar su estado actual, y hacer que se guar-

den exâctamente sus Ordenanzas, ó arreglar-
las y remitirlas, en el modo que va prevenido, á mi Soberana aprobacion si carecie-
sen de esta indispensable circunstancia.

74

La justa lei y proporcion de las Monedas interesan á la Sociedad pública y al Estado; y siendo por esta razon un asunto que
merece las primeras atenciones, mando á los
Intendentes-Corregidores que por sí mismos,
sus Tenientes y Jueces subalternos, le zelen
de continuo para que no se corten ni falsifiquen las monedas de oro y plata que corren en aquellos mis Dominios, ni se vicien
estos preciosos metales que producen sus Minas y Placeres, haciendo á los expresados fines quantas indagaciones y encargos regularen convenientes, y las Visitas ordinarias de
Platerías, Tiendas y demas Oficinas públicas que convenga, con asistencia de Escribano
que dé fe de ellas y sus resultas.

CAUSA DE HACIENDA.

75

Explicadas ya en general las obligaciones que deben observar los Intendentes-Corregidores de sus Provincias, y hacer cumplir á los Jueces subalternos de ellas en lo respectivo á la administracion de Justicia y Gobierno Político y Económico, de que depende el aumento y felicidad de los Pueblos, guardarán las siguientes Reglas en quanto á la tercera Causa de su conocimiento, que corresponde á mi Real Hacienda.

76

La Direccion por mayor de mis Rentas Reales que se hallan establecidas ó establecieren en la comprehension del expresado Reino, y la de quantos derechos pertenezcan ahora y siémpre á mi Real Erario de qualquiera modo que sea, deberá correr en lo sucesivo baxo de su privativa inspeccion y conocimiento, con todo lo incidente, depen-

diente y anexô á ella, sin distincion de que
los Ramos se administren de mi cuenta, ó
estén arrendados ó puestos en encabezamiento. Y además ordeno y declaro, que la jurisdiccion contenciosa concedida por la lei 2 tít. 3
lib. 8 á los Oficiales Reales para la cobranza
del haber y ramos de mi Real Erario, se ha
de entender en todo reunida y trasladada á
los Intendentes en sus respectivas Provincias,
con absoluta inhibicion de aquellos Ministros
de Real Hacienda, que han de quedar con
este título comun para lo sucesivo, y con el
particular de Contadores y Tesoreros, aunque
siémpre sujetos, como hasta ahora, á fianzas
y mancomunada responsabilidad en quanto les
toca, y subordinados á estos nuevos Magistrados como á sus inmediatos Gefes y Superiores; bien que será del cargo de dichos Ministros la obligacion que hoi reside en los
Oficiales Reales de administrar y recaudar lo
correspondiente á mi Real Hacienda en los
ramos que corran á su cuidado, exerciendo
todas las facultades coactivas económicas, y
conducentes á lo úno y á lo ótro, á diferen-

cia de que en los casos en que sea necesario proceder judicialmente contra deudores á ella hayan de enjuiciarlos, y seguir la demanda á representacion de mi Real Fisco, ante el respectivo Intendente ó Subdelegado, para que en uso de la jurisdiccion que les queda declarada libren las providencias que corresponda conforme á Derecho.

77

A fin de que así pueda verificarse, y de que las órdenes y providencias de los Intendentes en lo relativo á esta Causa y á la de Guerra sean executadas en todo el distrito de sus Provincias por personas debidamente autorizadas, nombrarán tanto en las Cabeceras de los Gobiernos políticos y militares que se dexan exîstentes, (exceptos los de Yucatan y Veracruz) como en las demas Ciudades y Villas subalternas de numerosos vecindarios, y señaladamente donde haya Tesorería de mi Real Hacienda, aunque sea de las Menores ó Sufraganeas, Subdelegados para sólo lo contencioso correspondiente á dichas dos Causas: en inteligencia de que en las Cabeceras y distritos de los enunciados Gobiernos ha de recaer dicha Subdelegacion en los mismos Gobernadores, segun se dispone por el Artículo 10, y de que en los demas parages indicados y sus respectivos territorios no se ha de verificar por ningun caso en los Alcaldes Ordinarios, ni ménos en los Ministros Contadores y Tesoreros, ú otros Administradores de algunos ramos de mi Erario, pues ha de confiarse á personas particulares de la mejor nota y necesarias circunstancias, previo informe de sugetos que puedan darle con debido conocimiento: declarando, como declaro, que los Gobernadores Militares en quanto Subdelegados del respectivo Intendente, han de estar subordinados á él, y que las facultades de los dichos Subdelegados, y las de los que por el Artículo 12 se mandan establecer, en lo que toque á las enunciadas dos Causas sólo se han de extender en las que formen, ó se les pasen en sumaria por qualesquiera Dependientes de mis Rentas, hasta ponerlas en estado de senten-

M

cia, pues en él han de remitirlas al Intendente de la Provincia para que pronuncie, con acuerdo de su Asesor, la que corresponda en justicia.

78

Por lo que toca al exercicio de la jurisdiccion contenciosa en los expedientes y negocios de mis Rentas deberán los Intendentes conocer privativamente, y con absoluta inhibicion de todos los Magistrados, Tribunales y Audiencias de aquel Reino, á excepcion sólo de la Junta Superior de Hacienda; y tambien actuarán todas las causas en que tuviere algun interes ó perjuicio mi Real Erario, ó que toquen á quàlesquiera ramos y derechos suyos que estén en administracion ó arrendamiento, así en lo respectivo á las cobranzas, como en todas sus incidencias; de modo que ninguno de los Intendentes, incluso el de México por lo respectivo á su Provincia, admitirá á las partes recurso ni apelacion que no sea para la expresada Junta Superior en los casos y cosas que haya lugar, así como ésta no podrá hacerlo de sus resoluciones sino para mi Real Persona por la Via reservada de Indias: advirtiéndose que el Superintendente Subdelegado no ha de asistir quando en dicha Junta se trate de apelacion de providencia que él haya dado como Intendente de la Provincia de su inmediato cargo, ni tampoco el Asesor de la Superintendencia si hubiere sido pronunciada con su acuerdo; y que en tales casos concurra á la misma Junta otro Ministro del Tribunal de la Contaduría de Cuentas.

79

Aunque las Rentas del Tabaco, Alcabalas y Pulques, Pólvora y Naipes, han de continuar gobernándose privativamente en la Nueva-España por el Superintendente Subdelegado de mi Real Hacienda y Ministros que tengo establecidos para su mejor direccion y manejo, mando que los Intendentes en sus respectivas Provincias y en primeras instancias conozcan por sí, ó por sus Subdelegados, de todas las causas y negocios contenciosos que ocurrieren en dichos ramos, con las apelaciones á la Junta Superior de Hacienda segun y como les queda prescripto para los demas de mi Real Erario; entendiéndose por consiguiente derogado lo dispuesto en esta parte por las particulares Ordenanzas de las expresadas Rentas. Y en quanto á lo gubernativo y económico de ellas auxîliarán los Intendentes en lo que sea necesario las providencias que dieren el Superintendente Subdelegado, ó las respectivas Direcciones Generales, llevando con éstas y aquél la debida correspondencia sobre lo que en su razon se ofreciere.

80

Para substanciar y sentenciar las causas de fraudes que se hicieren contra las expresadas Rentas del Tabaco, Alcabalas, Pulques, Pólvora y Naipes, y contra las demas que pertenecen á mi Real Hacienda, y distribuir los comisos y condenaciones, observarán puntualmente los Intendentes y sus Subdelegados, en la parte que respectivamente les to-

que, las reglas prefinidas así en las particulares Ordenanzas é Instrucciones de cada ramo, como en el Reglamento ó Pauta formada por el Contador General con fecha de 29
de Julio de 1785, que aprobé y mandé observar por mi Real Cédula de 21 de Febrero
del presente año (*), imponiendo precisamente á los Contrabandistas ó Defraudadores las
penas establecidas en las indicadas Ordenanzas é Instrucciones, y en las Leyes Reales, á
fin de contener y escarmentar á esta clase de
delinqüentes, pues son enemigos comunes, como usurpadores de las dotaciones del Estado,
que ceden en beneficio, utilidad y defensa de
todos mis Vasallos.

(*)
*Hállanse baxo
el* Núm.º 9 *la
Cédula y Re-
glamento que
se citan.*

81

Tambien serán los Intendentes Jueces
privativos de las dependencias y causas que
ocurrieren en el distrito de sus Provincias sobre ventas, composiciones y repartimientos
de tierras Realengas y de Señorío, debiendo los poseedores, y los que pretendan nuevas concesiones de ellas, deducir sus dere-

chos, y formalizar sus solicitudes ante los mismos Intendentes para que, instruidos legítimamente estos negocios con un Promotor de mi Real Fisco que nombren, los determinen, segun derecho, con dictámen de sus Asesores ordinarios, y admitan las apelaciones á la Junta Superior de Hacienda, ó la dén cuenta, en defecto de interponer recurso los interesados, con los autos originales quando los estimen en estado de despachar el Título, á fin de que, vistos por ella, se los devuelva, ó bien para que le expidan sino se la ofreciere reparo, ó para que, antes de executarlo, evacúen las diligencias que echare ménos la Junta y les previniese: mediante lo qual podrán recaer sin nuevos embarazos las confirmaciones correspondientes, que librará á su debido tiempo la misma Junta Superior, procediendo ésta en el asunto, como tambien los Intendentes, sus Subdelegados y demás, con arreglo á lo dispuesto en la Real Instruccion de 15 de Octubre de 1754 (*) en quanto no se oponga á lo resuelto por ésta, sin perder de vista las sa-

(*)
Hállase baxo el Núm.º 10.

ludables disposiciones de las leyes que en ella se citan, y de la 9 tít. 12 lib. 4.

82

En los casos de confiscacion de bienes situados en sus Provincias, y de que conozcan mi Virréi, el Comandante-General de las Fronteras, las Audiencias ú otros Tribunales, no deberán mezclarse sin particular comision ó encargo de ellos miéntras los enunciados bienes se mantuvieren seqüestrados; pero si llegaren á confiscarse por sentencia mandada executar, será del privativo cargo de los Intendentes proceder á la enajenacion y cobro de su importe, y tambien el conocimiento de todas las instancias y pleitos que despues se suscitaren sobre los efectos confiscados, á cuyo fin les pasarán mis Fiscales instrumento auténtico de los embargos para que con arreglo á él dispongan la recaudacion, obrando siémpre subordinados al Superintendente Subdelegado de mi Real Hacienda, ó á la Junta Superior de ella si el caso por su naturaleza la tocase conforme á lo declarado en esta Instruccion.

83

Conocerán igualmente de los casos de presas, naufragios, arribadas y bienes vacantes en qualquiera manera que lo estén, así para la averiguacion, como para ponerlos en cobro, y aplicarlos á mi Real Hacienda precediendo las diligencias necesarias por derecho, y dándome cuenta por la Via reservada de Indias para que por ella se haga entender á los Tribunales respectivos, y se comuniquen á los mismos Intendentes las resoluciones que convengan.

84

Ha de ser asimismo de su privativo encargo dar cumplimiento á mis Reales Cédulas que se expidieren á qualesquiera Ministros de Rentas, y á las Órdenes, Títulos y Despachos librados á favor de ellos, para que se pongan en execucion ; como tambien el hacer que se guarden á todos los Subalternos y empleados en las propias Rentas las prerogativas y exênciones que por sus oficios les compitieren, mandando á los Jueces subordinados de sus Provincias se les observen y cumplan rigurosamente, y exhortando y requiriendo, si fuere necesario, en mi Real nombre á los Capitanes-Generales, Gobernadores y Comandantes de mis Tropas, que autoricen y auxîlíen sus disposiciones; pues mi Real intencion es que prontamente las apoyen con la mayor eficacia para que tengan su debido efecto, y se eviten las perjudiciales conseqüencias que podrían seguirse á mis Reales intereses de qualquiera disputa, embarazo ó dilatoria en prestar estos auxîlios, interrumpiendo el curso de las providencias útiles á mi servicio.

85

Con el propio objeto es tambien mi Soberana voluntad que los Intendentes, si ocurriese algun caso que toque á la defensa de su privativo conocimiento en las dos Causas de Hacienda y Guerra por embarazo ó competencia que intentare qualquiera otro Tri-

N

bunal, representen á la mencionada Junta á
efecto de que lo corte con su autoridad superior, mande executar y se execute provisionalmente lo que resuelva, y me dé cuenta por la Via reservada para que Yo lo
apruebe, ó tome las providencias correspondientes al mejor curso de los negocios de
mis Reales intereses; pues con esta mira, y
la de proveer á mis Vasallos de pronto remedio en los agravios que experimentaren
sobre los ramos y materias correspondientes á dichas dos Causas, concedo á la propia Junta la jurisdiccion y facultades necesarias para que breve y sumariamente conozca y determine en apelacion de los Intendentes, con audiencia de mi Fiscal, y, executada su providencia, me la consulte con remision de autos si la reclamare alguna de
las partes. Pero quando la competencia ó duda
fuere sobre facultades de la dicha Junta Superior de Hacienda, la resolverá el Virréi con
arreglo al verdadero espíritu de esta Instruccion, y se executará tambien interinamente lo que determine, dándome cuenta

por la misma Via reservada de Indias.

86

Para evitar que se susciten competencias de jurisdicciones sobre el fuero que corresponde á los Ministros y Subalternos empleados en mi Real Hacienda, declaro que, como inherente á la graduacion y honores que por el Artículo 302 de esta Instruccion se conceden á los Intendentes de Exército y á los de Provincia, deban gozar y gocen únos y ótros, sus Mugeres, Hijos y Criados, el fuero militar en los casos y con las excepciones que está concedido por varios Artículos de los títulos 1, 2 y 11, tratado 8 de las Ordenanzas Generales del Exército de 22 de Octubre de 1768, y posteriores declaraciones (*), á los Militares, sus Mugeres, Hijos y Criados, y que de sus causas Civiles y Criminales conozca privativamente en primera instancia, con las apelaciones á mi Real Persona por la Via reservada de Indias, la Junta Superior de Hacienda, á la qual concedo para ello, y para que asimismo conoz-

(*) *Baxo el* Núm.º *11 se hallan los Artículos de las Ordenanzas militares, y Declaraciones que se enuncian.*

ca de sus Testamentos con arreglo al Artículo 20 del citado título 11, la necesaria jurisdiccion y facultades, y que pueda subdelegarlas para la substanciacion en los casos y personas que tenga por conveniente: con prevencion de que se han de entender tambien exceptuados del expresado fuero militar todos los asuntos y casos que sean relativos á los Intendentes, y traigan orígen de la jurisdiccion Real Ordinaria y causa de Policía que deben exercer como Corregidores, pues en ellos se ha de observar lo prevenido por el Artículo 6 de esta Instruccion.

87

Igualmente declaro que, mediante cometerse por el Artículo 282 así al Contador y Tesorero Generales, como á los Principales de Provincia y á los Foraneos, las funciones de Comisarios de Guerra concediéndoles sus prerogativas y uniforme, hayan de gozar y gocen únos y ótros el fuero militar en los propios términos expresados por el Artículo anterior; y que asimismo le gocen los Oficiales y demas Dependientes que se hallen empleados y jubilados con sueldo, tanto en la Tesorería y Contaduría Generales de Exército de México, quanto en las Principales de Provincia pues que han de exercer en sus distritos las funciones de las de Exército; conociendo de las causas Civiles y Criminales de tódos privativamente en primera instancia, siempre que en ellas no pierdan dicho fuero, y tambien en sus Testamentos conforme al Artículo 19 título 11 tratado 8 de las citadas Ordenanzas, los respectivos Intendentes como que son sus naturales Gefes Políticos y Militares, con las apelaciones de sus providencias á la Junta Superior de Hacienda, y de las de ésta á mi Real Persona. Y á fin de cortar todo motivo de competencia sobre el conocimiento de negocio que sea relativo á qualquiera de las Personas á quienes por este Artículo y el anterior se declara el fuero militar, mando se observe exâcta y rigurosamente lo resuelto por mi Real Cédula de 3 de Abril de 1776 (*), y que en los casos en que ella

(*)
Hállase baxo el Núm.º 12 *con el Artículo de las Ordenanzas militares que se ha citado.*

ordena se consulte al Consejo de Guerra,
se haga (por razon de la distancia ultrama-
rina, y aun quando aquéllos ocurran entre
alguna de mis Reales Audiencias y la expresada Junta Superior) en el mismo modo,
y para el propio fin, por mano del Virréi
de México á otra Junta que éste formará y
presidirá en su posada, componiéndola además
el Intendente General de Exército, y el Regente de aquella Audiencia Pretorial; la qual
decidirá á pluralidad de votos, y conforme
á la mencionada Cédula, el caso ó duda que
se la consultare, pues para ello la concedo
competente autoridad, jurisdiccion y facultades.

88

Todos los demas Ministros y Subalternos empleados en la Direccion, Administracion y Resguardo de mis Reales Rentas,
gozarán el fuero pasivo del Ministerio de
Hacienda sólo en los negocios y causas Civiles y Criminales que procedan de sus oficios, ó por motivo de ellos, y consiguien-

temente declaro, por regla y punto general,
que en todas las de esta naturaleza sean Jueces privativos los Intendentes baxo de cuya órden sirvieren, y como tales conozcan
de ellas; pero en los delitos comunes, juicios universales, providencias de policía y
buen gobierno, tratos y negocios particulares de los referidos Ministros y Subalternos,
quedan sujetos á la Jurisdiccion Real Ordinaria: advirtiendo que en las que actuaren
los Intendentes en uso de ella como Corregidores, por sí ó sus Tenientes, contra los
empleados en Rentas, sea con subordinacion
á la Audiencia del territorio, para donde
deberán otorgar á las Partes sus apelaciones;
y en aquéllas en que procedieren en calidad de Intendentes por causa de las Rentas, ó incidencias de ellas, lo harán sólo
para la Junta Superior de Hacienda con absoluta inhibicion de los demas Tribunales. Y
mando á éstos y á aquéllos que se guarden recíprocamente la buena correspondencia que conviene á mi Real servicio, y que
de buena fe se remitan los únos á los ótros

los negocios que fueren de su respectivo conocimiento con arreglo á esta Instruccion, entendidos de que, de lo contrario, incurrirán en mi Real desagrado.

89

Si para justificacion de las causas, ó para otros fines de mi servicio necesitare la Jurisdiccion Real Ordinaria de declaraciones, ó informes de Dependientes de mis Reales Rentas, yá sean de los que gocen el fuero militar, ó yá de los que sólo tengan el del Ministerio de Hacienda, deberá preceder el oficio que corresponda de la Justicia al respectivo Intendente, y su órden para que sin dificultad puedan executarlo judicialmente; pero ni aun este oficio habrá de preceder, ántes se diferirá en los casos Criminales executivos in fragranti, y en otros actos judiciales en que por ello tal vez se aventure la recta administracion de justicia, hasta despues de evacuadas las diligencias que pidan ó recomienden el secreto, pues entónces se verificará dicho oficio al Intendente á fin de que se atienda á mi Real servicio segun lo exîjan las circunstancias. Y lo mismo se observará recíprocamente por los Intendentes siempre que su jurisdiccion necesite Dependientes de la Ordinaria para que declaren, ó informen judicialmente, con la diferencia de casos que va prevenida. Pero en materias extrajudiciales estarán tódos obligados, sin esperar órden de su Gefe, á dar de buena fe los informes que por el ótro se le pidieren para su gobierno: con advertencia de que, quando en causas que se sigan ante la Jurisdiccion Real Ordinaria se ofrezca, baxo las circunstancias aquí prescriptas, tomar declaraciones á los Ministros ó Subalternos que en conformidad de los Artículos 86 y 87 deben gozar el fuero de Guerra, ó bien ratificar las que hubiesen dado, han de pasar á executarlo en sus casas los Escribanos, aun quando éstos lo sean de Cámara de alguna de mis Reales Audiencias ó Chancillerías, respecto de que así lo tengo resuelto y mandado por punto general en Real Órden de 30 de Octubre de 1773.

O

90

En las causas y casos en que los Ministros y Dependientes de la Direccion, Administracion y Resguardo de mi Real Hacienda, quedan sujetos por los Artículos antecedentes al conocimiento de la Jurisdiccion
Real Ordinaria no podrán ser aprehendidos
por ella sin dar parte ántes ó después, segun
la diferencia de los casos explicada por el
Artículo 89 para las declaraciones, á sus inmediatos Gefes á fin de que pongan otro
sugeto en su lugar y no se exponga mi Real
servicio, ó á este efecto se practique lo que
por el Artículo 93 se ordena, si las circunstancias lo exîgiesen.

91

Quiero y mando tambien que á todos los
empleados en la Direccion, Administracion y
Resguardo de mis Rentas se les exîma y re-
leve de cargas públicas y concegiles para
que no les ocupen ni distraigan de sus encargos, y puedan tener la puntual y debi-

da asistencia á ellos; pero esta exêncion no se ha de extender á los derechos Reales y Municipales que causaren por razon de sus personas, haciendas, tratos, rentas ó grangerías lícitas que tuvieren y gozaren ademas de sus sueldos. Y quiero asimismo que á los dichos Empleados se les guarden qualesquiera otras exênciones y prerogativas que respectivamente les correspondan, y les estén concedidas por la Ordenanza ó particular Instruccion del ramo en que sirvan.

92

Es igualmente mi voluntad que ni los Jueces Ordinarios, ni ótros algunos impidan á los sugetos empleados en el Resguardo de mi Real Hacienda el uso de todas las armas ofensivas y defensivas que expresamente no les estuvieren prohibidas por mis especiales órdenes y bandos de aquel Gobierno, respecto de que siémpre se entiende que van de oficio como los demas Ministros y Alguaciles ordinarios : confiando del zelo de los Intendentes, baxo cuyo mando sirvieren,

que no les permitirán usar de puñales, re-
jones ni nabajas, prohibidas por alevosas y
sumamente perjudiciales á la seguridad pública, y que les advertirán seriamente no
abusen de las otras armas con hacer gala y
ostentacion de ellas, corrigiendo y castigando á los que contravinieren á sus disposiciones sobre este punto ; pues lo que por sus
oficios se les permite para evitar y contener á los Defraudadores no debe servir para
amedrentar á los que no lo son, ni para es-
candalizar al público.

93

Por quanto la experiencia ha mostrado
los gravísimos inconvenientes que suelen seguirse contra mi Real Hacienda de poner
presos á los encargados de la recaudacion
de algunos ramos de ella sin proveer de
modo conveniente á la seguridad de sus
caudales y papeles, y á la formacion de su
cuenta, ordeno y mando que por ningun
acontecimiento, sea de la clase que fuere,
ni aun de los Criminales y demás que se

exceptúan en el Artículo 89, pueda Juez alguno, ni tampoco los mismos Intendentes, poner preso á ningun sugeto que tenga á su cargo caudales de mi Real Hacienda sin que primero, salvo que sea de noche, se le conduzca á la Caxa Real, ó parage donde tuviere los caudales y papeles respectivos á su encargo, y allí exîva por sí mismo las llaves, y á su presencia se cuenten el dinero y efectos que dixere pertenecer á mi Real Hacienda; se reconozcan, señale él mismo, y se inventaríen con toda individualidad los Papeles, Libros, Cuentas, Vales ó Resguardos que hubiere del mismo asunto: de modo que no pueda después alegar ocultacion ni suplantacion de algúnos, ni que se le han quitado la libertad y los medios de dar la cuenta justificada, ó de que ótro se la forme por los libros y documentos inventariados con su asistencia; y evacuada esta primera diligencia, (que si la aprehension se hiciese de noche se practicará en la mañana inmediata con preferencia á qualquiera otra, y con las precauciones correspondientes á evitar la fuga) se le tomarán las llaves, que no se le recibirán ántes; se pondrá tódo en seguridad, y á cargo de sugeto que responda de éllo y continúe la comision; se conducirá su persona adonde convenga, y se seguirá la causa que hubiere dado motivo á la prision, sin detener por ella la formacion de la cuenta, bien sea por él mismo si el caso y circunstancias se lo permitieren, ó por sus fiadores, ó por persona que podrá nombrarse de oficio si él ni éllos no lo hicieren. Y de este modo, y nó de ótro, se podrán tomar llaves y papeles á los que tuvieren á su cargo caudales de mi Real Hacienda, pena de que el que lo contrario executare será responsable de las resultas, del mismo modo que lo sería el empleado ó encargado y sus fiadores; pues hai medios de proveer á la seguridad de las personas, y á la administracion de justicia, sin faltar al respeto debido á mi Real Erario.

94

Para que lo resuelto en los Artículos 86, 87, 282 y 302 acerca de la graduacion, honores y fuero que han de tener y gozar los Intendentes de Exército y de Provincia, y los Ministros de Real Hacienda Contadores y Tesoreros, no ocasione dudas sobre á quál de los Montes-Pios deban reconocer y contribuir únos y ótros para los fines de su ereccion, declaro que tanto los Intendentes de Exército, quanto los de Provincia, se entiendan comprehendidos en el Monte-Pio Militar como lo están los de éstos mis Reinos, y sean incorporados en él baxo la contribucion y descuentos que dispone su particular Reglamento, y la debida proporcion al sueldo que gocen; y que respecto de estar los Ministros de Real Hacienda Contadores y Tesoreros así Generales, como Principales y Foraneos de todo el distrito de la Nueva-España, incluidos en el Monte-Pio de Ministerio que se halla establecido en aquel Reino conforme al Real Reglamento que para su gobierno tuve á bien expedir en 7 de Febrero de 1770, y, en conseqüencia, haber contribuido á su fondo correspondientemente, quiero que en ello no se haga novedad alguna, no obstante la práctica observada en España con los Contadores y Tesoreros de Exército, y los Comisarios de Guerra.

95

En las Capitales en que hubiere Escribanos de Real Hacienda, cuyos Oficios son vendibles y renunciables en mis Dominios de las Indias, se servirán de ellos los Intendentes para la actuacion y despacho de todos los negocios pertenecientes á mis Rentas de qualquiera clase que sean, á ménos que en algunas de ellas le haya particular, como sucede en la del Tabaco. Pero donde no estuvieren creados estos Oficios podrán elegir Escribanos de su satisfaccion que, en calidad de amovibles, los sirvan y exerzan con pureza y legalidad, sin mas salarios, gages ni emolumentos, que los derechos señalados

por el Arancel general de aquel Reino; pues
en caso de no ser bastantes á recompensar
su trabajo en los expedientes de pobres y
de oficio, propondrán los Intendentes á la
Junta Superior por mano del Superintendente Subdelegado la gratificacion ó ayuda de
costa que deba dárseles de mi Real Hacienda, y, señalada por aquella la quota que regulare justa, me consultará su dictámen por
la Via reservada suspendiendo el pago hasta mi Real aprobacion. Y los Protocolos de
quanto con qualquiera de los Escribanos indicados actuasen los Intendentes relativo á
mis Rentas han de exîstir de fixo en las mismas Intendencias en piezas competentes destinadas á este fin, sin que puedan remover-
se de estos oficios á los propietarios de los
mismos Escribanos aunque lo sean de Real
Hacienda.

96

Las quince Caxas Reales propietarias que
actualmente hai establecidas en el expresado
Reino de Nueva-España , y están situadas

P

en México, Pachuca, Cimapan, Acapulco, Guanaxuato, San Luis Potosí, Guadalaxara, Bolaños, Sombrerete, Zacatecas, Durango, Chihuahua, Rosario, Veracruz y Mérida de Yucatan, han de permanecer por ahora en calidad de otras tantas Tesorerías y Contadurías de Real Hacienda, y además las que mando crear, tambien propietarias, en las Ciudades de la Puebla de los Ángeles, Antequera de Oaxaca, Valladolid de Mechoacan, Arispe y Campeche; pero con la diferencia de que las de México han de ser las Generales de Exército y Real Hacienda de todo el Reino, y las de las Capitales del resto de sus doce Intendencias, y en que éstas se han de situar como va prevenido, quedarán en la clase de Principales de Intendencia y Provincia, y en la de Foraneas, y subordinadas á ellas respectivamente, aquéllas que de las demas nominadas se hallan en el distrito de cada Intendencia fuera de sus Capitales, aun quando hasta aquí hayan reconocido á ótras por Matrices. Y subsistirán, tambien por ahora, con el nombre de

Tesorerías Menores las demas Caxas subalternas que igualmente se hallan establecidas,
y servidas por Tenientes, en la comprehension de algunas Intendencias respecto de que
son Sufraganeas de las propietarias de sus
mismos distritos. Pero como por conseqüencia de este nuevo establecimiento puede tal
vez ser útil y necesario erigir además alguna ótra Tesorería yá Foranea propietaria,
yá Menor y Sufraganea, ó trasladar alguna
de las ya establecidas en ambas clases á otro
parage del en que se halle situada, ó, finalmente, variar la actual inmediata dependencia de todas ó parte de las Menores, dándo-
sela á alguna Foranea que se erigiere de nuevo, ó á las Principales de Provincia, será
del especial cuidado de los Intendentes observar con detenida reflexîon lo que para mayor beneficio de los haberes de mi Erario
convendrá practicar en sus respectivos distritos acerca de los particulares expresados, y
lo propondrán al Superintendente Subdelegado en los términos que regularen mas
oportunos, para que, tratado y resuelto en

la Junta Superior de Hacienda, lo mande ésta executar, y me dé cuenta por la Via reservada para que recaiga mi Real aprobacion, ó resuelva Yo lo que fuese de mi Soberano agrado.

97

Se suprimirá inmediatamente la plaza de Factor Oficial Real que exîste en las Caxas de la Capital de México luego que vaque, refundiéndose las funciones que á este oficio prescriben varias leyes de la Recopilacion de Indias (*), y la Instruccion de Oficiales Reales del año de 1573, en los Ministros de Real Hacienda Contador y Tesorero, conforme á la lei 38 título 4 libro 8; á diferencia de que han de recaer todas las que son puramente relativas á Almacenes en un Guarda General de ellos, que mando se establezca y me reservo nombrar, el qual gozará el sueldo anual de mil y doscientos pesos, y ha de tener la inmediata responsabilidad, baxo la correspondiente fianza, de quanto entrare en dichos Almacenes, y

(*)
Baxo el Núm.º
13 *se expresan las Leyes que se indican.*

la obligacion de llevar cuenta de lo que recibiere y entregare por órdenes de los expresados Ministros de Real Hacienda, para confrontarla en fin de año, ó siempre que sea necesario, con la que éstos tambien le llevarán. Y el mencionado Guarda-Almacenes General, sin perjuicio de la absoluta responsabilidad que le va declarada, habrá de nombrar y tener un Ayudante ó Teniente, á quien se asistirá por aquella Tesorería General con el salario de quinientos pesos cada año.

98

Atendiendo á que en las Caxas de Cimapan, Sombrerete y Chihuahua no hai actualmente mas que un Oficial Real, mando que en ellas se aumente otro Ministro para que todas las Tesorerías y Contadurías propietarias sean servidas, como conviene, por dos diferentes sugetos; pues las que de esta clase deben crearse en las Ciudades de la Puebla, Antequera, Valladolid, Arispe y Campeche, como queda dispuesto en el Artícu-

lo 96, se han de establecer del propio modo,
y con los Oficiales subalternos y sueldos que,
á proposicion de los respectivos Intendentes
por mano del Superintendente Subdelegado,
y con presencia de los informes que á éste
deben hacer los Contadores comisionados al
establecimiento del método de cuenta y razon
dispuesto por la Contaduría General en su
Instruccion práctica de 27 de Abril de 1784,
y se les previno por el Artículo 34 de la que
para su direccion y gobierno se les dió con
fecha de 1 de Agosto del de 1785, estimare precisamente necesarios la Junta Superior
de Hacienda para el desempeño de sus peculiares atenciones, poniéndose en práctica
ínterin y hasta tanto que recaiga mi Soberana aprobacion. Y por los mismos medios
se arreglarán tambien en todas las demas
Contadurías y Tesorerías, así Principales de
Provincia como Foraneas, el número y sueldos de sus Subalternos, y el tanto por ciento, ó salario que haya de abonarse á los
Tenientes que sirvan las Tesorerías Menores ó Sufraganeas, atendidas sus particula-

res circunstancias, suspendiendo poner en execucion lo que la Junta acordare en esta parte hasta que, dándome cuenta por la Via reservada, lo apruebe, ó resuelva lo que fuere de mi Real agrado.

99

Los Ministros de Real Hacienda Contador y Tesorero Generales de México, y los Principales de Veracruz, han de quedar con las mismas dotaciones de quatro mil pesos que hoi gozan los que con título de Oficiales Reales en la primera, y de Ministros de Real Hacienda en la segunda, sirven actualmente ambas Caxas; y gozarán el sueldo de tres mil pesos cada uno de los Contadores y Tesoreros Principales de Provincia de las restantes Intendencias, excepto los de Mérida y Arispe que han de quedar por ahora con sólo el de dos mil y quinientos pesos, entendiéndose inclusas en únas y ótras dotaciones no sólo qualesquiera ayudas de costa que se contribuyesen á los que presentemente sirven dichos destinos en calidad de

Oficiales Reales, sino tambien todas quantas gratificaciones puedan pretender por los ramos y objetos peculiares de su cargo, con positiva prohibicion de llevar emolumentos ni derechos algunos con ningun motivo, ni en ningun caso. Y los Ministros Contadores y Tesoreros de las Tesorerías Foraneas de Acapulco, Pachuca, Cimapan, Sombrerete y Bolaños quedarán con las mismas dotaciones que gozan los que actualmente sirven en ellas como Oficiales Reales, y tendrán la de dos mil y doscientos pesos los de las de Chihuahua y el Rosario, y la de mil y ochocientos los de la que se manda crear en la Ciudad de San Francisco de Campeche; entendiéndose para con todos los de las referidas Tesorerías Foraneas miéntras que los respectivos Intendentes, tomando conocimiento de las circunstancias de cada una, propongan al Superintendente Subdelegado los aumentos ó moderaciones que en dichos sueldos estimen justos y convenientes para que, tratado y acordado en la Junta Superior de Hacienda, me dé cuenta por la Via reservada, y resuelva Yo en su vista lo que estimare conveniente.

100

En los ramos que corran á cargo de los enunciados Ministros de Real Hacienda, y en que han de exercer la autoridad coactiva económica que se les reservó por el Artículo 76, les serán comunes, como hasta ahora lo han sido á los Oficiales Reales, todas las obligaciones y funciones que en calidad de tales Contadores y Tesoreros les competen para quanto sea anexô á la administracion ó recaudacion de ellos, y á la custodia de los caudales que entraren en su poder, como á su distribucion en lo que debieren pagar; y tambien les serán comunes la obligacion de dar la Cuenta en fin de año, y los Libros para llevarla dentro de él, observando en estos puntos con la mayor exâctitud quanto prescribe la Instruccion práctica y provisional de la Contaduría General citada en el Artículo 98 de ésta, y aprobada por Mí en 9 de Mayo de 1784. Pero

Q

se exceptúa de la expresada mancomunidad el ramo de Propios y Arbitrios, porque en él han de exercer los dichos Ministros respectivamente las funciones propias y peculiares de tales Contadores y Tesoreros segun queda indicado en los Artículos que tratan del dicho ramo.

IOI

Porque á la responsabilidad mancomunada, y recíproco exercicio de funciones que prescribe el anterior Artículo es consiguiente, como quiere la lei 19 título 28 libro 8, que lo que se hubiese de pagar en las Tesorerías de mi Real Hacienda no se pague por Libramientos de los Ministros que las sirven, porque debiendo éstos saber por sus oficios, segun la lei 20 del propio título y libro, los pagos que son, ó nó, justos, y no pudiéndose sacar de la Caxa cosa alguna sin concurrencia de ambos Ministros, sería tan ociosa como inútil la formacion de unas Libranzas que habrían de dirigirse á los mismos que las daban, es mi voluntad que en lo sucesivo se observe puntualmente la mencionada lei 19, y que se entiendan derogadas expresamente todas las demas recopiladas que ordenaron el uso de las expresadas Libranzas.

102

Tambien quiero y mando que subsistan en toda su fuerza y vigor las disposiciones de las Leyes 1 y 2 de los mencionados tít. 28 lib. 8, y las que se prescriben por ótras de la Recopilacion (*) al propio objeto de que ni el Superintendente Subdelegado, ni los Intendentes, ni otra persona alguna, sin excepcion de dignidad ó grado, libre sobre mi Real Hacienda sin especial órden mía; y quando contravinieren á ello, los Ministros Contadores y Tesoreros no pagarán tales Libranzas á no haber ántes practicado lo que les mandan las Leyes 3 y 7 del mismo título y libro, en cuyo caso será la responsabilidad del que librare, y contra él se sacará por la Contaduría de Cuentas la resulta, ó contra los Ministros de Real Hacien-

(*) Hállanse baxo el Núm.º 14 las Leyes que se indican.

da sino acreditasen debidamente haber cumplido con la obligacion que les imponen las citadas dos leyes. Pero se exceptúan de dicha prohibicion y reglas los pagos de aquellos gastos que dimanen de resoluciones de la Junta Superior de Hacienda en las cosas y casos que por esta Instruccion se la permite acordarlos, y en ótros en que conforme al espíritu de algunas de las Leyes recopiladas (*) pueda y deba hacerlo.

Hállanse entre las que se citan baxo el mismo Núm.º 14.

103

Para todos los pagos de sueldos, pensiones, ú ótros que Yo tuviese á bien mandar executar por Órdenes, Títulos, Cédulas ó Despachos, ha de preceder su presentacion al Superintendente Subdelegado para que, poniéndoles el *Cúmplase*, y mandando tomar la razon en la Contaduría de Cuentas, y por los Ministros de Real Hacienda respectivos, verifiquen éstos sus pagos segun corresponda, y tenga aquélla la necesaria constancia de su orígen para gobierno en la toma de cuentas; advirtiendo que siempre que los dichos pagos hubiesen de hacerse por alguna de las Tesorerías correspondientes á otra Intendencia que no sea la del inmediato cargo del mismo Superintendente, deberán presentarse las Cédulas ú Órdenes mías, de que dimanen, con su enunciado *Cúmplase*, y la toma de razon de la Contaduría de Cuentas, al Intendente respectivo para que las pase con su órden á los Ministros de Real Hacienda que corresponda á fin de que, tomando la razon que les compete, paguen lo que se ordene en los tiempos y plazos que dispongan los propios títulos sin necesidad de nueva órden del Intendente, ó Superintendente Subdelegado.

104

Quando el pago procediere de resolucion de la Junta Superior de Hacienda, se pasará por el Presidente de ella como Superintendente, y por el mismo órden explicado en el anterior Artículo, Testimonio del Acuerdo de la dicha Junta, puesto su expresado *Cúmplase*, y tomada la razon por la Contaduría de Cuentas, á los Ministros de Real Hacienda de la Tesorería á que corresponda executarlo ; en inteligencia de que los gastos extraordinarios de esta clase siémpre han de ser interinos miéntras recaiga mi Real aprobacion, y de que para sus pagos no estarán obligados los Ministros de Real Hacienda á hacer, como va declarado, las representaciones ó réplicas que ordenan las citadas leyes 3 y 7 tít. 28 lib. 8, ni les quedará responsabilidad en tales casos.

105

Los gastos extraordinarios de la clase indicada en lo que respecte á cada Intendencia se han de acordar por una Junta Provincial de Real Hacienda que, para tratar de ellos, y calificar las causas que los exîjan, deberá formarse en su Capital, y componerse del Intendente, de su Teniente Asesor, de los Ministros Principales de Real Hacienda, y de su Promotor Fiscal con voto en los casos que no actuare como parte, guardando en sus asientos el órden en que van nominados; y con Testimonio de lo que se acordare dará el Intendente cuenta á la Junta Superior de México por mano del Superintendente Subdelegado como su Presidente para que, visto y exâminado en ella el punto con la atencion debida y que recomiendan las Leyes (*), resuelva lo que juzgue mas conveniente, y en su conseqüencia se libre la providencia que corresponda para que se verifique, baxo las reglas que van prescriptas, el gasto consultado y su pago por la Tesorería respectiva, ó se excuse en caso de que así lo determine la dicha Junta Superior.

(*)
Son las mismas citadas baxo el Núm.º 14.

106

Si para cumplir alguno de los pagos que se mandaren hacer, yá séan dimanados de órdenes mías, ó yá de acuerdos de la Junta Superior de Hacienda, se ofreciere á los Ministros Contador y Tesorero alguna duda en quanto al modo de executarlos, propondrán la dificultad al Intendente, y éste la resolverá; ó, si diere lugar la materia y lo mereciese su gravedad, la consultará á la mencionada Junta Superior, en cuyo caso no serán responsables los dichos Ministros de Real Hacienda del perjuicio que pudiere resultar y reparase el Tribunal de Cuentas acerca de la tal determinacion, sino el Intendente, ó la Junta Superior si élla la hubiese dado. Y esto mismo se deberá entender respectivamente en los negocios de partes siempre que los Ministros de Real Hacienda rehusasen algunos pagamentos por dudas, ó falta de justificantes esenciales que deban presentarse; pues los interesados habrán de acudir al Intendente de la Provincia, y éste oir las razones de únos y ótros, y tomar resolucion, á la qual deberán atenerse los dichos Ministros, justificando las tales partidas en el juicio de Cuentas con la determinacion ú órden del Intendente.

107

En el caso de que al Superintendente Subdelegado, ó á qualquiera de los Intendentes, le ocurra motivo justo para suspender

alguno de los pagos que se hallaren en corriente, deberá prevenir por escrito, y por el
mismo órden dispuesto para providenciarlos,
á los Ministros de Real Hacienda de la Tesorería sobre que estuviese situado que no
le continúen, y dar el correspondiente aviso al Tribunal de Cuentas para gobierno
en las que se les tomen.

108

Cada Intendente podrá dar giro y mandar trasladar los caudales de mi Real Hacienda de unas á otras Tesorerías de las de su
Provincia segun los parages donde se necesiten para las atenciones de mi servicio; y sólo
el Superintendente Subdelegado tendrá la
facultad de resolverlo y mandarlo executar
de las Tesorerías de una Provincia á las de
ótra generalmente, comunicando para ello
sus órdenes á los Intendentes respectivos á
fin de que dispongan su cumplimiento: con
advertencia de que en qualquiera de estos
casos estarán obligados los Ministros de Real
Hacienda remitentes á hacer estos envíos en

los términos que dispone la lei 12 título 6 lib. 8 de la Recopilacion, y de que será legítima Data de los que remitan lo que sea Cargo á los que reciban, justificándolo éstos con la Carta de envío, y aquéllos con las indicadas Órdenes, duplicado del Conocimiento del conductor, y Recibo ó Cargareme de la Tesorería consignataria.

109

Nada será tan conducente al logro de que los ramos de mi Erario, y aun los demas del gobierno político, se dirijan y manejen con igualdad y acierto, y se arreglen y uniformen á un método claro y seguro en las Provincias de aquel Imperio, como el *Libro de la Razon General de mi Real Hacienda* que indica la lei 1 título 7 lib. 8 de las recopiladas, pues por su importancia le propuso D. Francisco de Toledo siendo Virréi del Perú, y en su conseqüencia se mandó formar y tener por Real Cédula de 12 de Febrero de 1591, y se volvió á encargar por ótras y por varias leyes posteriores, sin que hasta ahora se haya visto efectuado. Por tanto será uno de los mas principales y preferentes cuidados de cada Intendente, sin perdonar diligencia ni fatiga, hacer formar el mencionado *Libro de la Razon General de mi Real Hacienda* por lo respectivo á su Provincia, con total sujecion y arreglo á quanto para ello, y de conformidad con las leyes 18, 19 y 20 título 14 lib. 3, se previene en los cinco Artículos siguientes; y concluido que séa, remitirán sin dilacion un exemplar al Superintendente Subdelegado, quien hará que de todos ellos se forme con la posible brevedad por el Tribunal de la Contaduría de Cuentas, en donde han de quedar archivados, úno general del Reino por triplicado, y autorizado en forma; y dexando el uno en la Superintendencia de su cargo, remitirá los otros dos á mis Reales manos y á la Contaduría General de Indias por la Via reservada de ellas: de modo que en todas las mencionadas Oficinas, y respectivamente en cada Intendencia, se deberán tener estas importantes noticias.

110

El enunciado *Libro de la Razon General de mi Real Hacienda* ha de contener una noticia fundamental de todos los Ramos de ingreso que hubiere establecidos en el distrito de cada Tesorería; bien sean de los que componen la Masa comun de mi Erario, y han de cubrir las cargas y gastos comunes á que está sujeto en Indias, como los Almojarifazgos, Tributos, Alcabalas y otros semejantes; ó bien particulares que, aunque me pertenezcan, tienen sus productos algun peculiar destino en estos ó en aquellos Reinos, como las Mesadas y Vacantes eclesiásticas, Cruzada, Penas de Cámara y otros de esta clase; ó bien de aquellos que pueden llamarse agenos por su orígen y objeto, y solo entran en mis Tesorerías por la especial proteccion que les dispenso, como son los Depósitos, Bienes de Difuntos, Montes-Pios y algunos Municipales.

III

De cada uno de los expresados Ramos se ha de dar en dicho Libro individual razon y noticia, tomando para ello las foxas que se necesitaren, y dexando algunas en blanco para ir notando las variaciones que en cada uno tuviere Yo por conveniente ordenar. De tódos se ha de explicar su orígen y circunstancias en quanto se pudiese averiguar; esto es, la Lei, Real Cédula ú Órden en cuya virtud se cobra: sobre qué materias ó sugetos: quánto de cada uno, y en qué tiempo : qué cargas peculiares tiene contra sí en particular, ademas de las comunes y generales de la recaudacion: qué orígen y fundamento tienen éstas, y qué destino sus productos líquidos si la Lei, Real Cédula ú Órden en que se funda, ú otra posterior ó la costumbre lo declarasen; y, en fin, las variaciones que desde su orígen ó establecimiento hubieren tenido en las materias y cantidad cobrable hasta el estado presente.

112

Asimismo se han de explicar los bienes raices de mi Real Patrimonio, como son Minas, Casas ó Haciendas de qualquiera especie, expresando en cada una, si pudiere averiguarse, la causa, razon ó antigüedad de la posesion y pertenencia, sus cargas propias. su recaudacion por administracion ó por arrendamiento, y sus productos ordinarios por año ó por quinquenio.

113

Con la misma individualidad se han de expresar los gastos fixos, dividiéndolos por clases : 1ª de Real Hacienda : 2ª política: 3ª eclesiástica: 4ª militar : 5ª pensiones perpetuas : 6ª pensiones temporales; expresando el orígen y fundamento de cada una de dichas pensiones, y reduciendo á pesos ó reales de la moneda de plata corriente en Indias las distintas monedas antiguas ó modernas en que estuvieren concedidas, haciéndolo en quanto á las diversas especies de ducados explicadas en Real Cédula circular de 15 de Septiembre de 1776 conforme á lo resuelto por ella (*), y regulando el ducado de Indias por 11 reales y un maravedí de su moneda corriente, ó 375 maravedis de ella, que es lo propio, y por 450 maravedis de los mismos el peso ensayado conforme á la lei 9 tít. 8 libro 8. Se expresará tambien el número y calidad de empléos de cada una de las clases referidas, y sus respectivas dotaciones anuales; y, en fin, todas las noticias que puedan conducir á dar un conocimiento bien fundado y cabal de lo que ha de ser la materia y objeto del cargo y obligacion, zelo y diligencia tanto de los Intendentes, á cuyo cargo está la administracion por mayor, como de los Ministros de la Real Hacienda, á quienes incumbe la recaudacion y distribucion, ó administracion por menor, con las funciones anexâs y declaradas á este Ministerio. Y para que los que al presente le exercen, y los que entren á suceder de nuevo, puedan hallar prontamente en este Libro las noticias que con freqüen-

(*) *Hállase baxo el* Núm.º 15

cia deben buscar en él para su gobierno, se pondrá en su principio un Indice de todos los ramos, gastos y separaciones que se hicieren, señalando el folio en donde se hallará cada cosa; á cuyo fin se foliará todo el Libro, intitulándole con su nombre en la primera foxa, y se autorizará con la solemnidad que previene la lei 1 tít. 6 lib. 8.

114

Quando Yo tuviere á bien mandar suprimir perpetua ó temporalmente alguno de los Ramos arriba enunciados; aumentar ó disminuir su quota cobrable; suprimir, aumentar ó disminuir algun gasto fixo; enagenar ó vender qualquiera finca, ó, en fin, hacer alguna variacion notable en las cosas que se expresaren en dicho Libro, se anotará en el lugar correspondiente citando la Real Cédula ú Órden que lo mandare, y el folio del Libro en donde, conforme á la lei 30 tít. 7 lib. 8, deberá copiarse; y esto mismo notarán en su Manual de la cuenta los Ministros de Real Hacienda á cuyo cargo está la administracion por menor, para que allí conste el dia en que la variacion comienza á influir en la cuenta y razon.

115

Para el mas pronto y cabal efecto de lo que en los seis Artículos anteriores se ordena, y para que entretanto puedan los Intendentes ir dando con conocimiento las providencias que convengan á los mismos fines propuestos de que se dirija y maneje mi Real Hacienda con un método exâcto y uniforme, es preciso que tomen desde luego individuales noticias del orígen, progreso y último estado de todas las rentas y derechos que la pertenezcan; y con este objeto ordeno al Tribunal de Cuentas de México, y á los demas Ministros de las Contadurías, Tesorerías y otras qualesquiera Oficinas de la Hacienda Real, que sin la menor excusa ni demora den y entreguen á los Intendentes quantos informes, razones y copias autorizadas les pidieren, sin reservarles Cédulas, Órdenes ni documentos alguno Y á

S

efecto de evitar qualquiera retardacion quando necesitaren ocurrir al Tribunal de Cuentas y demas Oficinas de la Capital de México, avisarán al Superintendente Subdelegado para que mande evacuar con prontitud lo que pidan, como que sobre estos puntos ha de tener toda la autoridad necesaria, y la facultad, que tambien le concedo, de presidir el referido Tribunal de la Contaduría de Cuentas siempre que regulare conveniente su asistencia, y de exercer privativamente todas las demás que por varias leyes recopiladas (*) se concedieron á los Virreyes respecto al mismo Tribunal, zelando la conducta de los Ministros y Subalternos que le componen, y haciéndoles cumplir sus obligaciones con la integridad y exâctitud debidas.

(*)
Baxo el Núm.º
16 se expresan las Leyes que se indican.

116

En las Rentas que se administren de cuenta de mi Real Erario zelarán cuidadosamente los Intendentes la exâctitud de sus cobranzas, y el mayor aumento que con justicia y equidad se pueda dar á sus productos, como tambien sobre el desinteres y pureza con que deben proceder los Ministros de Real Hacienda Contadores y Tesoreros, los otros Administradores, yá Generales, yá Principales ó Particulares, y los demas Subalternos á quienes estuviere encargada su recaudacion, para evitar los muchos perjuicios que de lo contrario se originan á mi Real Erario con nó menores molestias de los Pueblos; y si necesitaren de auxîlios superiores para contener y castigar á los empleados darán cuenta al Superintendente Subdelegado, y observarán las órdenes que les comunicare.

I I 7

Si algun ramo ó derecho de mi Real Erario estuviere arrendado en todo, ó en parte, cuidarán los Intendentes de evitar las demasías y violencias con que los Asentistas suelen aniquilar los Pueblos precisándolos á excesivos pagos, que arreglan á medida de su ambicion, y nó de la posibilidad de los Contri-

buyentes, á quienes afligen en las cobranzas con apremios y gastos que no pueden
soportar. Y supuesto que el medio mas eficaz
de precaver estos daños será siémpre el de
preferir, como lo tengo mandado en la Renta de Alcabalas y ótras, la Administracion
bien arreglada, y los equitativos Ajustes ó
Encabezamientos donde no pueda establecerse, ordeno que los Jueces Subalternos y Exâctores de Tributos y demas derechos Reales
que me pagan aquellos Vasallos, los cobren
en los tiempos oportunos á fin de excusar-
les el gravámen de costas, y los atrasos de
un año para ótro, que regularmente proceden de omision de los Administradores, ó
negligencia de las mismas Justicias.

118

Tambien cuidarán mui particularmente de
que los Administradores, Depositarios ó Recaudadores de ramos de mi Real Erario en
su distrito, pongan en las Tesorerías respectivas lo que debieren á los plazos señalados, reconviniendo en tiempo y con eficacia

á las Justicias y demas personas obligadas á su exâccion, é informándose mensualmente de los Ministros de Real Hacienda de su territorio del estado de las cobranzas para dar con oportunidad las necesarias providencias contra los renitentes ó morosos.

119

La experiencia tiene acreditado en todas partes que el relevar á los Pueblos de Executores y Apremios ha producido efectos mui ventajosos, por que siémpre les faltaba para enterar sus principales alcances todo lo que consumían en negociar esperas y satisfacer salarios; y en esta consideracion procurarán los Intendentes evitar quanto sea posible el despacho de execuciones, sino es en casos mui precisos, con moderadas dietas y términos prefinidos, enviando un solo Ministro para toda calidad de débitos á fin de que los exîja al mismo tiempo con ménos daño de los deudores, y guardando en estos casos los privilegios de los Indios, y los meses de moratoria concedida á los Labradores en todos mis Dominios, que siendo en éstos de España, con atencion á sus cosechas, los de Junio, Julio y Agosto, se señalarán por cada Intendente en su Provincia, con aprobacion de la Junta Superior de Hacienda, aquéllos que correspondan con la misma consideracion y respecto.

120

Con igual esmero deberán averiguar secreta y reservadamente cómo proceden las Justicias en el repartimiento y exâccion de las cantidades que contribuyan los Pueblos encabezados con mi Real Hacienda, si los hubiere, por el ramo de Alcabalas ú ótros; inquiriendo tambien si cargan á los Vecinos la contribucion bien considerados los bienes, tratos, negociaciones y grangerías de cada uno, y si arriendan ó administran con pureza los Puestos públicos, donde los haya, para que sirva su producto en beneficio del Comun, aplicándole á satisfacer, en la parte á que alcance, el Encabezamiento, á no tener otro preferente destino.

121

Mediante que todos los que se sintieren agraviados en estos repartimientos de los Pueblos encabezados podrán acudir á los Intendentes, deben éstos tomar conocimiento de sus quexas, y dar las órdenes convenientes á las Justicias respectivas para que se deshaga el perjuicio; y quando ellas no cumplan lo mandado, ó expongan circunstancias de hecho que necesiten de êxámen ó justificacion, cometerán las instancias á sus Tenientes, ó Subdelegados de los distritos, con facultad de nombrar personas prácticas que revéan los repartimientos para que, verificado el agravio, lo reparen; pero si estos expedientes se retardaren por maliciosa detencion de las Justicias, las apremiarán con multas, haciendo que á su costa se execute todo, y se indemnice el daño de las partes.

122

Nunca han de permitir se reparta mas

que lo líquido de la contribucion, prohibiendo todo abuso ó aumento con pretexto de derechos de Escribanos, salarios de Repartidores, ú otros qualesquiera gastos, por ser carga y obligacion de las Justicias, ó de las personas diputadas en los Pueblos encabezados, hacer la cobranza, conduccion, y entero en mis Reales Tesorerías, con el premio que por ello les hubieren asignado, cuyo importe será lo único que deba incluirse y aumentarse en los repartimientos, con tal que no exceda de un cinco por ciento.

123

En consideracion á este premio concedido por los Pueblos á sus Jueces ó Exâctores de las contribuciones, se despacharán los apremios contra ellos, sus bienes y fiadores quando se hallen en descubierto, y nó contra los Comunes ó primeros Contribuyentes; advirtiéndoles con anticipacion los Intendentes por sus avisos y cartas-órdenes para que no pretexten ignorancia, ni difieran la exâccion por motivo alguno, pues haciéndola en los debidos tiempos podrán pagar en Tesorería á los términos ó plazos señalados.

124

Si, no obstante, se reconociere que la retardacion dimana de absoluta imposibilidad en los Pueblos por algun suceso extraordinario, y nó de omisiones ni contemplacion de las Justicias en las diligencias que sean obligadas á practicar para la cobranza de los Tributos Reales y demas ramos que corran á su cargo, deberán informarse los Intendentes del estado de los mismos Pueblos y causas de que provengan estos atrasos, despachando, si fuere necesario, persona de su satisfaccion que las averigüe sumaria y exâctamente á fin de que, hallando ser ciertas, puedan consultar á la Junta Superior de Hacienda para que conceda la espera que estimare conveniente segun las circunstancias, y lo que acerca de este particular se ordena en el Artículo 141.

T

125

En el caso de hallar los Intendentes que en sus Provincias están obscurecidos ó usurpados algunos derechos de Portazgos, Pontazgos, Pesquerías ó qualesquiera ótros que pertenezcan á mi Real Erario, ó á la Causa pública, tomarán conocimiento de ellos, y los informes conducentes para dar cuenta á los Fiscales de mi Consejo, ó al de la Audiencia del distrito, segun corresponda á la naturaleza de las cosas; y al mismo tiempo pondrán en mi Real noticia por la Via reservada lo que descubrieren sobre estos puntos para que mande dar las oportunas providencias, ó que se pongan las demandas convenientes.

126

Respecto de que, establecidas las Intendencias, han de recaudarse precisamente en sus Tesorerías Principales y Foraneas con todas las demas rentas ordinarias de mi Erario los Tributos Reales de sus respectivos distritos, como en la actualidad se executa

por las Caxas de Guadalaxara y Zacatecas
con los que tocan al Reino de la Nueva-Galicia ; y de que este derecho primitivo de
aquellos Dominios ha de quedar desde luego sujeto á la privativa inspeccion y conocimiento de los Intendentes como Gefes de
sus Provincias, de sus Subdelegados en ellas,
de las Justicias subalternas , y como Jueces que han de ser de este Ramo con la
omnímoda jurisdiccion que tendrán en los
demas de mi Real Hacienda: en su conseqüencia mando que, á medida que se vayan
estableciendo las Intendencias, cese la facultad jurisdiccional que para la recaudacion del
mencionado ramo ha exercido, y actualmente exerce su Contaduría General establecida
en México, y que esta Oficina subsista, sin
embargo, con el título de Contaduría General de Retasas, y con sólo el exercicio de
todas las funciones que como tal la corresponden, y adelante irán expresadas. Y mediante que por esta disposicion se disminuyen
considerablemente las atenciones de la dicha
Oficina, y se exônera á su Gefe de las obli-

gaciones de dar, como hasta ahora, Cuenta y Fianzas, es mi Soberana voluntad que la Junta Superior de Hacienda, con estas consideraciones, reduzca el número de Plazas que hoi tiene la referida Contaduría General al que estime suficiente, y que, suprimiendo las sobrantes, y empleados en otros destinos correspondientes los Sugetos que las sirven, arregle equitativamente las dotaciones de las que hubiesen de subsistir, como tambien la del Contador, dándome cuenta de todo por la Via reservada para que lo apruebe, ó determine lo que fuere de mi Real agrado.

127

Para que la práctica de lo ordenado por el Artículo antecedente no embarace en ningun modo la buena cuenta y razon del mencionado ramo de mis Reales Tributos, declaro que los Gobernadores, Corregidores ó Alcaldes Mayores que se hallasen en exercicio al tiempo de establecerse la Intendencia á que pertenezcan los distritos de sus mandos, y tuviesen enterado lo correspondiente al primero ó segundo tercio de año por los Tributos de su cargo, deberán verificarlo con el restante ó restantes dónde y cómo lo hubiesen executado con aquél ó aquéllos: de modo, que el nuevo método de hacer los enteros en la Tesorería del territorio ha de empezarse por cada Gobernador, Corregidor ó Alcalde Mayor con el primer tercio de año respectivamente, para que de esta manera no se corten las cuentas, y las puedan rendir completas en la Contaduría General, y ésta incorporarlas en la suya.

128

Por quanto á la nueva disposicion de que, establecidas las Intendencias, se hayan de recaudar los Reales Tributos por las respectivas Tesorerías de mi Real Hacienda en el modo que va prevenido, es conseqüente que la entrada de caudales, así en las Principales de Provincia como en las Foraneas, se acrezca en cada una tanto quanto produzca en su distrito la enunciada recaudacion,

mando que, con respecto y la debida proporcion al aumento que por ella corresponda al cargo anual de cada Tesorería, engrue-
sen sus fianzas los respectivos Contadores
y Tesoreros baxo la misma mancomunidad
y demas circunstancias que las que, conforme á las Leyes, han debido dar y dieron
los Oficiales Reales, y á las quales quedan
siémpre sujetos, como se ha dicho, estos
empléos.

129

La cobranza de mis Reales Tributos, su
conduccion á las respectivas Tesorerías Principales ó Foraneas de cada Intendencia, y entero en ellas al paso que vayan cumpliendo
su tiempo los Corregidores ó Alcaldes Mayores, han de ser de precisa obligacion, cuenta y riesgo de los Alcaldes Ordinarios en
las Ciudades, Villas y Lugares donde los
hubiese, ó se establezcan segun queda dispuesto por el Artículo 11, entendiéndose como carga del oficio, y baxo la indispensable responsabilidad con su persona y bienes

de mancomun á la paga si ésta se atrasare
por su descuido ó abandono; y la misma
obligacion tendrán los Subdelegados que nombraren los Intendentes por sí solos, ó de
acuerdo con los Gobernadores políticos y militares, en Pueblos de Indios Cabeceras de
Partido conforme al Artículo 12, con sólo
la diferencia de que éstos afianzarán á satisfaccion de los Ministros de Real Hacienda del territorio, así por lo que corresponda á dicho ramo, como á qualquiera otro
que deban recaudar: en inteligencia de que,
tanto los dichos Subdelegados quanto los Alcaldes Ordinarios, han de hacer los enteros
de Tributos en mis Tesorerías por tercios
segun se practica en aquellas Provincias, y
que el cobro de lo que monte esta contribucion por lo correspondiente á meros Indios,
han de executarle únos y ótros por mano
de los respectivos Gobernadores ó Alcaldes
de los mismos Naturales, como que son los
obligados á exîgirla de ellos, segun se explicó en el Artículo 13, y á entregar su
importe, tambien por tercios, en las Cabe-

ceras de Partido; pero la tocante á las demas Castas tributarias la han de cobrar los dichos Subdelegados y Alcaldes Ordinarios por sí mismos de los primeros contribuyentes, así como el recaudar de estos Jueces el total que deban enterar en mis Tesorerías será de la obligacion y cargo de los Ministros de Real Hacienda.

130

Siendo consiguiente á lo prescripto por el Artículo anterior que, así á los Alcaldes Ordinarios y Subdelegados que menciona, como á los Ministros de Real Hacienda Contadores y Tesoreros, se les dén las reglas necesarias para la mas exâcta cobranza y recaudacion de mis Reales Tributos en lo que respectivamente les toca, ordeno ál Contador General de Retasas que sin dilacion envíe á los Intendentes exemplares de las Ordenanzas é Instrucciones del ramo para que, cumpliéndolas en la parte que les corresponda, las pasen á los Contadores y Tesoreros Principales y Foraneos, y á las Justicias ordinarias y Subdelegados de sus distritos obligados á la cobranza de dicha contribucion, y zelen su puntual observancia en quanto no se opongan á lo dispuesto por ésta; baxo el concepto de que las reglas prescriptas por las enunciadas Ordenanzas é Instrucciones para el Juez Contador General de Tributos deben entenderse para con los Ministros de Real Hacienda en lo que haya lugar, puesto que no tendrán jurisdiccion, así como corresponderá á los Alcaldes Ordinarios y á los Subdelegados todo lo que dichos documentos prefinen respecto de los Corregidores y Alcaldes Mayores, cuyas obligaciones recáen en únos y ótros.

131

Como al nuevo sistema que se establece para la direccion y conocimiento, cobranza y recaudacion del ramo de Reales Tributos, sea consiguiente que los Intendentes tomen desde luego toda la instruccion necesaria de su estado por lo correspondiente á sus Provincias, y que á las Contadurías y Tesore-

rías Principales y Foraneas de ellas, y á
sus Justicias subalternas y Subdelegados se
les faciliten las noticias respectivas y conducentes para el mas exâcto desempeño en la
parte que les toca, quiero y mando que, así
el Tribunal de la Contaduría de Cuentas,
como el Contador General de Retasas, y
los Gobernadores, Corregidores, Alcaldes
Mayores y los demas á quienes toque, pasen á los Intendentes respectivamente, sin
excusa ni demora, testimonios íntegros de las
últimas Matrículas, Cuentas y Tasas de Tributarios, de las providencias dadas en su razon, y de todos los demas documentos conducentes á que se instruyan del actual manejo del ramo y último estado de sus valores, y de los alcances y débitos que resulten á su favor, á efecto de que, comunicando lo que de todo éllo corresponda á los Contadores y Tesoreros Principales y Foraneos,
y á los Alcaldes Ordinarios y Subdelegados,
dispongan que se proceda por éstos á su
cobranza, y por aquéllos á la debida recaudacion, auxîliando á los únos y á los

ótros en quanto lo necesiten y convenga.

132

Por el cobro, conduccion y entero de Tributos que los Alcaldes Ordinarios, y los Subdelegados ya dichos han de hacer con arreglo á las Matrículas ó Padrones, y Tasas que para ello se les dieren, y baxo la responsabilidad y demas seguridades prefinidas en el Artículo 129, mando se les abone el premio de seis por ciento del total que enterasen en la Tesorería que corresponda; entendidos de que el uno por ciento le han de dexar á los Gobernadores ó Alcaldes de Indios que fueren exâctores del Tributo de los primeros contribuyentes, y los cinco por ciento restantes quedarán á su beneficio por la responsabilidad y trabajo en el todo de esta cobranza, puesto que la obligacion de los dichos exâctores Indios sólo es hacer los enteros en las Cabeceras donde residan los respectivos Subdelegados ó Alcaldes Ordinarios, y que los primeros contribuyentes cumplen con pagar su quota en sus Pueblos como lo disponen la lei 44 tit. 5 lib. 6, y la 10 tít. 9 lib. 8.

133

Para que se arregle con justicia y equidad el ramo de Tributos, en que mi Erario está considerablemente perjudicado por la desigualdad con que se exîgen, y los muchos abusos que en su recaudacion han introducido los Gobernadores, Corregidores y Alcaldes Mayores como obligados a su cobranza y entero sin sueldo ni premio alguno, es mi voluntad que tambien corra al cargo y cuidado de los Intendentes hacer formar exâctos Padrones de todos los Habitantes de sus Provincias respectivas, y especialmente el punto importantísimo de practicar en cada quinquenio por sí, ó sus Comisarios y Subdelegados de la mayor confianza, las Visitas para la numeracion y Cuentas, ó Matrículas de Tributarios, con separacion de Indios, Negros y Mulatos libres, y de las demas Castas que irremisiblemente deben satisfacerlos con arreglo á las leyes 1,

2 y 3 título 5 lib. 7 de la Recopilacion, aunque sean sirvientes domésticos de los Virreyes , Magistrados , Prelados eclesiásticos, y qualesquiera otras personas exêntas ó poderosas, pues tódas deberán descontarlos del salario que pagan á sus Criados de las indicadas clases tributarias, y hacerlos entregar á los Exáctores de este ramo.

134

Como no han sido ménos perjudiciales á sus justos valores los muchos y envejecidos fraudes que asimismo se experimentaron hasta ahora en la formacion de los autos de Visitas, y consiguiente numeracion, Padrones y Tasas de Tributarios, sin que pudiese remediarlos el zelo de mis Fiscales, ni la vigilancia de los Acuerdos; y á efecto de cortarlos en su raiz sea indispensable prefinir las mas precisas y oportunas reglas para la actuacion de dichas diligencias, mando que á este fin forme el Superintendente Subdelegado de mi Real Hacienda la Ordenanza que estime conveniente, tomando para ello todas las noticias que puedan conducir, y teniendo á la vista y en consideracion las Leyes recopiladas que tratan del asunto; la Instruccion metódica compuesta de veinte y ocho Artículos, y expedida por el Superior Gobierno de Lima en 24 de Julio de 1770, que aprobé por Cédula de 25 de Mayo de 1772 para que se arreglasen á ella los Jueces Revisitadores en el distrito de aquel Reino; la Real Provision acordada é impresa que para la execucion de tales Cuentas de Tributarios ha acostumbrado despachar mi Real Audiencia de México, comprehensiva de veinte y tres Artículos; las Advertencias que para direccion de los Apoderados de mi Real Fisco en las enunciadas Cuentas formó Don Josef Antonio de Areche siendo mi Fiscal de lo Civil en dicha Audiencia; las demas Instrucciones ó Formularios que estuviesen en práctica, y, finalmente, quanto acerca del expresado derecho y su cobranza se dispone en esta Ordenanza; y arreglada por el nominado Superintendente Subdelegado la que se le previene, la llevará á la Junta Superior de

Hacienda á efecto de que, con audiencia del Fiscal de ella, la rectifique en quanto lo exîja, y la pase al Tribunal de Cuentas, á la Contaduría General de Retasas, á los Intendentes de Provincia, y éstos á sus Comisarios ó Subdelegados, para que interinamente, y en la parte que á cada uno toque, la observen y hagan cumplir miéntras que, dándome cuenta con copia de dicha Ordenanza la misma Junta Superior por la Via reservada, y exponiéndome lo que acerca de ella se la ofreciere y pareciere, me digne de aprobarla, ó resuelva lo que sea de mi Soberano agrado; como desde luego lo es que, hasta tanto que se efectúe y comunique la enunciada nueva Ordenanza, se observen en la práctica de las Visitas, numeracion y Tasas de Tributarios, las reglas que estuviesen establecidas, en quanto no se opongan á lo que se prefine por ésta.

135

Luego que los Intendentes tengan concluidas las Cuentas y Tasas de Tributarios por sí mismos, ó sus Jueces de Comision, y al propio tiempo que las dirijan originales á la Junta Superior para los fines que irán prevenidos, pasarán testimonios íntegros de las de cada Partido á los Ministros de Real Hacienda á quienes toque para que puedan liquidar el cargo; y tambien darán los correspondientes á los Alcaldes Ordinarios, Subdelegados, Gobernadores ó Alcaldes de Naturales obligados á la cobranza de la contribucion, para que únos y ótros procedan á executarla respectivamente con arreglo á las nuevas Matrículas, y desde la fecha de ellas, (como lo tengo resuelto por punto general, no obstante lo dispuesto por la lei 62 tít. 5 lib. 6, que expresamente derogo en esta parte) sin perjuicio de lo que en vista de las mismas Cuentas y Tasas originales determinare la Junta Superior de Hacienda, á quien cometo su revision y aprobacion con audiencia de mi Fiscal comprehendido en ella, y de la Contaduría General de Retasas, inhibiendo á los Acuerdos de mis Reales Audiencias con el justo fin de evitar las retardaciones y perjuicios experimentados, y de aliviar á aquellos Tribunales por el cúmulo de ocupaciones y negocios que en ellos ocurren.

136

En la vista que por la Junta Superior, y á pedimento de mi Fiscal, ha de darse de los autos de Cuentas y Visitas de Tributarios á la Contaduría General de Retasas, debe ésta producir una exâcta liquidacion de los legítimos Contribuyentes de cada clase que segun la nueva Matrícula resulten en cada Cabecera de las del Partido; de los que deban quedar reservados; de los Caciques, Viudas y Solteras exêntas, y del monto líquido que, con rebaxa de éstas y aquéllos, debiese contribuir la misma Cabecera; y al final un resúmen general que abrace todas estas liquidaciones, y un cotejo de él con el de la Matrícula última anterior: de modo que con la misma separacion de clases resulte demostrada la diferencia entre ámbas del número de Tributarios, yá sea por diminucion, ó yá por aumento, para que,

volviendo con esta operacion los autos á
la Junta Superior de Hacienda, apruebe la
Matrícula y su Tasa, declare por Reservados los que corresponda, y mande que los
Tributarios comprehendidos en ella paguen
la quota que les estuviere tasada, califican-
do por legítimo el aumento ó diminucion
que en su número resulte justificado, y, por
último, que vuelvan los autos á la Contaduría de Retasas (donde deben quedar archivados) para que, con arreglo á la misma
Matrícula y su enunciada aprobacion, forme
para cada Partido, con separacion de sus
Cabeceras, el correspondiente Padron con
los Margesíes respectivos, que se insertará
en el Despacho ó Auto de tasacion que ha
de expedir la Junta Superior autorizado por
su Escribano; el qual, tomada la razon por
la Contaduría de Cuentas, se dirigirá al Intendente que corresponda á fin de que, mandando dar, y dándose sin derechos á cada
Pueblo Cabecera testimonio de lo que le
toque, pase el que pertenezca á los Alcaldes Ordinarios y Subdelegados, y á los Mi-

nistros de Real Hacienda del territorio, y se dexe el original en la Escribanía de la Intendencia para gobierno en lo sucesivo.

137

Se reducirá en todas las Provincias (sin alterar el justo privilegio que tienen los Tlaxcaltecas) á la quota igual de diez y seis reales de aquella moneda el Tributo y Servicio Real que deben pagar los Indios desde la edad de diez y ocho años, en que empiezan á tributar, hasta los cincuenta, como ordena la lei 7 tít. 5 libro 6 de la Recopilacion, sin incluir en la dicha cantidad el otro real que pagan de Ministros y Hospitales, y debe recaudarse en los mismos términos que van dispuestos para el Tributo, ni hacer diferencia de que sean solteros ó casados , aunque estén baxo la potestad paterna, una vez que éstos cumplan los diez y ocho años, para que no se retraigan los priméros del matrimonio en grave perjuicio suyo, de la poblacion y del buen órden, como ahora lo hacen con el

abusivo aliciente de ser medios Tributarios
ínterin no se casan; exceptuando de ambas
contribuciones sólo á los legítimos Caciques
y sus Primogénitos, á las Mugeres de qualquiera estado, y á los Gobernadores y Alcaldes Indios, mientras lo sean, como ya
lo están por las leyes 18, 19 y 20 del propio título y libro. Y asimismo se ha de exê-
quar con igualdad el Tributo de los Negros
y Mulatos libres, y de las demas castas
de su clase, fixándolo para todos éllos, yá
solteros, yá casados, desde que cumplan los
diez y ocho años á la moderada cantidad de
veinte y quatro reales.

138

Los Intendentes-Corregidores nó solo dispondrán que los Vagos de clase tributaria
tomen ocupacion útil, ó se pongan á servir
con Amos conocidos para que paguen por
ellos el Tributo que les corresponda descon-
tándole de sus salarios, conforme á la lei 3
tít. 5 lib. 7, sino que zelarán que á tódos
se les exîja sin tolerancia en contrario; y

que en observancia de las leyes 9, 10 y 13
del título 5 libro 6, tributen por su respectiva quota así los que trabajan en Minas,
aunque sean forzados en el laborío de ellas,
como los que se ocupen en Estancias, Obrages, Requas y otros exercicios en Pueblos
de Españoles.

139

Deben los Intendentes cuidar con igual
exâctitud de que la exêncion del Tributo
que nuevamente tengo concedida á los Par-
dos libres que sirven en los Cuerpos de Milicias Provinciales de la Nueva-España no
se extienda por motivo ni pretexto alguno
á los de la misma clase que estuviesen alis-
tados en Compañías sueltas y Urbanas, segun está declarado por Bando general del
Virréi de aquel Reino en cumplimiento de
mis Reales Instrucciones y Ordenes dadas
para la formacion de Tropas Provinciales.

140

Tanto á los Alcaldes Ordinarios, como

á los Subdelegados que hayan de cobrar de primeros y segundos Contribuyentes, y enterar en mis Reales Tesorerías los Tributos conforme al Artículo 129, se les formará el cargo, durante los cinco años que han de mediar de una á otra Visita y Matrícula, por el preciso número de Tributarios que constare de ella yá ántes, yá despues de aprobada por la Junta Superior segun lo prevenido en el Artículo 135, y por las respectivas quotas de su Tasa, siendo de la obligacion de únos y ótros enterar las cantidades que así les resulten de debido cobrar; pues siendo mi Real ánimo que se corten los gravísimos inconvenientes tocados con la experiencia en la práctica de las diligencias judiciales, relaciones juradas, y demas procedimientos que estuviesen dispuestos para justificar los Tributarios que hayan muerto, ausentádose, llegado á la clase de Reservados &c., quiero y mando que, entendiéndose expresamente derogadas y sin exercicio alguno las indicadas disposiciones, se estime prudencialmente computado aquel número de contribuyentes con el de los que en el mismo tiempo hubiesen entrado á tributar, ó por cumplir la edad de los diez y ocho años, (pues aunque se casen ántes les concedo la libertad del Tributo hasta entónces, extendiendo la disposicion de la lei 9 tít. 17 lib. 6 á todo el distrito del Reino de la Nueva-España en obsequio del matrimonio) ó porque se avecindaron en la Provincia, Partido, Pueblo ó República despues de la Matrícula que rigiese. Pero si el aumento de éstos, ó la diminucion de aquéllos fuese tan visible que en justicia deba ser oida la parte del Fisco, ó la de los Cobradores, entónces, aunque no esté cumplido el quinquenio de la dicha Matrícula, podrán los Intendentes proceder judicialmente á la averiguacion por medio de Revisitas y Retasas como disponen las leyes 54, 56, 57, 58 y 59 título 5 libro 6.

141

En los casos de calamidad pública por epidemias generales ó particulares que suelen padecer los Indios y demas castas de la Plebe, ó por falta de lluvias que se experimenta algunas veces en las Provincias de Nueva-España, informarán los Intendentes á la Junta Superior de Hacienda con la justificacion correspondiente, y prevenida en el Artículo 124, para que, atendidas las circunstancias del caso, conceda á los Pueblos esperas de la paga de Tributos; pero sin proceder á rebaxas ó total relevacion de ellos, pues quando regule justas para lo úno ó para lo ótro las causas que hubieren concurrido, me consultará sobre ello por la Via reservada, corriendo entretanto la espera, á fin de que recaiga mi aprobacion, ó resuelva lo que estime mas conveniente á precaver los daños experimentados con freqüencia de que los Tributarios de unas Provincias florecientes se pasen á otras afligidas de esterilidad, ó enfermedades, con el solo objeto de libertarse de la contribucion.

142

Para exîmirse algunas personas del justo derecho de Alcabalas, que en Indias pagan á la moderada quota de seis por ciento, y de quatro en las fronteras de enemigos, ceden, donan ó traspasan fraudulentamente sus posesiones y bienes en hijos ó parientes Eclesiásticos, contraviniendo á lo dispuesto por Leyes Reales de estos y aquellos Dominios , y causando notable perjuicio á mi Real Erario. Y á fin de precaver semejantes fraudes, deberán zelarlos con especial vigilancia los Intendentes, sus Subdelegados y Justicias subalternas, y dar los priméros cuenta justificada de ellos á la Junta Superior de Hacienda para que me informe, y mande Yo poner el remedio conveniente en uso de mi suprema potestad. Pero entretanto harán publicar Bandos en sus Provincias para que ningun Escribano ni Notario, baxo la pena que impone la lei 30 título 13 libro 8 de la Recopilacion de Indias, pueda extender instrumento de estas cesiones, donaciones ó traspasos, aunque sean con nombre de ventas, sin que preceda su formal licencia, ó del respectivo Súbdelega-

Y

do, para que pueda hacerlo; los quales cada uno en su caso tomarán á este fin los informes que estimen oportunos, y en su conseqüencia dispondrán, ó representarán, el Subdelegado al Intendente, y éste á la dicha Junta Superior, lo que les pareciere justo segun las circunstancias de las ocurrencias, y con atencion siémpre á la lei 10 título 12 libro 4 de la misma Recopilacion de Indias, que es una de las fundamentales de aquellos Reinos.

143

Por el Artículo 8 del Concordato celebrado el año de 1737 entre esta Corona y la Santa Sede se convino en que, todos aquellos bienes que por qualquiera título, y desde el dia de la fecha de la citada Concordia, adquiriesen qualquiera Iglesia, Lugar Pio ó Comunidad Eclesiástica, y por ello cayesen en manos muertas, quedasen desde entónces perpetuamente sujetos, como tambien sus frutos, á todos los Impuestos y Tributos Regios que pagasen los Legos, á ex-

cepcion de los bienes de primera fundacion, y
con la calidad de que estos mismos bienes que
hubieren de adquirir en lo futuro queden libres de aquellos impuestos que por concesiones Apostólicas pagan los Eclesiásticos.
Y aunque en estos mis Dominios de España se ha puesto y está en práctica su observancia, se omitió hasta ahora el exten-
derla á los de Indias; pero siendo mi Soberana voluntad que en todos ellos se cumpla dicha disposicion, mando que así se execute en la Nueva-España para con aquellos
bienes que por qualquiera título entrasen en
manos muertas desde la fecha de esta Ordenanza en adelante, y que en su conseqüencia no sólo se cobre la Alcabala de los frutos que éllos produgeren, sino tambien todos los demas impuestos que me contribuyesen los pertenecientes á Seglares: debiendo servir lo que en el Artículo antecedente
te se prescribe respecto de los Escribanos
y Notarios para que no se oculte alguna
de las adquisiciones indicadas quando se verifiquen, y hacerse notoria esta determinacion

por Bandos que los Intendentes mandarán publicar en sus respectivas Provincias.

144

Supuesto que la recaudacion del enunciado ramo de Alcabalas corre ya en la Capital de México, y generalmente en aquel Reino, al cargo de peculiares Administradores, y que este medio se ha preferido, en cumplimiento de mis Reales Órdenes é Instrucciones, al de los arrendamientos particulares, es mi voluntad que se continúe en adelante por los beneficios que en su práctica experimentan mi Real Erario y mis Vasallos; y en su conseqüencia mando á los Intendentes que, de acuerdo con la Direccion General de este ramo establecida por ahora para su uniforme arreglo, dediquen al mismo fin sus atenciones, autoridad y eficaces providencias, zelando la conducta de todos los empleados en su recaudacion y resguardo.

145

A fin de que los Administradores de Alcabalas y otras Rentas no carezcan de la
competente autoridad y facultades para el
mejor desempeño, quiero que exerzan todas
las coactivas económicas, y oportunas para
su efectiva recaudacion en los mismos términos que se declara en el Artículo 76 respecto de los Ministros de Real Hacienda, quedando, como en él se expresa, la jurisdiccion contenciosa reservada á los Intendentes;
bien que éstos, ó porque no tengan Subdelegados en los respectivos Partidos, o por
las distancias y dificultad en los recursos, podrán delegarla en los mismos Administradores
en quanto baste á que pongan las causas en
estado de sentencia para que así se las remitan. Pero exceptúo de esta limitacion al
Superintendente Administrador de la Aduana de México y de los Partidos que la están
agregados; porque recaudándose en ella mui
considerables sumas de las Alcabalas, conviene y es mi Soberana voluntad que con-

tinúe expedita su Administracion en el territorio que la es privativo, y en él con la jurisdiccion y facultades que por la Ordenanza formada para la misma Aduana con fecha de 26 de Setiembre de 1753 se le concedieron; bien que ceñidas en su exercicio á sólo proceder en primera instancia contra los causantes y deudores de Alcabala, y á conocer en la propia forma de los casos en que se hiciere controvertible este Derecho, ó se dudare en qualquiera modo de su legítimo adeudo, y en todo éllo con las restricciones y ampliaciones que por Reales Órdenes posteriores estuviesen prevenidas, y otorgando las apelaciones de sus sentencias definitivas, satisfecha ántes la Alcabala, para la Junta Superior de Real Hacienda; pues para todo lo demás á que por la citada Ordenanza se extendieron las enunciadas jurisdiccion y facultades se han de tener por expresamente derogadas, y observarse lo dispuesto en esta Instruccion.

146

Como en la mencionada Aduana y en la de la Ciudad de la Puebla se cobra el derecho Real que adeuda el Pulque á su entrada en ambas Capitales, y la contribucion que pagan las Pulquerías donde se vende aquella bebida, que es regional, y permitida á los Indios por la lei 37 tít. 1 lib. 6 de la Recopilacion, mando que se administre siémpre en aquellas dos Ciudades este Ramo, estancado de antiguo, y que lo mismo se execute en todos los demas Partidos de sus Provincias y de las otras adonde se han extendido los Magueyes, y el uso del Pulque que de éllos se extrahe , á fin de evitar por este medio los perjudiciales abusos y desórdenes que, en agravio de la pública quietud, causan regularmente los Asentistas conducidos de su propio interes y codicia. Y para que en todas partes sea una misma la contribucion de este derecho conforme á su orígen y establecimiento, y se eviten quanto sea posible las confecciones y mezclas nocivas que se hacen con el Pulque, destruyen la salud de aquellos Naturales, y por tanto las prohibió la citada lei: ordeno tambien á los Intendentes y Jueces inferiores que zelen y visiten con mucha vigilancia las Pulquerías, y que hagan observar puntualmente la Ordenanza publicada en 9 de Julio de 1753, Bandos y demas providencias que se han dado posteriormente, y se expidieren en adelante sobre este punto; igualando generalmente la contribucion establecida, y procurando extinguir las Tepacherías, en que se hacen y expenden ocultamente varios brebages mui perjudiciales á los Indios y demas castas del Pueblo.

147

Aunque podría reputarse suficiente lo que va prevenido en general acerca de esta tercera Causa, y lo que en particular queda dispuesto sobre los ramos de Tabacos, Tributos, Alcabalas y Pulques, para conseguir que el cobro, manejo y distribucion de mi Real Hacienda sean uniformes en todas las Pro-

vincias del Reino de la Nueva-España baxo las propias reglas que están prefinidas
en las Leyes recopiladas, Cédulas, Instrucciones y Ordenanzas de sus particulares ramos en quanto no se opongan á lo dispuesto por ésta, tengo por conveniente explicar
tambien mis Reales intenciones acerca de cada una de las otras Rentas que allí componen mi Erario, y de que aún no va hecha
individual expresion en esta Ordenanza.

148

El Estanco y Fábrica de la Pólvora, que
ántes estuvieron en arrendamiento con notables perjuicios y riesgos públicos, corren
actualmente en ventajosa administracion de
cuenta de mi Real Hacienda, y quiero continúen siémpre del propio modo con arreglo á las Ordenanzas de este Ramo publicadas en México en 20 de Marzo de 1767
en quanto no se opongan á lo dispuesto por
ésta, para asegurar con la bondad y abundancia de tan recomendable género la defensa de mis Dominios, y el beneficio que ex-

perimentan mis Vasallos. Y mando á los Intendentes, Justicias ordinarias, y Ministros empleados en el resguardo de mis Rentas, que persigan, aprehendan y castiguen á los ocultos fabricantes de pólvora, y á los que la introduxeren de contrabando, imponiendo á únos y á ótros los Intendentes, pues han de exercer en este ramo la jurisdiccion contenciosa conforme al Artículo 80, las penas establecidas por las citadas Ordenanzas, y cuidando tódos de que los Salitreros, Azufreros y Coheteros observen las particulares reglas que en ellas les están prefinidas.

149

Tambien se halla y ha de continuar en administracion el Estanco de Naipes conforme á sus particulares Ordenanzas publicadas en 23 de Abril de 1768, excepto la jurisdiccion contenciosa que han de exercerla los Intendentes como en los demas ramos de mi Erario, para precaver por este justo medio los graves inconvenientes y desórdenes de los anteriores Asientos que mi glorioso Padre y Señor Don Felipe Quinto providenció se extinguiesen por su Real Orden circular expedida en el año de 1744. Y supuesto que el gobierno y manejo directivo y económico de esta Renta corren agregados á las de Tabaco y Pólvora en las Factorías y Administraciones de las Provincias, y que es mui útil á los dichos tres ramos y al de Alcabalas la union que se ha establecido de sus respectivos Resguardos, mando que continúe, donde sea posible, segun se arregló por mi Virréi y lo tengo aprobado, cargándose á cada Renta para costearlos la suma que en prorrata corresponda á sus productos anuales, á fin de que todos los empleados en dichos Resguardos zelen igualmente los fraudes que se hicieren en perjuicio de ellas y de los demas derechos de mi Erario.

150

El Real derecho de Quintos del Oro, Plata, Cobre y otros metales que producen

los Placeres y Minas de aquellos Dominios,
y los demas de la América, mereció siémpre la primera atencion á mis gloriosos Progenitores. Y supuesto que mi Padre y Señor
Don Felipe Quinto en el año de 1723 re-
duxo aquella contribucion en el Reino de la
Nueva-España al diezmo en universal beneficio del Estado y la Nacion, y que, movido Yo por las mismas causas, he rebaxa-
do los derechos del Oro al tres por ciento,
y el precio de los Azogues y la Pólvora
en favor de los Mineros, y concedídoles además para animar su industria, y decorar su
utilísima profesion, otras gracias mui apreciables, y constantes en las Reales Ordenanzas que para la direccion, régimen y gobierno del Importante Cuerpo de la Minería
de aquel Reino tuve á bien expedir con
fecha de 22 de Mayo de 1783, quiero que
los Intendentes apliquen sus principales cuidados nó sólo á fomentar y proteger el expresado Cuerpo en las Provincias de su cargo, sino tambien á zelar por sí y por medio
de los Jueces subalternos la mas exâcta ob-

servancia de quanto por las citadas Ordenanzas tengo mandado : que en las Contadurías
y Tesorerías Reales , y Administraciones de
Estanco no se carguen á los Mineros adehalas , gratificaciones ni regalías por el Azogue
y Pólvora que necesitaren aunque sea con título de derechos de Oficiales ó Escribientes,
castigando severamente á los contraventores,
ademas de la restitucion , y la pena del du-
plo , ó del quadruplo en los casos de reincidencia ; y que á los pobres empleados en la
Minería se dén por menor los Azogues que
pidieren á dinero de contado , ó con seguridad de satisfacerle al plazo que les señalen,
sin cargarles por ello premio ni sobre-precio
alguno.

151

A conseqüencia de hallarse dispuesto en
el Art. 13 tít. 3 de las mencionadas Ordenanzas del Cuerpo de la Minería , que el Juzgado de Alzadas mandado por él erigir en cada
Provincia para los fines de su instituto deba
componerse , entre otros individuos , del Juez

mas autorizado, y nombrado por Mí, que hubiese en ella, declaro ser mi Soberana voluntad que se entienda corresponder el exercicio de este importantísimo encargo, y consiguientemente la Presidencia de dichos Juzgados con toda la autoridad y facultades concedidas por las enunciadas Ordenanzas, á los Intendentes en sus respectivas Provincias, excepto los de México y Guadalaxara mediante lo prefinido para ambas Capitales por el propio Artículo citado. Y con el justo objeto de evitar dudas, y los perjuicios que podría experimentar la Minería si sus individuos fuesen precisados por las grandes distancias á recursos dilatados, y por lo mismo dispendiosos, mando que en las Villas de Chihuahua y el Rosario, y en todos los demas parages que se hallen mui distantes de aquellos en que residan sus respectivos Intendentes, exerzan por éstos, y en la propia forma, sus Subdelegados la dicha Judicatura de Alzadas; y en su ausencia, enfermedad ó falta, el Ministro mas antiguo de mi Real Hacienda y su respectiva Tesorería.

152

Con la justa mira de precaver la ocultacion y fraudulentas extracciones del Oro y Plata en pasta que los Mineros necesitados venden á los Mercaderes y Rescatadores de estos metales en manifiesta contravencion de las Leyes que prohiben la adquisicion y comercio de ellos antes de estar quintados, mando que en todas las Tesorerías Principales, Foraneas y Menores de las Provincias que tuvieren Minas en corriente labor y beneficio, haya siémpre el dinero que se regule necesario para el rescate y efectivo pago del Oro y Plata que los Mineros llevaren á vender. Y á fin de que se satisfaga prontamente su valor al precio comun, y con el debido conocimiento de la lei de los metales, dispondrán los Intendentes, con noticia y acuerdo de la Junta Superior de Hacienda por mano del Superintendente Subdelegado, que, donde no estuviere ya hecho, se incorporen y reunan á mi Real Hacienda lo mas breve que sea posible los oficios de Fundidor y Ensayador de las actuales Caxas , y que se provéan en sugetos fieles , hábiles y asalariados , para que las partidas de Plata y Oro se fundan y ensayen luego que las presenten sus dueños , con asistencia de éstos y de los Ministros de Real Hacienda , como está mandado en la lei 11 tít. 22 lib. 4 de las recopiladas : advirtiéndose que para las dichas provisiones de Ensayadores ha de preceder indispensablemente el êxámen y aprobacion que dispone la lei 17 del mismo título y libro , y han de executarse por el Ensayador Mayor de aquel Reino.

153

Para la direccion, administracion y recaudacion de los Ramos de Azogue , Papel Sellado , Medias-anatas y Lanzas, se establecieron en mis Dominios de las Indias Jueces comisarios y privativos , cuya práctica subsiste en la Nueva-España. Pero habiendo considerado que estas desmembraciones del general manejo de mi Real Patrimonio , ademas del gravámen que causan á sus productos, emba-

razan nó poco el conocimiento de sus legítimos valores, y no excusan notables omisiones en las cobranzas, he resuelto que los
expresados Ramos se reunan al cuerpo general de la administracion de los demás de
mi Real Hacienda; y en su conseqüencia
mando que el Superintendente Subdelegado
de ella tenga á su cargo en lo general, y
los Intendentes en lo particular de sus respectivas Provincias, el conocimiento directivo y económico de los dichos quatro ramos baxo las peculiares reglas que irán indicadas en esta Instruccion, y que exerzan
en éllos la jurisdiccion contenciosa que para
los demas de mi Real Erario se les concede
por el Artículo 78.

154

Los Azogues que para la saca del Oro
y la Plata que se benefician con ellos se conducen de este Reino, y alguna vez del del
Perú, al de la Nueva-España, entrarán en
poder de los Ministros de Real Hacienda
Contador y Tesorero Generales, que han de

llevar la cuenta de este Ramo de mi Erario
con intervencion de su Contaduría General
establecida en México: la qual ha de subsistir, por ahora, baxo el arreglo que en el
número de sus Individuos, en el de los demas Dependientes del mismo ramo, y en
los sueldos de únos y ótros hará desde luego la Junta Superior segun lo exîjan las actuales circunstancias, y la prudente economía de mi Real Hacienda, poniéndolo en
práctica, y dándome cuenta para aprobar-
lo. Y con atencion á que el abundante re-
puesto de dicho ingrediente es tan útil como indispensable al beneficio de los metales
que no son de fundicion, cuidará el Superintendente Subdelegado de mandar proveer
las Tesorerías de aquellas Provincias de todas
las porciones que necesitaren los Reales de
Minas situados en ellas; y sus Intendentes
zelarán que nunca falte Azogue en los respectivos Almacenes y demas parages donde
se necesite, y que los Ministros de Real Hacienda, yá Principales, yá Foraneos, á cuyo cargo ha de correr respectivamente, les

avisen con tiempo anticipado para hacerlo por sí al dicho Superintendente Subdelegado á fin de que oportunamente mande executar las remesas precisas.

155

Para la direccion, régimen y gobierno de este Ramo se expidió con fecha de 15 de Enero de 1709 la Instruccion que entónces se consideró oportuna, y despúes se fueron despachando sucesivamente varias Cédulas y Reales Órdenes al mismo objeto, segun lo que las ocurrencias y el tiempo han exîjido, baxo cuyas reglas se manejó hasta el presente. Pero debiendo ellas recibir las alteraciones que precisamente las resultan de lo que por esta Instruccion va declarado, y conviniendo, por lo mismo, para evitar confusiones, reducir los preceptos que en su conseqüencia hayan de regir en lo sucesivo á una formal Ordenanza, mando al Superintendente Subdelegado que desde luego proceda á su formacion, teniendo para ello presentes todas las Cédulas y Reales Órdenes que quedan indicadas, la Instruccion citada, y lo resuelto por ésta sobre el asunto y por las Ordenanzas del importante Cuerpo de aquella Minería que se citaron en el Artículo 150 oyendo además al Real Tribunal de ella, al de Cuentas y á la Contaduría General del mismo ramo; y que, así formada, la pase á la Junta Superior para que, exâminada en ella con audiencia de su Fiscal, la rectifique en lo que estime convenir, y la mande poner en práctica interinamente hasta tanto que, dándome cuenta por la Via reservada con testimonio de ella y de todo lo actuado en su razon, me digne de aprobarla segun fuese mi Soberana voluntad.

156

El Papel Sellado, cuyo Ramo corre en la Nueva-España, como se ha dicho, á la direccion de un Juez privativo, se expende desde México por su Tesorero particular mediante el crecido abono de ocho por ciento sobre su producto anual, cometiendo el despacho de él en la mayor parte de aquel

Reino á los Corregidores y Alcaldes Mayores, como carga de sus oficios, sin considerarles premio alguno. Pero debiendo extinguirse estos empléos segun queda dispuesto por el Artículo 9, y habiendo acreditado la experiencia los considerables perjuicios que sufrieron hasta ahora mi Real Hacienda y la Fe pública en el uso y expendio del Papel Sellado, porque las grandes distancias, y otras causas, han hecho inútiles las reglas que para ambos fines prescribieron las Leyes de Indias recopiladas y varias providencias posteriores: atendiendo á que su remedio es tan importante á mi Erario como al bien de aquellos Vasallos, y á que lo afianza el método que para dicho ramo se observa desde el año de 1770 en el distrito de la Audiencia de Guadalaxara por providencia de la Visita General, mando que, extendiéndose á todas las demas Provincias del expresado Reino, corra el expendio del Papel Sellado generalmente á cargo de los Administradores del Tabaco, baxo el moderado abono ó premio de quatro por ciento sobre sus productos, y la seguridad de fianzas correspondientes al valor del que se les confiare, que habrán de calificar los respectivos Ministros de Real Hacienda, como que han de estar obligados á recibir los Sellos que se destinaren para el consumo de su distrito, á llevar la cuenta de ellos, á distribuirlos entre los expresados Administradores, y á recaudar de éstos sus líquidos; quedando á cargo del Superintendente Subdelegado, como ya se dixo, la direccion de esta Renta en lo general, y el cuidado de mandar al Contador y Tesorero Generales de Real Hacienda recibir, baxo la debida cuenta y razon, el Papel Sellado que se remita á la Nueva-España para el consumo de aquel Reino, igualmente que el de disponer que los dichos Ministros envíen á cada una de las demas Intendencias las resmas que se regulen necesarias segun su extension, para que las distribuyan en sus Tesorerías, y éstas lo hagan en las Administraciones de Estancos que hubiese en sus territorios baxo las reglas y seguridades prevenidas, así como lo executará el mismo

Intendente General de México á las de aquella Capital y Provincia de su inmediato cargo;
quedando al de los Intendentes y Jueces subalternos el zelar que se observe general y
exâctamente la lei 18 título 23 libro 8 en todo lo demas que dispone y no se oponga á
lo aquí prevenido, y que en su cumplimiento usen todos mis Vasallos en las instancias
judiciales y contratos públicos del Papel autorizado con el correspondiente Sello, sin que
ningun Juez ni Ministro pueda habilitar el
simple y comun con ningun motivo ni pretexto; pues sólo en el único caso de llegar
á faltar absolutamente el de alguno de los
Sellos, podrá hacer la necesaria habilitacion
del comun cada Intendente en su Provincia
con acuerdo del Superintendente Subdelegado. Y asimismo ordeno que, respecto de estar
enagenado de mi Corona el oficio de Tesorero del expresado ramo, se extinga inmediatamente incorporándole á ella, y reintegran-
do de sus mismos productos al poseedor la
cantidad que hubiere desembolsado.

157

Para que se afiance quanto conviene la debida puntual observancia de todo lo que en el anterior Artículo se dispone, y además pueda el Superintendente Subdelegado tener de los Intendentes de Provincia, y pasar á mis Reales manos oportunamente, las noticias conducentes á arreglar el envío de Papel de cada Sello que se haya de hacer para cada bienio, contando con los sobrantes del anterior como está repetidamente mandado, formará la Instruccion y Ordenanza que estime conveniente, oyendo para ello el dictámen del Tribunal de Cuentas; la qual, exâminada y rectificada en quanto lo necesite por la Junta Superior de Hacienda con audiencia de su Fiscal, mandará ésta poner en práctica miéntras que, dándome cuenta con testimonio por la Via reservada, me sirva de aprobarla, ó de resolver lo que fuere de mi Soberano agrado.

158

Los Reales derechos de Lanzas y Medias-anatas, cuya regulacion y cobranzas tambien están encargadas privativamente en aquel Reino á un Juez de comision, tienen en México su Contaduría particular y separada. Y supuesto que en observancia de mi Soberana resolucion contenida en el Artículo 153 de esta Instruccion han de correr en lo sucesivo ambos ramos, y sus privativos Juzgados, á cargo del Superintendente Subdelegado y de los Intendentes de Provincia respectivamente, mando que éstos y aquél, como tambien la mencionada Contaduría particular, que ha de quedar subsistente por ahora, se dirijan y gobiernen en su manejo por las especiales reglas que para el adeudo y recaudacion de dichos derechos en todos mis Dominios de las Indias se prescribirán en la peculiar Ordenanza que he mandado formar, y se expedirá á su tiempo.

Bb

159

Fué la Renta de Salinas una de las mas considerables que gozaron los Emperadores Indios; y aunque con tan antiguo derecho, y el preeminente de mi Corona Real á todas las Sales que se producen en sus Dominios, se mandó en la Lei 13 título 23 libro 8 de la Recopilacion estancar las Salinas que pudieran administrarse sin perjuicio de los Indios, no se ha executado con algunas de las muchas que hai en la Nueva-España, y que debieran haberse sujetado á la dicha providencia, dexando á los Naturales Indios el libre uso de sólo las pocas que necesitan y beneficiasen, mediante la moderada pension que deben satisfacer por la licencia. Y con el justo fin de que la regla equitativa que dió la citada lei sobre este ramo se observe en todo aquel Imperio, quiero la guarden y hagan guardar los Intendentes en sus Provincias, conservando á los Pueblos de Indios que beneficiaren Sales el permiso de sacarlas con la correspondiente ó regular contribucion del derecho de Licencias que pertenece á mi Real Hacienda; y que las demas Salinas de que no se aprovecharen los Naturales las hagan administrar como propias de mi suprema Regalía, teniendo siémpre presente lo mucho que importa la abundancia de Sales, y que se vendan á precios cómodos en aquel pais, por ser género mui necesario á todos sus habitantes, y especialmente á los Ganaderos para sus ganados, y á los Mineros para la lava y beneficio de metales.

160

El derecho de Composicion de Pulperías es uno de los de mi Real Patrimonio en ambas Américas, establecido por la Lei 12 título 8 lib. 4 de las recopiladas, la qual señaló la quota de treinta á quarenta pesos con que debían contribuir anualmente todas las que se abriesen y estableciesen fuera del número de las de Ordenanza, por la facultad que se las concede para entrar al abasto de los Pueblos; siendo el fin de esta permision evitar los mo-

nopolios que pudieran cometerse en las Pulperías de número que estableciesen los Ayuntamientos de las Ciudades, Villas y Lugares,
teniendo estancado el abasto público de los
víveres y efectos mas precisos, como son el
pan, azeite, vino, vinagre y otras cosas de
esta naturaleza que ordinariamente se menu-
déan en semejantes tiendas. Y pues para conseguir un objeto tan de la utilidad pública
conviene dexar libre este ramo de industria
á efecto de que qualquiera Vasallo mío pueda buscar con ella su propia subsistencia, al
mismo tiempo que facilite al Comun la bara-
tez y buena calidad de los mantenimientos;
y además el conservar á tales Pulperías su-
pernumerarias la exêncion privilegiada que
las concede la citada lei, y se renovó por
Real Cédula de 5 de Febrero de 1730 (*):
Por tanto, los Intendentes en sus Provincias,
en calidad de Corregidores y Justicias-Ma-
yores de ellas señalarán en cada Lugar formal erigido en Ciudad ó Villa el número
precisamente necesario de Pulperías de Ordenanza, y nó mas. Y para abrir todas las

(*)
Hállase baxo
el Núm.º 17.

que se pretendiesen establecer por ótros darán las Licencias correspondientes, de las
quales mandarán en calidad de Intendentes
se tome razon por los respectivos Ministros
de Real Hacienda, señalando en ellas á los
sugetos á quienes se concedan, y haciéndoles afianzar á satisfaccion de los expresados
Ministros, como que ha de correr á su cargo la cobranza, la quota anual de treinta, ó
quarenta pesos, segun prudentemente gra-
duasen con respecto, nó al valor de lo que
en el día exîsta de venta, sino á que repo-
niéndose diariamente los mantenimientos forman una negociacion y regiro continuo en
todo el año; entendiéndose que los pagamentos se han de hacer cada seis meses en las
correspondientes Tesorerías.

161

En el caso de que se note morosidad en
la paga de la insinuada contribucion, se harán cerrar las Pulperías por los Intendentes-
Corregidores, ó á requerimiento de sus Subdelegados por las Justicias subordinadas; pe-

ro miéntras la satisfagan con puntualidad no
permitirán los Intendentes que los Ayuntamientos impongan á éstas, ni cobren contribucion alguna municipal qualquiera que sea,
ni aun á título de Visitas, las quales deben
hacerlas de oficio sin algun estipendio los Regidores de mes, ó el Intendente en quanto
Corregidor, ó qualquiera otro Juez Real,
castigando los excesos ó defectos de pesos,
ó mala calidad de los alimentos segun la Ordenanza Municipal, si la hubiere, ó sin distincion de las de número ó de Ordenanza,
porque en esta parte deben ser tódas iguales, así como en los derechos de Aranceles
para los precios de venta de sus efectos, en
los gastos de arreglar anualmente por el Fiel
los pesos y medidas, y en los de la firma
y autorizacion de las Licencias: con advertencia de que, dadas éstas una vez, no necesitan de revalidacion, aunque se muden
los Intendentes-Corregidores, ó Justicias;
salvo que varíen de dueño las mismas Pulperías.

162

Los Oficios vendibles y renunciables constituyen en mis Dominios de las Indias uno de los Ramos de mi Erario; y como las reglas prefinidas en las Leyes de aquellos Reinos, y en varias Cédulas Reales que despues se han expedido sobre su mejor inteligencia y declaracion, sean las mas adaptables y equitativas para todos los casos de ventas, renuncias y caducidad de estos Oficios, mando á los Intendentes se arreglen puntualmente á ellas; y que quando ocurran vacantes de esta clase en los Pueblos de sus Provincias, admitan las posturas y mejoras que se hicieren en Junta de Almonedas, y substanciados que sean los expedientes hasta el auto declaratorio del valor, previas las diligencias dispuestas por las Leyes (*), los envíen á la Superior de México á fin de que, oyendo instructivamente en su razon al Contador General de Real Hacienda, y como parte á mi Fiscal, determine sobre el valor y remate lo que mas convenga, y los devuelva al Inten-

(*)
Baxo el Num.º
18 *se expresan las Leyes que se indican.*

dente respectivo para que proceda á la execucion de lo que resolviese y le ordenare. Y,
verificado que sea el remate, y en Tesorería
los debidos enteros, volverán á remitir los
Expedientes á la misma Junta Superior de
Hacienda para que, aprobado aquél por ella,
pase su Presidente con Oficio al Virréi los
que fuesen sobre empléos del distrito de su
privativa jurisdiccion á fin de que en conseqüencia mande expedir, y se expidan, los
correspondientes Títulos con arreglo á lo que
disponen las leyes 9, 24, 25 y 26 del título 20 libro 8 de la Recopilacion, poniéndose
en los propios Expedientes la competente
nota de haberse executado ; y, así hecho,
devuelva éstos al Superintendente de mi Real
Hacienda, quien, haciendo dexar en la Contaduría General de ella la razon conveniente
á su gobierno en lo sucesivo, los volverá al
Intendente que corresponda para que allí se
archiven, y, teniendo presentes la citada
Lei 24, y la 3 tít. 22 del propio libro, mande dar, y se dén con arreglo á ellas, los testimonios que pidan las Partes para acudir

por mi Real confirmacion en los Oficios que fuesen de mayor quantía, conforme á la quota que tengo prescripta para el Imperio de la Nueva-España por mi Real Cédula de 21 de Febrero de 1776 inserta en otra de 31 de Enero de 1777 (*), quedando á cargo de los Intendentes respectivamente lo que en quanto á solicitarla en los de menor quantía puse al de los Fiscales de las Audiencias y Promotores Fiscales de mi Real Hacienda por la propia Cédula.

(*) *Hállanse baxo el mismo Núm.º 18.*

163

Siendo mi Real ánimo conservar al Comandante-General de las Fronteras las facultes propias de su empléo, ordeno que en los oficios vendibles y renunciables del distrito de su mando se entienda para con él todo lo que por el antecedente Artículo se ha explicado respecto de mi Virréi acerca de los oficios de su territorio; pero con la excepcion, en quanto al órden, de que, para excusar mayores dilaciones, se tome en la Contaduría de Real Hacienda de México

Cc

la razon de los Expedientes antes de remitir-
los al dicho Comandante-General para que
mande librar los Títulos, y pase después
aquéllos á los Intendentes que corresponda
á fin de que se archiven, y execute todo lo
demas que en el mismo anterior Artículo queda prevenido; pues, á efecto de evitar dudas y embarazos en su cumplimiento, derogo expresamente para los territorios, jurisdicciones y distritos en que se ha de observar
esta Ordenanza, la citada Real Cédula de
21 de Febrero de 1776 en todo aquello que
se oponga á lo que va dispuesto, dexándola
en lo demás en su fuerza y vigor, tanto en
lo que habla con mi Virréi y ha de entenderse tambien para con el dicho Comandante-General en su caso, como en lo que deba corresponder al Superintendente Subdelegado é Intendentes de mi Real Hacienda
segun lo que por éste y el precedente Artículo queda prefinido.

164

Para que lo ordenado por los dos Artículos antecedentes pueda tener todo el efecto á que se dirige, ha de continuar la Junta de Almonedas en la Capital de México, procediendo en sus funciones con arreglo á las leyes 2 y 3 título 25 libro 8 de la Recopilacion, y componiéndose del Intendente General, del Oidor mas moderno de aquella Audiencia, del Fiscal de mi Real Hacienda, y de los Ministros de ella Contador y Tesorero; y se establecerá otra igual Junta en cada Capital de las demas Intendencias, componiéndola en la de Guadalaxara los mismos Ministros respectivamente que en México mediante haber en ella Audiencia; y en las restantes el Intendente, su Teniente Asesor, los Ministros de Real Hacienda, y un Defensor de ella que nombrará el Intendente, guardando únos y ótros en sus asientos el mismo órden con que aquí van nominados; y en caso de que en la de México ó Guadalaxara, por ausencia, enfermedad ó falta del Intendente asista su Teniente Asesor, le tomará despues del Fiscal, y antes de los Ministros de Real Hacienda. Y las mencionadas Juntas y Almonedas se han de celebrar precisamente en las propias Casas donde estuviese la Contaduría y Tesorería de mi Real Hacienda para que sea compatible la concurrencia de sus Gefes con la importancia de que éstos no las dexen desiertas.

165

El Ramo de la limosna que contribuyen los Fieles por la Bula de la Santa Cruzada de Vivos y Difuntos y demas gracias anexâs á ella, mereció siémpre mi mas zelosa atencion, y la de mis gloriosos Progenitores, al logro de precaver en él toda mala versacion ó desperdicios, y de afianzar la buena administracion, recaudacion y cobranza de sus productos por los recomendables piadosos fines á que están destinados. Y aunque con el mismo objeto, y el de que fuesen estos caudales mas copiosos, y mas útiles á sus loables destinos, impetró mi augusto Hermano Don Fernando Sexto, y obtuvo de la Santa Sede para sí y los Reyes sus Sucesores la concesion y facultad competen-

tes por Breve de 4 de Marzo de 1750, y
en uso de ellas expidió su Real Instruccion
con fecha de 12 de Mayo de 1751 á todos
los Virreyes de Indias para que con arreglo á su espíritu formasen las Ordenanzas
correspondientes á un nuevo establecimiento en la recaudacion y distribucion de dicha limosna, no se consiguió, sin embargo,
en la Nueva-España completo el logro á que
se dirigió la citada Real Instruccion, pues se
continuó el expendio de los enunciados Sumarios por medio de Tesoreros Asentistas
con subidos premios, y agravio de los Pueblos. Y no siendo esto conforme con lo que
deseaba mi piadoso Real ánimo, tuve á bien
cometer el arreglo del expresado Ramo al
Visitador General de aquel Reino Don Josef de Galvez , y en su conseqüencia corre en administracion mui ventajosa á mi
Real Hacienda y á mis Vasallos desde principio del año de 1768 : por lo qual, y teniendo presentes los favorables efectos que ha
producido en el propio Ramo el método que
en lo económico de su administracion esta-

bleció el dicho Visitador General con acuerdo de mi Virréi y de aquel Comisario Subdelegado de Cruzada, y con auxîlio y consentimiento de los Prelados Diocesanos, cuyo acierto está calificado con la experiencia de los ventajosos productos verificados desde entónces con sucesivo aumento, quiero y ordeno que continúe dicha administracion baxo el mismo método, reglas y seguridades con que se dispuso por la Instruccion que con fecha de 12 de Diciembre de 1767 formó para su establecimiento el enunciado Visitador General, sin otra novedad que la de cesar los tres Tesoreros que hai en las Ciudades de la Puebla de los Ángeles, Antequera de Oaxaca y Valladolid de Mechoacan, y agregarse sus encargos y funciones á los Ministros de Real Hacienda Contadores y Tesoreros Principales de Provincia que deben establecerse en cada una como Capitales de Intendencia para que por ellos se distribuyan y envíen los Sumarios de la Bula á todos los Curatos del distrito de sus Provincias, segun en la actualidad se practica respectivamente por los Oficiales Reales de Guadalaxara, Durango, Guanaxuato y San Luis Potosí.

166

En conformidad del Breve Pontificio de 4 de Marzo de 1750, citado en el Artículo antecedente, corresponde á mi suprema regalía la plena facultad de administrar, recaudar y distribuir, con independencia absoluta del Comisario General de Cruzada y demas Apostólicos, todo el producto de la Santa Bula y de las Gracias que la son anexâs, debiendo por consiguiente correr separadas las dos Jurisdicciones espiritual y temporal que intervienen en este ramo. Y conviniendo evitar que en el libre exercicio de ellas se ofrezcan dudas ó embarazos por el nuevo sistema de Intendencias, y disponer además que en aquellos mis Dominios tengan las Partes dos instancias en las causas temporales de Cruzada, vengo en declarar que en todas las de esta naturaleza han de conocer privativamente en primera instancia cada Intendente en su Provincia segun y como les queda ordenado para los otros ramos de mi Real Hacienda, con las apelaciones á la Junta Superior de ella, y de sus determinaciones para ante mi Real Persona por la Via reservada de Indias; á cuyo fin es mi Soberana voluntad que la Superintendencia de este Ramo se entienda unida á la Subdelegada de mi Real Hacienda, y en cada Intendencia de Provincia respectivamente la particular de su distrito.

167

Conviniendo que el expresado Ramo del producto de la Santa Bula tenga su formal Ordenanza, como la tienen en la Nueva-España los demas de su clase, para que por este medio quede de una vez uniformada su administracion y manejo en todas aquellas Provincias baxo las reglas indicadas en los dos anteriores Artículos, y de otras que ademas de ellas podrán convenir, mando que con presencia de la Instruccion dada por la Visita General, y citada en el primero de dichos dos Artículos; de lo que por ámbos se dispone; de las Ordenanzas que en cumplimiento de lo mandado por la mencionada Real Instruccion de 12 de Mayo de 1751 se formó por mi Virréi del Perú con fecha de 8 de Marzo de 1752 para la distribucion de los Sumarios, y recaudacion de su limosna en aquel Reino, y de la Real Cédula de 11 de Septiembre de 1755 en que se aprobaron, forme el Superintendente Subdelegado, oyendo para ello al Tribunal de Cuentas, una Ordenanza en los términos que contemple mas propios y conformes á mis justos religiosos deséos, y á las circunstancias locales y demás que deben convinarse para asegurar el acierto, y que en nada se oponga al método económico de administracion que aquí va prefinido; y exâminada la que así extendiese por la Junta Superior de Hacienda con el particular cuidado y detenida reflexîon que la materia recomienda en todas sus partes, aumentándola, ó moderándola segun lo estime oportuno y conveniente á los objetos insinuados, la aprobará y mandará poner en práctica

Dd

interinamente, y hasta tanto que, dándome cuenta con ella y el informe que corresponda por la Via reservada, tenga á bien autorizarla con mi Real aprobacion.

168

Por mui relevantes títulos, y concesion Apostólica de Alexandro Sexto en su Bula expedida á 16 de Noviembre de 1501, confirmada despué por otros Sumos Pontífices, pertenecen á mi Real Corona los Diezmos de las Indias con dominio pleno, absoluto é irrevocable, baxo la precisa y perpetua calidad de asistir á aquellas Iglesias con dote suficiente para la decorosa manutencion del culto divino, y á sus Prelados, y demas Ministros que sirvieren al Altar, con la competente congrua; en cuya virtud se promulgó la disposicion fundamental contenida en la lei 1 título 16 libro 1 de las recopiladas, y posteriormente por la 23 de los mismos título y libro se dispuso la forma y modo en que, para llenar aquel objeto, se deben dividir, administrar y repartir los expresados

Diezmos. Y como por conseqüencia de tódo quedó la Corona en la obligacion de suplir á expensas de las demas rentas de su Patrimonio qualquiera suma á que ellos no alcanzasen para cubrir las indicadas dotaciones, y por lo úno y lo ótro no sólo correspondiese á la autoridad Real zelar la buena direccion y administracion de los productos decimales, y que se repartiesen entre los Partícipes interesados en su gruesa con la integridad y exâctitud debidas para que las Santas Iglesias, Parroquias y Hospitales que quedaron baxo la inmediata Soberana proteccion no padeciesen agravio en sus respectivos haberes, y ménos el Real Erario por la expresada responsabilidad, ni en los dos Novenos que se le reservaron por la citada lei 23; sino que igualmente competía á la misma suprema autoridad el proporcionar tuviese efecto lo ordenado en la lei 34 título 7 del dicho libro 1, se mandó por las 27, 28 y 29 de su enunciado título 16 que los Oficiales Reales asistiesen á las Almonedas y remates de los Diezmos, y por la 30 siguiente que tambien lo hiciese uno de ellos, y un Oidor donde haya Audiencia, á las cuentas y repartimiento para que éste se haga conforme á la Ereccion de cada Iglesia. Y con los mismos fines; con el de uniformar en todos mis Dominios de las Indias la debida observancia de las mencionadas Leyes cortando los graves inconvenientes experimentados por su mala inteligencia, y la que se ha dado á ótras relativas á la propia materia; con el de que en los expresados actos prevalezca y se reconozca, como es justo y debido, el directo dominio que conservo en los referidos Diezmos, y últimamente con el de precaver que en ningun modo se perjudique á los Partícipes en su gruesa, ni á mi Real Hacienda por su dicha responsabilidad, ni tampoco en los dos Novenos, Vacantes mayores y menores, Mesadas y Medias-anatas que la pertenecen : tuve á bien mandar expedir la Real Cédula circular de 13 de Abril de 1777 (*). Pero considerando que el nuevo establecimiento y sistema de Intendencias puede ofrecer dudas sobre el modo de poner en práctica el Reglamento inserto en

(*)
Hállase baxo el Núm.º 19.

ella: para evitarlas, y facilitar la mas exâcta execucion de quanto por él se dispone, he venido en hacer, conforme al verdadero espíritu de la misma Cédula y Leyes citadas, las declaraciones que en los quince Artículos siguientes se contienen.

169

La Junta de que el mencionado Reglamento trata, y ha de formarse en las Ciudades de México, Puebla, Valladolid, Antequera, Guadalaxara, Durango, Mérida, Arispe y Monterréi, como que son las Capitales del Arzobispado y Obispados de la Nueva-España, se ha de componer, en las que hubiese Audiencia, del Intendente, del Oidor mas moderno, del Fiscal que despache los negocios de mi Real Hacienda, de dos Jueces Hacedores nombrados, hasta nueva providencia mía, el úno por el Prelado y el ótro por el Cabildo, y de uno de los Ministros de Real Hacienda Principales de la Provincia. Donde no haya Audiencia compondrán dicha Junta el Intendente, los dos Jueces Hacedores, uno de los Ministros de Real Hacienda y el Fiscal defensor de ella. Y respecto de que los Intendentes de las Provincias y Diócesis de Yucatán y del Nuevo-Reino de Leon nó tendrán regularmente sus residencias en las Ciudades de Mérida y Monterréi, se compondrán aquellas Juntas de los respectivos Gobernadores, de los dos Jueces Hacedores, de uno de los Ministros de Real Hacienda del distrito, y de un Defensor de ella que nombrarán los propios Intendentes, debiendo tambien concurrir así á esta Junta, como á las otras de las demas Diócesis, los Contadores Reales de Diezmos y Quadrantes.

170

Los Vocales que respectivamente quedan señalados á la enunciada Junta han de guardar y tener en sus asientos y firmas el órden y lugares siguientes. El Intendente, que ha de presidirla, el Oidor, el Fiscal, el Juez Hacedor que por su dignidad ó antigüedad precediere al ótro en el Cabildo de su Iglesia, el Ministro de Real Hacienda Contador ó Tesorero, el otro Hacedor y el Contador Real de Diezmos. En donde no haya Audiencia, el Intendente, el Hacedor que deba preceder á su compañero, el Ministro de Real Hacienda, el otro Hacedor, el Fiscal defensor y el Contador del Ramo. En las Ciudades de Mérida y Monterréi, el Gobernador, el Juez Hacedor dicho, uno de los Ministros de Real Hacienda, el otro Hacedor, el Defensor y el Contador Real. Y en ausencias ó enfermedades de los expresados Vocales substituirán, por el Intendente, su Teniente Asesor; por el Oidor, el compañero que le anteceda en antigüedad; por el Fiscal, el que sirva la Fiscalía; por alguno de los Jueces Hacedores, el sugeto que en su lugar nombrare su principal, y por el Ministro de Real Hacienda, su compañero: con prevencion de que, quando por el Intendente asista su Teniente Asesor donde haya Audiencia, será su lugar despues del Fiscal, y presidirá el Oidor; pero donde no la haya, tomará el del Intendente y presidirá la Junta.

171

Todos los Vocales expresados tendrán en su caso voto decisivo; pero el Fiscal no le ha de tener en aquéllos en que hablare como parte, y le tendrá sólo informativo el Contador Real de Diezmos, ó su Oficial Mayor, que le substituirá quando por impedimento legítimo no pudiese concurrir. Y el que presidiere tendrá voto de calidad en qualquiera caso de discordia para que pueda decidirla.

172

La Junta que se establece no será un Tribunal permanente con jurisdiccion extensiva á todas las causas resultantes del ramo decimal, porque la unida que en el enunciado Reglamento se la declara, aunque Real, se ha de entender puramente directiva, económica y dispositiva, y por consiguiente reducida á proporcionar los medios mas conducentes y oportunos para la mejor direccion, administracion, recaudacion y seguridad de los Diezmos y segunda Casa-Excusada; á prefi-

nir las condiciones con que se han de prego-
nar sus arriendos; á calificar el tiempo, modo y circunstancias con que deben admitirse
las posturas, y verificarse los remates, pro-
moviendo su mayor aumento; á deliberar si á
éstos se ha de preferir la administracion en
el distrito de alguna Parroquia, ó Parroquias
en que las circunstancias lo persuadan mas
útil; á resolver y determinar todo lo que
ocurra miéntras no estén perfeccionados los
remates, ó la administracion, y tenga precisa
concernencia con ésta ó aquéllos; á intervenir en las cuentas de los Diezmos y sus repartimientos, para que éstos se ajusten á las
Leyes y respectivas Erecciones, segun las
posteriores Reales declaraciones, y las cuentas se formen y produzcan con la formalidad
y justificacion que convengan, y, finalmente, á practicar todo lo que parezca útil en
beneficio de dicho ramo y sus Partícipes.

173

El conocimiento de todo lo contencioso
que ocurra en órden á la percepcion y cobran-

za de los productos de Diezmos y Casa-Excusada, usurpacion y ocupacion de ellos con todas sus incidencias, yá se hayan arrendado, ó yá puéstose en administracion (excepto los que correspondieren á mis dos Reales Novenos en la masa de los que se hubiesen rematado), será privativo de los Jueces Hacedores, que en ello han de obrar y proceder con sólo la Jurisdiccion Real delegada que les compete por la qualidad y naturaleza de bienes temporales de mi Real Patrimonio que conservan aquellos Diezmos aun en la parte que están cedidos á las Iglesias, y sin valerse por lo mismo de Censuras, ni de otros apremios que los permitidos por Derecho Real en los juicios ordinarios y executivos, con las apelaciones á la Junta Superior de Hacienda, y de ella á mi Real Persona por la Via reservada de Indias: entendiéndose que la expresada jurisdiccion contenciosa de los Jueces Hacedores es una misma en ámbos, y en cada úno; de modo que la pueden exercer unidos, y separadamente qualquiera de ellos en todos los negocios de que tome conocimiento, yá sea por prevencion, ó yá por repartimiento de territorio en que se convengan entre sí los dos Hacedores, ó se acuerde por el Prelado y Cabildo para el mas fácil y pronto despacho de los negocios que ocurran; debiendo suplirse mútuamente en caso de falta, ausencia ó enfermedad, para conocer y continuar el que quede las causas que el ótro hubiere empezado. Y porque las providencias que emanan de autoridad y jurisdiccion Real han de cometerse para su execucion á Ministros Reales, los dichos Jueces Hacedores de Diezmos en el exercicio privativo de la que se les delega deberán valerse de Alguaciles Ordinarios, destinando los Intendentes, como Corregidores, aquél, ó aquéllos que sean necesarios, y mas á propósito, para que estén á quanto se les mandare por el Juzgado de Diezmos.

174

Será privativo de la Junta, como propio de sus facultades económicas, la eleccion y nombramiento del Escribano Real que ha de actuar no sólo en los remates y diligencias relativas á ellos, sino tambien en todo lo contencioso privativo de los Jueces Hacedores. Y respecto de que el enunciado Escribano devengará en las indicadas ocupaciones los justos derechos que le correspondan segun el Arancel que en conformidad de lo ordenado por el referido Reglamento ha de formar la propia Junta, y que con ellos quedará competentemente remunerado, no ha de gozar asignacion alguna sobre la Masa decimal.

175

Tambien será peculiar de la Junta expedir los Despachos con que se ha de habilitar á los Arrendadores, y los Recudimientos que segun el Artículo 193 deben darse á los Ministros de mi Real Hacienda de lo que en los Diezmos arrendados la corresponda por los dos Reales Novenos. Pero, mirando á simplificar quanto sea posible las atenciones de la Junta, será suficiente que los mencionados Despachos y Recudimientos se libren á su nombre por solo el Intendente y uno de los

Jueces Hacedores , autorizándolos el Escribano actuario , y tomándose razon de los únos y los ótros en la Contaduría de Diezmos , sin llevar ésta derechos algunos.

176

No se podrán rematar Diezmos á Personas Eclesiásticas; pero sí conferirlas Administraciones de ellos siempre que la Junta lo estimare conveniente, dando ántes fianzas legas, llanas y abonadas. Y porque en tal caso pueden verse obligados los Jueces Hacedores á proceder contra algun Administrador Clérigo, y éste buscar los medios de eludir los efectos de un juicio executivo, oponiendo la exêncion del fuero para declinar jurisdiccion, y hacer ilusorias, ó entorpecer las providencias de los Jueces Hacedores, deberán ellos mismos, para evitar y cortar en su raiz iguales inconvenientes, artículos y dilaciones, solicitar de antemano de los Prelados Eclesiásticos, y éstos concederles (como se lo encargo) la delegacion de la Jurisdiccion Eclesiástica, y las facultades que sean bastantes para que queden expeditos estos juicios, y se proceda contra semejantes deudores sin tropiezo ni embarazo hasta el efectivo cobro y reintegracion de lo que se estuviere debiendo á un ramo tan recomendable. Y en el modo aquí expresado se habrán de conducir tambien los referidos Jueces Hacedores de Diezmos si por ocultacion, usurpacion, ú otra qualquiera causa respectiva á ellos, les fuese preciso proceder contra algun Eclesiástico Secular ó Regular, aunque no sea Administrador.

177

Como la libre administracion de las rentas decimales que por Leyes de Indias está concedida precariamente á los Prelados y Cabildos de sus Iglesias, no debe entenderse, ni tener lugar sino en aquella parte que de su gruesa total quede despues de deducido lo que corresponda á mis dos Reales Novenos, y ésto no se pueda verificar en los Diezmos que se recauden por administracion hasta tanto que, finalizado el tiempo de ella, se liquide lo que produzca á favor del ramo, es consiguiente establecer reglas oportunas para que en esta parte se llene el espíritu de las Leyes y Real Cédula citadas, así como lo afianzan en los Diezmos que se rematan las prescriptas en ellas. Por conseqüencia de estos principios, la eleccion y nombramiento de los Administradores han de ser tambien peculiares y privativos de la jurisdiccion unida de la Junta; y á nombre de ella, y en la misma forma prevenida por el Artículo 175 para los Despachos de los Arrendadores, se les expedirán los Títulos con que debe autorizárseles, señalándoles además en ellos el estipendio, ó tanto por ciento que la Junta graduase correspondiente.

178

Todos los Administradores, sin exceptuar los de la segunda Casa-Excusada si se administrase, serán indispensablemente obligados á llevar formal y exâcta cuenta y razon de los Diezmos de su cargo con preciso arreglo al Formulario que para ello ha de formar el Contador Real del ramo, y aprobar la Junta, y con la justificacion y comprobantes que en él se prevengan, á fin de que, expresando los frutos y efectos que perciban, y los parages, tiempos y personas sin fraude ni omision, se pueda venir en cabal conocimiento de lo que producen en cada un año los Diezmos respectivos á la Parroquia, ó Casa-Excusada de su cargo; la qual cuenta han de dar jurada baxo la pena de la lei, y presentarla á la Junta, cumplido que sea el año de la administracion, para que, precediendo que el enunciado Contador Real la reconozca, y repare en lo que le pareciese justo, la apruebe si lo mereciese, ó determine lo conveniente para que se ponga en estado de poderlo executar.

179

Tambien los Arrendadores, inclusos los de la Casa-Excusada, serán constituidos en la misma obligacion que por el anterior Artículo se impone á los Administradores de llevar y presentar á la Junta cuenta formal y jurada en los propios términos que quedan indicados, y con separacion de Parroquias, luego que se concluya el tiempo del arrendamiento : á cuyo fin se entregará oportunamente á cada uno de éstos y de aquéllos por el Contador Real de Diezmos el Formulario prevenido en el citado Artículo, y un Libro con las fojas que regulare competentes atendida la mayor ó menor extension y productos del Diezmatorio, segun las Parroquias, ó Casas-Excusadas que hubiese de comprehender, debiendo estar tódas foliadas, ponerse en la primera una Nota que exprese el número de las que le componen subscrita del Intendente y de los dos Jueces Hacedores con sus medias firmas, y con la entera del propio Contador, rubricada de los mismos la última, y de solo éste todas las demás, y entendiéndose que cada Administrador ó Arrendador ha de satisfacer el costo que hubiese tenido el Libro que se les entregare.

180

Por las Cuentas que así presentaren á la Junta los Administradores se liquidará lo que

Ff

del producto de los Diezmos puestos en administracion resulte á favor de la masa decimal, y consiguientemente lo que por los dos Novenos corresponda á mi Real Hacienda, y deban percibir los Ministros de ella; pero además servirán estas Cuentas, y tambien las que presenten los Arrendadores, para gobierno de la Junta en los hacimientos y remates sucesivos mediante el conocimiento que la ministrarán de lo que rinda el distrito de cada Parroquia, y su Segunda Casa-Excusada: con cuyo objeto, y el del uso que en varias ocurrencias convendrá haga de los expresados Libros la Contaduría del ramo, será élla la Oficina en donde tódos se han de archivar y custodiar.

181

Las fianzas respectivas á la parte de los Diezmos arrendados que no pertenezca á mis dos Reales Novenos, y las que correspondan á la Segunda Casa-Excusada, yá se haya subhastado, ó yá se administre, han de otorgarse á satisfaccion del Intendente, ó su

Subdelegado donde él no resida, y de los Jueces Hacedores, con precisa audiencia é intervencion del Fiscal comprehendido en la Junta. Pero todas aquéllas que se otorguen en seguridad de los Diezmos que se hubiesen de recaudar por administracion, han de ser tambien á contento de los Ministros de Real Hacienda, por quanto el importe de los dos Novenos que la pertenecen, y que ellos por la obligacion de sus Oficios deben dar cobrado ó diligenciado, va embebido en las mismas rentas que se han de administrar. Y respecto de que los productos de éstas, á medida que se vayan recaudando en las Administraciones deberán pasarse á la Clavería de la respectiva Iglesia con formal intervencion del Contador Real de Diezmos, y de que no puede haber justo motivo para que mi Erario esté privado, hasta tanto que los Administradores presenten y se liquiden sus cuentas, de la parte que de los indicados enteros la pueda corresponder por razon de los dichos dos Novenos, tendrá la Junta mui especial cuidado de que en fin de cada tercio de año forme la Contaduría del ramo una prudente regulacion de ello, para que su importe se entregue por la misma Clavería á los Ministros de mi Real Hacienda en cuenta de lo que á su favor resultase por la division de la gruesa que produxeren todos los Diezmos administrados segun la final liquidacion de sus rendimientos.

182

Por la Contaduría de Diezmos se han de despachar no sólo los expedientes, órdenes y providencias que acerca de ellos se formaren ó dispusieren por los Jueces Hacedores, y en que no sea necesaria la autoridad judicial, sino tambien las correspondencias que en razon del mismo ramo siguiesen los dichos Jueces, tomando el acuerdo de éstos para tódo el Contador Real, como que ha de estar inmediatamente á sus órdenes para quanto concierna á la administracion por menor de las rentas decimales, su cobro y recaudacion. Y así los enunciados expedientes, como los autos, correspondencias, y todos los demas documentos y papeles respectivos á este ramo, se han de custodiar y archivar en la expresada Oficina, dexando el Escribano actuario en el Protocolo de su Oficio sólo las escrituras é instrumentos que por su naturaleza lo exîjan.

183

A la Fábrica de las Iglesias Metropolitanas y Catedrales están aplicados por sus Erecciones los Diezmos de un Vecino, pero nó el mas rico, de los de cada Parroquia de todas las de la Diócesi respectiva, que vienen á ser los Excusados de que habla la lei 22 título 16 libro 1 de la Recopilacion, y lo que en la referida Cédula de 13 de Abril de 1777 se dice Segunda Casa-Excusada. Y supuesto que los Diezmos de todas ellas se han de subhastar, ó administrar baxo el conocimiento y jurisdiccion unida de la Junta como se indicó en el Artículo 172, será la cuenta de lo que en uno, ú otro modo produxeren la que se ha de presentar á la misma Junta para que la exâmine y apruebe;

pero aquella de la inversion de lo que por dicha cuenta resultare á favor de la Fábrica, y de los demas productos que la pertenezcan, como de Censos, Entierros, y ótros que deban entrar en su fondo, se habrá de presentar anualmente al Vice-Patrono en conformidad de lo mandado por Real Cédula circular de 23 de Mayo de 1769 (*). Y para que esto se cumpla segun conviene y es mi Soberana voluntad, vengo en declarar que, verificada que sea por el Mayordomo de Fábrica, como á quien toca, la presentacion de dicha cuenta con sus comprobantes al Ministro que exerza el respectivo Vice-Patronato, éste la ha de pasar con el correspondiente Oficio al Prelado y Cabildo de la Santa Iglesia Catedral para que, reconociéndola, le expongan en su razon, y sin demora, lo que se les ofreciere y pareciere; y con lo que dixeren, y el conveniente Decreto ha de pasarla el mismo Vice-Patrono al Contador ó Contadores Reales de Diezmos de la Dióce-si, quienes en desempeño del Oficio de tal Contador Fiscal, que han de exercer en estos

(*)
Hállase baxo el Núm.º 20.

casos, y teniendo presentes las leyes 11 y 18
del tít. 2 lib. 1 de la Recopilacion, y los Artículos 188 y 191 de esta Ordenanza, procederán á exâminarla y glosarla, y á formar Pliego de los cargos ó reparos que les parezcan
justos; y dando vista de ellos al propio Mayordomo de Fábrica á efecto de que en el
término que le señalen produzca sus descargos, con presencia de ellos y de todo lo demás liquidarán dicha cuenta, y la devolverán
al Vice-Patrono para que, si de ella se de-
dugese alcance líquido, lo declare y haga enterar, y, verificado, la apruebe si lo mereciese, ó determine lo conveniente para ponerla en estado de poderlo executar, y que
así quede fenecida: obrando en todo lo dicho
tanto el Vice-Patrono, como los Contadores
Reales respectivamente, conforme á lo dispuesto por varias Leyes de Indias para la
toma, glosa y fenecimiento de las cuentas de mi Real Hacienda, y remitiendo el
priméro á mis Reales manos la original así
fenecida, y con ella lo que en su razon hubiesen expuesto el Prelado y Cabildo, los car-

gos que el Contador Fiscal hubiere sacado al
Mayordomo de Fábrica y sus descargos, Certificacion de haberse enterado el alcance si le
hubo, y la aprobacion que hubiere recaído;
dexando testimonio de todo éllo, y originales
los comprobantes de la cuenta archivados en
la Oficina del cargo del dicho Contador ó
Contadores Reales. Y respecto de que en la
disposicion de la citada Real Cédula de 23
de Mayo se han de entender comprehendidas no sólo las Catedrales, sino tambien todas las demas Iglesias cuyas Fábricas gocen
dotacion sobre los Diezmos ó qualquiera otro
ramo de mi Real Hacienda, se ha de observar con las cuentas de ellas lo mismo que va
declarado para con las de las Fábricas de las
Iglesias Catedrales, á diferencia solamente de
que lo ordenado respecto al Prelado y Cabildo de éstas se ha de entender para con
los Curas de aquellas y sus Beneficiados,
donde los haya, y que á éstos ha de exîvir el
Mayordomo de Fábrica, por mayor brevedad,
la cuenta y sus comprobantes á efecto de
que, exponiendo sobre ella y á su continua-

cion lo que estimaren conveniente, la remitan al Vice-Patrono: quien si notase morosidad en la presentacion de alguna de las mencionadas cuentas, deberá dirigir Oficio al Prelado Diocesano para que la haga verificar en observancia de lo dispuesto por la Real Cédula que queda citada. Todo lo qual quiero que así se observe en la Nueva-España, y en su conseqüencia ordeno á los Intendentes y demas Ministros de la referida Junta de Diezmos, y encargo al mui Reverendo Arzobispo, Reverendos Obispos, Venerables Cabildos de sus Iglesias, y á los Jueces Hacedores de únos y ótros, que en los términos explicados en éste y los quince Artículos precedentes observen, en la parte que á cada uno toque, las Leyes, Reglamento y Cédulas citadas en ellos, y las hagan guardar y cumplir rigurosamente sin omision ni contemplacion, y sin contravenir á ello, ni permitir se contravenga en manera alguna.

184

Para que tampoco se ofrezcan dudas ni

embarazos sobre el modo en que se ha de verificar en lo sucesivo la observancia de lo que la ya citada lei 29 del título 16 libro 1 ordena en su primera parte, reducido á que donde los Diezmos no fueren suficientes para la dotacion de las Iglesias se cobren los que hubiere por los Oficiales Reales, conforme á lo proveido, y se sustente el Clero á expensas de la Real Hacienda, declaro que los hacimientos y remates de los Diezmos que se hallasen en el caso expresado se executen, así en Sede vacante de Prelado como no habiéndola, en las Juntas de Almonedas de que trata el Artículo 164, y sin concurrencia ni intervencion de otros Ministros ó Personas que las que allí se expresan, procediéndose en ello y en la cobranza (que ha de ser de cargo de los respectivos Ministros de Real Hacienda Contador y Tesorero) con arreglo á lo que por punto general se ha prefinido en esta Instruccion para los demas ramos de mi Erario, y observando en estos remates la disposicion de la lei 31 título 8 libro 8 de las recopiladas. Y mando á los Intendentes zelen cuidadosamente la puntual observancia de lo aquí declarado, y de lo que la citada lei 29 ordena acerca de la administracion de los expresados Diezmos, disponiendo se dexe ésta á los Prelados y Cabildos en la parte que les corresponde si la pretendieren, y hubiesen obtenido Cédula y Licencia mía para ello, y haciendo executar todo lo demás que para tal caso previene la misma lei: con advertencia de que la enunciada Cédula se les ha de presentar con el Cúmplase del Superintendente Subdelegado de mi Real Hacienda, y la Toma de razon de la Contaduría de Cuentas de México.

185

A conseqüencia de lo prevenido en el Artículo 174 de la Ordenanza de Intendentes expedida con fecha de 28 de Enero de 1782 para los del Virreinato de Buenos-aires, remitió aquel Superintendente Subdelegado de mi Real Hacienda con carta de 4 de Agosto de 1784 el Quadrante de Diezmos del Arzobispado de Charcas correspondiente al año anterior de 1783, y en su vista me hizo presente el Contador General de mi Consejo de las Indias en Informe de 3 de Julio de 1785 los defectos que notaba en el citado Quadrante, y las dudas y reparos que le ocurrían acerca de la recaudacion, manejo y distribucion del enunciado ramo. Para que exâminase el dicho Informe, y me manifestase su dictámen sobre los puntos que abrazaba, mandé formar una Junta compuesta de Ministros del mismo Supremo Tribunal, la qual, en su cumplimiento y Consulta de 2 de Junio último, me expuso lo que consideró oportuno para cortar los abusos introducidos en la distribucion de Diezmos, y que se verifique en lo sucesivo la general debida observancia de lo dispuesto para ella por las Leyes y las Erecciones de las Iglesias; y conformándome con lo que la mencionada Junta me propuso, vine en resolver, y mandar por Real Cédula de 23 de Agosto último lo que en los siete Artículos siguientes se contiene, y es mi Soberana voluntad se guarde, cumpla y execute exâcta y rigu-

rosamente en todas las Diócesis de la Nueva-España segun y como en éllos se dispone.

186

La Casa-Excusada de que se trató en el
Artículo 183 se ha de sacar con arreglo á
lo prefinido por la lei 22 título 16 libro 1
de la Recopilacion, esto es, separando sus respectivos Diezmos de todos los demás: para
cuyo efecto se hará en el distrito de cada
Parroquia, por disposicion de la Junta de
ellos, la eleccion y asignacion de uno de los
contribuyentes, que no sea el primero en facultades sino el segundo; y, así executado, se
recaudará este ramo con la misma separacion,
arrendándolo en subhasta, ó administrándolo,
segun la propia Junta estimare conveniente.

187

Del monton ó gruesa de todos los Diezmos, despues de sacados los Excusados como
lo dispone el Artículo antecedente, se han
de separar las dos quartas partes Episcopal
y Capitular, y de las otras dos quartas ó

mitad se deducirán los dos Novenos pertenecientes á mi Real Hacienda conforme á
la lei 23 del mismo título 16 libro 1 : entendiéndose que los dichos dos Reales Novenos no deben sufrir la deduccion del tres
por ciento para el Seminario, ni los gastos
de cobranza hasta estar ésta verificada en
los frutos decimales quando no se arrenda-
ren ; pero si los Ministros de Real Hacienda
no percibiesen entónces y separasen del monton los que correspondan á dichos dos Reales Novenos, y siguiesen con los demás en
administracion, en tal caso deberán los Reales Novenos contribuir á prorrata lo que
despues se expenda en mayor beneficio,
custodia y aumento del valor de los mismos frutos. Mas si dichos Ministros tuvieren
por conveniente arrendar los que cupieren
á los Reales Novenos, lo podrán hacer, en
cuyo caso deberá recibirlos el Arrendador
en el Almacen ó Tercia donde se hubieren
recogido, sin mantenerlos allí mas tiempo
de aquel moderado que fixe la Junta de
Diezmos; y si nó acudiere dentro de él á re-

cogerlos, pague lo que se regule por el almacenage y cuidado, y corra los riesgos.

188

El Noveno y medio aplicado por la citada lei 23 y por las Erecciones de las Iglesias Catedrales á sus respectivas Fábricas, debe entenderse sólo de los Diezmos del distrito de la Parroquia de cada una de éllas, y que el de los productos decimales de las demas Parroquias de la Diócesis pertenece á sus Fábricas respectivamente. Y para que ésto así se verifique donde no se halle en observancia, se procederá desde luego á depositar el respectivo importe de dicho Noveno y medio á disposicion de los Vice-Patronos y Prelados Diocesanos, quienes lo distribuirán proporcionalmente en las mismas Parroquias á que pertenezca segun la necesidad de cada una, ínterin puedan arrendarse ó administrarse con separacion los Diezmos de cada Parroquia para su respectiva distribucion, como adelante se ordena y se practica en algunas Diócesis de aquellos mis Dominios.

189

Para acordar con el debido conocimiento lo que convenga á fin de que el otro Noveno y medio que por la mencionada lei 23 está mandado aplicar para Hospitales tenga en tan recomendable objeto la mas oportuna útil inversion, quiero que mis Vice-Patronos y los Prelados Diocesanos me informen unidamente, con justificacion y la mayor brevedad posible, el número de Hospitales que exîsten en sus respectivos distritos: quánto distan entre sí: á quánto ascienden las rentas de cada uno, reguladas por el último quinquenio: quáles gozan la aplicacion del enunciado Noveno y medio, y quáles nó: de qué modo se distribuye esta porcion de Diezmos, y quál es su importe anual en toda la Diócesi, regulado tambien por quinquenio: qué otros Hospitales se podrán establecer y dotar sin perjuicio de la precisa dotacion de los que exîsten, con lo demás que consideraren conducir al propuesto fin.

190

Los quatro Novenos llamados Beneficiales se distribuirán precisamente segun y como dispone la ya citada lei 23 y la Ereccion de cada Iglesia, y en donde así se execute, continúe sin alteracion su observancia ; pero en aquellas Diócesis en que se verifique lo contrario, yá sea por aplicarse dichos quatro Novenos á los Cabildos, á los Curas de las Cabeceras, ó yá de qualquiera otra forma, se procederá desde luego á separar lo que á ellos corresponda en el distrito de la Parroquia de la Catedral para que se le dé el destino que su Ereccion dispusiere ; · y practicándose lo mismo respectivamente con lo que pertenezca á cada Parroquia de las Ciudades y Villas Cabeceras se entregará á sus Curas y demas Ministros que lo deban percibir. Y todo lo que del producto de los expresados quatro Novenos quede hechas las dichas separaciones, se retendrá y depositará en Arca de tres distintas llaves, que se colocará en el para-

Hh

ge que acordaren el Vice-Patrono y el Prelado Diocesano respectivos, teniendo una de dichas llaves el sugeto que eligiere el Vice-Patrono, ótra el que nombrare el Diocesano, y la ótra el que destinare el Cabildo: entendiéndose esta providencia por ahora, y mientras los dichos Vice-Patronos y Prelados Diocesanos me informan respectivamente de la renta que quedará á cada Prebendado y á cada Cura de Cabecera con exclusion de la parte que hasta ahora hubiesen disfrutado de los mismos quatro Novenos Beneficiales que se depositen: cuyo informe habrán de executar con justificacion y la mayor brevedad posible, acompañando los Vice-Patronos el suyo con copia íntegra y autorizada del Quadrante de Diezmos que los Contadores de ellos deberán formar en observancia de lo que se les manda por el Artículo 200 de esta Ordenanza, y entregar á los respectivos Intendentes, quienes para el efecto pasarán dicha copia á los Vice-Patronos donde ellos no exerzan esta suprema regalía de mi Corona mediante lo dispuesto por el Artículo 8 : advirtiéndose que de qualquiera omision que se note serán responsables los Vice-Patronos respectivos.

191

A fin de cortar el modo arbitrario con que se procede en cargar y distribuir entre los partícipes de Diezmos los gastos generales y particulares, he resuelto igualmente: Que se tenga por gasto legítimo, en la clase de generales, la gratificacion de los Jueces Hacedores en las Iglesias donde, sin embargo de lo dispuesto en esta parte por la Real Cédula de 13 de Abril de 1777 ya citada baxo el *Núm.* 19 , estuviere aún en práctica hacerles alguna asignacion: Que al Escribano Real Notario de la Junta no se señale dotacion alguna en la masa decimal, antes bien, en conformidad del Artículo 174 de esta Ordenanza, se suprima y excluya la que tal vez hubiese tenido: Que á los Ministros y Sirvientes creados por la Ereccion de cada Iglesia se les pague su respectiva asignacion del ramo que disponga la misma Ereccion, y que los demas Sir-vientes no comprehendidos en ella se pa-guen del ramo de Fábrica de la Catedral: Que el salario ó gratificacion del Apuntador de Fallas se satisfaga precisamente por el Cabildo, y no se pague del caudal de la Fábrica ni de los quatro Novenos Beneficia-les, como abusivamente se ha executado en algunas Catedrales: Que los gastos particu-lares que se impendieren por los Cabildos en salarios de Agentes, Procuradores y demás de esta clase, sean de cuenta y cargo de quien los nombrare, y de ningun modo se incluyan en la cuenta de distribucion de Diezmos: Que los tres Novenos aplicados por mitad á las Fábricas de las Iglesias Ca-tedrales y Parroquias, y á los Hospitales, paguen lo que á prorrata les corresponda de los gastos generales de recaudacion ó ad-ministracion de los Diezmos: Que lo mismo se entienda para con los quatro Novenos Beneficiales; pero que éstos sean exêntos de qualquiera otra contribucion con que se les hubiese gravado, aun quando esté aplicada para alguna festividad votada por el Prelado y Cabildo.

192

Finalmente , deseando facilitar quanto conviene y sea posible la práctica de lo que por los seis Artículos próximos antecedentes va prescripto, he resuelto asimismo que las Juntas de Diezmos dispongan en sus respectivas Diócesis (como mui particularmente se lo encargo), que la administracion ó arrendamiento de ellos se execute en lo sucesivo precisamente por Parroquias y con separacion de cada una, y nó por Partidos, para que con toda distincion y claridad se sepa lo que produce el distrito de cada Parroquia, y pueda verificarse la particular distribucion que la ya citada lei 23 y las Erecciones disponen; pero sin que se entienda que por ésto se prohiba arrendar á un mismo sugeto los Diezmos de los distritos de dos, tres ó mas Parroquias, con tal que se distinga la cantidad en que se remataren los correspondientes al de cada una.

193

Los dos Reales Novenos que, como se dixo en el Artículo 168, están reservados á la Corona en los Diezmos de sus Dominios de las Indias, y pertenecen á mi Real Patrimonio, han de entrar en las Tesorerías Reales: á cuyo efecto zelarán los Intendentes con particular esmero que de la gruesa de todas las Rentas decimales, yá corran arrendadas, ó yá en administracion, y conforme á lo dispuesto por la lei 23 del título 16 libro 1, y á lo que va declarado en el Artículo 187 de esta Ordenanza, se deduzcan los valores legítimos de los expresados dos Novenos, y en virtud de la lei 24 siguiente se cobren por los Ministros de Real Hacienda á quienes toque. Y para que éstos puedan verificarlo en la parte que por consiguiente corresponda en aquellos Diezmos que se remataren, es mi voluntad y mando que, mediante quedar, como queda, en toda su fuerza y vigor la lei 27 del propio título y libro en quanto de ella toca á los

dichos Ministros de Real Hacienda, no sólo saquen de la Junta de Diezmos el Recudimiento que allí se les ordena, y hagan
se les otorgue la Escritura separada que la
dicha lei y la 26 precedente disponen por
lo que corresponda á los enunciados dos Reales Novenos, sino que, además, tomen fianzas á su satisfaccion y contento de los mismos Arrendadores contra quienes se les diese el dicho Recudimiento; procediendo en
la cobranza y sus incidencias segun y como
les va prevenido para los demas ramos de
mi Erario, y con dependencia de la privativa jurisdiccion que en ellos se dexa declarada á los Intendentes, y á la Junta Superior de Hacienda en su caso, porque en
esta parte se ha de entender derogada la
citada lei 24. Pero en quanto á lo que im-
porten los dos Reales Novenos de la masa
de aquellos Diezmos que se administraren,
habrán de percibirlo dichos Ministros de
la Clavería de la Santa Iglesia respectiva
segun y como queda ordenado en el Artículo 181, puesto que la cobranza y recau-

dacion del total que produzcan los distritos de las Parroquias ó Diezmatorios administrados la han de executar de los mismos Administradores, ó de sus Fiadores en su caso, los Jueces Hacedores hasta verificarla de qualquiera rezago que por alcance, ú otro motivo, pueda resultar en la toma de sus cuentas.

194

Usando de las supremas facultades que en los Diezmos de todos mis Dominios de las Indias me competen por virtud de la concesion Apostólica expresada en el Artículo 168, y con los objetos manifestados en mi Real Cédula circular de 19 de Octubre de 1774 (*), tuve á bien reservarme los nombramientos de Contadores de Diezmos y Quadrantes de sus Iglesias Metropolitanas y Catedrales, y conseqüentemente por la misma Cédula separé de la facultad de hacerlos á las dichas Iglesias, mandando al propio tiempo, entre otras cosas, que los nombrados por los Cabildos de ellas cesasen des-

(*)
Hállase baxo el Núm.º 21.

de luego en su exercicio, y declarando, adem
más, todo lo que estimé conveniente acerca
de los nombramientos interinos, funciones, salario y quanto es respectivo á dichos empléos
Y siendo mi Real voluntad que todo ello
subsista en el distrito de la Nueva-España,
sin otra innovacion que la de que los nombramientos interinos de los mencionados Contadores sean privativos del Superintendente
Subdelegado de mi Real Hacienda á proposicion de los respectivos Intendentes, quiero que así se execute, y que éstos y aquél
pongan el mayor cuidado en que los dichos
empléos recaigan en sugetos de toda la aptitud y suficiencia necesarias para su mejor desempeño, y cuiden en la parte que
les toca de que se observe con la mayor
exâctitud todo lo demas que por la referida mi Real Cédula fuí servido ordenar; entendiéndose expresamente derogada sólo en
la parte que toca á los dichos nombramientos
interinos.

195

Con los mismos objetos que movieron mi Real ánimo á dictar las providencias contenidas en la Cédula general que cita el Artículo antecedente, y con atencion á lo que en vista de ella me propuso el Virréi de Nueva-España para afianzar mas su logro en aquel Reino, vine en hacer acerca de lo dispuesto en la misma Cédula algunas declaraciones por otra particular de 20 de Octubre de 1776 relativas á solo el distrito del propio Virreinato. Y conviniendo que tengan el debido exercicio, quiero y mando que en todas las Provincias en donde ha de gobernar esta Ordenanza se entiendan y observen segun y como se contienen en los quatro Artículos que siguen.

196

Los Oficiales Subalternos de las Contadurías de Diezmos que al recibo de la enunciada Real Cédula circular de 19 de Octubre de 1774 se hallaban establecidos y pues-

tos por los Cabildos de las Iglesias Metropolitana y Catedrales del dicho Reino, subsistirán con la misma asignacion que entónces y desde ántes tenían sobre la masa decimal; pero con la calidad de haber de sacar Título Real, que se les expedirá por el
Superintendente Subdelegado de mi Real
Hacienda: quedando á los Cabildos la facultad, que les concedo, de proponer sugetos á los respectivos Intendentes para la provision de estas plazas en adelante, con tal
que, pues deben estar los enunciados Oficiales inmediatamente subordinados á los Contadores Reales, concurran éstos precisamente á calificar el acierto en su nominacion
por medio de los informes reservados que
sobre las mismas propuestas les pedirán los
Intendentes como á Gefes inmediatos, para
dar cuenta con todo ello, y el dictámen que
juzguen oportuno, al dicho Superintendente
Subdelegado á fin de que mande expedir,
y se expidan los correspondientes títulos; y
á los así electos, igualmente que á los Contadores interinos, les admitirán los Cabildos

por tales Contadores y Oficiales Subalternos
de Diezmos, reconociéndolos en todo tiempo como á nombrados por mí, y haciendo
que á los priméros les entreguen sus antecesores puestos por los Cabildos, si todavía
permaneciese alguno de ellos, la Oficina de
la Contaduría, con todos sus papeles y lo
demas que haya sido de su cargo, por formal Inventario.

197

Aunque los dichos Contadores Reales
serán amovibles, no lo han de ser á disposicion y arbitrio de los Cabildos, sino por
calificacion del Superintendente Subdelegado,
á mi Real nombre, sobre informes de los
respectivos Intendentes; pero, sin embargo,
han de estar y entenderse sujetos y subordinados á dichos Cabildos, y tambien á los
Jueces Hacedores, como lo estuvieron hasta aquí, para el uso y exercicio de la jurisdiccion que se les ha cometido en las rentas de su encargo, cómputos, distribuciones
y demas que han executado los anteriores

que nombraban dichos Cuerpos, y asimismo les estarán subordinados para la justa distribucion de la masa decimal conforme á lo prefinido en los Artículos de esta Instruccion que de ello tratan, y para todo quanto se dexa ordenado en el 182: entendiéndose que la misma sujecion y precisa subordinacion han de tener, tanto los Contadores Reales como sus Oficiales, á los Intendentes y demas Ministros de Real Hacienda que, segun lo dispuesto, deben intervenir los referidos hacimientos, la division y distribucion de la gruesa decimal, y la deduccion de los Reales Novenos.

198

Tambien han de executar los mencionados Contadores Reales y sus Subalternos, sin mas sueldos, ayudas de costa ni gratificaciones que los que han de gozar sobre las mismas rentas decimales segun va resuelto, todas las operaciones que practicaban respectivamente los nombrados por los Cabildos, inclusas la cuenta y distribucion de

Aniversarios , Obras-pias y todo lo obvencional, en el caso de que las Iglesias quieran dexarlas á su cargo; pero de lo contrario, podrán libremente cometerlas á otro
Contador que nombren, asignándole el salario que estimen conveniente sobre los proventos y réditos de las mismas obras-pias,
pues dicha separacion y nombramiento se
han de entender sin perjuicio de la masa
de Diezmos, ni de los sueldos que sobre
sus rentas estuviesen señalados á los Contadores Reales: con prevencion de que así
éstos (en caso de que las Iglesias les en-
comienden las funciones relativas á lo obvencional), como los que en su defecto nombren sus Cabildos, les han de estar privativamente sujetos en quanto á lo espiritual,
y nó en más.

199

Por último, con los importantes objetos
de que Yo tenga, y tambien el mi Consejo
y Cámara de las Indias, noticia individual y
segura no sólo del total monto anual de la

gruesa de Diezmos, Obvenciones y Proventos ciertos é inciertos de cada Iglesia Catedral, sino de lo que de únos y ótros toque á los respectivos partícipes, y con este preciso conocimiento se pueda sin demora proceder donde corresponda y convenga á la division de Obispados, habilitacion de las Prebendas suspensas y que resten para el completo de las Erecciones, y establecimiento de Beneficios patrimoniales, y tampoco se carezca de otros conocimientos y noticias nó ménos necesarias y conducentes, se mandó por la mencionada Real Cédula de 20 de Octubre de 1776 que todas las cuentas de Diezmos y demas ramos insinuados en ella, incluso el de Aniversarios, se pasasen anualmente en lo sucesivo al Tribunal de la Contaduría de las de mi Real Hacienda para su glosa y liquidacion, segun y como se debe hacer con tódas las de sus rentas, dirigiéndose después á mi Real persona en el modo que para con aquéllas está mandado. Pero considerando por una parte los embarazos y dilaciones que necesariamente tráhe-

ría la práctica de esta disposicion , y por
ótra que los objetos á que se dirigía, y quedan expresados , se conseguirán aun mas fácil y completamente por medio de los Quadrantes de Diezmos formados en el modo y
términos que por el siguiente Artículo irán
prefinidos , pues así serán una Cuenta general en que se reunen con la debida especificacion y claridad nó solo el total producto
de las rentas decimales , y el monto de todo
lo obvencional en cada año, sino sus respectivas distribuciones : vengo en derogar la citada Real Cédula en quanto á la referida disposicion de que se hubiesen de pasar al Tribunal
de la Contaduría de Cuentas las que en ella
se enuncian. Por tanto quiero y mando que
todo lo prescripto y declarado en este Artículo y los tres que le anteceden se observe mui
exâctamente en el distrito del mencionado
Reino de la Nueva-España , y que el Superintendente Subdelegado de mi Real Hacienda, y los Intendentes de sus Provincias,
lo hagan cumplir y executar en la parte que
respectivamente les toca , sin contravenir á

ello, ni dar lugar á que se contravenga; y encargo al mui Reverendo Arzobispo, Reverendos Obispos y Venerables Cabildos, que en quanto les pertenece lo guarden, cumplan y executen, y hagan guardar, cumplir y executar segun y como va expresado.

200

A efecto de que por medio de los Contadores Reales de Diezmos y Quadrantes se consigan tan completamente como conviene los importantes fines que me propuse en la determinacion de reservarme sus nombramientos, es mi voluntad y les mando, que luego que hayan formado cada año respectivamente el Quadrante del valor y distribucion de las Rentas decimales, y de los Aniversarios y demas emolumentos fixos y eventuales (aun quando éstos no corran á su cargo), con la claridad y distinciones que se demuestran y explican en el Formulario que para el efecto ha dado el Contador General de Indias con fecha de 30 de Octubre del presente año, y con arreglo á lo que por

Kk

esta Ordenanza va dispuesto, y á la particular Ereccion de cada Iglesia, lo presenten á la Junta de Diezmos para que, pues en él se comprehenden las cuentas y distribucion de que habla la lei 30 del título 16 libro 1, llene la Junta el encargo y objetos á que se dirigió la citada lei, y en su desempeño, teniendo á la vista la Ereccion y los respectivos Artículos de esta Ordenanza, exâmine el mencionado Quadrante, y confronte sus datos con las razones y noticias que en la propia Junta deben exîstir, y si nó le hallase conforme, se proceda á rectificarle con concurrencia del mismo Contador Real, y, estándolo como corresponda, ponga en él la Junta su Visto-bueno, que firmarán los Vocales concurrentes; y executándose lo propio con otros tres exemplares del expresado Quadrante, el qual ha de quedar archivado en la Contaduría, se entregarán al Intendente, quien pasará uno de ellos á los Ministros de Real Hacienda para que no sólo les sirva de gobierno en las deducciones correspondientes á Vacantes mayores y menores, segun irá prevenido en los Artículos que traten de ellas, puesto que por dicho Quadrante deberá venirse en claro conocimiento de las rentas que hubiesen cabido á las Dignidades, Canongías y demas Prebendas de las propias Iglesias por razon de Diezmos, así en la Quarta capitular, como en el residuo que quede de los quatro Novenos de sus Parroquias despues de rebaxadas las consignaciones á que estén afectos, y los costos y gastos que antecedan al repartimiento; sino tambien de comprobante de los cargos que han de hacerse en sus cuentas por lo respectivo á los ramos que tienen participacion en las rentas decimales; remitiendo el Intendente sin demora los otros dos exemplares á mi Real Persona en principal y duplicado por mano del Superintendente Subdelegado, y éste por la Via reservada de Indias, de la qual se pasará uno á la Contaduría General de ellas para los efectos que convengan á mi servicio.

201

Para que los Contadores Reales de Diezmos, en el caso de que los Cabildos de las Iglesias no dexen á su cargo la cuenta y razon de lo obvencional en virtud de la libre facultad que en el Artículo 198 les queda para ello declarada, puedan formar los Quadrantes segun y como se prefine en el antecedente Artículo, y cumplir todo lo demas que por él se les ordena, será precisa obligacion de los Contadores que nombraren los Cabildos entregar ó pasar á aquéllos oportunamente, y sin el menor retardo, copia puntual, certificada y firmada, de la Cuenta de su cargo: entendiéndose que ésta ha de comprehender, y mostrar con toda exâctitud y especificacion lo que á cada Dignidad, y á las Canongías y demas Prebendas de las respectivas Iglesias, y á su Fábrica, hubiese correspondido en el año de que se trate por razon de Misas, Aniversarios, Asistencias, Vestuarios y todos los demas proventos fixos y eventuales que gozaren, por quanto todo ello se ha de incluir y manifestar del mismo modo en los mencionados Quadrantes observando lo prescripto por el citado Artículo anterior. Y será privativo de los Intendentes, en exercicio del derecho y facultad que me competen para exîgir las indicadas noticias, el cuidado de hacer cumplir con la puntualidad debida á los tales Contadores nombrados por los Cabildos lo que aquí les va ordenado, sin admitirles excusa; pero si fuesen Eclesiásticos, como puede suceder, pasarán los Intendentes en qualesquiera casos de omision que experimenten, los exhortos oportunos en mi Real nombre á los correspondientes Prelados y Cabildos para que les hagan cumplir sin mas retardo y en todas sus partes la mencionada mi Real resolucion, como desde ahora para entónces lo encargo á los únos y á los ótros.

202

Precavido en lo posible por medio del exâmen y demás ordenado en el Artículo 200 todo vicio, y aun equivocacion en los Quadrantes por lo que respecta á los datos y distribuciones de las rentas deci-

males, evitándose así los perjuicios que de
lo contrario podrían resultar á mi Real
Hacienda y á los demas partícipes en la
gruesa de ellas, no será ménos conveniente procurar lo mismo en quanto á lo que
corresponde á los Aniversarios, obvenciones y demas proventos; y siendo el medio
mas prudente y oportuno el que en estos
mis Dominios está en práctica para purifi-
car la deduccion de las Tercias Reales y
de la Media-anata Eclesiástica que en ellos
se cobran, es mi Soberana voluntad que
se adopte en aquéllos; y en su conseqüencia mando á los Intendentes que, quando por
la Junta de Diezmos, de que son Presidentes,
se reconozca vicio notable en los valores
que demuestre el expresado Quadrante por
los emolumentos y lo obvencional, procedan á tomar noticias reservadas, y á pedir los documentos que se estimen conducentes para depurar la verdad de si hai,
ó nó, dolo, engaño ó equivocacion, dexando tambien expedito á los demas interesados el derecho de reclamar ante quien cor-

responda el exceso que adviertan en su perjuicio, con la justa consideracion de que se les indemnice de él si se calificare legítimo.

203

Fueron varias las Reales Cédulas particulares que antes de ahora se expidieron á las Iglesias Metropolitanas y Catedrales de Indias sobre la forma que sus Prelados y Cabildos deben guardar en las elecciones de Jueces Hacedores de Diezmos, y el tiempo que han de exercer este encargo los nombrados ; y tambien han sido diversas entre sí las reglas dadas para lo úno y para lo ótro por las mismas Cédulas, como dignos de consideracion los perjuicios que de ello han resultado. Y atendiendo á cortarlos en su orígen, á que la materia, ni por su naturaleza, ni por sus circunstancias resiste en manera alguna la uniformidad en todas las Iglesias de la Nueva-España, y á que es de suma importancia que el mencionado encargo de Jueces Hacedores recaiga en su-

getos escogidos y á propósito para su desempeño, he venido en resolver por punto general que, ni para el que por su parte debe
nombrar el Prelado de cada Iglesia, ni para
el que por la suya ha de elegir tambien el Cabildo (segun úno y otro se declaró en el Artículo 169 hasta otra providencia mía), se observe en adelante tur-
no o alternativa entre sus Prebendados,
como se ha practicado en algunas Diócesis,
sino que el Cabildo nombre su Juez Hacedor de Diezmos á pluralidad de votos, y
el Prelado á su arbitrio el que le corresponde, con tal que ambas elecciones recaigan precisamente en Individuos del cuerpo
del Cabildo, y por ningun caso de fuera
de él, expidiéndoles los correspondientes
nombramientos, que se han de presentar
en la Junta para que la conste de ellos,
y se ponga testimonio en el Libro de sus
Actas. Y debiendo ser las dichas elecciones
bienales alternativamente entre el Prelado
y el Cabildo, mando que, para establecer
este órden sin confusion ni embarazos, ha-

gan aquéllas úno y ótro para el primer año:
que para el segundo elija ó reelija el Prelado su Hacedor: para el tercero lo practique el Cabildo; y se guarde esta alternativa sucesivamente para que en su conseqüencia sirva cada uno (excepto el primero que nombre el Prelado sino le reeligiese)
dos años, y en tódos quede un Juez Hacedor instruido de quanto pertenezca á la
comision, y se eviten los graves perjuicios
que por falta de aquella precisa inteligencia se han experimentado en las rentas decimales; pudiendo, así los Prelados como
los Cabildos, reelegir respectivamente á los
enunciados Jueces siempre que lo estimen
útil á ellas. Y porque nada lo será tanto
como ésta mi Real determinacion, encargo
á los únos y á los ótros la observen, y
hagan guardar y cumplir exâctamente en
la parte que á cada uno toque, y mando
á los Intendentes Vice-Patronos que al propio fin, si fuere necesario, les pasen en
mi Real nombre los oficios ó exhortos conducentes.

Ll

204

Por la lei 37 título 7 libro 1 de la Recopilacion se puso á cargo de los Oficiales Reales el cobro de lo que montaran las Vacantes de Arzobispados y Obispados de las Indias, á fin de que estuviese siémpre de manifiesto para quien lo hubiere de haber conforme á derecho; y por Decreto de 20 de Septiembre de 1737 fué servido mi glorioso Padre y Señor D. Felipe Quinto, resolviendo la duda ocurrida y pendiente desde el año de 1617 sobre la pertenencia y aplicacion de las dichas Vacantes mayores, y que dió motivo á la expresada lei, de declarar, entre otras cosas, que así como pertenecían á la Corona los Diezmos de las Indias por la concesion Apostólica de Alexandro Sexto, con dominio pleno, absoluto é irrevocable, la pertenecían tambien por el mismo derecho todos los frutos y rentas decimales que se causaban por vacante de los Arzobispos y Obispos, Dignidades, Canónigos, Racioneros, Medios Ra-

cioneros y demas Ministros que sobre ellas
la tuviesen asignada en aquellos Reinos é
Islas adyacentes, yá procediese de muerte,
ó yá de translacion ó renuncia; y que aunque podía por conseqüencia aplicar indistin-
tamente estos frutos y rentas á los gastos
y necesidades del Estado como otro qualquiera ramo de Real Hacienda, era su voluntad por punto general y regla fixa, perpetua y constante, que se aplicasen y distribuyesen precisamente en los usos y obras-
pias que tuviese á bien mandar hacer ó
socorrer en éstos ó aquellos Dominios, y
señaladamente para costear, en la parte á
que alcanzasen, el viático, transporte, manutencion y demas gastos que ocasionan los
Misioneros Apostólicos que de varias Religiones, y á expensas de la Real Hacienda,
pasan de éstos á aquellos Reinos, y exîsten en ellos con el santo fin de extender
la reduccion y conversion de los Indios
gentiles al Gremio de nuestra Santa Madre
Iglesia, como obra-pia en grado eminente
la mas acepta y recomendada por todos

derechos, y de la primera y mas principal atencion de los Señores Reyes Católicos y sus Sucesores desde que la Divina Providencia quiso engrandecer esta Monarquía con el descubrimiento y ocupacion de aquellos Imperios; á cuyos fines mandó tambien que, no sólo continuase á cargo de los Oficiales Reales el cobro, recaudacion y cuenta aparte del producto de las Vacantes mayores , sino que tambien lo fuese en iguales términos el de las menores , y en úno y ótro segun y como lo executaban con los demas ramos de Real Hacienda : entendiéndose las Vacantes mayores desde el dia de la muerte, translacion ó renuncia de los Prelados, hasta la confirmacion de los sucesores, ó Fiat de S. Santidad , y las menores desde el fallecimiento, translacion ó renuncia de los poseedores, hasta la posesion de los provistos en su lugar, y en únas y ótras por la renta que correspondiese, segun la distribucion y repartimiento, á cada Dignidad ó Prebenda por respecto solamente á la gruesa ó masa decimal, pues no se debían comprehender aquellas porciones que por razon de Obvenciones, Aniversarios ú otros títulos se distribuyesen entre ellos, ni tampoco en esta providencia las Iglesias que tuviesen la asignacion de su congrua en Caxas Reales, por quedar, como ha quedado siémpre, por muerte de los Ministros de ellas á beneficio de la Real Hacienda aquélla con que de su cuenta se les asistía en vida. Y siendo mi Real ánimo que nada se altere en lo que va referido, y se mandó por Real Cédula circular de 5 de Octubre del propio año de 1737 (*), lo es tambien que todo se cumpla exâctamente, y que los Intendentes lo hagan observar con la debida puntualidad á los Ministros de Real Hacienda en lo que les toca ; los quales han de llevar la cuenta separada de este ramo de Vacantes con distincion de las mayores y menores , por quanto así conviene mediante que algunas de las cargas pias consignadas sobre sus productos lo están expresamente, yá en los de las únas, y yá en los de las ótras.

(*)
Hállase baxo el Núm.º 22.

205

Como por la Real Cédula circular de 5 de Octubre de 1737 citada en el Artículo anterior baxo el *Núm.* 22 se declaró, entre otras cosas, pertenecer á la Corona el importe de todas las Vacantes de Arzobispados y Obispados, Dignidades, Canongías, Raciones y Medias Raciones, y las de los demas Ministros Eclesiasticos que gocen por asignacion para sus alimentos rentas en los Diezmos de mis Dominios de las Indias, y consiguientemente se ordenó por la misma Cédula que entrase dicho importe en las Caxas Reales, tuve á bien mandar por ótra de 31 de Julio de 1780 se me informase si se consideraban comprehendidas en la expresada declaracion las Vacantes de Curatos y Sacristías Mayores que percibían Diezmos; y en vista de los informes que en su cumplimiento se me hicieron, de lo que con presencia de ellos me consultó mi Consejo de las Indias, y sin embargo de pertenecerme todos los frutos y rentas decimales que

tocasen en sus Vacantes á los Curatos y
Sacristías Mayores de los dichos mis Dominios, vine en resolver, y mandar por
Real Cédula circular de 16 de Noviembre
de 1785 (*), que el producto de los respectivos a Curatos y Doctrinas nó entre en
mis Caxas Reales, sino que éllos queden
aplicados á los Sugetos que interinamente
sirvan estos ministerios no sólo por los quatro meses que conforme á la Lei se prescribe de término para su provision, sino
tambien con respecto á todo el tiempo que
medie desde la vacante hasta el nombramiento del interino, y desde que éste cumpla los dichos quatro meses hasta que tome
posesion el propietario. Y atendiendo á que
las razones y fundamentos que inclinaron
mi Real ánimo á esta providencia relativa
á los Curatos y Doctrinas no versan para
con las Sacristías Mayores, resolví nó exceptuarlas de la regla general, y consiguientemente se mandó por la misma Cédula citada que entrasen en mis Caxas Reales los
productos de los Diezmos correspondientes

(*)
*Hállase baxo
el* Núm.º 23.

á ellas en el tiempo de sus Vacantes, con-
tándose éstas desde la muerte natural ó civil
del propietario hasta que el nuevo provisto
en la clase de tál, y nó de interino, tome
posesion. Todo lo qual es mi Soberana voluntad se cumpla y execute en las Diócesis
de la Nueva-España segun y como va expresado, y por la mencionada Real Cedula lo
mandé; á cuyo fin hago mui estrecho encargo á los Intendentes y demas Ministros
á quienes toque su observancia, y tambien
el que corresponde á los Prelados Diocesanos y Cabildos de las Iglesias Metropolitana y Catedrales de aquel Reino.

206

En Real Cédula particular de 1 de Mayo de 1769 expedida á Consulta de mi Consejo de las Indias con motivo de varios descuentos que en la Iglesia Metropolitana de la
Ciudad de la Plata se habían hecho, y hacían de los valores correspondientes á las
Vacantes mayores y menores que, como
queda sentado en el Artículo antecedente,

pertenecen á mi Corona, fuí servido declarar, que la Real Hacienda había debido costear, y debía hacerlo en lo venidero miéntras se hallase vacante la Dignidad Arzobis-
pal, ó la Canongía Magistral, los Sermones
que tocan y están respectivamente señalados
á úna y á ótra, y el estipendio que percibiese
el que defendiere los pleitos, causas y negocios de la Iglesia en vacante del Doctoral; y
que por ningun caso se había debido, ni debía
deducir del ramo de Vacantes menores cantidad alguna para pagar á los que canten
las Epístolas y Evangelios en lugar de los
Prebendados difuntos: en cuya conseqüencia
mandé por la misma Cedula que, pagándo-
se los mencionados Sermones de mis Caxas
Reales (en donde debían entrar sin descuento alguno las Vacantes mayores y menores), y lo que se diese al Abogado que substituya al Doctoral, nombrase el Dean y Cabildo de la propia Iglesia el tal Abogado, y
los Predicadores mi Vice-Patrono, y éste
regulase los proporcionados correspondientes estipendios á tódos. Y siendo comunes

Mm

á las demas Iglesias Metropolitanas y Catedrales de mis Dominios de Indias las razones que me inclinaron á la referida determinacion, ordeno y mando que se observe
y cumpla en todas sus partes puntual y exâctamente en las de Nueva-España, sin hacerse en adelante tampoco deducciones algunas
del producto de las Vacantes menores para
los Eclesiásticos que en las enunciadas Iglesias se suelen nombrar para que suplan las
veces de los Prebendados que faltan, puesto que es de la obligacion de todos los del
Cabildo el hacerlo por sí mismos; y entendiéndose en quanto á los Sermones que quiero y mando se paguen por mis Tesorerías
Reales, que han de ser aquéllos que á los
Prelados y á los Canónigos Magistrales les
correspondiesen conforme á la Ereccion de
cada Iglesia, y llaman de tabla; y que, hecha por el Ministro que exerza el respectivo Vice-Patronato la regulacion de lo que
por su estipendio se haya de dar á los Ora-
dores, y por su honorario al Abogado que,
electo por el Cabildo, desempeñase en sus

pleitos y negocios las obligaciones del Canónigo Doctoral, lo avise al Intendente, y éste disponga las previas formalidades que se dexan prefinidas para executar todo gasto extraordinario á fin de que en su conseqüencia se mande pagar, y pague lo que úno y ótro importare del fondo de las mismas Vacantes mayores y menores respectivamente.

207

Deseoso de atender á la permanencia y perpetuidad de la Dote anual de quarenta mil pesos que por Decreto de 1.º de Enero de 1775 fuí servido señalar para gastos y pensiones de la Real y Distinguida Órden Española de mi augusto Nombre sobre las Mitras y Prebendas de algunas de las Santas Iglesias de Indias, y considerando que no podría verificarse sino se deduxese á prorata lo que corresponda de las Vacantes mayores y menores que en ellas me pertenecen, como queda sentado, tuve á bien declarar que la deduccion de los dichos quarenta mil pesos se hiciese incluyendo las enunciadas Vacantes no obstante que pertenezcan á mi Real Erario, y haberlas libertado de todo descuento al tiempo de su incorporacion á la Corona; para cuya observancia y cumplimiento se expidió la correspondiente Real Cédula circular en 13 de Diciembre de 1777 (*). En su conseqüencia mando á los Intendentes de las Provincias de México, Puebla, Oaxaca, Mechoacan, Guadalaxara y Durango, zelen con particular vigilancia que la expresada mi Real resolucion, contenida en dicha Cédula, se cumpla, guarde y execute exâctamente, deduciéndose del producto de las Vacantes mayores y menores que ocurran en las Iglesias Metropolitana y Catedrales de dichas Provincias, como comprehendidas en el repartimiento de los expresados quarenta mil pesos, lo que á prorata las corresponda con respecto al tiempo de su duracion, y á la cantidad en que por el citado repartimiento está pensionada cada Mitra y Prebenda de ellas.

(*)
Hállase baxo el Núm.º 24.

208

Las tiernas consideraciones que en mi paternal amor recomiendan la importante subsistencia del Monte-pio Militar de España y las Indias, y el consiguiente deséo de afianzar con ella los beneficios que por su ereccion contribuye á las Viudas y Pupilos de los fieles Vasallos que en la distinguida carrera de las Armas sirven al Estado en éstos y aquellos Reinos, movieron mi Real ánimo á tomar en el año de 1777 varias deliberaciones relativas á unos y otros Dominios con el objeto de ocurrir á las urgencias del mismo Monte, y precaverlas para lo sucesivo en lo posible; entre las quales fue úna la de aplicar a su fondo el quinto del líquido importe de las Vacantes mayores y menores de las Iglesias de Indias, deducidas de su total producto las cargas legítimas. Pero habiendo comunicado aquella mi. Real resolucion al mi Consejo de las Indias, y éste consultádome sobre ello, tuve á bien, en vista de lo que me expuso, conceder en beneficio y socorro del mencionado Monte-pio Militar, y con calidad de por ahora, la tercera parte del producto líquido de las expresadas Vacantes mayores y menores baxadas las cargas legítimas de todo el ramo, para que su importe se recaudase allá como los demas fondos del mismo Monte; en cuya conseqüencia se expidió la correspondiente Real Cédula circular para su execucion y cumplimiento en 31 de Julio de 1779 (*). Y siendo mi Soberana voluntad que la expresada consignacion se continúe en los mismos términos, y con la propia calidad de por ahora, mando al Superintendente Subdelegado de mi Real Hacienda en la Nueva-España, y á los Intendentes de sus Provincias, que lo observen y hagan observar puntualmente en la parte que á cada uno respectivamente toque.

(*)

Hállase baxo el Núm.º 25.

209

Por Bula del Papa Benedicto Décimoquarto expedida á 10 de Mayo de 1754 se

concedió al Rei Don Fernando Sexto mi
amado Hermano, y á sus Sucesores, la gracia y facultad perpetua de poder percibir
una Media-anata Eclesiástica de todos y cada uno de los Provistos á nominacion Real
en los Beneficios, Pensiones y Oficios Eclesiásticos de estos Dominios y los de las Indias, siempre que llegasen sus frutos y proventos ciertos é inciertos al valor anual de
trescientos ducados de la moneda corriente
en los respectivos paises de su situacion; y
aunque, sin embargo, tuvo á bien el mismo Rei mi Hermano resolver que por entónces no se pusiese en práctica en aquellos Reinos la expresada Bula, y mandó continuase la exâccion de la Mesada Eclesiástica en la conformidad que se estaba haciendo
en virtud de la concesion temporal de la Santa Sede y sus prorogaciones, despúes por
mi Real Decreto de 23 de Octubre de 1775,
y en atencion á las justas consideraciones
que en él se mencionan, vine en mandar
que desde su fecha en adelante se pusiese
en execucion en mis Dominios de las Indias

la citada Bula de Benedicto Décimoquarto, procediéndose en su virtud á la exâccion de la dicha Media-anata Eclesiástica baxo las reglas de equidad, y con las precauciones que por el propio Decreto fuí servido prefinir y declarar, encargando al Comisario General de Cruzada que, como execútor de la expresada Bula, formara y pasase á mis manos la Instruccion conveniente para su efecto, y previniendo se expidiesen las órdenes conducentes para el puntual cumplimiento de todo lo resuelto por el mismo Real Decreto; en cuya conseqüencia, y con su insercion á la letra, se libró la Real Cédula circular correspondiente en 26 de Enero de 1777 (*). Por tanto, y siendo mi Soberana voluntad que con arreglo á la dicha Cédula, y á lo dispuesto en virtud de ella por ótra de 31 de Julio del propio año (*), en que se halla inserta la Instruccion que, según queda dicho, mandé formase y formó el Comisario General de Cruzada, y mereció mi Real aprobacion, ordeno á los Intendentes cumplan y hagan cumplir en quan-

(*)

Hállase baxo el Núm.º 26.

(*)

Está baxo el mismo Núm.º 26.

to les toque lo resuelto y contenido en las expresadas dos Cédulas, auxîliando en los casos y cosas en que fuere necesario las providencias de los Subcolectores que expresa el Artículo 3 de la citada Instruccion, y cuidando de que los Ministros de Real Hacienda observen y executen con toda puntualidad, y respectivamente, quanto se les ordena en los Artículos 14 y 15 de la misma Instruccion.

210

Considerando que, sin embargo de lo prevenido por las dos Reales Cédulas citadas en el Artículo antecedente, podrá tal vez dudarse si la Mesada que se ha de continuar cobrando en las provisiones de aquellos Curas Párrocos que debieran pagar Media-anata y quedan exceptuados de ella, se ha de recaudar, ó nó, baxo de la misma jurisdiccion y reglas que la dicha Media-anata, y unirse sus productos á los de ésta, tengo á bien declarar, que siendo, como es, la Mesada que se ha de exîgir á los enunciados Curas un equivalente en que por consideracion á lo recomendable de sus oficios Pastorales les permuté la Media-anata, deben gobernar las mismas reglas que en razon de ésta se han dado, ó sucesivamente se dieren, para la regulacion, exâccion, recaudacion y destino de aquélla, pues los productos de ámbas, y del 18 por 100 que se ha de continuar exîgiendo sobre el importe de la dicha Mesada, han de componer un solo ramo, y se deberán comprehender en una misma cuenta, bien que con la distincion competente para que se pueda saber lo que hubiese rendido cada uno de los dos expresados derechos, y tambien el dicho 18 por 100 del de Mesada, pues el producto de ésta tiene distinta aplicacion que el de la Media-anata.

211

Como para verificar lo dispuesto en el Artículo 15 de la citada Instruccion inserta en mi dicha Real Cédula de 31 de Julio de 1777 (*), sea indispensable que se

(*)
Está baxo el Núm.º 26.

reunan en la Tesorería General de México todos los caudales que por adeudos de las enunciadas Medias-anatas y Mesadas Eclesiásticas, y á conseqüencia de lo que va ordenado en los dos Artículos que anteceden, se enteraren en las otras Tesorerías, yá Principales de Provincia yá Foraneas, mando á los Ministros de Real Hacienda que las sirvieren executen respectiva y puntualmente en principio de cada año, sin retardo ni omision, el envío á la dicha Tesorería General de los caudales que en todo el próximo anterior y en las de su cargo se hubiesen colectado pertenecientes al expresado ramo, arreglándose para ello dichos Ministros (como tambien los de la Contaduría y Tesorería Generales de México para la remision que del total líquido de aquellos envíos, y de lo que por sí hubiesen cobrado, deben hacer á la Depositaría General de Cadiz) á lo que acerca de éste y los demas ramos remisibles á estos Reinos se previene en la ya citada Instruccion práctica y provisional formada por la Contaduría General de Indias; entendiéndose que, conforme á la propia Instruccion, han de formar unos y otros Ministros de Real Hacienda respectivamente la cuenta del referido ramo, y presentarla á mi Real Tribunal de la Contaduría de ellas como les está mandado para las demas de su cargo.

212

En algunos parages de mis Dominios de las Indias se suscitaron dudas y controversias sobre si la regulacion y exâccion de la Media-anata se debía, ó nó, hacer á los sugetos promovidos en piezas Eclesiásticas de igual, ó mayor renta, conforme se practica en la de empléos Seculares por virtud de mi Real Decreto de 12 de Mayo de 1774. Y enterado de los recursos que sobre las indicadas dudas se hicieron á mi Real Persona, y teniendo presente que por el Decreto de 23 de Octubre de 1775, ya citado en el Artículo 209, expresamente mandé se procediese en aquellos mis Reinos á la exâccion de la dicha Media-anata Eclesiás-

tica baxo las reglas de equidad y justicia
con que se practica en estos de España,
conforme á ellas víne en declarar que los
Provistos en piezas Eclesiásticas de Indias
que adeuden Media-anata, deben satisfacerla, aunque no acrezcan en renta, del valor
íntegro de la pieza á que fueron promovidos siempre que hayan verificado el año de
su posesion, mediante ser nueva gracia. Que
por esta propia razon, y en los mismos
términos, están sujetos al pago total del
mencionado derecho los que aumentasen en
renta por sus ascensos ó promociones, sin
que en éste ni aquél caso obste lo que se
observa para la exâccion, en iguales circunstancias, de la Media-anata de empléos Seculares, cuyas reglas no versan ni deben
versar en la Eclesiástica. Que á los Provistos que falleciesen antes de cumplir el año
de la posesion, sólo se les deberá cobrar lo
que por prorata corresponda con respecto
al tiempo que gozaron la renta de su Prebenda, y al producto de ella; y que lo mismo se execute quando algun Provisto fue-

se promovido antes de concluir el año de la posesion, entendiéndose sin perjuicio de la Media-anata que adeudan con la nueva presentacion: de todo lo qual se previno por Real Órden circular de primero de Junio de 1780 á mis Virreyes, Presidentes y Gobernadores de las Indias, y á los Intendentes donde los hai, para su debida inteligencia, para la de aquellos Oficios de cuenta y razon, y tambien para la de los Subcolectores de la expresada Media-anata Y siendo mi Real ánimo que en conseqüencia se observen las referidas declaraciones exâcta y puntualmente en la Nueva-España, mando á los Intendentes de sus Provincias que con particular atencion zelen el cumplimiento de ellas en la parte que les corresponde.

213

Conviniendo que los Subcolectores de las referidas Media-anata y Mesada Eclesiástica para el mejor desempeño de su encargo tengan noticia puntual y exâcta de lo que por razon de Diezmos, Obvenciones, y demas proventos ciertos é inciertos corresponda en cada un año á tódas y á cada una de las Dignidades, Canonicatos, Prebendas, Raciones y Medias, Beneficios y Pensiones Eclesiásticas de la Diócesi de su privativo conocimiento, mando á las Juntas de Diezmos que luego que por los Contadores Reales se haya formado, y por ellas aprobado en cada año el Quadrante de que se trató en el Artículo 200, hagan que con arreglo á lo que de él resulte pongan los mismos Contadores Reales Certificacion comprehensiva de la noticia que queda enunciada, y la pase cada Junta al Subcolector que corresponda.

214

A conseqüencia de concesion Apostólica del Sumo Pontífice Urbano Octavo en su Breve de 12 de Agosto de 1625, se mandó por la lei 1 título 17 libro 1 de las recopiladas, que siempre que á presentacion Real, ó á su nombre por los Vice-Patronos de las Iglesias de Indias, se proveyere á

alguna Persona en Dignidad, Canongía, Racion, Media Racion ó Prebenda de ellas, ó
en Oficio ó Beneficio Eclesiástico, Curato ó
Doctrina, se cobrase una Mesada del valor
anual de su respectiva renta, con calidad
de que no se verificase hasta que hubiesen
pasado quatro meses de haber tomado su
posesion el Provisto; á cuyo efecto se ordenó por la misma lei que los Oficiales Reales, en tales casos, procedieran á la regulacion y cobranza de la dicha Mesada en
el modo, y baxo las reglas que, en conformidad de lo prescripto por el indicado
Breve Pontificio, se prefinieron en la propia lei; y en virtud de otro Breve de 16
de Junio de 1626, en que el mismo Urbano Octavo declaró que la dicha Mesada debía pagarse en esta Corte íntegra y completa en plata, y libre de costas, riesgos y
averías, se mandó tambien por la referida
lei 1.ª que, á mas de lo que la Mesada
montara, se cobrase con ello de la persona
presentada, y de sus bienes y rentas, las
costas que su importe pudiera tener de fle-

tes, derechos, averías y ótros, hasta que
llegara á estos Reinos, y que todo lo que
de lo úno y lo ótro procediera se remitie-
se á ellos por cuenta y riesgo de la persona de quien se hubiera cobrado. Y aunque
aquella gracia fué temporal por sólo quince
años, ha subsistido y subsiste hasta el presente con las propias calidades en virtud de
varias prorogaciones de la Santa Sede, en
fuerza de las quales se continuó sin intermision el cobro de la referida Mesada de todos y cada uno de los Provistos á presentacion Real en las Piezas Eclesiásticas de
mis Dominios de las Indias que van enunciadas, hasta que, usando Yo de la merced
y facultad que me fué concedida, y á mis
Sucesores perpetuamente, por la Bula Pon-
tificia de que se trató en el Artículo 209,
tuve á bien resolver por mi Real Decreto
citado en él que en aquellos mis Reinos se
pusiese en práctica la exâccion de la Media-anata de las Piezas Eclesiásticas que, conforme á la dicha Bula, deben causarla, y
que en las demas excepcionadas por ella y

el mismo Decreto se continuase cobrando la referida Mesada en los propios términos que hasta entónces, como que provenía de otras distintas concesiones Apostólicas, segun que así lo mandé por la Real Cédula circular de 26 de Enero de 1777, que tambien se citó en el expresado Artículo 209 baxo el *Núm.* 26, y despues por ótra de 12 de Octubre del propio año (*), previniendo en ésta que para la regulacion del importe de la dicha Mesada se observase puntual y exâctamente lo ordenado en ótra de 21 de Diciembre de 1763 en quanto no se opusiera á la dicha de 26 de Enero. Pero como posteriormente la Santidad de Pio Sexto por su Breve de 16 de Junio de 1778 se dignó de prorogar la mencionada gracia con las propias calidades que sus antecesores, y por todo el tiempo de mi vida, cometiendo su execucion al Comisario General de Cruzada, y esta circunstancia debe variar en parte la práctica ántes observada en el manejo de este ramo, tengo á bien, para que en todo sea conforme al citado Breve,

(*)

Hállase baxo el Núm.° 27 *con la otra Cédula y el Breve que despues se citan.*

prefinir por los seis Artículos siguientes las reglas que en lo sucesivo han de gobernarle.

215

Respecto de que la indicada comision dada por la Santa Sede al Comisario General de Cruzada en el Artículo 19 del citado Breve de 16 de Junio de 1778 es igual á la que tambien le cometió para la execucion del de la Media-anata Eclesiástica, correrá baxo su jurisdiccion y la de sus Subcolectores Subdelegados para este ramo en Indias el de la Mesada en los mismos términos, y con las propias facultades que para aquélla les tengo declaradas por mi Real Cédula de 31 de Julio de 1777 ya citada baxo el *Núm.* 26 , y por la Instruccion inserta en ella; pero arreglándose para la regulacion del importe de dicha Mesada, y para el plazo de su exâccion y cobranza, al enunciado Breve, y á lo dispuesto por las ya mencionadas lei 1.ª y Real Cédula general de 21 de Diciembre de 1763 (*), sin

(*) *Hállase con el Breve baxo el Núm.º 27.*

incurrir en los defectos que por esta se no-
taron á los Oficiales Reales, y exîgiendo
tambien, como está repetidamente mandado,
lo que correspondiere por razon del 18 por
ciento de fletes y averías sobre el valor
de cada Mesada, para que el importe de
úna y ótro se entregue en la respectiva Tesorería de mi Real Hacienda: cuyos Ministros pasarán al Subcolector en principio de
cada año y por triplicado la relacion circunstanciada que expresan las mismas lei y
Cédula, á fin de que, poniendo en todos
tres exemplares su Visto-bueno el propio
Subcolector despues de cotejarlos con sus
asientos, y añadiendo, tambien por triplicado, relacion individual de todo lo adeudado
y de lo cobrado, con las diligencias practicadas para su pago, pase unos y otros documentos al Intendente de la Provincia, el
qual dirigirá un exemplar de ellos al Tribunal de la Contaduría de Cuentas á fin de
que le sirva de gobierno en la toma de la
que han de dar los dichos Ministros de Real
Hacienda, y remitirá los otros dos en prin-

cipal y duplicado á mis Reales manos por
la Via reservada de Indias, de donde se
pasará el uno á la Contaduría General de
ellas para los usos que convengan á mi Real
servicio.

216

Los Ministros de Real Hacienda en cuyo poder entraren, consiguiente á lo que
se dispone por el Artículo anterior, los productos del referido derecho de Mesada y
su 18 por ciento, han de rendir anualmente la cuenta de úno y ótro con distincion
en el Tribunal de la Contaduría de ellas,
observando lo prevenido por punto general
en esta Instruccion para con las demas cuentas de su cargo. Y respecto de que los valores del expresado derecho están aplicados
desde antiguo, conforme al objeto de su concesion, á costear el envío de Misiones de
éstos á aquellos Reinos, en que es mi voluntad se inviertan, mando que los dichos
Ministros de Real Hacienda envíen respectiva y puntualmente en principio de cada

año, sin retardo ni omision, á la Tesorería
General de México los caudales que en las
de su cargo se hubiesen colectado en todo
el próxîmo anterior pertenecientes al dicho
ramo, y que el Contador y el Tesorero Generales remitan anualmente á la Depositaría
General de Cadiz, y á mi Real disposicion,
el total que de aquellos envíos, y de lo
que por el mismo derecho hubiesen ellos cobrado, resulte líquido en su poder, arreglándose unos y otros Ministros para las expresadas remisiones á lo que acerca de todo
ramo remisible á estos Reinos se previene
en la Instruccion práctica y provisional de
la Contaduría General citada en varios Artículos de la presente, y entendiéndose que
aquéllas se han de hacer en todos sus tránsitos por cuenta y riesgo respectivamente de
los sugetos de quienes se hubiesen cobrado
las mismas cantidades, por ser conforme á
la concesion de este derecho en su orígen,
y haberse en conseqüencia dispuesto así en
la propia lei 1.ª título 17 libro 1.º de la Recopilacion de Indias.

217

Está general y repetidamente mandado á conseqüencia de los Breves Pontificios citados en el Artículo 214, que los Provistos en Dignidades , ó en qualquiera otra Pieza Eclesiástica que adeude el derecho de la Mesada , afiancen á satisfaccion de los Oficiales Reales que harán el pago de lo que por ella les corresponda respectivamente conforme á lo dispuesto por la ya citada lei 1.ª título 17 libro 1.º de las recopiladas, y cumplidos los quatro meses de la posesion; y consiguientemente se dispuso por Real Cédula circular de 5 de Julio de 1690 que los Arzobispos y Obispos no diesen la colacion y canónica institucion á los que fuesen presentados en las Prebendas de aquellas Iglesias, Curatos , Doctrinas , Oficios ó Beneficios Eclesiásticos de sus Diócesis, sin que primero hiciesen constar haber otorgado la dicha fianza. Pero no habiendo bastado las enunciadas providencias para conseguir el justo fin á que se dirigieron, tuve á bien resol-

ver en el año de 1765 que en todos los
Despachos de presentaciones á Dignidades
y Prebendas que se expidieran en lo sucesivo se pusiese la cláusula de que no
se diese la posesion hasta que el Interesado hiciese constar que afianzó primero el
pago y cobranza de la Mesada que adeu-
daba por su presentacion, con arreglo á lo
prevenido en mi Real Cédula circular de
21 de Diciembre de 1763 ya citada baxo
el *Núm.* 27; y además fuí servido mandar
al mismo tiempo á los Oficiales Reales por
otra Cédula general de 7 de Mayo de 1765,
que si qualquiera de los Provistos, cumplidos los quatro meses de su posesion, no
satisficiese la Mesada que le correspondiere
conforme á las reglas que para su regulacion estaban dadas en conseqüencia de los
mencionados Breves Pontificios, executasen á
sus Fiadores, ó, si les pareciera mas oportuno, recurriesen al Tesorero de la Mesa
Capitular para que, reteniendo de lo que
perteneciese al Deudor principal la cantidad
equivalente, se les entregase. Y siendo mi

Real voluntad que todo lo referido se observe en la parte que ha correspondido hasta ahora á los Oficiales Reales por los enunciados Subcolectores mediante quedar baxo su jurisdiccion y conocimiento, en fuerza de lo que va declarado, no sólo la regulacion del importe de la Mesada, sino tambien su cobranza, y la calificacion y admision de las fianzas del mismo modo que deben executarlo en razon de la Media-anata : para facilitar que en ambos derechos puedan cumplirlo sin los riesgos que ofrecen las providencias tomadas antes de ahora, ordeno que todos los Despachos que se expidiesen por las Secretarías de mi Consejo de la Cámara de Indias en virtud de las provisiones Eclesiásticas que Yo hiciere en lo sucesivo para las Diócesis de la Nueva-España , excepto los de Arzobispos y Obispos, los remitan dichas Oficinas (satisfechos que sean por los Interesados ó sus Agentes los derechos que adeudasen) á aquel Superintendente Subdelegado de mi Real Hacienda (que deberá avisarlas el recibo) para que , dirigiéndolos

Pp

sin dilacion al Intendente de la Provincia á que correspondan, éste los pase al Subcolector respectivo, de cuya mano deberán los presentados recibirlos, afianzando ántes á su satisfaccion el pago, yá de la Media-anata, ó yá de la Mesada y su 18 por ciento, baxo las condiciones que á cada uno de estos derechos sean debidas en conformidad de lo dispuesto y prevenido. Y además mando que, para los propios fines y en iguales términos, se pasen á los referidos Subcolectores respectivamente por mis Vice-Patronos Reales propietarios todos los Despachos de las presentaciones Eclesiásticas que hicieren en exercicio de las facultades que les están concedidas.

218

Conviniendo que el Tribunal y Contaduría de Cuentas tengan todas las noticias que puedan conducir á su mejor gobierno en el êxámen, glosa y fenecimiento de las que deben reconocerles, quiero y ordeno que, así el Superintendente Subdelegado de mi

Real Hacienda en la Nueva-España , como los Vice-Patronos Reales propietarios de sus Diócesis , pasen al dicho Tribunal en principio de cada año una Razon circunstanciada , éstos de las presentaciones Eclesiásticas que en todo el próximo anterior hubiesen hecho en sus distritos , y aquel de los Despachos que haya remitido á los Intendentes, y se le hubiesen dirigido por las Secretarías de mi Consejo de la Cámara en observancia de lo dispuesto por el Artículo anterior.

219

En conformidad de lo prescripto por los Breves Pontificios de que se hizo específica mencion en el Artículo 214 (*), y á conseqüencia de lo declarado por mi Decreto de 23 de Octubre de 1775 , y los Capítulos 6 y 7 de la Real Instruccion, ésta inserta·en Cédula circular de 31 de Julio de 1777, y aquél en ótra de 26 de Enero del mismo año (*), sólo han debido pagar la Mesada de que se trata desde la fecha del dicho Decreto , y deben hacerlo en lo su-

(*) *Baxo el* Núm° *27 se halla el que de éllos se pone á la letra.*

(*) *Ámbas se hallan baxo el* Núm°. 26.

cesivo, los Arzobispados, Obispados, Curatos y Doctrinas de mis Reinos de las Indias, como tambien las Pensiones, Oficios y Beneficios Eclesiásticos cuyas rentas, y proventos ciertos é inciertos, no lleguen al valor anual de trescientos ducados de la moneda corriente en aquellos mis Dominios, ni tampoco baxen del valor, en las mismas monedas, de cien ducados de oro de Cámara Romanos. Y siendo necesario para su mas exâcta observancia, y evitar toda duda, el que se sepa á quanto corresponde en la moneda corriente de Indias cada una de las dos expresadas cantidades de ducados segun sus diferentes especies y valores, vengo en declarar que los dichos cien ducados de oro de Cámara corresponden justamente al valor de doscientos diez y ocho pesos y seis reales en la moneda corriente de Indias, y al de quatrocientos trece pesos quatro reales y veinte y ocho maravedis de la misma moneda los trescientos ducados de ella, regulado cada uno por once reales y un maravedí.

220

Para saber si la Pieza Eclesiástica que se hubiese provisto debe causar Media-anata, ó pagar solo Mesada, es indispensable averiguar á qual de las dos cantidades expresadas en el Artículo antecedente llegó el valor de su renta decimal, y proventos ciertos é inciertos, en el año próxîmo anterior al de la posesion y colacion del Provisto, así como para hacer la regulacion de la Mesada conforme á lo prevenido en la lei 1.ª título 17 lib. 1.º, y Real Cédula de 21 de Diciembre de 1763 (*) en conseqüencia de su concesion Apostólica, es igualmente necesario saber lo que en el último quinquenio hubiese correspondido por los mismos respectos á la pieza de que se haya de deducir la dicha Mesada. En cuya atencion, y en la de que entre los objetos que me propuse en la providencia de reservarme los nombramientos de los Contadores de Diezmos y Quadrantes de las Santas Iglesias de las Indias fue úno el facilitar por su me-

(*)
Hállase baxo el Núm.º *27.*

dio la expresada averiguacion con la puntual exâctitud que corresponde, cortando los continuos embarazos que ántes generalmente lo habían impedido bien á pesar de las repetidas y estrechas providencias dadas sobre ello: encargo á los Subcolectores de ambos derechos que, con presencia de la Certificacion que en conformidad del Artículo 213 les deben pasar anualmente las Juntas de Diezmos, procedan á las enunciadas averiguaciones de valores, y á la deduccion de la Mesada en las presentaciones así de Arzobispado ú Obispado, como de otra qualquiera Dignidad, Prebenda, Beneficio ú Oficio respectivo á la Santa Iglesia Metropolitana ó Catedral de la Diócesi, y en las Pensiones que sobre alguna de las mismas Piezas estuviesen reservadas, y no se exceptuasen expresamente; y que en quanto á los Curatos, Doctrinas, Oficios y Beneficios que deben ser comprehendidos en los Quadrantes de Diezmos, y por consiguiente en la dicha Certificacion, procedan á las propias averiguaciones con puntual noticia no sólo de lo que respectivamente les hubiese correspondido en el último año del expresado quinquenio, y en todos los cinco de él en su caso, por la parte que cada una de dichas piezas deba percibir de los quatro Novenos de los Diezmos respectivos, sino tambien de lo que les hayan valido en los mismos tiempos las obvenciones y emolumentos, segun conste de los Libros de Colecturía que se han de tener, como está mandado, en todas las Iglesias de Curatos y Doctrinas, y en su defecto por lo que resultare de las averiguaciones y oportunas diligencias que los expresados Subcolectores deberán hacer, y auxîliar en caso necesario los Vice-Patronos.

221

Por las provisiones que en Religiosos de las Órdenes Mendicantes se hiciesen de Doctrinas y Beneficios Curados que no se hubiesen secularizado en conformidad de las providencias generales dadas para ello por Cédulas de 1.º de Febrero de 1753, 23 de Ju-

(*)
Hállanse baxo el Núm.º 28.

nio de 1757 y 7 de Noviembre de 1766 (*), se cobrará el derecho de la Mesada en el modo y términos que prescribe la lei 5 título 17 libro 4 de la Recopilacion; pero no se cobrará de las limosnas de que trata la lei 2 del mismo título, ni tampoco de las Pensiones que los Arzobispos ú Obispos señalaren sobre sus Mitras á los Auxîliares para su congrua desde el Fiat de Su Santidad hasta la muerte del principal, y ménos de lo que por respecto de las mismas pensiones percibieren en el tiempo de las vacantes de los efectos de ellas, mediante ser tales consignaciones por su naturaleza de las exceptuadas del referido derecho por la citada lei 2.

222

Hai en la Nueva-España otras Rentas menores que pertenecen á mi Corona Real, como son los Juegos de Gallos, Estancos ó Asientos de Nieve, Alumbres y Cordobanes, y algunos derechos parciales de poca consideracion. Y respecto de que todos ellos, de qualquiera especie ó calidad que sean, deben estar sujetos á la privativa inspeccion de los Intendentes, será uno de sus cuidados tomar individuales noticias de quantos derechos de la dicha clase correspondan á mi Real Erario en sus Provincias, á fin de recaudarlos por administracion bien arreglada, ó ponerlos en justos arrendamientos, pues los ramos de corto momento no sufren regularmente los gastos de administrarlos, y por tanto conviene que salgan á pública subhasta en Junta de Almonedas para que se rematen en los mayores postores con las solemnidades y requisitos enunciados en el Artículo 162; entendiéndose en quanto al ramo del Juego de Gallos que por ahora no se ha de innovar en razon de su Juzgado segun en la actualidad se halla establecido.

223

Informado de que los Cabildos de las Iglesias Catedrales de mis Dominios de las Indias, y los demas Perceptores de aquellos

Qq

Diezmos no cumplían con la puntualidad debida la estrecha obligacion en que están constituidos de dotar los Curatos de sus respectivas Diócesis quando los productos de los
mismos Diezmos son suficientes para verificarlo, lo qual no sólo era en agravio de los
Párrocos, sino tambien de mi Erario, pues
indebidamente se cobraba de sus Reales Caxas el Sínodo; y teniendo además consideracion á los diferentes abusos y desórdenes
que generalmente, y por el mismo principio, se estaban experimentando así en la excesiva cantidad de los Sínodos que se pagaban á los Curas, como en aquéllos con que
se les asistía sin preceder la necesaria justificacion de su residencia, en defecto de
la qual debía retenérseles á beneficio de las
propias Iglesias con arreglo á la lei 16 título 7, y á la 18 título 13 del libro 1.° de
la Recopilacion, fuí servido de tomar para
su remedio varias determinaciones á Consulta que sobre todo ello me hizo mi Consejo de Indias en 14 de Octubre de 1771, y
se expidieron para su cumplimiento las cor-

respondientes Cédulas en 21 de Enero del siguiente año de 1772 (*). Pero como sin embargo de haberse recomendado en ellas la mas exácta y pronta execucion de quanto se mandó, hasta ahora no la han acreditado las resultas, y por consiguiente se halla este grave asunto sin poder recibir el justo arreglo á que conspiraban las citadas Cédulas y mis Soberanas intenciones : para que éstas no queden sin efecto por mas tiempo, mando á los Intendentes Vice-Patronos Reales que como tales promuevan con la mayor actividad posible la práctica y puntual cumplimiento en las Diócesis de sus Provincias de lo dispuesto y ordenado por las referidas Cédulas, y que lo mismo executen respectivamente el Virréi de México, el Comandante-General de las Fronteras y el Presidente Regente de mi Real Audiencia de Guadalaxara por lo correspondiente á las Iglesias y Diócesis en que deben tener el absoluto exercicio del Vice-Real Patronato en conformidad de lo dispuesto por el Artículo 8, dando los únos y los ótros cuenta á mi

(*) *Hállanse baxo el* Núm.º 29.

Consejo de las Indias de lo que se fuese adelantando en la materia.

224

Siendo igualmente propio de mi Soberana autoridad cortar los gravísimos daños que se originan de que algunos de los Curas de las Provincias de Nueva-España (acaso por el mismo principio expresado en el anterior Artículo , que en gran parte deberá cesar desde luego mediante lo que se ordena por el 190) lleven á los Indios excesivos derechos parroquiales: para su remedio he mandado dirigir (como se hace con esta fecha) órdenes bien estrechas al mui Reverendo Arzobispo y Reverendos Obispos, y á los Prelados Regulares que tienen súbditos en Curatos y Doctrinas, para que únos y ótros les prohiban con graves penas todo exceso en los mencionados derechos; previniéndose al mismo tiempo á los priméros que sobre este punto formen Aranceles equitativos, y arreglados á la pobreza de aquellos Naturales, y los remitan á la Audien-

cia respectiva dentro de seis meses peren-
torios, para que su êxámen y aprobacion
se concluyan en el preciso término de un
año contado desde el recibo de las citadas
órdenes. Y como quiero que sea una de las
obligaciones de los Magistrados Seculares la
de vigilar sobre el exâcto cumplimiento de
esta mi justa determinacion, mando al Virréi, al Comandante-General de las Fronteras y al Intendente General de México, que
zelen mui de cerca su puntual observancia,
y encarguen estrecha y respectivamente, y
con freqüencia, á los Intendentes-Corregidores y á los Gobernadores que estén mui
á la mira de la conducta de los Curas en
este punto: encargando además los dichos mi
Virréi y Comandante-General á las Audiencias de los distritos de sus respectivos mandos que lo miren con la atencion y preferencia que exîgen su importancia y gravedad.

225

Por la Suprema Regalía de mi Corona,

y mas señaladamente por la de ser de mi
Real Patronato efectivo las Iglesias de las
Indias, y estar baxo de mi Soberana proteccion, me corresponde la vigilancia y cuidado de mirar por la mayor seguridad de
los Expolios de sus Prelados, para que á su
tiempo se entreguen á quien por derecho
corresponda. En cuya conseqüencia, y teniendo presente lo que por los mismos principios se mandó en las leyes 37, 38, 39 y
40 título 7 libro 1.º de la Recopilacion, quiero y ordeno que se observe lo que por ellas
se dispone, con las ampliaciones y restricciones que en los quatro Artículos siguientes irán prefinidas; y que el Virréi, el Comandante-General de las Fronteras, el Presidente Regente de la Audiencia de Guadalaxara y los Intendentes, lo cumplan, guarden y executen respectivamente, y lo hagan
cumplir y executar en la parte que les toque como Vice-Patronos; y que los Intendentes, como tales, cuiden de que los Ministros de Real Hacienda practiquen sin omision, y con la prontitud y actividad que

conviene, todo lo que por las mismas Leyes y Artículos indicados se les ordena, sin que los únos ni los ótros contravengan á ello, ni permitan contravenir en manera alguna.

226

Respecto de que la personal intervencion de los Fiscales de mis Reales Audiencias en los Inventarios de que trata la lei 39 citada en el Artículo anterior sólo podrá verificarse en la Capital de México y en la de Guadalaxara, mando que en todas las demas Capitales de Diócesis de la Nueva-España se entienda la citacion que dispone dicha lei con el Promotor Fiscal de mi Real Hacienda, y que éste asista, conforme á ella, á la enunciada diligencia.

227

En los Inventarios, Almonedas y Remates de Expolios de Arzobispos ú Obispos, à que han de asistir dos Prebendados de la respectiva Iglesia, y uno de los Ministros de mi Real Hacienda del distrito, será el conocimiento privativo de los Intendentes-Corregidores, que por consiguiente le tendrán tambien en las primeras instancias de los Pleitos y Causas que ocurran sobre los mismos Expolios, proveyendo lo que, conforme á derecho, convenga á la indemnizacion de unos bienes de tan privilegiada naturaleza, y admitiendo las apelaciones, á que haya lugar, para ante la Audiencia Real del territorio. Y á fin de que en estas segundas instancias se precava por todos los medios propios de mi Soberana proteccion el que las Iglesias no sean perjudicadas en los bienes y cosas que justamente las pertenezcan, mando que mis Fiscales salgan á la voz y defensa de ellas.

228

Todos los bienes que se inventariasen en los mencionados Expolios de Arzobispos ú Obispos, sin exceptuar sus Pontificales, se depositarán precisamente en poder de los expresados Ministros de Real Hacienda, quienes en calidad de tal depósito se encargarán de ellos baxo la debida cuenta y razon, hasta que se manden entregar por quien debiese hacerlo, segun lo que irá prevenido: cuidando los Intendentes-Corregidores con mui particular atencion, y guardando todo aquel decoro que corresponde á las Casas Episcopales, de precaver las ocultaciones y extravíos que de algunos bienes y alhajas de los propios Prelados se suelen executar quando fallecen, ó están próxîmos á ello, poniendo al expresado fin y con oportunidad en las mismas Casas Episcopales el resguardo y custodia que convengan por medio de personas decentes, y de toda la fidelidad y diligencia que corresponde para el mejor desempeño.

229

Determinadas y fenecidas las demandas puestas contra los bienes de los enunciados Expolios, si las hubiese, y concluidos en qualquiera de los dos casos sus autos, se remitirán por el Intendente-Corregidor á la Audiencia del territorio, la qual los reconocerá prolixa y cuidadosamente, y hallando lo

actuado en ellos segun y como corrrespon-
de al debido cumplimiento de mis Soberanas
justas intenciones, los aprobará, y devolverá al mismo Intendente mandándole disponga que los Ministros de Real Hacienda entreguen sin dilacion á cada acreedor lo que
le corresponda, y que, deducido todo ello
de lo seqüestrado en su poder, y guardando lo que por mis Reales Cédulas sobre
esta materia les tenga encargado, ó en adelante dispusiere, hagan de lo que quedare,
y del Pontifical, pronta y exâcta entrega á
la Iglesia y demas destinos á que pertenezca: lo qual. executado, dará el Intendente-Corregidor cuenta á mi Consejo Real y Supremo de las Indias con testimonio íntegro de
los autos en observancia de la lei 37 ya citada en el Artículo 225.

230

Todos los caudales pertenecientes á mi
Erario procedidos de Rentas administradas
ó arrendadas, de qualquiera calidad y naturaleza que sean (exceptuando sólo la del

Tabaco que ha de seguir por ahora el separado giro y gobierno con que se ha establecido), deberán entrar en la Tesorería del territorio en que se adeuden y causen, yá sea la General, ó yá Principal ó Foranea: de modo que aun los productos de algunos ramos que en la actualidad se recaudan con separacion en la Nueva-España se han de trasladar mensualmente de las Administraciones á la Tesorería Principal de la Provincia , ó á alguna de las Foraneas de ella que se halle mas inmediata á la General de México, por quanto en ésta se han de reunir los sobrantes de todas aquéllas, evitándose en lo posible retrocesos de distancias en sus translaciones y envíos para excusar los mayores gastos que de lo contrario se ocasionarían: baxo de cuyas reglas mando que, por ahora, no se haga novedad en lo demas de la administracion y manejo de los ramos indicados, corriendo al cuidado de los Ministros que respectivamente los dirigen en el modo y forma que se practica y dispone por sus particulares Ordenanzas.

231

Aunque en conformidad de los Artículos 149 y 156 hayan de ser los Factores y Administradores del Tabaco los que tambien administren y expendan la Pólvora, Naipes y Papel Sellado, esto no obstante, en fin de año han de rendir y presentar con total separacion las Cuentas de dichas especies ó ramos; conviene á saber, la del Tabaco á su Direccion General, para que la dé el curso prevenido en la particular Ordenanza de esta Renta; las de Pólvora y Naipes, divididas, y con distincion de las clases de sus especies, y correspondientes productos y gastos, á las respectivas Direcciones á efecto de que, reconocidas por sus Contadurías, y comprobado por ellas el cargo de especies que hubiesen hecho á cada Factor ó Administrador puesto que con su intervencion deben habérseles remitido, resuman las ventas de todas las Factorías y Administraciones en la Cuenta general que las mismas Contadurías han de llevar á su ramo, y se pasen, con las particulares de aquéllas, al Tribunal de las de mi Real Hacienda para su feneci-miento, segun se dispone en las Ordenanzas de ambas rentas. Pero las del Papel Sella-do las han de dar y dirigir los referidos Factores y Administradores á los Ministros de Real Hacienda de las Tesorerías Princi-pales ó Foraneas de donde se les hubiesen remitido los Sellos, á fin de que, executan-do por su parte igual comprobacion y resu-men al que se ha explicado para la Pólvo-ra y Naipes, las remitan con las suyas al mencionado Tribunal.

232

Cada Intendente señalará un dia de la semana para tener en su Casa Junta de Go-bierno con los Ministros de Real Hacienda Principales de la Provincia, y los Adminis-tradores, Contadores y Tesoreros Particula-res de qualesquiera de mis Rentas, si los hubiere en la Capital, á fin de que, llevan-do únos y ótros á dicha Junta Nota ó Ra-zon de los caudales y efectos exîstentes de

los ramos de su cargo , y del estado que
tuvieren las cobranzas ó descubiertos que
hubiese en cada uno, firmada respectivamente, se exâmine si todos mis derechos se exîgen con igualdad, y sin agravio de los contribuyentes; si los empleados obran con la
inteligencia, actividad y pureza debidas en
el cumplimiento de sus obligaciones; si hai
Dependientes que no sean precisos para la
buena cuenta, administracion y resguardo,
ó si conviene añadir algúno , en el concepto de que sólo se han de mantener los que
fueren indispensables para dichos fines, y
mas á propósito para el desempeño de sus
empléos: sobre cuyos puntos, y los demas
que ocurran relativos á mi Real Hacienda
se tratará y conferenciará , como tambien
acerca de los modos de beneficiarla y au-
mentarla en todo lo posible y justo, de eco-
nomizar quanto convenga su manejo y recaudacion, y de reducir á dinero, segun
sea mas útil, aquellos efectos que por las
prevenidas Notas resultaren exîstentes. Y
en la Junta de la primera semana de cada

mes, con presencia de los Estados de valores que se habrán formado comprehensivos hasta el último dia del próxîmo anterior en conformidad del Artículo 235, se extenderá la consideracion y conferencia á lo que de ellos resultare en órden al aumento ó diminucion de ingresos, para en este último caso exâminar la causa, y tratar del remedio.

233

Sobre los puntos indicados en el Artículo antecedente, y los demas que en las expresadas Juntas de Gobierno se regularen conducentes á la mejor recaudacion de mis Reales intereses, acordarán por sí los Intendentes las providencias que tuvieren por mas efectivas y oportunas despues de haber oido los dictámenes de los demas concurrentes, que han de ser puramente informativos para que sus resoluciones recaigan con mayor conocimiento y acierto. Y en las mencionadas Juntas se tendrá un Libro en que, no sólo se formen asientos puntuales y específicos de los particulares que en ellas se propongan y traten, y que por su entidad y circunstancias merezcan providencias, sino tambien de las que acordare el Intendente sobre cada uno. Pero si entre los puntos que se trataren hubiere algúnos que necesiten de mas serio êxámen y mayor autoridad, darán cuenta los Intendentes á la Junta Superior de Hacienda por mano del Superintendente Subdelegado, como su Presidente, y se arreglarán á sus determinaciones.

234

Así en la Tesorería General de Exército y Real Hacienda de Nueva-España, como en las Principales y Foraneas de sus Provincias, y en la General y Particulares del Tabaco y demas ramos que corrieren por administracion separada, sin excepcion de algúno, se han de hacer Arcas el primero dia de cada mes, presenciando esta operacion los Intendentes en las Tesorerías y Administraciones de las Capitales de Intendencia, y con la misma generalidad sus Subde-

legados en las Tesorerías y Administraciones Foraneas: á cuyo fin los Ministros encargados de las únas y las ótras han de tener formado un Plan de las exîstencias que
hubiere en el dia, segun se les ordena por
los §§ 111 hasta el 114 de la ya citada
Instruccion práctica y provisional (*), el
qual firmarán, y lo entregarán al Intendente ó Subdelegado antes de dar principio á
dicha operacion, siendo del cargo de éste
asegurarse de la efectiva exîstencia de cada clase de las expresadas en dicho Plan,
por los medios del recuento y exâcto reconocimiento de las únas conforme al § 115,
y del cotejo solamente de las sumas en lo
tocante á las ótras segun se previene en
los §§ 116 y 117: de modo que los Intendentes y sus Subdelegados han de quedar
respectivamente responsables con el Visto-
bueno de que habla el § 118, y han de poner despúes como adelante se dirá, á qualquiera resulta que hubiere en contra de lo
cierto y efectivo de todo aquello que con
esta precaucion deben reconocer con escru-

(*)
*Hállanse baxo
el* Núm.º 30
*todos los §§
que en este Ar-
tículo se citan.*

Ss

pulosa diligencia, así como lo serán igualmente al descuido y omision en las cobranzas de deudas y rezagos que, en conformidad de las leyes 1.ª y 30 título 8 libro 8,
deben zelar y promover segun lo que por
el expresado Plan observaren en esta clase
de exîstencias. Si en el explicado recuento
y reconocimiento se hallare alguna diferencia, procurarán enterarse de la causa, sin
pasar á procedimientos rigurosos hasta que,
exâminados por sí mismos los asientos en
los correspondientes Libros, se purifique si
hubo error en ellos, ó sí, estando bien hechos, hai justo fundamento para rezelar
ocultacion ó extravío de caudales, en cuyo
caso providenciarán executivamente que se
verifique el reintegro de lo que faltare, sin
perjuicio de lo que posteriormente pudieren justificar los Ministros descubiertos; pero si se hallare la debida conformidad entre
las exîstencias y el mencionado Plan, se quedarán con él para comprobar el Estado mensual que se les ha de pasar despues, y dispondrán en las Administraciones que sus

caudales se trasladen á la Tesorería que corresponda conforme á lo prevenido en el Artículo 230.

235

Hecha la operacion de Arcas explicada en el Artículo antecedente, los Ministros encargados de las enunciadas Tesorerías y Administraciones, sin excepcion, han de formar, y presentar firmado á los respectivos Intendentes y Subdelegados dentro de tercero dia, un Estado de los valores y gastos hasta el último del mes próxîmo anterior, y desde primero del año, con arreglo á lo prescripto en los §§ que corren desde el 119 hasta el 123, y en el 130 de la mencionada Instruccion práctica (*), en el qual debe estar comprehendido lo que se hubiese manifestado por el Plan de exîstencias de que se trató en el anterior Artículo. Los Intendentes y Subdelegados, hecho el cotejo de esta parte del Estado con el dicho Plan, pondrán su Visto-bueno en aquél si le hallaren conforme; y si hubiere alguna

(*) *Los §§ citados en este Artículo se hallan baxo el* Núm.º 31.

diferencia en la parte de valores y gastos, ó mayor retardo en su presentacion que la de los tres dias prefinidos, inquirirán la causa con vigilante cuidado, pero con prudente detencion atendiendo á los inevitables yerros á que está sujeta la materia de cuentas, y con esta advertencia y aquella noticia procederán á lo que corresponda y convenga.

236

Para que en lo sucesivo se tenga con prontitud, y con la expresion y claridad debidas, una compendiada noticia de los valores de cada una de mis Rentas, sus gastos y exîstencias en cada Tesorería y Administracion de la Nueva-España, y se eviten los perjudiciales retardos y embarazos que ántes se han experimentado allá y acá sobre este importante punto, harán los Intendentes que los Ministros de las Tesorerías y Administraciones de las Capitales de sus Provincias, formado que sea mensualmente el Estado dispuesto por el anterior Artículo, les pasen sin la menor demora, y autorizados con sus firmas, cinco exemplares de cada úno, en los quales pondrán su Visto-bueno; y que de cada Estado de los correspondientes á las Tesorerías y Administraciones Foraneas recojan los Subdelegados respectivos en la propia forma seis exemplares para que, poniendo en ellos su Visto-bueno, y quedándose con el úno para su gobierno, les dirijan sin dilacion los otros cinco. De cada exemplar de éstos y aquéllos reservarán los Intendentes uno, que ha de quedar en su Secretaría, y dirigirán los otros quatro al Superintendente Subdelegado, quien, dexando tambien un exemplar de cada Estado en la Secretaría de la Superintendencia, y pasando ótro al Tribunal de la Contaduría de Cuentas para el fin prevenido en la lei 31 tít. 1.º lib. 8.º, dirigirá en principal y duplicado los dos restantes á mis Reales manos por la Via reservada de Indias, de donde se pasará uno á la Contaduría General para los efectos que convengan. Y respecto de que la reunion mensual de estos Estados en uno general por el expresado Tribunal, segun se previno en el § 125 de la referida Instruccion práctica (*) , puede ser causa para retardarse el logro de las noticias que ministran, mando que la dicha reunion no se haga mensualmente, y que la reserve el dicho Tribunal de Cuentas para quando haya recibido los Estados del mes de Diciembre: entendiéndose que el envío de éstos á mis Reales manos no se ha de suspender por dicha reunion, ni ménos el de los demás por falta ó detencion del de alguna Tesorería, sino que tódos, conforme los fueren recibiendo los Intendentes y el Superintendente Subdelegado, han de tener el curso arriba prevenido á sus correspondientes destinos, pues á este fin se aumenta el número de exemplares que explicó la mencionada Instruccion practica. Del Estado General que ha de resultar de la reunion de los de Diciembre , como queda dicho, pasará el Tribunal de la Contaduría de Cuentas al Superintendente Subdelegado tres exemplares, uno de los quales dexara

(*)
Hállase baxo el Núm.º 32.

en su Secretaría, y remitirá los otros dos como los mensuales á mis Reales manos por la Via reservada, de donde se pasará tambien el uno á la Contaduría General para quando lleguen á ella las cuentas respectivas.

237

Aunque con la operacion de Arcas, y formacion de Estados mensuales explicadas en los Artículos 234 y 235 se llenan los objetos de la Visita y Tantéo que ordenan las leyes 23, 24, 28 y 29 del título 1.º, la 16 título 4, y la 29 título 29, tódas del libro 8 de la Recopilacion, conviene, no obstante, que la diligencia de Arcas correspondientes al mes de Diciembre, que ha de hacerse en el dia 2 de Enero de cada año, se extienda á verificar tambien el formal Inventario que disponen la lei 22 título 1.º, y la 2.ª título 29 del citado libro 8, asistiendo además á ella en las Tesorerías Generales de Real Hacienda y del Tabaco, y en las Administraciones de la Capital de México, el Ministro mas antiguo del Tribunal de la Contaduría de Cuentas en conformidad de la enunciada lei 22, y sin perjuicio de que se forme y remita el Estado respectivo á dicho mes de Diciembre segun y como se ha prevenido por punto general en los dos Artículos que anteceden. Por tanto, así como en la operacion mensual de Arcas se han de contar menudamente sólo las especies preciosas como mas expuestas por de fácil extravío, en la de fin de cada año, y en que se trata de cerrar y liquidar formalmente las cuentas de todo él, y de comprobar con las exîstencias la buena administracion, se habrán de reconocer y contar, pesar ó medir con igual cuidado, y con asistencia del Escribano respectivo de cada Tesorería ó ramo, no sólo las dichas especies, sino tambien todas aquéllas ménos preciosas, exâminando sus marcas y señales, y expresándolas en el Inventario menudo y circunstanciado que conseqüentemente se formará de todas las exîstencias en dinero, efectos y materias preciosas y nó preciosas, muebles y demás perteneciente á mi Real Hacienda, ó al servicio de las mismas Oficinas, autorizándole con sus firmas los Ministros concurrentes al referido acto, y el Escribano con fe de ello. En todas las Tesorerías y Administraciones se ha de dexar testimonio íntegro de su respectivo Inventario, y cada Subdelegado remitirá los originales de aquéllos que se hubiesen obrado con su asistencia al Intendente de la Provincia para que, enviándolos con los actuados por sí en la Capital de ella al Superintendente Subdelegado, éste los pase, juntamente con los executados baxo su intervencion en la Metrópoli, al Tribunal de la Contaduría de Cuentas á fin de que en ella sirvan de comprobantes de las respectivas quando se tomen, y de gobierno para venir en conocimiento de si se cometió descuido en beneficiar las especies vendibles antes que padeciesen deterioro: advirtiéndose que de las exîstencias de los géneros estancados se han de formar con separacion sus Inventarios igualmente autorizados para que, remitidos como los demás al Superintendente Subdelegado, éste pase los de Tabacos á la Direccion del ramo por deberse dar en ella sus cuentas , y al dicho Tribunal los de Naipes, Pólvora y Papel Sellado, respecto de que allí se han de tomar y fenecer las de estos ramos, segun queda dispuesto por el Artículo 231.

238

Dispondrán los Intendentes que los Ministros de Real Hacienda Principales y Foraneos, y los demas Administradores de su respectiva Provincia, les dén relaciones individuales de todos los Empleados en las Oficinas, cobro y resguardo de mis Rentas Reales, desde el primer Dependiente hasta el último Guarda, con distincion de los ramos en que sirvan, y sueldos que gocen, para que, formando un Libro de tódos, y tomando los informes que tuvieren por convenientes de la capacidad, pureza y costumbres de cada uno, zelen con la mayor vigilancia sobre la conducta de ellos, y el exâcto cumplimiento en sus respectivas obligaciones, amonestando primera y segunda vez á los que incurrieren en alguna falta ó descuido, y suspendiendo á los que por su reincidencia merecieren esta demostracion, de que darán cuenta justificada al Superintendente Subdelegado de mi Real Hacienda para que determine el castigo que corresponda á la calidad y circunstancias del exceso, ó delito.

239

Por ser el Puerto de Veracruz la precisa garganta y paso para el giro del comercio marítimo con todas las Provincias de Nueva-España, excepto la de Yucatán, es indispensable que el Intendente de aquella Ciudad y sus Costas colaterales tome quantas providencias y precauciones regulare oportunas á fin de embarazar y extinguir por todas partes los fraudes y contrabandos que suelen hacerse, así en la introduccion de géneros, efectos y otras mercaderías, como en las extracciones clandestinas de oro, plata y frutos preciosos de aquel Reino. Y supuesto que en la Instruccion hecha por el Visitador General en 11 de Febrero de 1767, y que tengo mandada observar, se prescribieron las reglas mas útiles y convenientes á estos importantes fines, y al arreglo de la Aduana, Arcas Reales y demas Oficinas del mencionado Puerto, mando al Intendente de él que guarde y haga cumplir exâctamente la citada Instruccion de Visita en todos los puntos que por ésta, ó por mis Reales Órdenes no se restringiere ó revocare: entendiéndose con su nuevo empléo las facultades y encargos que entónces se cometieron al Gobernador político y militar de aquella Plaza como Juez Conservador que era de mis Rentas, pues quedando, como queda, derogada en esta parte la enunciada Instruccion de Visita no deberá tener conocimiento ni intervencion alguna en los comisos y contrabandos.

240

En inteligencia de que para todos los asuntos y casos terrestres ó marítimos que ocurran en Veracruz y sus Costas ha de observar aquel Intendente las Ordenanzas y

Leyes de la materia (*), declaro, á fin de evitar dudas, que en las Causas de contrabandos y comisos de mar y tierra, de qualquiera especie que sean, debe proceder él, y todos los demas Intendentes en sus respectivas Provincias, con acuerdo de su Teniente Asesor Ordinario, y sin concurrencia ni intervencion de otro Ministro, admitiendo en estos negocios los recursos y apelaciones de sus sentencias sólo para la Junta Superior de Hacienda, y ésta para mi Real Persona por la Via reservada de Indias: con prevencion de que tanto la dicha Junta como los Intendentes, aun quando no se interponga apelacion de sus respectivas sentencias, me han de dar cuenta por la expresada Via con Testimonio íntegro de los Autos, inclusas las distribuciones, segun está mandado y en práctica, suspendiendo su execucion conforme á la lei 8 tít. 38 lib. 9 mientras que Yo, en vista de ellos, me digne de resolver lo que fuere de mi Real agrado.

(*)
Baxo el Núm.º 33 *se expresan las Leyes y demás que se indican.*

241

Convendrá al mejor resguardo de mis Rentas Reales que el Intendente de Veracruz, siempre que de aquella Aduana salgan partidas de géneros, efectos y frutos con el Marchamo y Guias correspondientes para lo interior del Reino, dé los competentes avisos de ellas á los Intendentes de las Provincias adonde fueren dirigidas, haciendo que á este fin le entregue el Administrador Notas individuales de las remesas, además de las que por sí debe remitir á los otros Administradores del destino; executando lo mismo respectivamente el Gobernador-Castellano de Acapulco, como Subdelegado, mediante ser aquel Puerto el único habilitado sobre las Costas del Mar del Sur para el comercio de Filipinas, y el que nuevamente he concedido entre los quatro Reinos de ambas Américas; y lo propio practicarán recíprocamente los Intendentes de las Provincias internas quando de ellas se saquen y envíen caudales ó frutos á Veracruz ó

Acapulco para extraherlos por sus Puertos.

242

En las privativas funciones que por varias Leyes recopiladas están concedidas á los Tribunales y Contadurías de Cuentas de Indias, nada substancial ha de innovarse para con los erigidos en la Nueva-España; pues aun quando Yo tenga á bien en lo sucesivo darles nueva planta, les quedan entretanto aquéllas expeditas segun y como en la actualidad están en práctica; pero con prevencion de que si en el êxámen que la Contaduría General ha de hacer de las cuentas tomadas, fenecidas y aprobadas por dicho Tribunal, resultare cargo contra algun sugeto de los que dieron las mismas cuentas, en tal caso deberá responder á mi Real Hacienda de lo que aquél importase el Contador que hubiere glosado y fenecido la cuenta, ó el propio Tribunal si de su parte hubiese estado el defecto, quedándole á salvo su derecho contra quien hubiere lugar: entendiéndose tódo sin perjuicio del que siémpre tendrá expedito mi Real Hacienda para repetir contra el causante de la cuenta ó sus Fiadores si las circunstancias se lo hiciesen preferible.

243

Las dudas y dificultades que se ofrecieren al Tribunal de la Contaduría de Cuentas durante el êxámen de ellas, y sobre lo demás que en él se tratare, no habiendo llegado á pleito, se han de decidir á pluralidad de votos, conforme lo disponen las leyes 33 y 92 del tít. 1.º lib. 8.º; y en caso de igualdad de votos, ó falta de un Ministro Contador, se resolverán con asistencia del Superintendente Subdelegado en el mismo Tribunal como su Presidente, entendiéndose en esta parte derogada la disposicion de la citada lei 92; pero si la duda ó dificultad fuere tal que pida mayor êxámen y decision superior, y así lo acordaren los Ministros Contadores, la consultarán á la Junta de Hacienda, á quien tambien reservo la facultad de decidir en estos casos,

y la de conocer privativamente en los de
que tratan las leyes 36, 65, 84, 88 y 93
de los citados tít. y libro, guardando en el
modo y la substancia lo que disponen, y
no se oponga á lo que aquí se previene:
advirtiendo que en ninguno de los casos indicados en todas ellas deberá votar ni aun
asistir á la Junta el Ministro de Real Hacienda Contador ó Tesorero General; pero
sí habrá de concurrir otro Ministro de los
del Tribunal de la Contaduría de Cuentas,
que nombrará el Superintendente Subdelegado prefiriendo el que debiese estar mejor
instruido del negocio que se hubiese de juz-
gar y decidir. Y mediante que para hacerlo en los casos de que tratan las mencionadas leyes 36, 65, 84, 88 y 93, y en
conformidad de la primera de éllas, han de
ser tres los Ministros Letrados que concurran, entrarán en este número el Presidente de la Junta Superior si fuese Letrado,
y el Fiscal quando no exerza su Oficio,
nombrando mi Virréi en su defecto y cada uno de los insinuados casos el Oidor ú

Oidores necesarios para que en tódos, excepto los de que trata la lei 65, sean sólo tres los Vocales con voto decisivo, respecto de que en éllos únicamente le tendrán consultivo los Ministros del Tribunal de la Contaduría de Cuentas, quedándoles el decisivo en los de que habla la dicha lei 65. Y quando la Junta Superior hubiese de tratar de qualquiera de los casos comprehendidos en las leyes que van citadas, se congregará en el mismo Tribunal de Cuentas como lo dispone la 63 de los propios título y libro, asistiendo el Escribano de él, y nó otro alguno, para autorizar los Acuerdos, Autos y Sentencias: con cuyas declaraciones, y la general de que al Superintendente Subdelegado, como Presidente del expresado Tribunal, le corresponden las funciones que hasta ahora pertenecieron en él á los Virreyes, se ha de gobernar el de la Contaduría de Cuentas de México, observando las Leyes en todo lo que no sea contrario á lo prefinido en este Artículo, porque así es mi Soberana voluntad, y conviene al expe-

dito exercicio de sus funciones, y á la naturaleza de los negocios de que está encargado.

244

A conseqüencia de lo que por la primera parte del Artículo 242 se ordena, será
uno de los especiales cuidados de los Intendentes que los Ministros de Real Hacienda
Contadores y Tesoreros, así Generales, como Principales y Foraneos, y los demas Administradores, ó Generales, ó Particulares
de qualquiera ramo de mi Real Hacienda,
formalicen, ordenen y justifiquen sus Cuentas con arreglo á lo dispuesto en la ya citada Instruccion práctica y provisional formada por la Contaduría General de Indias,
á excepcion, en quanto á Administradores,
de los de la Renta del Tabaco, los quales
deberán hacerlo conforme á las particulares
reglas que para ello les estuvieren dadas; y
que únos y ótros las remitan por su mano
dentro del preciso término que les estuviere prefinido al expresado Tribunal de la Contaduría de Cuentas, ó á las respectivas Con-

tadurías Generales, segun adonde corresponda, apremiándolos á que lo cumplan, en el caso de voluntaria ó culpable retardacion, por el medio de arrestarlos en sus Casas ú Oficinas: con advertencia de que, la Cuenta que el Tesorero General de la Renta del Tabaco debe dar anualmente de los caudales que entraren en su poder pertenecientes á ella, ha de presentarla tambien, por mano del Superintendente Subdelegado, al propio Tribunal para su toma, glosa y fenecimiento, no obstante lo dispuesto por los Artículos 7 y 12 de los que hablan con el dicho Tesorero, y con el Contador General de la misma Renta del Tabaco en la Ordenanza que para su universal gobierno fue expedida por aquel Virréi con fecha de 15 de Marzo de 1768.

245

La experiencia ha acreditado sin equivocacion las conseqüencias poco favorables al desempeño de mi servicio en las Oficinas de Real Hacienda, que se originan por el abuso de que los Oficiales Entretenidos que se emplean en ellas no sólo se admitan sin el correspondiente êxámen y autorizada califi- cacion de las qualidades que les deben asis- tir, sino que se les considere en algunas partes con precisa obcion por antigüedad à las Plazas de número y dotacion de las mis- mas Oficinas. Y conviniendo establecer so- bre ambos puntos una regla general que con equidad y justicia precava en lo sucesivo la continuacion de unos perjuicios de tanta tras- cendencia, declaro que la facultad de cali- ficar las qualidades de los Pretendientes al destino de Entretenidos, y de resolver su admision, ha de ser privativa del Superin- tendente Subdelegado en los respectivos á la Contaduría de Cuentas, y á todas las de- mas Oficinas de la Capital de México y su Provincia, sin excepcion de algúna, así como lo será de cada Intendente en los que le soliciten para las de la Capital y distri- to de su Intendencia, debiendo preceder que los Pretendientes presenten Memorial, es- crito de su puño, con documentos que acrediten ser de honrado y decente nacimiento, y de arreglada vida y costumbres, para que, pidiendo reservadamente sobre ello, y su buena ó mala disposicion y aptitud, informe al Gefe ó Gefes de la Oficina á que pretenda ser destinado, ó á algun otro Ministro si se tuviese por oportuno, exâminen el Superintendente, ó Intendentes en su caso, con vista de tódo si resulta suficiente mérito en el Interesado para calificarle apto en circunstancias y buena letra; en cuyo caso decretarán en el mismo Expediente su admision, pasándole á la Oficina á que corresponda para que tenga efecto y se archive en ella. Y asimismo vengo en declarar que los mencionados Entretenidos no tendrán obcion precisa por antigüedad á las Plazas de número de las Oficinas en que sirvan; y que los Gefes de ellas, en los casos de vacantes, quedan en libertad para preferir en sus Propuestas á aquéllos que por su mayor aplicacion y adelantamiento se hallen mas aptos y proporcionados al mejor desempeño de mi Real servicio.

246

Quando algun Oficial Entretenido, por su mala conducta, poca aplicacion ú otro motivo, le diese competente para que se le separe ó expela de la Oficina á que haya sido destinado, formalizará su inmediato Gefe la causa breve y sumariamente, y con ella dará cuenta al Intendente de la Provincia, ó al Superintendente Subdelegado si fuese en la de México, para que en su vista determine la separacion si la estimase justa, pues esta facultad ha de ser tambien privativa de los dichos Magistrados respectivamente.

247

Sería inútil quanto sobre esta Causa de Real Hacienda va dispuesto y prevenido para mejorar la direccion, administracion, recaudacion y cuenta y razon de sus ramos, si las Oficinas respectivas continuasen en el pernicioso abandono que tuvieron por lo pasado á causa de la poca asistencia de sus

Gefes y Subalternos, y de la indolencia con
que únos y ótros han mirado sus obligaciones en mi servicio, perjudicando gravemen-
te y de varios modos al Real Erario y Causa pública. Y como este desórden exîja por
todos respectos un proporcionado y eficaz
remedio que los corte en su raiz con escar-
miento de aquellos empleados que, olvidán-
dose de sí mismos y de lo que deben á mi
Soberana piedad, no llenen su deber, mando que la asistencia á todas las Oficinas de
mi Real Hacienda, incluso el Tribunal de
la Contaduría de Cuentas, sea precisa é indispensable de quatro horas en las mañanas
y de tres por las tardes en todos los dias
del año, exceptuando sólo los de riguroso
precepto, y fixando el Superintendente Subdelegado y cada Intendente la hora á que
hayan de empezar las de asistencia en las
Oficinas de su Provincia, atendiendo á la
estacion del año y á las circunstancias del
clima: con prevencion de que no se han de
disminuir las siete horas señaladas ni aun en
el caso de ponerse en corriente con el dia

los asuntos de cada negociado, y de que si
alguno de los empleados dexare de asistir con
la debida exâctitud sin haberse excusado en
tiempo por causa justa y legítima, sufra la pena dispuesta por la lei 21 tít. 15 lib. 2 de la
Recopilacion, y en su conseqüencia sea mul-
tado por su inmediato Gefe en la mitad del
salario que le corresponda al dia, así como
lo serán los mismos Gefes por el Intendente
si nó lo executasen por contemplacion ó in-
dulgencia. Y si se diese el caso de que algun Subalterno incurra en la expresada multa por tercera vez, con justificacion breve
y sumaria de ello le suspenderá el Intendente de su empléo y goce sin dilacion, dando cuenta al Superintendente Subdelegado
para que determine lo que corresponda á la
expedicion de mi servicio, é informándome de tódo. Y encargo al mismo Superintendente Subdelegado y á los Intendentes
que apliquen toda su atencion y zelo á fin
de que sea rigurosamente observado quanto en este Artículo va dispuesto, entendidos de que me serán estrechamente respon-

Xx

sables de qualquiera disimulo que en ello se les note.

248

Porque conviene evitar las dudas ó interpretaciones que sobre la debida inteligencia de mucha parte de esta Instruccion podrían tal vez ocasionar las distintas representaciones que se reunen en algunos de los Ministros que han de observarla, se advierte, que lo mismo que por varios de sus Artículos se ordena en general á los Intendentes y á los Contadores y Tesoreros Principales de Provincia, ha de entenderse respecto á la de México con el Superintendente Subdelegado en quanto es Intendente de ella, y con el Contador y Tesorero Generales que lo son Principales en la misma, y por consiguiente inseparables de úno y ótros todas las peculiares funciones de los expresados Oficios.

249

Con atencion á las grandes ventajas que resultarán á mis Reinos y Vasallos de uniformar en ambas Américas las reglas del cobro y distribucion de las Reales Rentas de la Corona, confiando su régimen económico á una mano autorizada que las dirija con el debido conocimiento, y baxo de mis inmediatas órdenes y suprema autoridad, vine en declarar á mi Secretario de Estado y del Despacho Universal de Indias por Superintendente General de mi Real Hacienda en éllas, como se indicó en el Artículo 4, y con la misma amplitud de derechos, facultades, prerogativas y goces que tengo concedidas al de España, para que por su medio y direccion se facilite mas el completo arreglo que necesita mi Erario Real en aquellos vastos Dominios.

CAUSA DE GUERRA.

250

Siendo mi Real ánimo que los Intendentes en sus Provincias cuiden de todo lo correspondiente á Guerra que tenga conexîon con mi Real Hacienda, debe este encargo

ocupar su atencion y zelo para las mas prontas disposiciones y providencias conducentes
á su mejor desempeño, y con especialidad a
la subsistencia y curacion de la Tropa, y demás que mira á tan importante fin, en que
interesan la quietud y defensa del Estado, y
en que han de proceder atendiendo siémpre
al posible alivio de mis Pueblos.

251

Como mi Real intencion se dirige á establecer Intendentes en toda la extension de la
Nueva-España, quiero que así el de Exército y Provincia, como los que sólo tuvieren
esta última calidad, atiendan igualmente á la
subsistencia, economía y policía en general
de las tropas que se hallaren en sus respectivos territorios, porque en lo particular de los
Cuerpos está cometida á los Inspectores y
Gefes de ellos, reduciéndose por lo mismo
todo el cuidado de los Intendentes en esta
parte á los dos puntos de subministrarlas su
haber en dinero, y su manutencion en víveres quando no se hayan encargado de ella los

mismos Cuerpos: para cuyos fines, el de subministrarlas todo lo que extraordinariamente
necesiten, y el importante de su curacion,
observarán los Intendentes de Provincia la
misma forma y método que irá prevenido
para el de Exército, por ser la regla que
universalmente se deberá seguir en la materia.

252

Por lo que mira al primer punto deberán
hacer que cada mes se subministre el prest á
la Tropa, y su paga á los Oficiales, sin permitir que se adelante cantidad alguna á buena-cuenta: lo que declaro así para evitar los
inconvenientes y abusos que se experimentan de lo contrario; y tambien que esta prohibicion no debe entenderse con objeto á las
subministraciones que generalmente se hacen,
y deben hacerse, á los Regimientos ó Cuerpos del Exército por mis Tesorerías en los
últimos dias de cada mes á buena-cuenta del
haber que se cause en el siguiente, y para
la subsistencia, durante él, de la Tropa, co-

mo que ésta no tiene de donde suplir lo necesario á su manutencion, y devenga y hace suyo en el acto de la Revista el prest correspondiente á todo el mes, á diferencia de la Oficialidad que sólo devenga sus respectivos sueldos con el dia, y no se la deben pagar hasta fin de cada mes; y por tanto las dichas subministraciones no pueden mirarse como verdaderas anticipaciones, que son las que por el presente Artículo se prohiben, estándolo tambien en estos mis Reinos con el fin de evitar los alcances que por el contrario solían resultar contra los Cuerpos. Por conseqüencia se debe entender permitido, como expresamente lo permito, que por mis Tesorerías así General, como Principales, Foraneas y Menores de la Nueva-España, se subministren en los últimos dias de cada mes, con noticia y consentimiento previo de los Intendentes, á los Habilitados Generales de los Cuerpos, y á quienes hagan sus veces en los distantes Destacamentos, los socorros necesarios á buena-cuenta de lo que hayan de devengar en todo el siguiente; pe-

ro entendiéndose que no han de exceder de
la mitad , ó , á lo mas , de las dos tercias partes de aquello que prudentemente se compu-
tare vencible por el Cuerpo ó Destacamento , segun su fuerza , durante el mes á que
sean respectivos , llevando los Ministros de
Real Hacienda razon de estos socorros con
el título de *Buenas-cuentas* : en inteligencia
de que todo aquello que en contravencion de
lo aquí prevenido resultare haberse dado de
más de lo vencido efectivamente por la Tropa y Oficialidad , y ajustado de líquido segun
los Extractos de revista , y hechos los debidos
descuentos , no se ha de admitir en data á
los expresados Ministros , antes sí han de en-
terarlo en Caxa sin réplica ni dilacion , siendo de su cuenta y riesgo la cobranza de
ello. Y el Tribunal de la Contaduría de
Cuentas podrá y deberá en tales casos formar Cargos , y executarlos como Alcances
líquidos , extendiéndolos á los intereses del
tiempo , ó al quatro tanto , conforme á las
Leyes de Indias , siempre que la cantidad
sea tal que dé indicio de malversacion , ó

de falta voluntaria de las reglas y precaucion con que en semejantes socorros deben proceder los Ministros de Real Hacienda. Y para que todo lo que va dispuesto pueda cumplirse sin los impedimentos que produce el presentarse con atraso los Extractos de revista, encargo mui particularmente á mi Virréi de México, al Comandante-General de las Fronteras y al Intendente General de Exército, que estrechen sus providencias á fin de que se formalicen y remitan á los debidos tiempos.

253

Sobre los Extractos de las revistas de los Cuerpos se les han de formalizar mensualmente, y sin demora, por las Contadurías Principales de las Provincias en que estuvieren destinados, sus ajustes, que visarán los mismos Intendentes, para que en virtud de estos documentos, del Recibo del Habilitado á su continuacion, y de la Nota de los respectivos Ministros de Real Hacienda puesta en el Quaderno de este Oficial segun dispone la Ordenanza General del Exército, Artículo 9 título 9 tratado 1.º (*), se le haga legítimamente el pago de los alcances resultantes, así por el sueldo de los Oficiales, como por el prest de los Soldados, y por toda clase de gratificaciones que gocen respectivamente los Cuerpos.

254

En los ajustamientos que se formaren por las Contadurías de Exército ó de Provincia para pagas de Tropas, Ministros y demas Individuos de los Cuerpos, y han de visar los Intendentes como queda dicho, será uno de sus cuidados que no se omita la práctica de los ordinarios descuentos que se debieren hacer, así por razon de Inválidos, Monte-pio, Hospitalidades y Víveres, como por cargos particulares de anticipaciones que hayan recibido, ó consignaciones que tengan señaladas algúnos á sus familias en España; advirtiéndose que por Real Órden circular de 6 de Agosto de 1776 (*) está declarado para todo género de reintegros, que el peso de 8 reales de plata antigua (que son de á 16

Yy

(*) Baxo el Núm.º 34 se halla el Artículo que se cita.

(*) Hállase baxo el Núm.º 35.

quartos cada uno), ó de 128 quartos, ó de
15 reales 2 maravedis de vellon de España,
que es lo mismo, corresponde en Indias al
peso corriente ó comun de aquella moneda, y
al contrario : de manera que por cada 15 reales y 2 maravedis de vellon que se hubieren
anticipado en España á los Cuerpos ú Oficiales del Exército, y no se hubiesen devenga-
do durante su viage á Indias, se les ha de
descontar en los primeros ajustes, y de los
sueldos vencidos allí, un peso de aquella moneda corriente ; y por la misma regla se les
ha de abonar un peso corriente ó comun de
Indias por cada peso de 15 reales 2 maravedis de vellon que hubieren vencido en el viage sobre lo anticipado en España. Y asimismo, por cada 15 reales y 2 maravedis de vellon que algunos Oficiales, ú otros empleados, hubieren dexado consignados en estos
Reinos se les ha de descontar en América
un peso de aquella moneda corriente ó co-
mun, ó 10 reales $21\frac{1}{4}$ maravedis de élla por
cada 20 reales vellon de España, ó un real
de la misma de Indias por cada real de pla-

ta antigua ó de á 16 quartos que en estos Reinos se hubiere anticipado, vencido ó consignado; lo qual es una misma cosa.

255

Si alguna Tropa pasare de una Provincia á ótra, deberá llevar Certificacion de los Ministros de Real Hacienda respectivos, visada por el Intendente, de la forma y del tiempo porque fuere socorrida, el qual pasará al del territorio adonde se destinare el aviso que corresponda, y ámbos darán respectivamente las órdenes oportunas y conducentes para que halle en sus tránsitos la asistencia de lo que deba proveérsela en el modo, y por las reglas que irán prevenidas. Y si la dicha Tropa sólo fuese alguna Compañía ó Destacamento, quando se restituya á su Cuerpo habrá de llevar otra Certificacion semejante de la Provincia donde hubiere estado, con más las de sus Revistas y Hospitalidades.

256

Quando para la paga de Tropas se asignaren fondos en las rentas y productos de algunas Provincias, procurarán los Intendentes de ellas que con oportunidad entren en Tesorería para obviar qualquiera retardacion, y el inconveniente de que se les despachen Libranzas sobre los efectos consignados, respecto de que mi Real intencion es que no se fíe cobranza alguna á las Tropas para libertarlas de todo embarazo, y que se les pague su haber en dinero como á todos los demas que deben percibir caudales de mi Real Hacienda.

257

Si los fondos asignados no alcanzasen á cubrir el todo del haber de las Tropas, atenderán con preferencia á la subministracion del socorro diario, y á que el caudal que se destine á la paga de Oficiales se distribuya en los Cuerpos con igualdad y proporcion, de forma que no se siga el perjuicio y quexa de padecer los únos mayores atrasos que los ótros.

258

En quanto al segundo punto de subsistencia de Víveres, como que los Asentistas ó Proveedores de ellos están inmediatamente sujetos á los Intendentes, harán éstos que les informen mui por menor de su estado, y de las providencias que dieren para asegurar enteramente la enunciada provision, y que se arreglen á las disposiciones y órdenes que les comunicaren sobre los repuestos de víveres, y parages en que conviniere hacerlos segun las ocurrencias, observando la forma, tiempo y cantidad que les previnieren, á fin de que mi servicio no padezca el menor atraso.

259

Aunque los Víveres estén á disposicion de los Asentistas como efectos suyos, no podrán sacar de los Almacenes porciones algunas sin órdenes de los Intendentes, precediendo darles noticia y conocimiento de los fines de su destino; y éstos zelarán que aquéllos cumplan con toda puntualidad las obligaciones de sus Contratos.

260

Deben los Asentistas practicar las distribuciones de Víveres segun les ordenaren los Intendentes , sin que puedan subministrar porcion alguna sino en virtud de recibos de los Sargentos Mayores ó Ayudantes de los Cuerpos , ó Comandantes de los Destacamentos ó Partidas ; cuidando sobre tódo de que no haya negociaciones ni beneficios entre Oficiales y Asentistas , y castigando á éstos qualquiera contravencion con las penas correspondientes segun las circunstancias de los casos.

261

Prohibirán absolutamente á los Asentistas que en sus respectivos distritos hagan consumo de los granos del pais , á ménos que por la abundancia de ellos redunde conveniencia á los Pueblos , y que estas ventas se executen con su noticia y permiso para que no sean excesivas. Y si en los tránsitos consumieren las Tropas algunos granos, los pagarán los Asentistas á los precios corrientes de su Contrata en virtud de los recibos que, como queda dicho, deben dar los Oficiales ó Comandantes, indemnizando á los Lugares el gasto que hicieren en solicitar la cobranza de quanto hubiesen subministrado á las Tropas y sea del cargo de los Asentistas, á quienes obligarán los Intendentes en caso necesario con providencias executivas.

262

Quando los Asentistas ó sus Factores distribuyan Víveres que no estén bien acondicionados, visitarán los Intendentes por sí los Almacenes, ó lo cometerán á Ministros de su confianza, haciendo excluir irremisiblemente el Pan y todos los renglones que no sean de buena calidad, y disponiendo que se reemplacen de los mejor acondicionados por cuenta de los mismos Asentistas. Pero si resultare que éstos maliciosamente adulteraron los Víveres mezclándoles alguna especie dañosa á la salud, ó que, siéndolo los géneros por su misma calidad, lo han disimulado dolosamente sin advertirlo al Intendente, ó al Ministro de Real Hacienda ó Gefe militar mas inmediato, serán castigados con arreglo á lo que para tales casos dispone el Art. 87 tít. 10 trat. 8 de la Ordenanza del Exército y Reales Declaraciones posteriores (*), executándose lo mismo en el de que los dichos Asentistas ó Proveedores falsifiquen el peso ó medida de los géneros que distribuyeren á la Tropa.

(*) *Hállanse baxo el* Núm.º 36.

263

Siempre que la provision de Víveres corriese por administracion de cuenta de mi Real Hacienda, elegirán para su manejo personas hábiles, desinteresadas, y experimentadas en la economía, arreglando las porciones de granos que podrán acopiarse dentro de sus Provincias segun la escasez ó abundancia de las cosechas, y tambien las que en tiempo oportuno podrán conducirse de fuera; y poniendo todos los medios para que se asegure la

subsistencia , harán un cómputo ó tantéo pru-
dencial de los fondos que mensualmente se
hayan de subministrar , comprehendiendo las
compras , conducciones , gastos de Almacenes
y todos los demas necesarios , para que con
el debido conocimiento pueda destinarse el
caudal correspondiente.

264

Establecerán los Almacenes , y en ellos
los Víveres que convengan , con las reglas
de la mayor utilidad y economía que fueren
posibles para su servicio y distribucion ; y lo
mismo en las fábricas del Pan y Vizcocho
que se previnieren para los repuestos precisos , así en las Plazas como en otros parages , dando forma y método para la mas
clara cuenta y razon en el consumo , distribucion y gastos , á fin de que siémpre se
pueda tener presente el total de ellos , su
naturaleza y circunstancias.

265

Asimismo dispondrán que el Pan , Gra-

Zz

nos, Paja y Bagages subministrados por los Pueblos á las Tropas miéntras corra la provision de cuenta de mi Real Hacienda, se les paguen con puntualidad á los precios corrientes y arreglados, sin que para su cobranza se les causen vexaciones ni dispendios.

266

Será igualmente del cargo de los Intendentes atender á que en todos los parages de marchas ó campamentos de Tropas haya la abundancia de bastimentos que fuere posible, dando á este fin las mas oportunas providencias; y tambien quantas disposiciones regularen necesarias á la seguridad del Pais, buena fe y confianza de los Naturales para que concurran voluntariamente con sus frutos.

267

Quando la Caballería veterana necesitare Cebada, Paja, Forrage ú otro Pasto en sus tránsitos, Quarteles ó Plazas, y la hubieren de subministrar los Pueblos, cuidarán de que los repartimientos se executen con equitativa igualdad; pero en caso de correr estas provisiones por asiento, harán poner los repuestos necesarios, y que por el Asentista se dén las raciones al respecto de lo que estuviere señalado por cada una sobre Relaciones de los Gobernadores, ó Comisarios destinados para ello, con expresion de la fuerza efectiva del Cuerpo, Destacamento ó Partida para qué fuesen; debiendo el Asentista ó sus Factores tomar recibos de todas las raciones que entregasen, para totalizarlos á su tiempo con los Habilitados respectivos conforme al Artículo 274.

268

Atenderán mui particularmente á que los Pueblos no sufran vexaciones quando subministraren estas provisiones en las marchas de Cuerpos, Destacamentos ó Partidas, y parages donde no haya repuestos del Asentista, y que se les dén recibos á fin de que éste los recoja, y pague su importe á los precios corrientes de la Contrata; pero si hubiere tiempo, dispondrán que el Asentista entregue al Sargento Mayor, ó Comandante de la Tropa, el dinero correspondiente al importe de la Cebada y Paja que necesitare en las marchas para que la compren pagándola al contado á los precios indicados, y que excusen los Pueblos por este medio la molestia y gasto de acudir al Asiento para su cobranza, que algunas veces no equivale al costo del viage y solicitud.

269

Lo mismo se executará por lo respectivo á las raciones de Pan; y á fin de que en úno y ótro se proceda con la debida formalidad, precaviendo embarazos, se expresarán los precios de la Contrata en los Itinerarios, y que, habiéndose entregado á los Sargentos Mayores, ó Comandantes el dinero correspondiente para comprar los dichos géneros hasta el parage de su destino, no les han de dar los Lugares cosa algúna á ménos que la paguen al contado por los tales precios, y que solamente les deben asistir con el simple cubierto en la forma acostumbrada. Pero en el caso de ser mucha la Tropa podrá el Asentista enviar con ella un Factor para su provision, que ha de pagar á los precios indicados; y esta circunstancia se expresará tambien en el Itinerario para que conste á los Pueblos.

270

Si fuere necesario conducir la Cebada, Paja ú otro Pasto, de parages distantes, y no pudiere hacerlo la Caballería, arreglarán los Intendentes con la mayor equidad el número necesario de Bagages á fin de exônerar á los Pueblos en quanto sea posible del gravámen de la conduccion; y lo mismo practicarán en los demas renglones de víveres y efectos que se transportaren, atendiendo siémpre á la mayor economía y buen órden, segun la necesidad y las ocurrencias de los casos.

271

Quando la Leña y otros utensilios se hubieren de subministrar á la Tropa por asiento ó administracion de cuenta de mi Real Hacienda, cuidarán los Intendentes de que se observen las mismas reglas que van prescriptas respecto de los víveres, y de que se haga á correspondencia del número efectivo de gente que tuvieren los Cuerpos.

272

Pondrán los Intendentes el mayor cuidado en que en los repartimientos de Carruages ó Bagages precisos para el transporte y conduccion de víveres, no se haga agravio á los Pueblos; y, á fin de evitarlo, señalarán á cada Lugar ó Partido los que deba subministrar sin perjuicio de las labranzas y recoleccion de sus cosechas, á ménos de ocurrir alguna indispensable precision; y prescribirán á los Jueces subalternos las reglas que en ello hayan de observar, y que alternativamente se destinen á estos repartimientos, y á los transitos de Tropas que se ofrecieren, los Bagages de todos los Vecinos de qualquiera estado y calidad que sean sin ninguna reserva, pena de ser multados y castigados de lo contrario, y de indemnizar á su costa qualquiera daño. Y con igual vigilancia zelarán que los Asentistas paguen puntualmente los transportes al precio que se arreglare, sin causar detencion á los Conductores; y quando dén motivo á ella, los obligarán al resarcimiento de costas y gastos que les causaren: en inteligencia de que la subministracion de Bagages por repartimiento sólo ha de ser en caso de no haberse obligado los Asentistas á mantener y prevenir los que necesitaren para el servicio, porque si lo hubiesen hecho, entónces deberán concurrir únicamente los que por su voluntad se ajustaren con ellos para estas conducciones.

273

Antes de salir de los Pueblos se deben pagar á los precios establecidos los Bagages que precisamente necesitaren las Tropas y Oficiales para sus marchas, y sin que ocurra urgente precision no deben ser obligados á hacer mas tránsito que el que les corresponda , baxo de graves penas contra los Oficiales y Justicias que dieren lugar á ello; pero en el caso de no poderse evitar será del cargo de los Oficiales pagarlos al mismo respecto antes de continuar otro tránsito: procurando los Intendentes amonestar á las Justicias que en esto se ayuden únas á ótras con buena correspondencia, y castigar á las que hayan procedido con malicia ú omision. Y se advierte que sólo se deben dar Bagages á los Oficiales sueltos que fueren destinados á algunas dependencias de mi Real servicio, ó de la conveniencia de sus Cuerpos , con Pasaporte del Virréi ó del Comandante-General de las Fronteras , ó con Itinerario ó Seguro del Intendente, y nó á los que no llevaren úno ni ótro, respecto de que en ellos será voluntaria la marcha , y no estarán obligadas las Justicias á subministrarles éstos ni ótros auxîlios ; ni los tales Oficiales deberán pretenderlos.

274

Para que las Oficinas de cuenta y razon tengan con puntualidad los cargos del Pan, Cebada y Paja que cada Cuerpo tomare de la Provision, cuidarán los Intendentes mui particularmente de que los Asentistas, ó sus Factores, presenten en las respectivas Contadurías Principales de Provincia cada dos meses, ó lo más cada quatro, los Recibos originales de la subministracion que hayan hecho á los Regimientos que guarnezcan las mismas Provincias; con advertencia de que los dichos Recibos han de ser totalizados por meses con el Habilitado de cada Regimiento, firmados por él, y autorizados con el Visto-bueno de su Coronel ó Comandante, recogiendo aquél de los Asentistas los recibos particulares con que hicieron la subministracion para que sirvan de gobierno al Regimiento en el ajuste interior de Compañías: entendiéndose que no ha de tomar la Tropa en cada mes mas raciones de las que en él la correspondan conforme á los Extractos de revista , ni los Oficiales sueltos que tengan goce de ellas mas de las que á su respecto les toquen , así como el Asiento tampoco ha de subministrarles cantidad excedente á la que por dichas reglas les pertenezca en el mismo mes. Y presentados por los Asentistas ó sus Factores , como va expresado , los mencionados Recibos totalizados en las Contadurías Principales á que corresponda , y liquidado por ellas su importe á los precios de la Contrata , darán á los mismos Asentistas Certificaciones del haber que resultare á su favor , expresando en ellas el tiempo que comprehendan , y el número de raciones de cada especie que haya recibido cada Cuerpo, á fin de que en su virtud pueda la Contaduría General de Exército y Real Hacienda de México formar á dichos Asentistas el ajuste general de todo lo que hubiesen provisto á las Tropas y Oficiales sueltos , y de los cargos que corresponda hacerles con arreglo á la Contrata , para liquidar y satisfacerles su legítimo alcance.

275

Conviniendo establecer que en la formacion de los Ajustes de Víveres , y en dar paradero á sus resultas , observen un propio método todas las Oficinas de cuenta y razon, quiero y ordeno que por ellas se ajusten á todos los Cuerpos de Tropa , y Oficiales sueltos que tengan goce de raciones , su haber mensual de Víveres conforme á los Extractos de revista , del mismo modo que lo executen por los de Prest , Pagas y Gratificaciones ; y que despues de deducido del haber de cada género lo que en especie hubieren tomado de la Provision , y los demas cargos que corresponda hacerles por hospitalidad , y por qualquiera otro motivo , se abone , y pague en dinero por la respectiva Tesorería de mi Real Hacienda , y por cuenta de ella , á cada Cuerpo , ú Oficial suelto, su alcance líquido de raciones al respecto en las de Pan de una quarta parte ménos , y de un tercio en las de Cebada y Paja , de sus precios corrientes por el Asiento. Y si de los

dichos ajustes resultase que hayan recibido
mas número de raciones que el correspondiente á su haber mensual segun revista, todo el exceso mando se cargue respectivamente á los mismos Cuerpos con aumento
sobre los indicados precios del Asiento, y
con proporcion á ellos, de una quarta parte en las raciones de Pan, y de un tercio
en las de Cebada y Paja, para evitar por
este medio que la Tropa saque de la Provision de Víveres mas raciones de las que la
pertenezcan por revista.

276

Si despues de concluidos los ajustes en
la forma prevenida por el Artículo antecedente justificasen los Regimientos en las revistas de los meses siguientes algun abono de
Plazas que no pudieron acreditar en el acto
de la del mes, ó meses ya ajustados, en
tal caso se reintegrará á los mismos Regimientos en dinero por mi Real Hacienda todo el gravámen que hubiesen recibido en el
ajuste, ó ajustes de los propios meses por

no haberles llegado á tiempo las justificaciones de dichos abonos para comprehenderlos en los respectivos Extractos : de modo que si, por no haberse abonado algun número de Plazas en la revista del mes á que pertenecían, quedó debiendo en su ajuste el Cuerpo otras tantas raciones como las que correspondiesen á ellas, y se le cargaron con los aumentos prevenidos en el citado Artículo anterior, deberá, en estas circunstancias, reintegrársele la misma cantidad que se le cargó en el ajuste; y si, al contrario, en él alcanzó el tal Regimiento algun número de raciones, entónces se le bonificará el nuevo alcance que de ellas justifique por aquel mes á los precios menores que para semejantes alcances quedan indicados en el referido Artículo; pues mi Real ánimo es que, así el cargo de los sobreprecios en él prefinidos, como el abono con las rebaxas de precios allí expresadas, solo se verifiquen respectivamente en los dos casos de que, ó las raciones tomadas por la Tropa excedan del legítimo haber que la pertenezca segun revista,

ó de que por razon de él resulte á favor de
la misma Tropa algun alcance de raciones,
despues de considerarla en úno y ótro todo
el haber y cargos de cada mes en qualesquiera tiempos que los justifiquen los Regimientos y los Asentistas.

277

En todas las dependencias y causas que
se ofrecieren sobre provision de las Tropas
y sus Dependientes han de conocer los Intendentes con privativa jurisdiccion como peculiar encargo de sus empléos, con las apelaciones á la Junta Superior de Hacienda; y
harán observar exâctamente lo que en mi
Real nombre se concediere y pactare con
los Asentistas, sin que se les ponga embarazo alguno, ni se les cause el menor perjuicio.

278

Si en las marchas y tránsitos de las Tropas, ó en los parages adonde se las destina-
se, fuere indispensable por falta de Quarteles que se alojen en Casas de particulares,

procurarán los Intendentes y las Justicias de los Pueblos, de acuerdo con los Comandantes militares ó Aposentadores, que, observándose en quanto fuese dable lo prevenido para estos casos en el Artículo 3 título 14 tratado 6 de las Ordenanzas del Exército (*), experimenten los vecinos la menor incomodidad y extorsion que sean posibles, y que siémpre se pongan con inmediacion á los Soldados Oficiales que los contengan, haciéndoles guardar la mas exâcta disciplina, y el buen trato con sus Patrones y demas Naturales, baxo las penas establecidas en los Artículos de las mismas Ordenanzas que se citan en el 280 de esta Instruccion, las quales les impondrán respectivamente sus Gefes; y de lo contrario dará cuenta el Intendente de la Provincia al Virréi, ó al Comandante-General de las Fronteras si fuese de las de su mando, á fin de que no queden sin castigo los excesos ó violencias que sufrieren mis Vasallos.

(*) *Hállase baxo el* Núm.º 37.

279

Para la exâcta observancia de las enunciadas reglas siempre que la Tropa haya de alojarse en casas de particulares, dispondrán los Intendentes que en las Ciudades, Villas y Lugares de las Provincias, hagan y tengan anticipadamente sus Alcaldes y Jueces una jurídica y formal descripcion de todas las casas de que se compongan, con expresion de los dueños, ó vecinos que las habitan, y de la capacidad ó estrechez de ellas.

280

Siempre que los Pueblos por donde transitaren Tropas, ó en que estuviesen destacadas, no fueren Plazas ó Lugares en que haya Quarteles para su alojamiento, y le tomaren en casas de particulares, serán obligados los Sargentos Mayores, y en su defecto los Comandantes, á sacar, quando salgan de ellos, una Contenta de la Justicia Ordinaria para hacer constar en todo tiempo no haber cometido la Tropa de su mando desórden alguno, ni recibido en especie ni en dinero mas de lo que se la permite y manda por el Artículo 2 título 14 tratado 6 de las Ordenanzas del Exército (*) Y supuesto que los Intendentes han de cuidar con especial atencion, como va prevenido, de que mensual y puntualmente se dén á la Tropa sus pagamentos, no podrán tener disculpa, ni disimularse los excesos de ella ; y por lo mismo mando que si algun Regimiento, Compañía, Destacamento, Partida, Oficial ó Soldado suelto, con Pasaporte, Itinerario, Seguro ó sin él, hiciere daño ó extorsion á mis Pueblos, ó á alguno de mis Vasallos, yá insultándolos ó maltratándolos, ó yá tomando de ellos dinero, frutos, géneros, ú otras cosas que no correspondan á las mismas Tropas conforme al citado Artículo 2, aunque sea á título de dádiva voluntaria, procedan los Intendentes, ó las Justicias de su órden, á justificar el ultraje ó agravio en el término de ocho dias; y hecha la informacion sumaria de sus circunstancias, ó de su importe, segun los casos, la remitan al Virréi, ó al

(*) *Hállase baxo el* Núm.º 38 *con los demás Artículos que despues se citan.*

Comandante-General de las Fronteras si fuere en su distrito, para que, conforme á la gravedad de ellos, y á lo que en su razon se dispone por los Artículos 4 y 10, títulos 13 y 14 tratado 6 de las mencionadas Ordenanzas del Exército, y en ótros del título 10 tratado 8 de las mismas, castigue á los delinqüentes, y provéa á la indemnizacion del perjuicio. Y con arreglo á lo determinado por qualquiera de los dichos Gefes militares, que lo ha de comunicar á su tiempo á los respectivos Intendentes, dispondrán éstos el resarcimiento de daños con lo que para ello haya de desembolsar el Cuerpo de que fuesen los agresores, cuidando de que las Justicias distribuyan puntual y enteramente las cantidades á los agraviados con proporcion á lo que cada uno hubiere padecido, y apercibiéndolas que resarcirán de sus bienes las partidas que retuvieren, y otro tanto mas.

281

Quando en alguno de los casos de que trata el Artículo antecedente no se pueda

averiguar quiénes son los culpados para que
procedan específicamente los Gefes militares
al castigo y desagravio, ordeno que entónces se pague sin dilacion el importe á costa
del Cuerpo de que fuese la Compañía, el
Destacamento ó la Partida, hasta que, descubiertos los delinqüentes, se les haga la
baxa necesaria al reintegro conforme á lo
prescripto en los Artículos de las enunciadas Ordenanzas militares que quedan citados
en el anterior.

282

Para que se pasen mensualmente las Revistas de los Cuerpos, Destacamentos y Estados Mayores que hubiere en las Provincias, las pedirán, y fixarán el dia (que ha
de ser del 5 al 15) los Ministros de Real
Hacienda Contadores y Tesoreros, yá Generales, ó yá Principales ó Foraneos, pues
únos y ótros han de hacer en aquel Reino,
y en sus respectivos distritos, las funciones
de Comisarios de Guerra, con el Uniforme
y prerogativas de ellos; y en los parages

donde no hubiese estos Ministros propietarios y sean mui distantes de las Capitales,
nombrarán los Intendentes personas de toda su confianza en calidad de Comisarios
substitutos, prefiriendo á los Dependientes
de mi Real Hacienda donde los hubiere, y
dando cuenta al Intendente General de Exército para su aprobacion; pero entendiéndose que estos últimos no han de vestir el
Uniforme, y que será privativo de los Gobernadores de las Plazas, ó Comandantes
de las Armas, dar la hora, y señalar el parage en que se hayan de verificar las dichas
Revistas.

283

Como las Revistas son el principal instrumento que legitima los pagos y subministraciones que se hagan á las Tropas, Oficiales y demas Individuos pertenecientes á
Guerra, han de zelar los Intendentes con
el mayor cuidado la exâctitud y formalidad
que en ellas deben observar los Contadores,
Tesoreros y Comisarios substitutos de sus

Provincias, pasándolas por filiacion, y explicando claramente en sus Extractos los que se hayan de considerar presentes ó ausentes, para que no se ofrezca duda ni confusion al tiempo de los ajustamientos en perjuicio de los Cuerpos, ó de mi Real Hacienda, á cuyo efecto señalarán los que deban bonificarse con la letra *P* como presentes, y con la *A* los ausentes que debieren excluirse, usando la misma claridad y distincion en las Notas de los Extractos. Y por lo respectivo al abono de Enfermos, Destacamentos y Oficiales empleados en reclutas, cobranzas, ú otras indispensables diligencias del bien de los Cuerpos, que consten por legítimas Certificaciones , procederán tambien con toda exâctitud poniéndolos en el Extracto en esta forma : *Enfermos, como presentes : Destacados, como presentes : Empleados, como presentes*. Pero los dichos Extractos no se admitirán por los Intendentes, ni en las Contadurías de Exército y Principales sin que el Cabo militar que hubiere intervenido en la Revista haya puesto en cada uno debaxo de la firma del que hubiese hecho de Comisario (que ha de ocupar el mejor lugar como lo tengo declarado por ser este acto propia y privativa funcion suya) lo siguiente : *Intervine en esta Revista Yo el infrascripto* (aquí su nombre y apellidos), *y está executado este Extracto segun el número de Oficiales, Sargentos y Soldados que han estado presentes y efectivos, sin que se hayan restituido ni asistido á ella los que se declaran que están destinados y empleados* : entendiéndose que esto mismo, autorizado con su firma, ha de poner el dicho Cabo militar en todos los Extractos que para ello le pasare el Comisario, confrontándolos ántes con su Lista como que ha de ser igualmente responsable que aquél del fraude que resultare en lo efectivo, y en los empleados y destacados, y suspendiendo la dicha intervencion si hallare alguna dificultad ó diferencia, de que dará parte al Intendente para que tome con el Comisario la providencia correspondiente á su falta.

284

A fin de que lo prevenido en el Artículo antecedente, y en algúnos del título 9 tratado 3 de las Ordenanzas del Exército (*), se execute y observe con la debida puntualidad, será precisa obligacion de los Intendentes reconocer los Extractos de Revista, y reparar en ellos todo lo que no estuviere conforme á unas y á otras reglas, sin descuidar en esta confianza por los muchos perjuicios que se pueden seguir de su omision. Y para que en ello no la haya en ningun tiempo, quiero que los Contadores, Tesoreros y Comisarios substitutos les entreguen ó remitan por quatriplicado los expresados Extractos, y tambien todos los documentos y justificaciones originales que se les hubiesen presentado por los Cuerpos, á quienes hayan pasado revista, para el abono de los Oficiales, Soldados y demás nó efectivos y presentes en ella, á fin de que, reconocidos y exâminados por los mismos Intendentes con la mayor prolixidad, y hallando

(*)
Hállanse baxo el Núm.º 39.

ser legítimos los abonos que hubieren executado en su virtud, los pasen á la Contaduría Principal de la Provincia para que se
archiven en ella, dándose por los Ministros
que la sirvan un competente resguardo respectivamente á los Contadores y Tesoreros
Foraneos, ó Comisarios substitutos que hubiesen remitido los tales documentos, como
que ellos han de servir á su descargo en
qualquiera resulta; y de los referidos Extractos dexarán los Intendentes uno en su
Secretaría, y enviarán los otros tres al General de Exército, quien remitirá dos por
principal y duplicado á mi Secretario de Estado y del Despacho de Indias, y pasará el
ótro á la Contaduría General de Exército y Real Hacienda. Pero si por el prevenido exámen se reconociere que alguno
de los Ministros de Real Hacienda en quanto Comisarios de Guerra, ó de los dichos
Substitutos, haya acreditado mas haber del
que pertenezca al Cuerpo que le presentó
los enunciados documentos y justificaciones,
ó que éstas ó aquéllos no fueron legaliza-

dos en debida forma, harán los Intendentes subsanar inmediatamente el perjuicio que de semejante abono resultase á mi Real Hacienda sobre el sueldo corriente del Ministro que lo hubiese hecho, ó sobre qualquiera crédito ó alcance que tenga contra ella, providenciando al mismo tiempo lo conveniente para que el Cuerpo no perciba mas caudal del que legítimamente le pertenezca.

285

Hallándose acampadas algunas Tropas, y señalado el dia para revistarlas, tomará el Intendente, con acuerdo del Comandante de ellas, las precauciones que ámbos juzgaren convenientes para evitar que se presten Soldados de unos á otros Regimientos aumentando sus Plazas, y cautelar otros qualesquiera fraudes; á cuyo efecto convendrá se revisten á un tiempo los mas Cuerpos que sea posible segun el número de Ministros destinados para ello, acordando tambien que, ademas de estar formados en órden de batalla como previenen las citadas Ordenanzas del Exército, se pongan Guardias entre los mismos Cuerpos para que no permitan pasar Soldados de únos á ótros miéntras estén en el acto de la Revista.

286

Si en algun mes dexare de revistarse qualquiera Cuerpo por estar en marcha, ó parage mui distante en que tenga cerrada ó difícil la comunicacion, lo representarán los Intendentes de Provincia al General de Exército á fin de que les prevenga, de acuerdo con el Virréi, la forma en que se deberán habilitar los Extractos sobre que se hayan de hacer los ajustes para las pagas y subministraciones.

287

Siempre que el Intendente General de Exército, ú ótro con exercicio en las funciones de tal, pase con Tropas por alguna Provincia, ó que se extiendan en ótras las que estén á su cuidado y baxo el mando de un solo Gefe militar, deberá prevenir á los Intendentes Provinciales lo que hayan de practicar en lo que se ofreciere y necesitare, y por consiguiente podrá dar las órdenes que convengan á las Justicias Subalternas de las mismas Provincias si no hubiere tiempo de dirigirlas por medio de los respectivos Intendentes, observando éstos y aquéllos todo lo que se les previniere por el de Exército para la subsistencia en los tránsitos, y lo demas conducente á sus encargos.

288

Quedando, segun va prevenido en los Artículos 250 y 251, al cuidado de los Intendentes la economía y policía en general de las Tropas, y de todo lo perteneciente á Guerra, han de estar inmediatamente á sus órdenes los Comisarios de qualquiera clase que sean, los Contadores y Tesoreros, y todos los Dependientes de Hospitales y Provision, debiéndoles dar las reglas y disposiciones para los Almacenes de ambos ramos en la forma mas conveniente á mi servicio; con advertencia de que en caso de correr por administracion de cuenta de mi Real Hacienda propondrán al Superintendente Subdelegado de ella todos los que debieren ser empleados en las mismas provisiones de Víveres y Hospitales, para que sirvan estos encargos con los sueldos que, con acuerdo de la Junta Superior de Hacienda, les señalare el propio Superintendente en sus nombramientos, que han de ser puramente interinos, pues si fueren estables, ó perpetuos, me dará éste cuenta para que recaiga mi Real aprobacion, ó nombre los que sean de mi Soberano agrado.

289

Quando la Tropa se halle en Campaña es indispensable establecer repuestos de Víveres y Hospitales para su subsistencia y curacion, y deberán hacerlo los Intendentes quando no se execute por asiento; pero en ambos casos han de arreglar sus providencias á la disposicion del General ó Comandante, atendiendo á todas las circunstancias del número de Tropas, estacion del tiempo y calidad de las operaciones, y formando cómputos individuales de quantos renglones se necesiten, á fin de llenar estos importantes objetos con oportunidad y la posible economía. Y dando tambien las reglas precisas para que de tódo se lleve la debida cuenta y razon, con Libros de entrada y salida de enfermos, y Estados diarios de los que hubiere en cada Hospital firmados del Comisario de entradas, y visados del Contralor, harán que éste los visite dos veces al dia, úna por la mañana temprano, y ótra por la tarde antes de anochecer, para que les informe de todo lo que en ellos ocurriere. Y lo mismo que va prevenido en quanto al establecimiento, régimen y direccion de los Hospitales de Campaña se deberá practicar en los de Ciudades, Plazas y Quarteles; observando en únos y ótros los dichos Comisarios de entradas y los Contralores, en la parte que les toca, lo dispuesto en el Artículo 2 título 28 tratado 2 de las Ordenanzas generales del Exército (*).

(*) *Hállase baxo el* Núm.º 40.

290

Establecerán asimismo Almacenes de reserva en los parages donde fueren convenientes, á proporcion de lo que se necesite en cada uno, haciendo primero un tantéo de su importe, y representándolo á la Junta Superior de Hacienda, por mano del Superintendente Subdelegado, para que dé su aprobacion y providencias; y harán se visiten por los Ministros de Real Hacienda, ó sus Comisarios, y que les entreguen ó remitan Relaciones mensuales de su estado y calidad á fin de comunicar en tiempo oportuno, y antes que se pierdan los géneros, las órdenes de renovarlos en igual porcion, ó de venderlos para executar lo mismo con su producto usando de todas las economías posibles.

291

En los Quarteles fixos que ocuparen las Tropas es mi voluntad exônerar á los Pueblos de todo género de gravámen, y en su conseqüencia ordeno á los Intendentes que, en donde no los hubiere surtidos de Camas para los Soldados, las pongan de cuenta de mi Real Hacienda segun el temperamento y práctica del pais; y que tambien zelen su conservacion, haciendo llevar buena cuenta del número de las que sirvan á proporcion de los Soldados efectivos sobre Certificaciones de los Ministros que deban darlas, y que se entreguen las dichas Camas con recibos de los Sargentos Mayores, ó sus Ayudantes, para restituirlas en caso de mudarse el Cuerpo, pues siendo responsable de las que faltaren, se le descontará su importe, y executará el reemplazo de ellas.

292

Porque tambien debe ser del peculiar encargo de los Intendentes la inspeccion y conservacion de los Almacenes de Guerra que hubiere en las Plazas ó Pueblos de su distrito, pedirán cada mes á los Contralores ó Guarda-Almacenes un Estado individual de las existencias de Artillería y sus Montages,

Pólvora, Armas, Municiones, Pertrechos, Instrumentos y demas géneros que tuvieren, con individual expresion de su estado y calidad, para, con acuerdo del Intendente General de Exército, dar destino á lo inútil, y providencia de recomponer y conservar lo que sea de servicio, reemplazando lo que faltare por lo que conste haberse consumido; y á fin de evitar qualquiera pérdida ó extravío, harán visitar freqüentemente dichos Almacenes por los respectivos Ministros de Real Hacienda, como Comisarios de Guerra, para que reconozcan si es qual corresponde el modo y separacion con que estuvieren los efectos almacenados.

293

Sin embargo de que los Contralores y Guarda-Almacenes de Artillería, sus Ayudantes y demas Dependientes, corren baxo de diferente inspeccion; como quiera que toca al Ministerio de los Intendentes zelar todo lo que pertenece á mi Real Hacienda, y es directamente de su cargo dar providencia para los gastos que se necesitaren, deberán aquéllos tenerles la subordinacion que corresponde, y darles todas las noticias que les pidieren. Y si en tiempo de guerra se destinare algun Tren de Artillería, propondrán al Superintendente Subdelegado por el tiempo que durare la expedicion, y para los fines prevenidos en el Artículo 288, los Contralores y demas sugetos que se necesitasen para la buena cuenta y razon de los efectos y cosas que se pusieren á su cuidado, y por consiguiente conocerán de las causas que se ofrezcan de dichos empleados.

294

Si fuere necesario establecer algunos Armeros que recompongan ó fabriquen las armas de cuenta de mi Real Hacienda con beneficio de ella, dispondrán su execucion y práctica como mas convenga; y del propio modo atenderán á la conservacion de las Fábricas de Artillería y demas pertenecientes á Guerra, si las hubiere, dándome cuenta por la Via reservada, como tambien al Vir-

Ddd

réi ó al Comandante-General de las Fronteras respectivamente, y al Superintendente Subdelegado de mi Real Hacienda, de todo lo que dispusieren sobre estos asuntos, ó estimaren mas útil á mi servicio.

295

Igualmente será de su cargo el apronto de todas las prevenciones para la Artillería, y su servicio, pólvora, madera, instrumentos y otras cosas que para qualquiera operacion ó trabajo se necesiten, como tambien las disposiciones de su conduccion, y expedir las órdenes convenientes para ella, poniéndose ántes de acuerdo con el Comandante militar en quanto á las cantidades que de qualquiera género se hayan de prevenir, y los parages á donde se deban llevar.

296

El ocurrir oportuna y anticipadamente á la reparacion de las Fortificaciones de Plazas ó Castillos, y ruinas de Quarteles y Almacenes, trahe á mi Real Hacienda la conveniencia de hacerse á costa de insensibles y cortos dispendios, lo que no sucede quando se dá lugar á que el descuido en estas importancias haga las Fortalezas indefensas, y aumente las ruinas de forma que se necesiten considerables gastos para su reparo: Por cuyos motivos atenderán los Intendentes con mui particular cuidado á tener noticias prontas de quanto se ofrezca en este punto, encargando á los Ingenieros que hubiere se apliquen incesantemente, segun su instituto, á la visita y reconocimiento de las Fortificaciones, y les informen con puntualidad de las obras precisas que necesiten, con expresion de la calidad y cantidad de ellas, y exâcta regulacion de su coste, para representarlo al Virréi, ó al Comandante-General de las Fronteras si fuere en su distrito, y al Superintendente Subdelegado de mi Real Hacienda á fin de que acuerden lo que mas convenga á mi servicio en quanto á lo que haya de repararse, y en su conseqüencia se determinen por la Junta Superior de Hacienda las providencias relativas á su execucion con la prontitud que recomienda el asunto, informándome de tódo al mismo tiempo por la Via reservada de Indias.

297

Para la execucion de gastos extraordinarios, de qualquiera calidad que sean, deben preceder todas las formalidades prescriptas en el Artículo 105 de esta Instruccion, á ménos de ser urgentes y executivos como reparacion de Almacenes, conducciones, ú ótros igualmente necesarios; pues sólo en estos casos podrán los Intendentes anticipar sus providencias con acuerdo de la Junta Provincial de Real Hacienda, y representar después á la Superior por mano del Superintendente Subdelegado para que las apruebe interinamente miéntras que, dándoseme por ella cuenta, tenga Yo á bien dispensar mi Real aprobacion.

298

Con particular cuidado zelarán los gastos extraordinarios que ocurran en el caso de una guerra, á fin de evitar los abusos que suelen experimentarse con motivo de gratificar Soldados que se empléan en los trabajos de formar Trincheras, ó fortificar Campamentos, acordándose para ello con el Capitan ó Comandante-General, en inteligencia de que lo que se les diere será voluntaria consideracion á sus aplicaciones segun procuraren merecerla, y nó deuda precisa, pues deben hacer qualesquiera faenas á que sean destinados; y lo mismo se practicará con el Cuerpo de Artilleros, procurando observar en tódo la posible economía, y que quando se tuviere por conveniente socorrerlos y alentarlos con alguna recompensa , sea proporcionada á la fatiga ó peligro en la obra ó encargo que tuvieren.

299

Aunque todos los puntos expresados son de la privativa inspeccion de los Intendentes baxo las reglas y términos prefinidos, en que han de dirigirlos, zelarlos y promoverlos , deben tener presente que para su

mejor éxîto, y la mas acertada expedicion,
es mi Real voluntad que en todo lo perteneciente á Guerra tengan los de Provincia
la debida subordinacion al General de Exército, y que así éste como aquéllos guarden la
que corresponde al Virréi y al Comandante-General de las Fronteras como Gefes superiores de las Provincias de sus mandos,
y que observen buena correspondencia con
los demas Gefes militares por ser materias
de tanta importancia que, interesando directamente mi Real servicio y la gloria de mis
Armas, conducen al aumento de mis Dominios, y universal conveniencia de mis Vasallos Americanos: en cuya conseqüencia los
Intendentes comunicarán á dichos Gefes superiores respectivamente todas las órdenes
que se les dirigieren sobre disposiciones en
general, ó particular de la policía y economía de Tropas, subsistencia y curacion de
ellas, Almacenes de guerra, reparaciones y
obras de Plazas ó Castillos, Fábricas, Fun-
diciones y providencias de Quarteles en
tiempo de paz; como igualmente en el de

guerra de todo lo que mire á ella, prepa-
rativos conducentes á las expediciones y operaciones que se idearen, fondos para la manutencion y gastos extraordinarios, víveres,
convoyes y trenes que se previnieren: entendiéndose esta comunicacion en aquellas
cosas para cuya execucion hubieren de intervenir las órdenes del Virréi ó del dicho
Comandante-General, ó de que debieren estar noticiosos y enterados; representándoles
los Intendentes sobre lo que ocurriere y pen-
da de sus disposiciones para que, contribuyendo al buen éxîto, les auxîlien y autoricen,
como deberán hacerlo. Y respecto de que
para la execucion de todo lo demas que privativamente les compete tocante á dependencias de Justicia, Hacienda y Policía en
lo gubernativo de sus Provincias, podrán tal
vez necesitar del auxîlio militar, acudirán
en estos casos con sus representaciones á los
expresados Gefes superiores, ó á los respectivos Comandantes, quienes observando la
misma buena correspondencia con los Intendentes y mi resolucion en esta parte, apo-

yarán, como se lo mando, todo lo que exe-
cutaren.

300

Por ser mi Real intencion establecer á
los Intendentes con toda la autoridad que
conviene para el logro de unos objetos que
tanto conducen al buen régimen, conservacion y felicidad de aquellos Dominios, ordeno y encargo mui particularmente al Vir-
rei de México, Capitanes-Generales y Comandantes militares de las Provincias de su
mando, Reales Audiencias y demas Tribunales, autoricen y auxîlien sin reparo alguno todas sus disposiciones, guardándoles y
haciéndoles guardar las preeminencias correspondientes á sus distinguidos empléos y
caracter, y obrando de acuerdo con ellos en
quanto se necesitare y conduxere á estos fines importantísimos.

301

Quiero y mando tambien, que en los Consejos ó Juntas de Guerra que tuvieren los

Virreyes, Capitanes ó Comandantes Generales, para qualquiera expedicion, distribucion ó movimiento de Tropas, hayan de concurrir los Intendentes, no sólo para proponer lo que se les ofreciere sobre los puntos expresados de su inspeccion, sino tambien para que se enteren de todo individualmente á fin de tomar con el posible acierto sus medidas, y arreglar las disposiciones necesarias, debiendo en dichos Consejos, ó Juntas ocupar el Intendente General de Exército el lugar despues del Virréi ó Comandante-General; y si fueren sólo Intendentes de Provincia con exercicio en las funciones de Exército, tendrán el asiento inmediato á los Brigadieres, prefiriendo á todos los demas Oficiales que concurran. Pero quando la Junta sea de Fortificacion en alguna Plaza, se observará lo dispuesto en el Artículo 4 título 6 tratado 1 de las Ordenanzas expedidas en 22 de Octubre de 1768 para el servicio del Cuerpo de Ingenieros (*).

(*)
Hállase baxo el Núm.º 41.

302

Con el fin de que á vista de mis Reales Tropas y de los Pueblos esté el Intendente de Exército con el decoro y autoridad que le concedo , le guardarán , y harán guardar por obligacion los Virreyes, Capitanes ó Comandantes-Generales, y demas Oficiales Comandantes y Particulares , los mismos honores militares que tienen los Mariscales de Campo, y le darán igual Guardia que á éstos, con arreglo en úno y ótro á los Artículos 8 y 40 de los títulos 4 y 1 tratado 3 de las últimas Ordenanzas del Exército (*) ; y quando fallezca se le harán los honores fúnebres declarados á los mismos Oficiales Generales en el Artículo 48 título 5 del dicho tratado, pues así lo tengo resuelto por punto general á Consulta de mi Supremo Consejo de Guerra de 6 de Mayo de 1779. Y por lo mucho que conviene á mi servicio condecorar tambien á los Intendentes de Provincia en todas las de aquel Reino para que mis Vasallos res-

(*) *Hállanse baxo el* Núm.º 42 *con los demas Artículos que despues se citan.*

peten sus Personas, y las amplias facultades que les confío, vengo en concederles la
graduacion, honores, prerogativas y uniforme de Comisarios Ordenadores entre tanto que se arregla el correspondiente á su
clase, y el tratamiento que determina el Artículo 3 título 6 tratado 3 de las citadas Ordenanzas; y mando que el Virréi y el Comandante-General de las Fronteras les deleguen respectivamente su Jurisdiccion militar, y que, donde hubiere Tropas, les dén
sus Oficiales Comandantes la Guardia que
el Artículo 43 título 1 del referido tratado
señala á todo Coronel, la qual les hará los
honores que el propio Artículo previene, y
les servirá de escolta en sus viages siempre que la pidan: siendo igualmente mi Soberana voluntad que quando alguno de los
dichos Intendentes fallezca en parage que
haya Tropas, se le hagan por ellas los honores fúnebres que en el Artículo 52 título 5 tratado 3 se prefinen con referencia
al 50 del mismo título y Ordenanzas del
Exército.

303

Como es mi Real voluntad asimismo que estos Magistrados gocen dotaciones suficientes con que mantener la decencia de su caracter, les señalo por sueldos anuales: al Intendente General de Exército, Superintendente Subdelegado de aquella mi Real Hacienda, doce mil pesos sobre Tesorería General de ella; y sobre las Principales respectivas siete mil pesos á cada uno de los Intendentes de las Provincias de la Puebla, Veracruz, Guadalaxara y Arispe: seis mil á los de las de Oaxaca, Valladolid, Guanaxuato, San Luis Potosí, Zacatecas y Durango; y cinco mil pesos al Intendente de la de Mérida de Yucatán: entendiéndose inclusos en las dichas asignaciones los gastos de la Secretaría y escritorio de cada Intendencia, con absoluta prohibicion de que puedan ocupar en aquélla los Subalternos destinados en otras Oficinas de mi Real Hacienda. En cuya consideracion, y de los ascensos que á los dichos Magistrados les concederé en aquéllos y estos Reinos, declaro que ninguno de ellos ha de pretender ni recibir (á excepcion de los derechos de firmas segun Arancel en los negocios que no sean de pobres ni de oficio) otra cosa, ó cantidad á título de salario, gratificacion ni ayuda de costa por la Superintendencia, Conservaduría ó Proteccion de las Rentas, Asientos ú otras qualesquiera dependencias, yá sea que se administren de cuenta de mi Real Hacienda, ó yá de la de Arrendadores y Asentistas, como tampoco por Gobernadores, ó Corregidores, ni por la Subdelegacion de Corréos, si la tuvieren, que se dirigen y gobiernan separadamente. Y aunque el reconocimiento, zelo, caracter y demas obligaciones de unos Ministros distinguidos, de quienes hago tanta confianza, me prometen la puntual observancia de esta regla invariable, en que se interesa mi Real servicio igualmente que el alivio de aquellos mis amados Vasallos, declaro tambien que si algun Intendente, olvidado de lo que se debe á sí mismo y á mis justas resoluciones, contraviniere á este establecimiento, incurrirá en mi Real indignacion, y será depuesto de su empléo, quedando inhábil para ocupar ótro alguno en mis Dominios.

304

Atendiendo á las importantes facultades que en las quatro Causas de Justicia, Policía, Hacienda y Guerra concedo á los Intendentes, y á los demas fundamentos que se tuvieron en consideracion para sujetar á fianzas en estos Reinos los de sus Provincias, mando que los de las de la Nueva-España, antes de entrar á servir sus empléos, afiancen por las resultas de su vasta administracion en la cantidad de diez mil pesos cada uno á contento del Tribunal de la Contaduría de Cuentas, y en la forma que prescriben las Leyes recopiladas de aquellos Dominios para las que deben dar varios empleados en mi Real Hacienda; quedando exênto de esta obligacion el Superintendente Subdelegado por las preeminencias de su empléo y facultades.

305

Así como los Magistrados de Indias están sujetos al juicio de la Residencia quando salen de sus empléos, así tambien quiero y es mi voluntad que lo estén los Intendentes del referido Reino por lo respectivo á los cargos de Justicia, Policía y Gobierno que les cometo como á tales Corregidores; entendiéndose esto mismo para con sus Tenientes, Subdelegados y demas Subalternos, despachándose estas· Residencias por mi Consejo de las Indias, observándose en su razon lo prevenido por las leyes 69 título 15 libro 2, y 8 título 12 libro 5, y remitiéndose al mismo Tribunal conclusos y sentenciados los autos de ellas para que, vistos, provéa lo que fuere de justicia.

306

Y para que todo lo prevenido en esta Instruccion tenga su puntual y debido efecto, ordeno y mando á mi Supremo Consejo y Cámara de Indias, Reales Audiencias

y Tribunales de la Contratacion y de la
Nueva-España, á su Virréi, Capitanes-Generales, Comandantes en Gefe, Oficiales y Cabos militares, Ministros, Jueces y demas Personas á quienes tocare y perteneciere en tódo
ó en parte, se arreglen precisamente á esta
Instruccion y Ordenanza, executándola y ob-
servándola con la mayor exâctitud en lo que
corresponda á cada uno, y especialmente
los referidos Intendentes de Exército y Provincia, teniendo todo lo contenido en ella
por Lei y Estatuto firme y perpetuo, y
guardándolo, y haciéndolo observar inviolablemente sin embargo de otras qualesquiera
Leyes, Ordenanzas, establecimientos, costumbres ó prácticas que hubiere en contrario, pues en quanto lo fueren las revoco
expresamente, y quiero no tengan efecto
alguno; prohibiendo, como prohibo, el que
se interprete ó glose en ningun modo, por
que es mi voluntad se esté precisamente á
su letra y expreso sentido, y que sólo se
pueda suspender la práctica de lo que dispone quando no haya razon de dudar del

perjuicio que de ella resultaría. Y encargo
con mucha especialidad al mui Reverendo
Arzobispo , Reverendos Obispos y Venerables Cabildos de las Santas Iglesias Metropolitana y Catedrales, Provisores y Vi-
carios Generales , y demas Jueces , Curas
Párrocos y Personas Eclesiásticas de aquel
Reino , Prelados de las Religiones , Prefectos y Misioneros establecidos en las Reducciones de Indios , que tódos contribuyan y auxîlien eficazmente el puntual cumplimiento y observancia de lo mandado y
dispuesto en esta mi Real Instruccion , evitando por quantos medios sean posibles qualesquiera competencias ó embarazos , que
siémpre serán de mi Real desagrado como
perjudiciales á la administracion de justicia,
y al buen gobierno, quietud y felicidad de
los Pueblos : A cuyos fines he mandado
despachar la presente firmada de mi Real
mano , sellada con mi Sello secreto , y re-
frendada de mi infrascripto Consejero y Secretario de Estado y del Despacho Universal de las Indias. Dada en Madrid á qua-

tro de Diciembre de mil setecientos ochenta y seis. = YO EL REI. = Josef de Gálvez.

Es Copia de la Original.

Sonora

LEYES

DE LA

RECOPILACION DE INDIAS,

CÉDULAS REALES,

ORDENANZAS

Y OTRAS SOBERANAS DECLARACIONES

QUE DEBEN GOBERNAR

PARA EL CUMPLIMIENTO DE LO QUE SE DISPONE

EN LOS ARTÍCULOS

DE LA INSTRUCCION,

QUE IRÁN CITADOS.

Número I

Corresponde al Artículo 11.

Del Libro 5 título 3, las leyes 1, 2, 3, 4, 5, 6, 7, 8 y 9.

Número 2

Corresponde al Artículo 19.

Real Cédula de 18 de Noviembre de 1773.

EL REY.

Por quanto habiéndome representado con testimonio Don Miguel de Altarriba, siendo Intendente de Exército y Real Hacienda de la Isla de Cuba y Ciudad de San Christobal de la Habana, en Carta de veinte y seis de Marzo del año próximo pasado, los perjuicios é inconvenientes que se seguían del abuso con que las Partes promovían en los Pleitos las recusaciones de Letrados Asesores: visto en mi Consejo de las Indias con lo que en su inteligencia expusieron mis Fiscales, y consultádome sobre ello en primero de Octubre de este año, he resuelto declarar por regla general, como por la presente mi Real Cédula declaro, que en la expresada Ciudad de la Habana, y demas Juzgados y Tribunales de América é Islas Filipinas, no se puedan admitir recusaciones evidentemente frívolas, ni para determinaciones interlocutorias, como no tengan fuerza de Autos difinitivos, ó incluyan gravámen irreparable para ellos. Que en ningun evento se admitan tampoco recusaciones universales de *todos los Abogados de la Ciudad, de la Provincia ó del Reino*; y que jamas se puedan recusar sino solos tres Abogados por cada Parte litigante; pero que esto se entienda en el caso de que en la Ciudad, ó su inmediacion queden otros idoneos de quienes los Jueces puedan valerse, pues este paso les debe quedar salvo, reglando por él el número de Letrados que puedan recusarse, sin que el de los tres que se permite á las Partes tenga lugar en el caso de que al Juez, ó Jueces no les queden otro, ú otros con quienes asesorarse oportunamente sin grave detrimento de las Partes, ni detencion notable en la administracion de Justicia. Por tanto, ordeno y mando á mis Virreyes del Perú, Nueva-España y Nuevo-Reino de Granada; á los Presidentes, Audiencias, Intendentes, Gobernadores, Corregidores, y demas Jueces y Justicias de los expresados mis Dominios de América é Islas Filipinas, que cada uno, en la parte que respectivamente le tocare, guarde, cumpla y execute, y haga guardar, cumplir y executar puntual y efectivamente la referida mi Real resolucion, sin contravenir, ni permitir que en manera alguna se contravenga á ella, por ser así mi voluntad. Fecha en San Lorenzo á diez y ocho de Noviembre de mil setecientos setenta y tres. = YO EL REI. = Por mandado del Rei Nuestro Señor : Pedro Garcia Mayoral.

Número 3

Corresponde al Artículo 27.

Del Libro 5 título 2 , las leyes 15, 16, 17 , 18 , 19, 20 y 22.

Número 4

Corresponde al Artículo 43.

Del Libro 4 título 13 , las leyes 4 y 10.

Número 5

Corresponde al Artículo 54.

Del Libro 5 tít. 8 , todas las leyes que éste comprehende.

Número 6

Corresponde al Artículo 55.

Del Libro 2 título 25 , la lei 29.

Número 7

Corresponde al Artículo 60.

Del Libro 7, todas las leyes de su título 4, la 4 del título 5, y la 10 del título 8.

Número 8

Corresponde al Artículo 61.

Del Libro 4 título 7, las leyes 7, 13 y 14.

Número 9

Corresponde al Artículo 80.

Real Cédula de 21 de Febrero de 1786.

EL REY.

Con presencia del crecido atraso en que se hallaba el ramo de Penas de Cámara de mi Consejo de las Indias, y de lo representado en el asunto por una Junta compuesta de Ministros del mismo Tribunal, me hizo éste presentes los medios que consideró conducentes para que dicho ramo pudiese satisfacer sus empeños , y ocurrir á la satisfaccion de sus cargas. Conformándome con lo expuesto por el expresado mi Consejo en Consultas de treinta de Abril de mil setecientos ochenta y tres , y veinte y siete de Mayo de mil setecientos ochenta y quatro , he resuelto que se aplique á su Receptoría el ramo de multas que en lo sucesivo se exîjan en Cádiz , y demas Puertos habilitados para el Comercio de América , por la contravencion , ó nó cumplimiento de los Cargadores y Factores que , con comisiones de comercio , y por limitado término , conforme á Leyes y Ordenanzas , pasan á Indias , y no vuelven á estos mis Reinos á los tiempos prefinidos ; é igualmente las multas que se impusieren á los Capitanes y Maestres por sus contravenciones en llevar Pasageros sin licencia , y no entregar á las Justicias de América los Polizones que descubrieren durante la navegacion , y otras faltas á las obligaciones que dexan contraídas : de cuyas multas y condenaciones , exîgiéndose en Cádiz , se aplicará una tercera parte á la Receptoría de mi Real Audiencia de la Contratacion para gastos de Justicia , y en los Puertos habilitados para libre Comercio una quinta parte á los respectivos Jueces de Arribadas. Asimismo he resuelto que , executándose el repartimiento y aplicacion de Comisos en mis Dominios de las Indias conforme á las reglas y práctica que se observan en España , se aplique en beneficio del fondo de Penas de Cámara y gastos de Justicia del referido mi Consejo la quarta parte de todos los que se hicieren , tanto en tierra , como en mar y mixtos, por mis Resguardos y Jueces de Indias, en que por qualquiera vía conociere y determinare el enunciado mi Consejo, con inclusion de los que actualmente estuvieren pendientes en él. En cuya conseqüencia, mando á mis Virreyes, Intendentes, Gobernadores y Oficiales Reales de mis Dominios de las Indias, al Presidente y Oidores de mi Real Audiencia de la Contratacion en Cádiz, Jueces de Arribadas de los demas Puertos habilitados para el Comercio de América en estos mis Reinos, y demas Ministros y personas de únos y ótros á quienes en qualquiera manera tocare el cumplimiento de esta mi Real resolucion, la guarden, cumplan y executen, y hagan guardar, cumplir y executar, cada uno en la parte que respectivamente le tocare, segun y en la forma que en ella se expresa: arreglándose en lo sucesivo para repartir el importe de lo que se comisare en los expresados mis Dominios de América á la adjunta Pauta, que es mi voluntad se observe puntual y efectivamente en todas sus partes; y que de ella y de esta mi Cédula se tome la razon en la Contaduría General del referido mi Consejo, y en las demas partes donde corresponda y convenga tenerse presente. Fecha en el Pardo á veinte y uno de Febrero de mil setecientos ochenta y seis. = YO EL REI. = Por mandado del Rei Nuestro Señor: D. Antonio Ventura de Taranco. = Tomose razon en la Contaduría General de las Indias. Madrid tres de Abril de mil setecientos ochenta y seis. = D. Francisco Machado.

REGLAMENTO Ó PAUTA,

Y

DEMOSTRACIONES

Formadas por el Contador General de las Indias, y aprobadas por el Rei á Consulta del Real y Supremo Consejo de ellas de 27 de Mayo de 1784, para el modo de distribuir los Comisos de Tierra, los de Mar y los Mixtos de ambas clases, que se hicieren en aquellos Dominios, y declarase ó aprobase el mismo Supremo Tribunal.

Diferenciándose los casos de contrabando, yá por las materias con que se hace el fraude, y yá por las personas y circunstancias que intervienen y median en su aprehension, es necesario distinguir tambien la forma de la distribucion, y para ello se dividen los Comisos en las siete siguientes.

Clases.

1.ª   Comisos de Tierra de géneros, frutos ó efectos habilitados al comercio, con Denunciador ó sin él.

2.ª   Comisos de Tierra de oro ó plata, con Denunciador ó sin él.

3.ª   Comisos de Tierra de géneros y cosas prohibidas al comercio, con Denunciador ó sin él.

4.ª   Comisos de Mar, con Denunciador ó sin él, de qualesquiera de los géneros, frutos, efectos ó cosas explicadas.

5.ª   Comisos mixtos, esto es de Tierra y de Mar juntamente, de qualquiera de los frutos, géneros, efectos y cosas explicadas, con Denunciador ó sin él.

6.ª   Comisos mixtos de materias de oro ó plata, y de las comerciables ó prohibidas.

7.ª   Comisos de aprehensiones hechas por Justicias ordinarias y Personas particulares.

Advertencias.

1.ª   Comisos de Tierra, son las aprehensiones hechas por los Resguardos ó Patrullas de Guardas establecidos en Tierra con Patentes legítimas para ello.

2.ª   Frutos ó efectos habilitados al comercio, son todas aquellas cosas que pueden comerciarse por legítimo Registro, ó con las correspondientes Guías de las Aduanas.

3.ª   Oro ó Plata, se entiende de qualquiera especie de estos metales, quintada ó nó quintada, amonedada ó nó amonedada.

4.ª   Frutos ó efectos prohibidos al comercio, son todas aquellas cosas que no pueden comerciarse ni admitirse en los Registros, ni darse Guía de ellos en las Aduanas; baxo de cuyas reglas se han de entender las estancadas ó reservadas á la Real Hacienda, como son el Tabaco, Azogue, Pólvora, Naipes, y sus semejantes.

5.ª   Comisos de Mar, son todas aquellas aprehensiones

que hubieren hecho los Resguardos de Mar, Guarda-
costas, ó qualquiera otra embarcacion del Rei ó de
particulares con Patentes legítimas para ello.

6.ª   Comisos mixtos de Tierra y de Mar, son las aprehensiones á que concurren uno y otro Resguardo.

A cada una de las siete clases de Comisos expresadas corresponde su particular forma de distribucion,
y es lo que se irá demostrando en los exemplares
siguientes.

Advertencia.

De efectos y frutos comerciables se han de sacar en
el lugar que se explicará aquellos Derechos Reales á que
estuvieren sujetos en el Puerto de salida, y los que debían
pagar en el de su destino: para cuyo ajustamiento se ha
de regular el peso de 15 reales y 2 maravedis de vellon,
ó de 128 quartos de España, por peso comun de 8 reales
plata de Indias, ó el real de plata antigua de España,
que es de 16 quartos, por el real comun de Indias.

Comisos de la 1.ª clase.

Frutos y efectos comerciables.

Supónese que el valor de un Comiso de
esta clase monta............... 20.000. pesos.
Báxanse los Reales Derechos, que se
suponen ser.................... 4.200.
                                          15.800.
Báxase lo que importaren los gastos,
costas y alimentos de los Reos, si fue-

ren aprehendidos y no tuvieren bie-   15.800.

nes , pues teniéndolos deben pagarse

de ellos aunque no sean aprehendidos.   100.

—————

15.700.

Se añadirán en este lugar las multas y

condenaciones si las hubiere......   000.

—————

15.700.

Báxase la 6.ª parte para el Juez si de-

claró el Comiso, pues no haciéndolo

nada le pertenece...............   2.616. 5.r.ˢ 4.g.ˢ

—————

Líquido para repartir.   13.083. 2.r.ˢ 8.g.ˢ

Su aplicacion por quartas partes.

Al Denunciador si le hubo, ó á los Apre-

hensores sino le hubo.   3.270. 6. 8 ⎫

Al Supremo Consejo..   3.270. 6. 8 ⎪

Al Ex.ᵐᵒ S.ᵒʳ Superin-⎱   ⎬ 13.083. 2. 8.

tendente General..⎰   3.270. 6. 8 ⎪

Al Ramo de Comisos..   3.270. 6. 8 ⎭

Advertencia.

Quando hubiere precedido denuncia , no tienen parte en esta clase de Comisos los Aprehensores ó Guardas; pero no habiéndola , tienen la quarta parte , y ademas exclusivamente el valor del Carruage y Bagages en que se conducía el fraude si con él aprehendieron tambien los Reos , ó alguno de ellos , en el campo y nó en poblado. No siendo con estas circunstancias , el valor del carruage ó caballerías entrará en el cuerpo de bienes con los efectos comisados.

Comisos de la 2.ª clase.

Plata y Oro.

Primer caso.

Si la extraccion furtiva de estas materias se hiciese ó hubiese intentado para España, se girará la cuenta por las mismas reglas que en los Comisos de la clase antecedente.

Segundo caso.

Pero si la extraccion furtiva se hacía ó intentó para Dominios extrangeros de América ó de Europa, se hará la cuenta del modo siguiente.

Supónese que el valor de un Comiso de esta clase y circunstancias explicadas monta..................... pesos. 20.000.

Báxanse por los Reales Derechos, inclusos los llamados quintos sino se habían pagado.................... 1.856.
_____
18.144.

Báxanse por la 3.ª parte que en esta clase y lugar corresponde al Denunciador público ó secreto........... 6.048.
_____
12.096.

Báxanse los gastos y costas de la causa, y alimentos de los Reos si éstos no tuvieron bienes de que pagarlos...................... 100.
_____
11.996.

Añadiranse aquí las multas y condena- 11.996.

ciones si las hubiere. . . . . 000.

11.996.

Sácase la 6.ª parte para el Juez si decla-

rase el Comiso. . . . . 1.999. 2. 8.

Líquido para repartir. 9.996. 5. 4.

Su aplicacion por quartas.

A Aprehensores. 2.499. 1. 4

Al Consejo Real y Su- } 2.499. 1. 4

premo. . . . . }

Al Ex.ᵐᵒ S.ᵒʳ Superinten- } 2.499. 1. 4

dente General. . . . . }

Al Ramo de Comisos. . . . 2.499. 1. 4

9.996. 5. 4.

Advertencias.

1.ª   Sino hubiere habido Denunciador, se omitirá la deduccion de la 3.ª parte, y sobre el primer resto seguirá la operacion en lo demás como aquí se ha demostrado.

2.ª   Nó de todo Comiso en que hubiere plata ú oro se ha de dar al Denunciador la 3.ª parte, pues siendo dichas materias mui generales en Indias, apenas se hallará fraude por extraccion en donde no se encuentren. Por esta causa, para que el Denunciador gane la 3.ª parte es necesario que dichas materias sean únicas ó principales en su delacion, ó que las explique, nó vagamente ó en general, sino con determinada cantidad de pesos ó número de caxones, ó á lo ménos con algunas otras señas que acrediten su noticia, y sirvan de guía para la aprehension. Faltando ésto se le debe dar solamente la 4.ª parte en el lugar prevenido en la clase antecedente, la.misma que tocaría á los Aprehensores, y por consiguiente nada á éstos.

Comisos de la 3.ª clase.

Frutos y efectos prohibidos á comercio, y estancados.

Supónese que el valor de un Comiso de

esta clase monta........... pesos. 20.000.

No hai deduccion de Reales Derechos; pues, estando prohibidos, no los tienen señalados.

Báxanse por gastos y costas de la causa, y alimento de los Reos si éstos no tuvieren bienes. .... 100.
_____
19.900.

Auméntanse las multas y condenaciones. .... 000.
_____
19.900.

Sácase la 6.ª parte para el Juez si declaró el Comiso. .... 3.316. 5. 4.

Líquido para repartir. 16.583. 2. 8.

Su aplicacion por quartas.

Al Denunciador , ó á los Aprehensores. . . . . . . } 4.145. 6. 8

Al Consejo Real y Supremo. . . . . } 4.145. 6. 8

Al Ex.ᵐᵒ S.ᵒʳ Superintendente General. . . . . . } 4.145. 6. 8

Al Ramo de Comisos. . . . 4.145. 6. 8

} 16.583. 2. 8.

Advertencia.

Las materias estancadas que, como se advirtió sobre los Comisos de esta clase, han de entenderse por estas mismas reglas, no se pueden vender públicamente por estar reservada su venta y comercio á la Real Hacienda. Por esta razon se llevarán al Estanco ó Administracion respectiva mas inmediata, y allí, ó se reducirán á dinero al precio que para estos casos estará prefixado á cada cosa, ó se dará Certificacion de la efectiva entrega para que de ella se le haga cargo en cuenta de la especie, y se abone al Comiso en la Administracion Principal el equivalente en dinero para verificar la particion.

Comisos de la 4.ª clase.

Los de Mar.

Supónese ser el valor de un Comiso de esta clase. . . . . 20.000.

Báxanse por Reales Derechos. . . . . 3.500.

16.500.

Báxanse por gastos y costas de la causa, 16.500.
y alimento de Reos si éstos no tuvie-
ron de que pagarlos. . . . .   100.
                                             ─────────
                                              16.400.

Añádense las multas y condenaciones
que hubiere. . . . .   000.
                                             ─────────
                                              16.400.

Al Juez si declaró el Comiso 6.ª parte. . . 2.733. 2. 8.
                                             ─────────
                                              13.666. 5. 4.

Al Denunciador , si le hubo , de los
13.666. 5. 4. . . . . 10 p$\frac{o}{o}$ 1.366. 5. 4.
                     Líquido para repartir. 12.300.
                                             ─────────

Su aplicacion.

A la Tripulacion y Tropa si la ⎱
hubo , y el buque apresador   ⎟
es del Rei , ó   ⎟
Al Dueño , Tripulacion y Tro- ⎰ 6.150 ⎱
pa si la hubo , y el buque es   ⎟   ⎟
de Particular , la mitad de los ⎟   ⎟
12.300 pesos. . . . . ⎰   ⎟
                                          ⎰ 12.300.

La otra mitad por 3.ᵃˢ partes.

Al Consejo Real y Supremo. . . . 2.050 ⎱
Al Ex.ᵐᵒ S.ᵒʳ Superintendente. . . 2.050 ⎟
Al Ramo de Comisos. . . . . 2.050 ⎰

Advertencia.

Sino hubo Denunciador seguirá la aplicacion sobre
los 13.666 pesos 5 reales 4 granos ; y sino intervino

Tropa recaerá la primera mitad en la Tripulacion sola si el Buque apresador fuere del Rei, y en el Dueño y Tripulacion si fuere de algun Particular ó Particulares.

Comisos de la 5.ª clase.

Mixtos de Mar y Tierra.

Primer caso.

Supónese en un Comiso mixto de Tierra y de Mar que solo el Guarda-costa aprehendió la Embarcacion que perseguía, y solo el Resguardo de Tierra el todo de la carga que el Contrabandista echó en ella antes de llegar el Guarda-costa. Se distinguirá, en tal caso, y separará el valor de la Embarcacion del de la carga, y la distribucion será como la que se demuestra.

	Buque.	Carga.
Supónese ser el valor del buque apresado con todos sus pertrechos y utensilios 5⑳ pesos, y el de la carga 15⑳ pesos.	5.000.	15.000.
Sácanse los Reales Derechos de ambas partes..	875.	2.625.
	4.125.	12.375.
Báxanse á prorrata los gastos, costas, y alimentos de los Reos si éstos no tienen bienes de que pagarlos......	25.	75.
	4.100.	12.300.

Añádense á prorrata las multas y condenaciones, si las hubiere...	4.100.	12.300.
	000.	000.
	4.100.	12.300.
Al Juez si declaró el Comiso 6.ª parte....	683. 2. 8.	2.050.
	3.416. 5. 4.	10.250.
Al Denunciador, si le hubo, sobre el resto 10 por $\frac{o}{o}$.........	341. 5. 4.	1.025.
Líquidos para repartir.	3.075.	9.225.

Aplicacion del resto del Buque en dos partes.

Al Guarda-costa, como en la clase y demostracion antecedente la mitad.......... 1.537. 4.

La segunda mitad por 3.ªˢ partes.

Al Consejo Real y Supremo..... 512. 4 ⎫	
Al Ex.ᵐᵒ S.ᵒʳ Superintendente General.................. 512. 4 ⎬ 1.537. 4.	
Al Ramo de Comisos......... 512. 4 ⎭	
	3.075.

Aplicacion del resto de la carga por mitad, y cada una en tres partes.

Primera mitad.

Al Guarda-costa $\frac{2}{3}$ partes..... 3.075. ⎫ 4.612. 4.
Al Resguardo de tierra $\frac{1}{3}$.... 1.537. 4 ⎭

Segunda mitad.

Al Consejo Real y Supremo la

3.ª parte................ 1.537. 4 ⎱

Al Exmo Sor Superintendente Ge-

neral, idem............. 1.537. 4 ⎰ 4.612. 4.

Al Ramo de Comisos; idem. ... 1.537. 4 ⎰

_____

9.225.

Resumen de la aplicacion.

Valor total........................ 20.000.

A los Reales Dere-⎰Del buque. 875. . . ⎱ 3.500. . .
chos respectivos. ⎱De la carga. 2.625. . . ⎰

A gastos, costas y⎰Del buque. 25. . . ⎱ 100. . .
alimentos...... ⎱De la carga. 75. . . ⎰

Al Juez por la 6.ª⎰Del buque. 683. 2. 8⎱ 2.733. 2. 8
parte......... ⎱De la carga. 2.050. . . ⎰

Al Denunciador 10⎰Del buque. 341. 5. 4⎱ 1.366. 5. 4
p^o_o....... ⎱De la carga. 1.025. . . ⎰

Al Guarda-costa. .⎰Del buque $\frac{1}{2}$. 1.537. 4. .⎱ 4.612. 4. .
⎱De la carg. $\frac{2}{3}$ 3.075. . . ⎰

Al Resguardo de Tierra por $\frac{1}{3}$ de la carga... 1.537. 4. .

Al Supremo Con-⎰Del buque. 512. 4. .⎱ 2.050. . .
sejo 3.ª parte. . ⎱De la carga. 1.537. 4. .⎰

Al Exmo Sor Super-⎰Del buque. 512. 4. .⎱ 2.050. . .
intendente, idem. ⎱De la carga. 1.537. 4. .⎰

Al Ramo de Co-⎰Del buque. 512. . .⎱ 2.050. . .
misos, idem.... ⎱De la carga. 1.537. 4. .⎰

⎱ 20.000.

Segundo caso.

Quando en el buque apresado por Guarda-costas se

hallase alguna parte de su carga , y la demas se hubiese aprehendido por el Resguardo de Tierra , no se hará de ambas partes un cuerpo para la distribucion , sino la parte que se halló en el Buque hará cuerpo con el valor de éste , y seguirá la regla dada para su distribucion , y sólo la parte que se aprehendió en tierra por su Resguardo seguirá la regla dada para la carga.

Supónese que la mitad de la carga se halló en el Buque , y la otra mitad se aprehendió por el Resguardo de Tierra.

	Buque.	Carga.
Hecha la liquidacion de las cantidades partibles del Buque y de la carga con separacion como en el caso antecedente hasta las sumas de	4.100.	12.300.
Añádanse á prorrata las multas y condenaciones, si las hubiere. .	000.	000.
	4.100.	12.300.
Dedúcese la mitad del valor de la carga, y se incorpora al del Buque.	6.150.	6.150.
	10.250.	6.150.

Desde aquí seguirá la cuenta como en el exemplo anterior.

Tercero caso.

Si el Guarda-costa abandonó el Buque por no poder acercarse tanto á la Costa donde encalló , ó seguirle por algun Rio ó Cala por donde huyó el Contrabandista ; y en qualquiera de estos accidentes el Guarda-costa auxilió con su gente, avisó, ó guardó la Mar para que el Resguardo de Tierra desencallase ó aprehendiese el Buque: en tal caso, éste y la carga que se hallare en él seguirán la regla de distribucion dada en el caso antecedente para solo la carga, formando cuerpo general de todo para remunerar á ambos Resguardos, con dos tercios al Guarda-costa, y un tercio al Resguardo de Tierra. Pero si el Guarda-costa abandonó la presa sin dar los auxîlios explicados: en tales circunstancias, la mitad del valor del Buque que en la demostracion del primer caso se aplicó al Guarda-costa, se aplicará solamente al Resguardo de Tierra; pero en la carga tendrá aquél las mismas dos tercias partes que allí se han demostrado.

Quarto caso.

Si hubo aprehension del todo ó parte de la Tripulacion del Contrabandista, ó combate reñido con muerte ó heridas de parte considerable de la Gente del Guarda-costa, ó del Resguardo de Tierra, y por alguna de estas consideraciones se mandase beneficiar mas á un Resguardo que á ótro, se añadirá lo que se acordare á la parte que fuere en su porcion, deduciéndolo á la ótra en el mismo lugar y modo que se ha hecho en la demostracion del segundo caso, y seguirá la cuenta de distribucion en lo demás por mitades ó tercias partes, segun sea la parte distinguida.

Quinto caso.

Si el combate reñido arriba indicado, ó la aprehension de Reos que hubiere merecido particular remuneracion, lo hizo el Guarda-costa sin concurrencia del Resguardo de Tierra, la remuneracion se sacará del cuerpo del Comiso y multas inmediatamente antes de la 6.ª parte del Juez.

Sexto caso.

Quando las Justicias, ó personas particulares de los Pueblos donde no hubiere Guardas prontos, concurriesen á hacer la aprehension que en el 3.º caso se ha supuesto en el Resguardo de Tierra, se les acudirá con la parte declarada á éste si acudieron de su propia voluntad; pero si lo hicieren requeridos por el Guarda-costa, se les graduará por la sentencia del Comiso, con atencion á las circunstancias que manifestare la causa, aquella gratificacion que correspondiere, la qual se sacará inmediatamente despues de agregar las multas y condenaciones, ó antes de la 6.ª parte del Juez; y en tal caso, ó nó se dará parte al Resguardo de Tierra, aunque hubiese acudido despues, ó se le aplicará alguna gratificacion segun el tiempo á que llegó, y auxîlio con que concurrió; pero una y otra gratificacion no han de exceder de la 3.ª parte que se le aplica al Resguardo de Tierra en el 1.º, 2.º ó 3.º caso.

Séptimo caso.

Si el Guarda-costa echó en tierra alguna gente de su Tripulacion, antes ó despues de encallar el Buque, para prevenir la fuga de los Contrabandistas, ó la ocultacion de la carga , se hará la distribucion como en los Comisos de la 4.ª clase ; pero se podrá gratificar á aquel Destacamento siempre que hubiere habido de su parte alguna circunstancia que lo merezca ; y lo que la sentencia le señalare , se sacará antes de la 6.ª parte del Juez.

Comisos de la 6.ª clase.

Mixtos de diversas materias.

Las materias solo causan diferencia para la aplicacion en el caso de haber Denunciador , pues si le hubo en las comerciables y prohibidas nada corresponde á los Aprehensores , cuya quarta parte se aplica al Denunciador ; pero quando las materias son plata y oro que se extrahían ó intentaban extraher á Dominios extraños, por esta circunstancia se aplica al Denunciador la 3.ª parte , y nó por eso se dexa de aplicar despues la 4.ª á los Aprehensores , segun se demostró en la operacion de la 2.ª clase.

Para conservar , pues , en la aplicacion de un Comiso de esta clase la diferencia que causa la circunstancia de la extraccion de plata ú oro á Dominios extrangeros juntamente con otras materias ó mercaderías , se separará el valor de éstas del de la plata y el oro , y se girará la cuenta segun las reglas dadas para cada una de las dos clases de materias , en esta forma.

	Plata ú oro.	Otras materias.
Supónese el valor de 20⊅ pesos, mitad en plata ú oro, y mitad en otras materias.		
Valores principales........	10.000.	10.000.
Báxanse los Reales Derechos correspondientes á cada cosa.	500.	300.
	9.500.	9.700.
Al Denunciador la 3.ª parte de plata ú oro..........	3.166. 5.	
	6.333. 3.	
Baxa á prorrata por costas, gastos, y alimentos de Reos si éstos no tienen bienes.....	39. 4.	60. 4.
	6.293. 7.	9.639. 4.
Añádense por multas y condenaciones del mismo modo. .	000.	000.
	6.293. 7.	9.639. 4.
Sácase la 6.ª parte del Juez si declaró el Comiso........	1.048. 7.	1.606. 4.
Líquidos para repartir.	5.245.	8.033.

Su aplicacion por 4.ᵃˢ partes.

	Plata ú oro.	Otras materias.
A los Aprehensores por la ¼ de plata ú oro, y al Denunciador por la de lo demás.....	1.311. 2.	2.008. 2.
Al Real y Supremo Consejo por cada cosa..........	1.311. 2.	2.008. 2.
Al Ex.ᵐᵒ S.ᵒʳ Superintendente General , idem..........	1.311. 2.	2.008. 2.
Al Ramo de Comisos, idem..	1.311. 2.	2.008. 2.
	5.245.	8.033.

Resumen de la aplicacion.

Total de ambos valores. . . . . 20.000.

A los Reales De- ⎰ la plata ú oro. 500... ⎱
rechos respecti- ⎰ ⎰ 800...
vos por . . . . ⎱ las mercaderías. 300... ⎭

Al Denunciador ⎰ $\frac{1}{3}$ parte de plata ⎱
⎰ ú oro. . . . . . . ⎰ 3.166. 5 ⎱
por la . . . . ⎰ ⎰ ⎰ 5.174. 7
⎰ $\frac{1}{4}$ parte de mer- ⎰ ⎰
⎱ caderías. . . . . ⎭ 2.008. 2 ⎭

A gastos, costas y ⎰ la plata ú oro.   39. 4 ⎱
alimentos por . . . ⎱ las mercaderías.   60. 4 ⎭ 100...

Al Juez por la 6.ª ⎰ la plata ú oro. 1.048. 7 ⎱
parte de . . . . ⎱ las mercaderías. 1.606. 4 ⎭ 2.655. 3

A los Aprehensores por la $\frac{1}{4}$ parte de la plata ⎱
ú oro . . . . ⎭ 1.311. 2

Al Supremo Con- ⎰ la plata ú oro. 1.311. 2 ⎱
sejo por . . . . ⎱ las mercaderías. 2.008. 2 ⎭ 3.319. 4

Al Ex.moS.or Super- ⎰ la plata ú oro. 1.311. 2 ⎱
intendente por . . ⎱ las mercaderías. 2.008. 2 ⎭ 3.319. 4

Al Ramo de Co- ⎰ la plata ú oro. 1.311. 2 ⎱
misos por . . . . . ⎱ las mercaderías. 2.008. 2 ⎭ 3.319. 4

20.000.

Advertencia.

Supuesto lo dicho en la advertencia 2.ª sobre la
2.ª clase de Comisos, tendrá lugar esta demostracion
en el caso de que el Denunciador hubiese delatado el
fraude de la plata ú oro en la forma, y con las señas
allí explicadas.

Comisos de la 7.ª clase.

Las aprehensiones por las Justicias y personas particulares.

Qualesquiera Justicias , Capitanes ó Patrones de Navíos , ó Personas particulares , pueden y tienen facultad para aprehender un Contrabando , y sus Actores en la Mar ó en la Tierra. Las Justicias deben levantar su Auto de oficio , y los Particulares presentarse ante las mas inmediatas con los Reos y el Contrabando , para justificar únos y ótros el hecho ; y con estas diligencias se remitirá tódo al Juez á quien competa la causa.

En tal caso , atendiendo á que estos tales Justicias ó Particulares proceden por zelo del servicio del Rei y del bien comun del Estado sin tener sueldo ni comision especial para ello , se les aplicará la parte de Denunciador y la de Aprehensores tanto en los Comisos de Mar , como en los de Tierra , deduciéndolas segun y en el lugar que se ha explicado en las respectivas clases : de manera que perciban las dichas dos partes en todos casos aun en los de 1.ª y 3.ª clase en que no se devengan ámbas juntas , siguiendo en lo demás para las aprehensiones de ésta las reglas dadas en las ótras para ambos Resguardos : en inteligencia de que á los Justicias y Personas particulares que hicieren aprehensiones en Tierra , se han de aplicar las reglas de los Resguardos de Tierra : á los Capitanes ó Patrones de Embarcaciones que las hicieren en la Mar , las del Resguardo de Mar ó Guarda-costas; y á ámbos juntos, las reglas dadas en la 5.ª clase : sin otra diferencia que la de considerarse siémpre devengadas las partes de Denunciador y de Aprehensores por los que sin sueldo ni comision especial hicieren aprehensiones de fraudes.

Pero sino hubieren aprehendido Reos, solo se les aplicará la 4.ª de aprehensores en el lugar que va explicado en las demás clases.

Advertencias generales.

1.ª   La 6.ª parte que en toda clase de Comisos corresponde á los Jueces quando los declaran, no les pertenecerá quando no lo hacen, no obstante que á su tiempo los declare el Real y Supremo Consejo en el conocimiento que toma de tódos, declarados y nó declarados, apelados y nó apelados. Por conseqüencia, quando á los Jueces no pertenezca la 6.ª parte, entrará ésta á engrosar la de la Real Hacienda y Ramo de Comisos despues de haberla deducido en su debido lugar.

Por exemplo : añadidas las multas y condenaciones, se suponen partibles. . . . . } 15.700.

Báxase la 6.ª parte del Juez. . . . .   2.616. 5. 4.
                              _____
               Líquido para repartir. 13.083. 2. 8.
                              _____

Aplicacion por quartas.

Al Denunciador , ó á los }
  Aprehensores. . . . . } 3.270. 6. 8 }
Al Real y Supremo Consejo. 3.270. 6. 8 |
Al Ex.ᵐᵒ S.ᵒʳ Superintendente. 3.270. 6. 8 } 15.700.
Al Ramo de { 3.270. 6. 8 } |
  Comisos... { 2.616. 5. 4 } 5.887. 4. |

De este modo se hará en todas clases, y en el caso propuesto, la incorporacion de la 6.ª parte del Juez á la 4.ª del Ramo de Comisos.

2.ª   En toda aprehension debe ser una de las primeras diligencias de los Aprehensores el formar una Relacion individual y bien circunstanciada, firmada de ellos, y de los Reos si los aprehendieron. En ella se han de expresar los sugetos que se hallaron en la aprehension, los aprehendidos, y el número, peso y señas de los fardos, tercios ó caxones descaminados, para que consten los interesados, y para precaver la extraccion y usurpacion de los bienes hasta la formal presentacion y entrega en las Administraciones ó Tesorerías donde corresponda entregarse.

La entrega se hará por dicha Relacion, y ésta se cotejará con los fardos ó caxones. Se formará luego un Inventario del contenido de éstos, ó de los efectos sueltos. Se hará avalúo de todo por peritos, y, hecho ésto, se pondrá todo en custodia y depósito, procediendo á las demas diligencias de la causa, incorporando en Autos dicha Relacion con el Inventario avaluado.

Por este Inventario se harán cargo en sus cuentas los Ministros de la Tesorería que recibieren su contenido para responder de las cosas que reciben, ó, en su falta, del valor que se les dió y constare del Inventario.

Para llevar la cuenta de los efectos aprehendidos abrirán en el Libro Mayor una cuenta con título de *Bienes de Contrabandos.*

Al recibir las cosas aprehendidas, como queda dicho,:::

Cargarán en la cuenta de 〕

  Bienes de Contrabandos, . 〉 Lo que se pagare por conduc-

Y abonarán á la *Caxa*. . . 〕 cion ú otro gasto hecho.

Carga- 〔 El dinero en la cuenta de *Caxa*. 〕 Todo lo que cons-

rán. . . 〔 Las mercaderías en cuenta de 〉

  Almacen. . . . . 〕 te por Inventario.

Abonarán el valor de todo á cuenta de *Bienes de Contra-*

bandos.

    Si se vendieren después algunas de las cosas recibi-
das por deber precaverse su pérdida ó deterioracion durante la causa:::

Al salir las cosas del Almacen

Cargarán en la cuenta de *Bienes de Con-* 〕

  trabandos, ... 〉 El valor con que

Y abonarán á la del *Almacen*. . . . . . . 〕 se recibieron.

Al entrar su producto

Cargarán en la de *Caxa,* . . . . 〕 Todo el pro-

Y abonarán á la de *Bienes de Contrabandos.* 〕 ducto.

    Concluida la causa, si quedaron por vender algunos
efectos se venderán en Almoneda, y se harán los asientos
de salida y entrada como arriba queda explicado.

    Reducido todo á dinero, se hará la distribucion se-
gun los casos; y teniendo presentes los gastos que se
hubieren cargado en cuenta de *Bienes de Contrabandos,*
y cargando los que de nuevo se hubieren causado, y se
abonarán á la *Caxa*, se deducirán del valor total en la
distribucion en el lugar que corresponde, y del resto
harán los asientos siguientes.

Cargarán á *Bienes de Contrabandos* todo el resto deducidos los gastos.

Abonarán. . .
{
A Reales Derechos, á cada uno lo que corresponda.

A Caxa, lo que se aplica á los demas partícipes ó residentes en América, como Denunciador, Juez, Aprehensores &c., si se les paga, pues no debe haber cuenta abierta con éstos.

Al Consejo Real y Supremo. ⎫ En las cuentas que
Al Exmo Sor Superintendente. . . . . deben llevar en el *Libro Mayor* á cada uno, á saber:
Al Ramo de Comisos. . . . . . ⎭ da uno, á saber:
}

Al de Comisos como Ramo de Real Hacienda: á los otros dos como agenos ó particulares de 3.ª clase, y remisibles á España.

De modo que la cuenta de *Bienes de Contrabandos* quede igualada en su Debe y Haber despues de haber salido todo lo recibido.

Por esto, si los partícipes de Indias no percibieren luego sus respectivas porciones, no se cargarán á *Bienes de Contrabandos*, ni abonarán á *Caxa*, sino conforme se fueren pagando; pero para que no embaracen á la Tesorería, deben los Guardas y Guarda-costas tener nombrados Apoderados que reciban luego las porciones que correspondan á sus cuerpos, para que éllos las distribuyan entre los individuos interesados por Relacion que deben formar de todos ellos sobre la que, conforme á la segunda advertencia general, se hizo al tiempo de la aprehension, y á su margen tomarán el Recibo de cada uno para incorporarla á los Autos.

Se advierte, que la cuenta de Almacen que arriba se ha dicho, es equivalente á la que en la Instruccion práctica y provisional de 27 de Abril de 1784 se halla con título de *Diferentes efectos existentes*, entre los quales podrán entrar los de Contrabandos, ó sentarlos en otra semejante si pareciere necesario dividirla; pero de qualquiera manera se observarán las reglas dadas aquí, y se traherán á los Estados mensuales ambas cuentas: la de *Bienes de Contrabandos*, y su correspondiente del *Almacen* de sus efectos.

Madrid 29 de Julio de 1785. = D. Francisco Machado. = Tomose razon en la Contaduría General de las Indias. Madrid tres de Abril de mil setecientos ochenta y seis. = D. Francisco Machado.

Número 10

Corresponde al Artículo 81.

Real Instruccion de 15 de Octubre de 1754.

EL REY.

Habiendo manifestado la experiencia los perjuicios que causa á mis Vasallos de los Reinos de las Indias la providencia que se dió por Real Cédula de veinte y quatro de Noviembre de mil setecientos treinta y cinco, sobre que los que entrasen en los bienes Realengos de aquellos Dominios acudiesen precisamente á mi Real Persona á impetrar su confirmacion en el término que se les asignó, baxo la pena de su perdimiento sino lo hiciesen; por lo qual muchas personas dexan de aprovecharse de este beneficio por no poder costear el recurso á esta Corte para impetrarla siendo de poca entidad ó de pequeños sitios, ó de sólo algunas Caballerías las que han compuesto ó comprado, y los que acuden, por ser de mayor consideracion sus compras, es á gran costa, por los testimonios que para ello tienen que presentar, remision de caudales, nombramiento de Agentes y otros gastos indispensables, que exceden regularmente en mucha parte al costo principal que han hecho en la compra ó composicion de los mismos Realengos ante los Subdelegados, á que es consiguiente hallarse sin cultura muchos sitios y tierras, que abastecerían con su labor y cria de ganados las Provincias inmediatas, y el que otras personas se mantengan en terrenos usurpados por defecto de Título, sin darles sobre la cultura toda la labor correspondiente por temor de ser denunciados y procesados sobre ello, de que igualmente resulta perjuicio á mi Real Hacienda, así en carecer del producto de sus ventas, como del que por consiguiente dimana al comun y al Estado de la labranza y crianza: he resuelto que en las mercedes, ventas y composiciones de Realengos, Sitios y Valdíos, hechas al presente, y que se hicieren en adelante, se observe y practique precisamente lo contenido en esta Instruccion.

I. Que desde la fecha de esta mi Real resolucion en adelante quede privativamente al cargo de los Virreyes y Presidentes de mis Reales Audiencias de aquellos Reinos la facultad de nombrar los Ministros Subdelegados que deben exercer y practicar la venta y composicion de las Tierras y Valdíos que me pertenecen en dichos Dominios, expidiéndoles el Nombramiento ó Título respectivo, con copia auténtica de esta Instruccion; con la precisa calidad de que los expresados Virreyes y Presidentes dén puntual aviso á mi Secretario de Estado y del Despacho Universal de Indias de los Ministros en quienes subdeleguen respectivamente en sus distritos, y parages que ha sido costumbre los haya, ó pareciese preciso establecer de nuevo, para su aprobacion, debiendo continuar los que al presente exercen la citada comision : bien entendido que éstos y los que en adelante nombrasen los enunciados Virreyes y Presidentes puedan subdelegar su comision en ótros para las partes y Provincias distantes de las de sus residencias, como ántes se executaba, quedando, en virtud de esta providencia, mi Consejo de las Indias y sus Ministros inhibidos de la direccion y manejo de este ramo de Real Hacienda.

II. Que los Jueces y Ministros en quienes se subdelegue la jurisdiccion para la venta y composicion de los Realengos, procederán con suavidad, templanza y moderacion, con Procesos verbales y nó judiciales en las que poseyeren los Indios y en las demás que hubieren menester, en particular para sus labores, labranza y crianza de ganados; pues por lo tocante á las de Comunidad y las que les están concedidas á sus Pueblos para pastos y Exidos no se ha de hacer novedad, manteniéndolos en la posesion de ellas, y reintegrándolos en las que se les hubieren usurpado, concediéndoles mayor extension en ellas segun la exîgencia de la poblacion, no usando tampoco de rigor con las que ya poseyeren los Españoles y gente de otras castas, teniendo presente para con únos y ótros lo dispuesto por las Leyes 14, 15, 17, 18 y 19, tít. 12 lib. 4 de la Recopilacion de Indias.

III.   Que recibida que sea por cada uno de los Subdelegados principales que ahora son, y en adelante se nombraren en cada Provincia, esta Instruccion y el Nombramiento que en la forma referida en el Capítulo primero se les ha de expedir, libren por su parte órdenes generales á las Justicias de las Cabeceras y Lugares principales de su respectivo distrito, mandando se publique en ellos en la forma que se practica con otras órdenes generales que expiden los Virreyes, Presidentes y Audiencias en los negocios de mi servicio, para que todas y qualesquiera personas que poseyeren Realengos, estando, ó nó, poblados, cultivados ó labrados desde el año de mil y setecientos hasta el dia de la notoriedad y publicacion de dicha órden, acudan á manifestar ante el mismo Subdelegado, por sí mismos ó por medio de sus Correspondientes ó Apoderados, los Títulos y Despachos en cuya virtud los poseen, señalando para esta exhibicion el término competente y proporcionado segun las distancias; con apercibimiento de que serán despojados y lanzados de las tales Tierras, y se hará merced de ellas á ótros si en el término que se les asignare dexaren de acudir sin justa y legítima causa á la manifestacion de sus Títulos.

IV. Que constando por los Títulos ó Instrumentos que así se presentaren, ó por otro qualquier medio legal, estar en posesion de los tales Realengos en virtud de venta ó composicion hecha por los Subdelegados que han sido de esta comision antes del citado año de mil y setecientos, aunque no estén confirmadas por mi Real Persona ni por los Virreyes y Presidentes, les dexen en la libre y quieta posesion de ellas, sin causarles la menor molestia, ni llevarles derechos algunos por estas diligencias en conformidad de la ya citada lei 15 título 12 libro 4 de la Recopilacion de Indias, haciendo notar en los tales Títulos que manifestaren haber cumplido con esta obligacion para que en adelante no puedan ser turbados, emplazados ni denunciados ellos ni sus sucesores en los tales Realengos; y no teniendo títulos les deberá bastar la justificacion que hicieren de aquella antigua posesion como título de justa prescripcion: en inteligencia de que, sino tuvieren cultivados ó labrados los tales Realengos, se les deba señalar el término de tres meses que prescribe la lei 11 del citado título y libro, ó el que parezca competente para que lo hagan, con apercibimiento que de lo contrario se hará merced de ellos á los que denunciaren, con la misma obligacion de cultivarlos.

V. Que los poseedores de Tierras vendidas ó compuestas por los respectivos Subdelegados desde el citado año de mil y setecientos hasta el presente, no puedan tampoco ser molestados, inquietados ni denunciados ahora ni en tiempo alguno, constando tenerlas confirmadas por mi Real Persona, ó por los Virreyes y Presidentes de las Audiencias de los respectivos distritos en el tiempo en que usaron de ésta facultad; pero los que las poseyeren sin esta precisa calidad deberán acudir á impetrar la confirmacion de ellas ante las Audiencias de su distrito y demas Ministros á quienes se comete esta facultad por esta nueva Instruccion, los quales, en vista del Proceso que se hubiere formado por los Subdelegados en órden á la medida y avalúo de las tales Tierras, y del título que se les hubiere despachado, exâminarán si la venta ó composicion está hecha sin fraude ni colusion, y en precios proporcionados y equitativos, con vista y audiencia de los Fiscales, para que con atencion á todo, y constando haber enterado en Caxas Reales el precio de la venta ó composicion y derecho de Media-anata respectivo, y haciendo de nuevo aquel servicio pecuniario que parezca correspondiente, les despachen en mi Real nombre la confirmacion de sus Títulos, con las quales quedará legitimado en la posesion y dominio de las tales Tierras, Aguas ó Valdíos, sin poder en tiempo alguno ser sobre ello inquietados los poseedores, ni sus sucesores universales ni particulares.

VI. Que si por los procesos que se deben haber formado para las ventas y composiciones nó confirmadas desde el año de mil y setecientos constare no haberse medido ni apreciado los tales Realengos , como se tiene entendido ha sucedido en algunas Provincias , se suspenda el despachar su confirmacion hasta tanto que esto se execute ; y segun el mas valor que resultare por las medidas y avalúos deberá regularse el servicio pecuniario que ha de preceder á la confirmacion.

VII. Que igualmente se ha de contener en las órdenes generales que , como va dicho , se han de librar por los Subdelegados á las Justicias de las Cabeceras y Partidos de su distrito , la cláusula de que las personas que hubieren excedido los límites de lo comprado ó compuesto , agregándose é introduciéndose en mas terreno de lo concedido , estén , ó nó , confirmadas las posesiones principales , acudan precisamente ante ellos á su composicion , para que del exceso , precediendo medida y avalúo , se les despache título y confirmacion ; con apercibimiento que se adjudicarán los terrenos así ocupados en una moderada cantidad á los que los denunciaren , y que igualmente se adjudicarán al Real Patrimonio para venderlos á otros terceros , aunque estén labrados , plantados ó con fábricas , los Realengos ocupados sin título, si pasado el término que se asignare no acudieren á manifestarlos , y tratar de su composicion y confirmacion los intrusos poseedores: lo que se ha de cumplir y executar sin excepcion de personas ni Comunidades , de qualquier estado y calidad que sean.

VIII. Que á los que denunciaren Tierras , Suelos, Sitios , Aguas , Valdios y Yermos se les dará recompensa correspondiente, y admitirá á moderada composicion de aquéllos que denunciaren ocupados sin justo título, y que esto se incluya tambien en el Bando que los Subdelegados que se nombraren deben hacer publicar en sus respectivos distritos.

IX. Que por las Audiencias respectivas se despachen por Provincias, y en mi Real nombre, las confirmaciones, con precedente vista Fiscal de ellas como va expresado, sin mas gasto judicial de las Partes que el de los derechos de la tal Provision segun Arancel; á cuyo fin recogerán de los Subdelegados de su distrito los Autos que hubieren hecho sobre la venta ó composicion de que se pidiere la confirmacion, con los quales, y segun el valor en que se hubieren regulado los terrenos, y con atencion al beneficio que he tenido por bien dispensar á aquellos mis Vasallos relevándoles de los costos de acudir á mi Real Persona por las confirmaciones, podrán arbitrar el servicio pecuniario que deben hacer por esta nueva merced.

X. Que á fin de evitar costos y dilacion en la expedicion de estos negocios, como sucedería si despues de despachados los Títulos por los Subdelegados acordasen las Audiencias nuevas diligencias de medidas y avalúos, ú ótras, deben los Subdelegados remitir en Consulta á las Audiencias respectivas los Autos originales que sobre cada negocio se hubieren hecho, y estimaren concluidos y en estado de despachar los Títulos, para que vistos por ellas con audiencia de sus Fiscales, se los devuelvan, ó bien para que expidan los Títulos por no ofrecerse reparo, ó para evacuar las diligencias que se les previnieren, y facilitar de esta forma la breve expedicion de las Reales confirmaciones sin la duplicacion de nuevo Título.

XI. Que las mismas Audiencias conozcan en grado de apelacion de las determinaciones y sentencias que dieren los Subdelegados en los que acerca de la venta ó composicion de Realengos, sus denunciaciones, medidas y tasaciones se origine algun pleito : con cuya providencia se evitará tambien á aquellos vasallos el costoso recurso al Consejo, y el que algunos, por no poder hacerlo, abandonen su justicia.

XII. Que en las Provincias distantes de las Audiencias, ó en que haya mar de por medio, como Caracas, Habana, Cartagena, Buenos-aires, Panamá, Yucatán, Cumaná, Margarita, Puerto-Rico y ótras de iguales circunstancias, se despachen las confirmaciones por sus Gobernadores, con acuerdo de los Oficiales Reales y del Teniente General Letrado, en donde le hubiere; y que los mismos Ministros determinen igualmente las apelaciones que se interpusieren del Subdelegado que estuviere nombrado, ó se nombrare en cada una de las expresadas Provincias é Islas, sin acudir á la Audiencia ó Chancillería del distrito sino en caso de no estar conformes las dos sentencias, y esto de oficio, y por via de consulta para evitar los costos de los recursos por apelacion; y en donde hubiere dos Oficiales Reales exîstentes hará el mas moderno el oficio de defensor de la Real Hacienda en estas causas, y el mas antiguo el Con-

Juez con el Gobernador, asesorándose quando no haya Auditor, ó Teniente de Gobernador, y sea de Derecho la duda, con qualquiera Letrado de dentro ó fuera del distrito; y en donde hubiere solamente un Oficial Real, se nombrará por Defensor de la Real Hacienda á qualquiera persona inteligente del vecindario : siendo igualmente del cargo de los Gobernadores con sus Con-Jueces exâminar acerca de las composiciones de los Subdelegados lo mismo que va expresado para con las Audiencias.

XIII. Que lo que importaren las ventas y composiciones de cada Audiencia y Partido, y el servicio pecuniario que se causare por las confirmaciones, entre por cuenta á parte con libro separado en las correspondientes Caxas Reales; y las Audiencias y Presidentes de ellas, los Gobernadores y Oficiales Reales de los Partidos, me darán cuenta, por mano de mi Secretario del Despacno de Indias, de lo que hubiere producido este ramo de Real Hacienda en cada un año, para que sobre sus noticias pueda Yo dar á este caudal el destino que mas convenga á mi servicio.

XIV. Respecto de que por lo que se actuare por los Subdelegados que se nombraren para la administracion de este ramo no se han de exîgir de las Partes derechos algunos, tengo á bien asignar á cada uno, por via de ayuda de costa, el dos por ciento de lo que montaren las ventas y composiciones que hicieren, como lo acordó el Consejo en su Instruccion del año de mil seiscientos y noventa y seis ; y los Escribanos ante quienes actuaren sólo deberán percibir los derechos segun Arancel, de que han de certificar al fin del Proceso, procediendo contra ellos las Audiencias y Gobernadores respectivos en caso que contravengan.

Todo lo prevenido en esta Instruccion es mi voluntad se execute precisa y puntualmente por mis Virreyes, Audiencias, Presidentes y Gobernadores de todos mis Dominios de Indias, y por los Subdelegados y demas personas á quien toca, ó pueda tocar su cumplimiento, sin ir contra su tenor por causa alguna ó motivo, por ser lo que conviene á mi Real servicio y bien de aquellos vasallos. Y mando que de esta Instruccion se tome la razon en mi Contaduría General del Consejo de las Indias, y en las Audiencias, Chancillerías, Gobiernos y Ciudades, sentándolo en sus respectivos Libros, y en los Tribunales y Contadurías de Real Hacienda, y demas partes que convenga para que todos y cada uno lo tenga entendido, y observe y guarde precisa é indispensablemente en la parte que le tocare. Dada en San Lorenzo el Real á quince de Octubre de mil setecientos y cincuenta y quatro. = YO EL REI. = Don Julian de Arriaga.

Número II

Corresponde al Artículo 86.

Reales Ordenanzas de 22 de Octubre de 1768.

PARA EL RÉGIMEN, SUBORDINACION

Y SERVICIO DEL EXÉRCITO.

TRATADO 8 TÍTULO I.

ARTÍCULO 3.

A los Oficiales y Soldados que estuvieren en actual servicio, no podrán las Justicias de los parages en que residieren apremiarlos á tener oficios concegiles ni de la Cruzada, Mayordomía ni Tutela contra su voluntad: gozarán la excepcion de pago de servicio ordinario y extraordinario, y no podrá imponérseles Alojamiento, repartimiento de Carros, Bagages ni Bastimentos, sino fueren para mi Real Casa y Corte; y, siendo casados, gozarán sus Mugeres de las mismas preeminencias, podrán traher Caravinas y Pistolas largas de arzon, como las que se usan en la Guerra, teniendo plaza viva, y estando actualmente sirviendo. Y siempre que usaren de licencia, ó por comision de mi servicio se separen de sus destinos ó cuerpos, podrán traher estas Armas por el camino para resguardo de sus personas, con calidad que, mientras estuvieren en la Corte, ó en las Ciudades, Villas y Lugares de mis Reinos, no podrán andar con ellas, sino tenerlas guardadas en sus casas para quando vuelvan á servir y hacer su viage. Podrán tirar con Arcabuz largo, guardando los términos y meses vedados, y si usaren de otras armas de fuego de las prohibidas por Bandos y Pragmáticas, se les dará por incursos en los bandos publicados, y por perdidas las armas, sujetándose á la pena que se impusiere en dichos bandos.

ARTÍCULO 4.

No podrán los referidos Oficiales y Soldados ser presos por la Justicia ordinaria por deudas que hayan contrahido despues de estar sirviendo, ni se les executará por ellas en sus Caballos, Armas ni Vestidos, ni en los de sus Mugeres, á ménos que la deuda proceda de alcances ó créditos que mi Real Hacienda tenga contra ellos; pero en las deudas anteriores al tiempo en que el deudor entró en mi servicio, responderá, segun la calidad de la obligacion, en su persona y bienes raices, y muebles que no sean del uso militar.

ARTÍCULO 5.

No podrán conocer de las causas civiles ni criminales de Oficiales las Justicias ordinarias, sino solo el Capitan-General, Consejo-General, ó Comandante-Militar del parage donde residieren, segun la diferencia y circunstancias de los casos en la forma que se explicará mas adelante.

ARTÍCULO 6.

Los Oficiales, Sargentos, Cabos y Soldados que se retiraren de mi servicio con licencia habiendo servido quince años sin intermision , gozarán Cédula de premio correspondiente , y en virtud de ella , si se retiraren del Exército , estarán exêntos del servicio ordinario y extraordinario , no podrán ser apremiados á tener oficios de Concejo ni de la Cruzada , Mayordomía ni Tutela contra su voluntad , ni se les impondrá Alojamiento, repartimiento de Carros , Bagages ni Vastimentos , sino fueren para mi Real Casa y Corte ; y las mismas preeminencias gozarán sus Mugeres , y podrán tirar con Arcabuz largo , guardando los términos y meses vedados; pero si usaren de Armas prohibidas se les dará por incursos en los bandos publicados.

Artículo 7.

Desde la clase de Alferez ó Subtenientes inclusive arriba , todos los Oficiales que se hubieren retirado del servicio con licencia mía y Cédula de preeminencias , gozarán , además de las expresadas en el Artículo antecedente, del fuero Militar en las causas criminales ; de suerte que las Justicias ordinarias solo tendrán facultad para hacer la sumaria , que deberán formar en el término de quarenta y ocho horas siendo la causa leve , y siendo grave en el de ocho dias naturales , y remitirla al Capitan-General de la Provincia , en cuyo Juzgado se sentenciará , concediendo las apelaciones al Consejo Supremo de Guerra ; y en las civiles , y casos exceptuados , los podrán procesar , sentenciar y executar las Justicias ordinarias ; pero los Oficiales agregados á Plazas destinados á Inválidos , y los de Milicias Provinciales regladas gozarán tambien del fuero civil sacando la Cédula de preeminencias correspondiente á su clase.

ARTÍCULO 8.

Las Mugeres y los Hijos de todo Militar gozarán este fuero, y, muerto aquél, le conservarán su Viuda y las Hijas mientras no tomen estado; pero los Hijos varones únicamente le gozarán hasta la edad de diez y seis años.

ARTÍCULO 9.

Todo Criado de Militar con servidumbre actual y goce de salario, tendrá, por el tiempo en que exîsta con estas calidades, el Fuero en las causas civiles y criminales que contra él se movieren, no siendo por deudas ó delitos anteriores, en cuyo caso ni le servirá el fuero, ni se le apoyará con pretexto alguno, quedando responsables los Amos y los Gefes de qualquiera omision en perjuicio de la buena administracion de justicia.

TRATADO 8 TÍTULO II.

ARTÍCULO I.

Todo individuo que gozare Fuero militar, segun está declarado en esta Ordenanza, le gozará tambien en punto de Testamentos, yá sea que lo otorgue estando empleado en mi servicio en campaña, ó hallándose en guarnicion, quartel, marcha, ó en qualquiera otro parage.

ARTÍCULO 20.

Si falleciere el Intendente ó Ministro Principal de Hacienda, recogerá sus papeles, y formará Inventario de ellos y de sus bienes el Comisario Ordenador, de Guerra, ú otro Oficial del Ministerio que le sucediere, con asistencia del Auditor General, para que cada clase de Individuos se gobierne por sus respectivos Gefes, sin que las Justicias ordinarias tengan motivo de exercitar por sí en el Exército, ni Ministerio de él, acto alguno de jurisdiccion, quedando á las Partes que se sintieren agraviadas recurso por via de apelacion al Consejo Supremo de Guerra.

Real Cédula de 24 de Octubre de 1778.

EL REY.

Por quanto en el Artículo 4 tratado 8 título 11 de las Ordenanzas generales del Exército sobre Testamentos, se dice que "será válida, y tendrá fuerza de Testamento "la disposicion que hiciere todo Militar escrita de su letra "en qualquiera papel que la haya executado; y á la "que así se hallare se dará entera fe y exâcto cumpli-"miento, bien la haya hecho en guarnicion, quartel ó "marcha; pero siempre que pudiere testar en parage don-"de haya Escribano, lo hará con él segun costumbre;" y respecto á que sobre la inteligencia de estas últimas cláusulas se han suscitado algunas dudas, y en particular la de si es, ó nó, arbitrario á los Militares otorgar por sí su Testamento conforme al estilo de Guerra, ó deben hacerlo ante Escribano donde lo haya, arreglándose á las leyes del Reino, á las Municipales, ó á las Ordenanzas: he tenido á bien declarar por punto general, á consulta de mi Supremo Consejo de Guerra de tres de Julio de este año, que todos los Individuos del Fuero de Guerra pueden, en fuerza de sus privilegios, otorgar por sí su Testamento en papel simple, firmado de su mano, ó de otro qualquiera modo, en que conste su voluntad, ó hacerlo por ante Escribano con las fórmulas y cláusulas de estilo; y que en la parte dispositiva pueden usar á su arbitrio del Privilegio y facultades que les da la misma lei Militar, la Civil ó la Municipal.

Por tanto mando á todos mis Consejos, Chancillerías, Audiencias, y demas Tribunales y Justicias del Reino, Capitanes-Generales, Comandantes-Generales, y demas Gefes Militares y Políticos á quien toca y pueda tocar lo declarado en esta mi Real Cédula, que no obstante qualesquiera Leyes, Decretos y Órdenes anteriores, la obedezcan, cumplan y executen en la parte que toca á cada uno, y hagan cumplir y observar, sin permitir que se contravenga á su contexto, baxo la pena de incurrir en mi desagrado; y que á los exemplares impresos firmados de Don Josef Portugués, mi Secretario y del Consejo de Guerra, se dé la misma fe y crédito que á su original. Dada en San Lorenzo el Real á veinte y quatro de Octubre de mil setecientos setenta y ocho. = YO EL REI. = Por mandado del Rei nuestro Señor, Don Josef Portugués.

TRATADO 8 TÍTULO 2.

ARTÍCULO I.

El Individuo dependiente de la Jurisdiccion Militar (de qualquiera especie ó calidad que sea) que incurriere en los delitos de resistencia formal á la Justicia, ó desafio probado en el modo que prescribe la Pragmática expedida en diez y seis de Enero de mil setecientos diez y seis inserta al fin de este Tratado, perderá el Fuero de que goza, y quedará (por la calidad de semejante exceso) sujeto al conocimiento de la Justicia ordinaria del territorio en que le cometa, con inhibicion absoluta de la Jurisdiccion Militar de que naturalmente dependa.

ARTÍCULO 2.

Tampoco ha de gozar del Fuero Militar el que extraxere, ó ayudare á extraher de mis Reinos moneda, ó pasta de oro ó plata, ó introduxere en ellos moneda de vellon; el que fabricare, ó ayudare á fabricar ó expender moneda falsa contra las Leyes, Pragmáticas y Cédulas expedidas en este asunto; el que usare de Armas cortas de fuego ó blancas de las prohibidas por Reales Pragmáticas, como se verifique la aprehension real en la persona, no entendiéndose prohibida la Bayoneta sola y descubierta en el Soldado de Infantería, ni las de fuego en los casos que es permitido traherlas á los Militares, ni el de las otras Armas cortas aunque vayan disfrazados, siendo en busca de Desertores, ú otro fin de mi servicio, y con Despachos para ello que señalen tiempo limitado.

ARTÍCULO 3.

Igualmente quedará despojado del Fuero Militar el que cometiere delito de robo ó amancebamiento dentro de la Corte, y el que delinquiere en qualquiera parte contra la administracion y recaudacion de mis Rentas siempre que por diligencias de Ministros de ellas se verifique la aprehension real de los fraudes en su persona, casa ó equipages, con especialidad contra la del Tabaco, á cuyo favor quiero que subsistan en su fuerza las órdenes anteriormente expedidas; pero para procederse contra el Militar en cuya casa ó equipage se halle el fraude, ha de justificarse que intervino su diligencia ó consentimiento en ocultarle.

ARTÍCULO 4.

Sobre particiones de herencia sino fuere de persona que gozaba del Fuero Militar, en cuyo caso toca al Fuero de Guerra el Inventario, segun Real Decreto de veinte y cinco de Marzo de mil setecientos cincuenta y dos, conocimiento de Pleitos sobre bienes raices, sucesion de Mayorazgos, acciones Reales, Hipotecas, y Personales que provengan de trato y negocio, y sobre oficio y encargo público en que voluntariamente se hubiere mezclado el Militar, no gozará del fuero de su clase, ni tampoco le valdrá en los delitos capitales que hubiere cometido antes de entrar á mi servicio; pues es mi voluntad que en este caso, sin suscitarse competencia por la Jurisdiccion Militar con la Ordinaria, conozca ésta de semejantes causas, y se le entreguen los comprehendidos en ellas, quando los reclamare, para que los juzgue y sentencie como corresponda.

ARTÍCULO 5.

Si las Justicias prendieren algun Individuo dependiente de la Jurisdiccion Militar del Exército que en su territorio haya cometido delito de los nó exceptuados en los Artículos precedentes, ó ótros que se declararán en esta Ordenanza, deberán entregar el Reo á su respectivo Gefe, remitiendo ó dándole aviso para que le envíe á buscar; y quando esto no pueda practicarse prontamente, substanciarán la causa las Justicias que le aprehendieren hasta ponerla en estado de sentencia, lo que deberán executar en el término de quarenta y ocho horas siendo leve, y siendo grave en el de ocho dias naturales por lo que mira á las de Oficiales Militares, y remitirán el Proceso al Comandante Militar de aquel distrito para que determine la causa; y lo mismo en las de los Soldados que van de tránsito por el pais solos, con Pasaporte ó sin él, y que robaren ó ultrajaren, en cuyo caso podrán las Justicias ordinarias del territorio procesarlos, remitiendo los Autos en el término expresado al Capitan-General de aquel distrito para que dé la sentencia.

Real Cédula de 2 de Julio de 1777.

EL REY.

Por quanto por no estar prevenido expresamente en las Ordenanzas del Exército si los Militares, y demas que gozan del Fuero de Guerra, deben estar sujetos á la Jurisdiccion Real ordinaria en la observancia de los Bandos y Edictos que por ésta se mandan publicar tocantes á Policía, buen gobierno de los Pueblos y penas en que incurran los Contraventores, he resuelto, á consulta de mi Consejo Supremo de Guerra de veinte y seis de Febrero último, con el fin de evitar los recursos perjuicios y competencias que de ello resultan, que en los citados casos no valga el Fuero de Guerra á los Militares y demas que le gocen, así de Tierra como de Marina, y que se proceda contra los contraventores á lo que haya lugar, segun las providencias dadas en dichos Bandos y Edictos, por la Justicia Real ordinaria en el conocimiento de las causas, y á la exâccion de penas por contravencion á los referidos Bandos y Reglas de Policía, sin distincion de fuero.

Por tanto, mando á todos mis Consejos, Chancillerías, Audiencias y demas Tribunales de estos mis Reinos y Señoríos, á los Gefes de mis Tropas de la Casa Real, Capitanes-Generales de mis Exércitos y Provincias, Director-General de la Armada, Comandantes-Generales de los Departamentos de Marina, Cuerpo de Artillería y de Ingenieros, Inspectores-Generales de Infantería, Caballería, Dragones y Milicias, Intendentes de Exército y Provincia, Comisarios Ordenadores y de Guerra, y á todos mis Vasallos de qualquiera estado, dignidad y clase que sean, á quien toca y pueda tocar lo declarado en esta mi Real Cédula, la obedezcan, cumplan y executen, y hagan cumplir y observar, sin permitir que se contravenga á su contexto, baxo la pena de incurrir en mi desagrado; y que á los exemplares impresos firmados de Don Josef Portugues, mi Secretario y del referido Consejo de Guerra, se dé la misma fe y crédito que á su original. Dada en Madrid á dos de Julio de mil setecientos setenta y siete. = YO EL REI. = Por mandado del Rei nuestro Señor: Don Josef Portugues.

Número 12

Corresponde al Artículo 87.

Las mismas Ordenanzas.

TRATADO 8 TÍTULO 11.

ARTÍCULO 19.

En los Testamentos de Contadores de Exército, Tesoreros, Comisarios Ordenadores y de Guerra, Dependientes de Hospitales, Proveedores de víveres, y demas empleados de Ministerio de Hacienda que por sus Despachos ó Contratas gocen Fuero Militar, conocerá el

Intendente del Exército ó Provincia en que sirvieren, asesorándose; pero sino gozaren fuero conocerá la Jurisdiccion á que corresponda.

Real Cédula de 3 de Abril de 1776.

EL REY.

Por quanto en competencia suscitada entre las Jurisdicciones de Marina, y Real ordinaria, sobre el lanzamiento de los Ganados propios del Asentista de Carnes de la Tropa del Departamento de Cádiz, en que han pretendido conocer el Intendente de Marina y el Alcalde Mayor de dicha Ciudad, y que respectivamente ocurrieron con los Autos á mis Consejos de Guerra y Castilla, se han promovido varias incidencias y embarazos entre estos Tribunales y sus Fiscales, y que, conforme con los dos de Guerra, me expuso este Consejo Pleno en Consulta de tres de Noviembre del año anterior, que las Justicias ordinarias de los Pueblos, zelosas de su Jurisdiccion, forman freqüentes causas de Desafuero, ó se introducen á conocer de delitos y puntos privativos á la Jurisdiccion de Guerra: que prenden, executan y apremian los Individuos aforados, y que aunque por el Juez competente se les pasen los debidos oficios, forman competencias voluntarias, para cuyos Autos gastan mucho tiempo, causan costas y perjuicios irreparables á los interesados: que se remiten los Autos respectivamente á los Consejos de Guerra y Castilla: que se pasan mutuos oficios los Fiscales: que éstos

deben juntarse para la conferencia: que discordan co-
munmente; y que aunque se acuerden, suele no aprobarse por los Tribunales: que deben éstos nombrar Ministros para decidir la competencia: que llega, ó nó, el
caso de que se junten y resuelvan; y que no conformán-
dose, debo Yo nombrar quinto Ministro.

Que de esta serie de trámites son tantos los incidentes que ocurren, que rara vez llega una competencia á
su último punto, y han sido repetidos los casos en que
los Reos, durante la competencia, han muerto en las
Cárceles despues de muchos años.

Que por el Artículo 167 título 3 tratado 10 de
las Ordenanzas generales de la Real Armada se previene
que no tenga efecto el Desafuero sin prueba jurídica, ó
de la complicidad por aprehension real del delinqüente
en el mismo hecho, y que en el ínterin subsista preso
á disposicion de sus Gefes naturales.

Que en el Artíc. 21 tít. 10 de la Real Declaracion
á la Ordenanza de Milicias se ordena, que quando la
Justicia ordinaria forme competencia en el Juzgado Militar de estos Cuerpos, remita una y otra Jurisdiccion
al Consejo de Guerra copia de sus respectivos Autos,
quedando siémpre á disposicion de la Militar el Reo; y
que en su vista decida este Tribunal (privativamente y
con inhibicion de qualquiera otro) á quién compete el
conocimiento de la causa, remitiéndose los Autos al Juez
que deba serlo.

Que en el Artíc. 25 trat. 8 tít. 10 de la Real Ordenanza del Exército se previene, que si algun Militar em-

barazase con mano armada las funciones de los Ministros de Justicia, sea procesado y sentenciado por la Jurisdiccion agraviada; pero que no pueda executarse la sentencia sin que en vista de los Autos, y dictámen del Capitan-General, á quien deben pasarse, declare el Consejo de Guerra si está, ó nó, comprobada la resistencia.

Que por Real Decreto de veinte y cinco de Marzo de mil setecientos cincuenta y dos sobre el privativo conocimiento de la Jurisdiccion de Guerra en los juicios de Inventario, Testamentarías y Abintestatos, se previene que, por el mero hecho de declarar el Consejo de Guerra que el difunto gozó del Fuero Militar, debe quedar inhibida qualquiera otra Jurisdiccion, prohibiendo la formacion de toda competencia.

Que en los Artículos 14 y 15 trat. 4 tít. 11 de la Ordenanza de mis Regimientos de Guardias de Infantería, y Real resolucion de doce de Mayo de mil setecientos sesenta y quatro, tengo mandado que se pidan y entreguen los Reos y Autos por medio de Papeles simples de Oficio, sin necesidad de exhortos, ni formacion de competencias.

Que segun Derecho, para perderse el privilegio debe preceder declaracion formal del Juez competente del sugeto privilegiado, que lo son á mucha costa mis Vasallos empleados en el honroso servicio de las Armas: que no es regular que los Individuos y Dependientes del Exército Veterano y Real Armada, sean en esta parte de inferior condicion que los de Milicias: que éstos están libres de competencias; que tienen expedito y pronto el curso de sus causas al paso que aquéllos gimen en las Cárceles de los Jueces Reales, y sufren la vexacion y dolor de perecer muchas veces, ó extinguir sus caudales ántes de saber quien sea su Juez competente; y que para evitar estos males convendría uniformar el método en esta parte.

Y conformándome con lo expuesto por el paternal amor que me merecen los que siguen la honrosa carrera de las Armas, por mi Decreto de diez y nueve de Marzo anterior á la expresada Consulta he resuelto ampliar el método que se observa en los cuerpos de Milicias al Exército y Armada, para lo que, qualquiera Jurisdiccion extraña de la Militar que proceda de oficio, ó á instancia de Parte, civil ó criminalmente, contra algun Individuo ó Dependiente del Exército ó Armada, y dudase con fundamento racional sobre el desafuero ó facultad para conocer de la causa, ó declinase el Reo jurisdiccion, reclamando su propio fuero, ó lo executase su Gefe ó Juez natural, ponga á disposicion de éste los Reos, y consulte al Consejo de Guerra con los Autos, ó su copia autorizada, en el término preciso y perentorio de ocho dias, para que en su vista, y con preferencia á qualquiera otros negocios, presencia de los fundamentos y circunstancias del caso, declare entre las dos Jurisdicciones el Juez competente del negocio, con cuya determinacion conozca el que sea, sin mas recurso ni apelacion; y que por esta regla se resuelvan todas las competencias pendientes, remitiéndose los respectivos Autos al Consejo de Guerra, como también que los oficios de una Jurisdiccion á ótra sean precisamente en papel simple sin la formalidad de exhortos; y que en lo sucesivo no se admita, conteste ni forme competencia alguna por las Jurisdicciones Militar y Ordinaria.

Por tanto mando á todos mis Consejos, Chancillerías, Audiencias y demas Tribunales de estos mis Reinos y Señoríos, á los Gefes de mis Tropas de la Casa Real, Capitanes-Generales de mis Exércitos, Provincias y Armadas, Comandantes-Generales de las Provincias y Departamentos de Marina, Cuerpos de Artillería y de Ingenieros, Inspectores-Generales de Infantería, Caballería, Dragones y Milicias, y á todos mis Vasallos de qualquiera estado, dignidad y clase que sean, observen y guarden puntualmente en la parte que les toque todo lo dispuesto y prevenido en esta mi Real resolucion, sin contravenir en modo alguno á su tenor, baxo la pena de incurrir en mi Real desagrado, y las demás que correspondan segun las circunstancias de los casos, por ser así mi voluntad; y que á los traslados impresos de esta Real Cédula, firmados de Don Josef Portugues, mi Secretario y del Consejo de Guerra, se dé la misma fe y crédito que á su original. Dada en Madrid á tres de Abril de mil setecientos setenta y seis. = YO EL REI. = Por mandado del Rei nuestro Señor: Don Josef Portugues.

Número 13

Corresponde al Artículo 97.

Del Libro 8 título 4, las leyes 34, 35 y 37, y la 21 de su título 7.

Número 14

Corresponde al Artículo 102.

Del Libro 2 título 15, la lei 132 : del Libro 3 título 3 la 57, y la 6 de su título 7; y del Libro 8 título 28, las leyes 11, 14 y 15.

Número 15

Corresponde al Artículo 113.

Real Cédula de 15 de Septiembre de 1776.

EL REY.

Deseando reducir á regla fixa y clara, y al punto de la moneda usual y corriente, el pago de todas las Reales Mercedes ó Pensiones que estuvieren hechas en mis

Dominios de las Indias en ducados de plata, vellon, ó puramente ducados, de forma que se evite toda duda y confusion en lo sucesivo, por la variedad con que fueron concedidas; y teniendo presente lo que en inteligencia de los antecedentes del asunto informó la Contaduría-General de mi Consejo de aquellos Reinos, expusieron los Fiscales de él, y me manifestó el propio Tribunal en sus dos Consultas de catorce de Octubre del año de mil setecientos sesenta y tres, y trece de Marzo del de mil setecientos sesenta y quatro; como tambien lo que últimamente me informaron asimismo el Marques de Monte-Real, Ministro Togado jubilado de mi Consejo de Castilla, y Don Tomas Ortiz de Landázuri, que lo es de Capa y Espada, y Contador-General del referido de Indias, con fecha de seis de Julio último, he venido en resolver: "Que en todas las „ mercedes hechas y consignadas en aquellos Dominios „ desde el descubrimiento ó Conquista de las Indias „ hasta que se libró la Real Pragmática de catorce de „ Octubre de mil seiscientos ochenta y seis, en que se „ declaró que el real de á ocho tenía de valor intrínseco „ diez reales de plata, que habían de correr por quince „ reales de vellon con nombre de escudo; y á esta „ proporcion, los reales de á ocho, de á quatro, de á „ dos y sencillos se deben entender, así por lo pasado, „ como en lo sucesivo, por once reales y un maravedí „ de plata colunaria, continuándose el pago de ellas con „ arreglo á la inteligencia que se ha dado en la Amé- „ rica al valor de cada ducado, sin diferencia de que se

„hayan concedido en ducados de plata, ó puramente
„ducados sin otra expresion: Que las mercedes hechas
„desde la citada Real Pragmática, siendo de ducados de
„vellon, ó puramente ducados sin otra expresion, (que
„deben entenderse de la misma especie) se deberán pa-
„gar, sin diferencia de los posteriores tiempos, por
„once reales de vellon cada uno, que reducidos á la
„moneda usual y corriente en Indias, deberán satisfa-
„cerse por cada cinco ducados (que es el menor nú-
„mero en que se encuentra la proporcion sin quebrado)
„veinte y dos reales de plata colunaria, ó dos pesos
„fuertes y seis reales de plata de dicha especie, en que
„se halla el valor intrínseco de los cincuenta y cinco
„reales de vellon que corresponden á los cinco duca-
„dos de esta clase: Que las concedidas desde el refe-
„rido dia catorce de Octubre de mil seiscientos ochenta
„y seis en adelante de ducados de plata doble ó anti-
„gua, se debe regular cada uno en veinte reales, veinte
„y cinco maravedís, y quince diez y siete avos de otro
„de vellon, que son los que corresponden á los once
„reales y un maravedí de plata de á diez y seis quar-
„tos, que componen este ducado; satisfaciéndose en In-
„dias por cada diez y siete (que es el menor número
„en que por lo embarazoso de su quebrado se encuen-
„tra sin él la proporcion) ciento quarenta y un reales
„y seis maravedís de plata colunaria, ó diez y siete
„pesos, cinco reales y seis maravedís de la misma mo-
„neda: Que las mercedes hechas en ducados de plata
„nueva ó corriente, ó puramente de plata sin otra ex-

„presion, desde la enunciada Real Pragmática hasta que
„se expidió el Real Decreto de ocho de Septiembre de
„mil setecientos veinte y ocho, en que se igualó el
„valor del real de plata nueva, provincial ó corriente
„al que tenía la plata antigua, y mandó que corriese
„por los mismos diez y seis quartos que tenía la doble,
„deberán satisfacerse á razon de diez y seis reales y
„medio de vellon cada ducado, dando en aquellos Do-
„minios para su pago treinta y tres reales de plata, ó
„quatro pesos fuertes y un real de plata por cada cinco
„ducados ; pero las concedidas desde el referido dia
„ocho de Septiembre de mil setecientos veinte y ocho
„con la misma expresion de ducados de plata nueva ó
„corriente, ó puramente de plata, deberán satisfacerse
„en la misma forma que va expuesto para los ducados
„de plata doble : entendiéndose que todos los interesa-
„dos en Mercedes y Pensiones de Indias que eligieren
„cobrarlas por mi Tesorería-General, serán puntualmen-
„te pagados con el solo descuento de veinte y cinco
„por ciento, quedando siempre exceptuado el caso de
„una Guerra en que, interrumpida la navegacion, no
„pueden conducirse caudales de América sin considera-
„bles riesgos y quantiosos premios." En cuya conseqüencia ordeno y mando á mis Virreyes de Nueva-España, el Perú y Nuevo-Reino de Granada, á los Presidentes de mis Audiencias, Gobernadores en Gefe, Intendentes y Oficiales de mi Real Hacienda de aquellos
distritos, y de los de Goatemala, Islas Filipinas y de
Barlovento, y á otros qualesquiera Ministros, Jueces y

Justicias, que cada uno, en la parte que respectivamente le corresponda, guarden, cumplan y executen, y hagan guardar, cumplir y executar la expresada mi Real resolucion puntual y efectivamente, segun y en la forma que va declarado, sin permitir ni consentir que en manera alguna se contravenga á ella en todo ni en parte, por ser así mi voluntad; y que de esta mi Real Cédula se tome razon en la mencionada Contaduría-General de mi Consejo de las Indias, y en las demas Oficinas y parages que en aquellos mis Dominios corresponda. Fecha en San Ildefonso á quince de Septiembre de mil setecientos setenta y seis. = YO EL REI. = Por mandado del Rei nuestro Señor: Don Pedro Garcia Mayoral. = Tomose razon en la Contaduría-General de las Indias. Madrid veinte y cinco de Septiembre de mil setecientos setenta y seis. = Don Tomas Ortiz de Landázuri.

Número 16

Corresponde al Artículo 115.

Del Libro 8 título 1, las leyes 3, 4, 23, 25, 34, 41, 44, 52, 53, 62, 64, 66, 67, 68, 73, 74, 76, 89, 91, 101, 102, 104, 105 y 108: las 5, 6 y 9 de su tít. 2; y del Libro 2 tít. 15, la lei 78.

Número 17

Corresponde al Artículo 160.

Real Cédula de 5 de Febrero de 1730.

EL REY.

Por quanto siendo uno de los ramos de mi Real Hacienda que hai en las Indias el de la contribucion que por via de composicion se debe hacer de las Pulperías, y hallándose éste mui deteriorado á causa de que en muchas partes de ellas los Ministros Reales han procedido con suma negligencia, dexando de cobrar de las Pulperías lo que por esta razon deben contribuir á mi Real Hacienda por via de composicion en cada un año, desde treinta á quarenta pesos, en que ha sido grave y considerablemente perjudicada; y respecto de que por la lei 12 libro 4 título 8 de la Recopilacion está dada la regla de lo que en este asunto se debe observar, he resuelto por mi Real Decreto de seis de Diciembre del año próximo pasado, que el Virréi, Presidentes, Oidores, Gobernadores, Corregidores y demas Justicias del Reino de Nueva-España, con intervencion de los Oficiales Reales, donde los hubiere, procedan, en fuerza de su obligacion, al cumplimiento de lo prevenido y mandado por la referida lei, dando asimismo todas las órdenes y providencias que convengan á este fin á todas las partes de su jurisdiccion para su efectiva execucion; y que los referidos Oficiales Reales formen Padron auténtico de las

Pulperías que hubiere en cada Lugar, con expresion de las cantidades que por via de composicion debiere contribuir cada uno; y que donde no los hubiese, los hayan de hacer los Gobernadores, Corregidores ó Justicias de cada Pueblo, remitiendo únos y ótros anualmente testimonio de los dichos Padrones al Tribunal de Cuentas que corresponda, para que en ellos conste, y se les haga cargo de su importe para su cobranza, llevando cuenta separada de este ramo. Y siendo constante que en los Puertos de mar donde van galeones, flotas, navíos de registro y avisos, la gente de su tripulacion ponen algúnos Pulperías durante el tiempo que están surtos los navíos y embarcaciones en que se conduxeron, he resuelto tambien que se proceda á empadronar las Pulperías que se armaren, y ajustar la contribucion que por via de composicion deban hacer, con la reflexion del tiempo de mansion en el Puerto, y que es de mayor utilidad y conveniencia la que en él se experimenta; estando advertidos todos los referidos Ministros Reales para no permitir que las personas que tuvieren estas Pulperías reciban agravio en las visitas, ni en los derechos é imposiciones indebidas que tuvieren, ni en las que de nuevo se les tratare imponer con este motivo. Por tanto mando á los referidos Virréi, Presidentes, Oidores, Gobernadores, Oficiales Reales y demas Justicias de las Provincias de Nueva-España, que así lo cumplan y executen precisamente, que tal es mi voluntad. Dado en Castil-blanco á cinco de Febrero de mil setecientos y treinta. = YO EL REI. = Por mandado del Rei nuestro Señor: Don Gerónimo de Uztáriz.

Número 18

Del Libro 8 título 20, las leyes 1, 2, 3, 4, 5, 6, 7, 8, 9, 10, 11, 12, 13, 14, 16, 17, 18, 19 y 20, y del título 21 del mismo Libro todas las que corren desde la 1 hasta la 27, ámbas inclusive, excepto la 9, que está derogada por la siguiente

Real Cédula de 21 de Febrero de 1689.

EL REY.

Por quanto por la lei 9 del título 21 Libro 8 de la Recopilacion de Indias está dispuesto que las renunciaciones de Oficios en personas ciertas, y por su falta en mis Reales manos y en las personas en quienes se rematare, que son las cláusulas de que usan los renunciantes queriendo asegurar por este medio el peligro de perderlos por defecto de renunciacion, no se hagan ni admitan, ni pasen por ellas ni por ótras diferentes de las expresadas en este título, y se hagan en personas hábiles y suficientes que las acepten y presenten dentro del término que está ordenado por la lei 4 del mismo título, (que son setenta dias) y las que de otra forma se hicieren sean en sí ningunas y de ningun valor ni efecto, que Nos desde luego las declaramos por tales, y por perdidos los Oficios que en otra forma se renunciaren, y está ordenado que se vendan por cuenta y beneficio de nuestra

Real Hacienda, y los herederos del renunciante no puedan pretender derecho á ninguna parte, y á los Virreyes, Presidentes, Audiencias y Oficiales Reales de todas las Indias é Islas adyacentes, que así lo guarden y cumplan sin contravencion ni dispensacion por ninguna causa : y por haberse reconocido en mi Consejo de las Indias que esta lei no se observaba con la puntualidad que por entónces pareció conveniente, se despacharon Cédulas en cinco de Febrero y treinta de Diciembre de mil seiscientos sesenta y quatro, por las quales se mandó que las renunciaciones se hiciesen en personas hábiles que las aceptasen con efecto, y que de no hacer la aceptacion la persona en quien se renunciase, (presentándose con ella y los demas recaudos ante la Audiencia ó Gobernador del distrito dentro de los setenta dias prevenidos por la lei 4 del título 21) se declaraban los Oficios por perdidos, y que pertenecía á la Real Hacienda enteramente todo su valor sin que los herederos del renunciante pudiesen pretender derecho á parte alguna de él; habiendo motivado esta resolucion en la Cédula de cinco de Febrero ya citada el que, en defecto de aceptar y presentarse los renunciatarios, se presentaba la viuda ó herederos del renunciante pidiendo á los renunciatarios se presentasen dentro del término señalado, y que de no hacerlo se sacase el Oficio al pregon, pretendiendo sanar con esta diligencia la pérdida del Oficio que pasados los setenta dias precisamente se le seguía, como mas particularmente se contiene en la lei y Cédulas referidas. Y ahora por parte de la Ciudad del Cuzco en las Provincias del

Perú se me ha representado, que habiendo muerto Diego de Quiñones, Escribano de Cabildo de ella, y renunciado dicho Oficio, por no haber querido aceptar la renuncia, ni presentádose con ella en tiempo el renunciatario, perdieron el Oficio los herederos, y se devolvió á la Real Hacienda en conformidad de lo acordado y ordenado en este caso, por cuya cuenta se remató de órden del Gobierno en el mayor postor, sin que de su precio se le quisiese adjudicar á la viuda las dos tercias partes que parece le tocaban habiéndose hecho la renunciacion en tiempo, y sobrevivido el renunciante el tiempo de veinte dias que la lei prefine, no pareciendo justo que los Virreyes y Gobernadores en estos casos dexasen de aplicar á los herederos de los Regidores que entónces eran, y adelante fuesen, en aquella Ciudad las dichas dos partes; pues no haciéndose así, no habría ninguno que quisiese aceptar las renunciaciones, estando en su arbitrio la pérdida de los Oficios, que con efecto se experimentaba; suplicándome fuese servido de mandar despachar Cédula en que se declare, que haciéndose la renunciacion en tiempo hábil, sino quisiesen presentarse en tiempo ninguna de las personas en quien se renunció y se declarase por vacante el Oficio, del precio en que se rematase por la Real Hacienda se diesen á la viuda ó herederos las partes que le tocasen. Y visto en mi Consejo de las Indias todo lo referido, con lo que sobre ello dixo y pidió mi Fiscal de él, teniéndose presente que la mayor parte de los Oficios vendibles y renunciables en lo

universal de ambos Reinos del Perú y Nueva-España
están vacantes por defecto de renunciacion ó presentacion, sin haber quien dé por ellos cantidad alguna, habiendo muchos tiempos que están en pública almoneda;
y considerando que era el producto de estas renuncias
uno de los principales ramos que mi Real Hacienda
tenía en las Indias, siendo el único motivo la disposicion de esta Lei y Cédulas; pues, siendo tan rigurosa,
no quieren exponer sus caudales los que compran á la
contingencia y voluntad de los renunciatarios, en cuya
omision ó malicia vienen á dexar la Lei y Cédulas referidas el arbitrio de que los dueños de los Oficios pierdan en ellos sus haciendas, me consultó el dicho mi
Consejo (teniendo á la vista los motivos referidos) lo
que en la materia se le ofrecía. Y deseando mantener en
justicia mis Vasallos de las Indias, mirar por tan considerable parte del Real Patrimonio, y facilitar la venta
de estos Oficios con utilidad pública, he resuelto derogar, como por la presente derogo, la dicha lei 9 del
tít. 21 Libro 8 de la Recopilacion de Indias, y las Cédulas de cinco de Febrero y treinta de Diciembre del
año de mil seiscientos sesenta y quatro ya citadas, para
que no valgan, ni se atienda á su disposicion en las renuncias, sino que si el renunciatario no se presentare
dentro de los setenta dias que está prevenido, ó no
aceptare la renuncia, se devuelva el Oficio á la Real
Hacienda, y por el Gobierno se saque al pregon, y remate en el mayor ponedor, siguiendo todos los términos
que en estos casos el Derecho previene, y que se admitan

las posturas que por sí ó por ótros hicieren los herederos del último renunciante; y rematado que sea el Oficio, del valor que dieren por él se vuelvan las dos tercias partes ó mitad (segun el caso de la renuncia) á los dichos herederos, y la otra tercera parte ó mitad se entere en las Caxas Reales para la Real Hacienda, segun y en la forma que para el caso de perderse el Oficio por defecto de confirmacion está prevenido por la Cédula de catorce de Diciembre del año de mil seiscientos seis (*), entendiéndose esta resolucion con los Oficios que están vacos y adelante vacaren; pero nó con los que están ya vendidos y poseyéndose, porque éstos los adquirieron y compraron sin esta condicion; y que en esta conformidad, si los que hoi gozan Oficios vendibles y renunciables, que los compraron ántes de esta disposicion y derogacion, quisieren gozar de su beneficio, se les admita el indulto de él, dando facultad, como se la doi y concedo, á los Virreyes y Presidentes de las Audiencias de las Indias para que, haciendo las justas avaluaciones de la estimacion de relevarse de este nuevo gravámen, lo indulten, y su procedido le remitan por cuenta aparte para aumento y beneficio de la Real Hacienda. Y para que esta nueva resolucion y órden se publique en todas las Indias por punto general, mando para su puntual y indispensable observancia á mis Virreyes, Presidentes, Audiencias, Gobernadores y Oficiales de mi Hacienda de todas y qualesquiera partes de las dichas mis Indias Occidentales, que cada uno en

(*) Es la lei 7 título 22 Libro 8.

lo que le tocare guarde y cumpla, y haga guardar, cumplir y executar esta mi Cédula, y lo en ella contenido, sin contravenir á su disposicion en manera alguna. Y para que venga á noticia de tódos, y ninguno pueda pretender ignorancia, asimismo mando se publique este Despacho en las Ciudades, Villas y Lugares que fueren cabezas de los distritos, y me avisen de haberlo executado, que así es mi voluntad. Fecho en Buen-Retiro á veinte y uno de Febrero de mil seiscientos ochenta y nueve años. = YO EL REI. = Por mandado del Rei nuestro Señor: Don Antonio Ortiz de Otálora.

Real Cédula de 31 de Enero de 1777, y en ella inserta ótra de 21 de Febrero de 1776.

EL REY.

Mis Virreyes del Perú y Nuevo-Reino de Granada, Presidentes y Fiscales de mis Reales Audiencias, Oficiales de mi Real Hacienda del distrito de ambos Virreinatos, y demas Jueces ó Tribunales de ellos á quienes corresponda. En veinte y uno de Febrero del año próximo pasado se expidió por la Secretaría de mi Consejo de las Indias respectiva á las Provincias de Nueva-España, la Real Cédula del tenor siguiente. = EL REI. = Por quanto con fecha de doce de Diciembre del año de mil seiscientos ochenta y seis se expidió la Real Cédula del tenor siguiente. = EL REI. = Conde de la Monclova, Pariente, Comendador de la Zarza de la Órden de

Alcántara, de mi Consejo de Guerra y Junta de Guerra de Indias, mi Virréi, Gobernador y Capitan-General de las Provincias de la Nueva-España, y Presidente de mi Audiencia Real de México, ó á la persona ó personas á cuyo cargo fuere su Gobierno. En cartas que me escribió Don Fernando Lopez de Ursino y Orbaneja, Oidor de mi Audiencia Real de la Ciudad de Guadalaxara, en veinte y siete de Julio del año de mil seiscientos ochenta y quatro, y catorce de Marzo del de mil seiscientos ochenta y cinco, dió cuenta de los Oficios vendibles y renunciables que se han beneficiado en aquel distrito en el discurso de dos años mediante el fomento que para ello dió Don Alonso de Cevallos Villagutierre, Presidente de la dicha Audiencia, y diligencias que él aplicó, los quales habian estado vacantes mucho tiempo por causa de los excesivos costos y derechos que tenían las Partes, y particularmente los de Regidores, pues no excediendo su valor de quatrocientos pesos, era de mayor cantidad la costa hasta la confirmacion; y para remedio de lo referido propuso sería conveniente por lo que mira á dichos Oficios de Regidores, que los Despachos para servirlos se diesen por el Presidente Gobernador de aquel Reino, sirviendo las Partes con una corta cantidad por ciento de lo que monta el Oficio, y que el Fiscal de la dicha Audiencia, ó los Oficiales de mi Real Hacienda pidan las confirmaciones, sirviendo asimismo con otra corta cantidad por ciento, y pagando las conducciones, por cuyo medio no estarían vacos tanto tiempo dichos Oficios, y lo que se gasta en costos y derechos cedería en utilidad de mi Real Hacienda, y se remitiría por cuenta aparte lo que produxesen estos Oficios. Y visto en mi Consejo de las Indias, con los testimonios que remitió con las cartas citadas, y lo que sobre tódo dixo el Fiscal de él, ha parecido deciros que por Despacho de este dia he mandado á Don Luis Martinez Hidalgo, Fiscal de la Audiencia de Guadalaxara, que siempre que se beneficiare en el distrito de ella qualquiera de los Oficios vendibles y renunciables, y los de Regidores, cuyo precio no excediere de mil pesos, haya de estar á su cargo sacar de vos y de vuestros sucesores los Despachos necesarios para que las Partes puedan entrar á servirlos, como tambien pedir en el dicho mi Consejo las confirmaciones de ellos dentro del término ordinario : y así os mando que, luego que el dicho mi Fiscal os pidiere déis qualesquiera Despachos para lo referido, lo executéis con toda puntualidad ; pues logrando esta conveniencia y ménos gasto las personas que hubieren de entrar á beneficiarlos, se conseguirá que no estén vacos tanto tiempo como se ha experimentado por lo pasado, que así conviene á mi servicio. Fecha en Madrid á doce de Diciembre de mil seiscientos ochenta y seis. = YO EL REI. = Por mandado del Rei nuestro Señor : Don Antonio Ortiz de Otálora. = Despues, con motivo de haber solicitado el Fiscal de mi Real Audiencia de Guadalaxara, en la Provincia de la Nueva-Galicia, la confirmacion de un Oficio de Regidor y Depositario-General de la Villa de Aguas-calientes y sus agregados en virtud de lo dispuesto en la preinserta Real Cédula , tuve por bien mandar pedir varios informes acerca de si convendría , ó nó el que ésta subsistiese , respeĉto de que parecía haber cesado ya los motivos de equidad que entónces hubo para su expedicion ; si se seguía á las Partes algun gravámen de acudir, como lo hacían , al Gobierno de México en conseqüencia de lo dispuesto en la propia Real Cédula , á sacar sus respectivos títulos ; quál era éste , y los medios que podría haber de evitarle : y en vista de los citados informes , y de lo que en inteligencia de tódo informó últimamente la Contaduría General del nominado mi Consejo de las Indias , y expuso mi Fiscal , á fin de que los vecinos honrados no se retraigan de hacer posturas á los Oficios de República por los excesivos gastos que se les originan en las diligencias previas á ellas , y la precision de haber de acudir á otras partes á sacar sus títulos , y evitar el que los que aspiran á estos empléos, por lo mui costoso que les es el obtenerlos , hagan á ellos unas posturas mui baxas con perjuicio de mi Real Hacienda , procurando ocultar sus verdaderos valores para resarcir con lo reducido del precio de los mismos Oficios lo subido de los costos que tienen que hacer hasta entrar en su posesion , he resuelto , á consulta del propio mi Consejo de quatro de Noviembre del año de mil setecientos setenta y uno , dar amplia y absoluta facultad (como por esta mi Real Cédula doi) á todos los Presidentes de mis Audiencias de los Reinos del Perú y Nueva-España , y Nuevo-Reíno de Granada , para que cada uno en su respectiva jurisdiccion , precedidos

los avalúos, pregones y demas diligencias judiciales prevenidas por Derecho, puedan por sí despachar los títulos de los Oficios vendibles y renunciables segun y
como lo han tenido hasta ahora, y tienen los Virreyes
de los mismos distritos y los Gobernadores en Gefe de
Caracas, Habana, Santo Domingo, Buenos-aires, Chile
y otros de las demas Provincias de las Américas; con
declaracion de que los Fiscales de las mismas Audiencias deberán solicitar mi Real confirmacion, remitiendo
los testimonios correspondientes al referido mi Consejo
en la conformidad que está dispuesto por Reales Cédulas de diez y nueve de Septiembre del año de mil setecientos setenta y tres, y cinco de Diciembre del próximo pasado, de todos aquellos Oficios vendibles y renunciables, de que, como va insinuado, despachan sus
títulos los enunciados Presidentes, y cuyo valor no exceda de quinientos pesos en Nueva-España, y de mil
y quinientos en el Perú, á cuya quota he venido en
reducir la prefinida en la preinserta Real Cédula por
causas que ya no subsisten; pues los sugetos en quienes se rematen los demas Oficios que excedan de las
dos citadas cantidades que van señaladas deberán acudir precisamente á impetrarlas por sí ó sus Apoderados,
como se ha practicado hasta aquí, dentro del término
prefinido por Leyes, y baxo la pena de caducidad y
demás que en ellas se previenen, quedando en esta
forma sin efecto lo dispuesto en la citada preinserta
Real Cédula. Deseando tambien evitar á las Partes in-
teresadas en los mencionados Oficios los crecidos gastos

que se las originan así en las diligencias previas á las posturas y remates, como en la expedicion de sus títulos, y saca de los competentes testimonios, he resuelto asimismo mandar que los nominados Presidentes de mis Audiencias de ambas Américas formen con toda equidad y moderacion Aranceles de los derechos que deberán llevar los Escribanos de Gobierno por la expedicion de los títulos, y los de mi Real Hacienda por los de los remates de los insinuados Oficios, tambien con la calidad expresa de que no se exîgirán derechos algunos por las diligencias de Oficio, sino sólo de las practicadas desde la admision de las posturas; y que la formacion de los referidos Aranceles moderados se execute oyendo á los Fiscales de las mismas Audiencias, y pasando estos Reglamentos, despues de la aprobacion de los Presidentes, á la del respectivo Virréi. Y para la mas plena inteligencia y cumplimiento de esta mi Real resolucion ha parecido igualmente, con presencia de lo que últimamente han expuesto mis Fiscales, declarar, como por la presente declaro, que los Gobernadores que hasta ahora han despachado los títulos de Oficios vendibles y renunciables, continúen en el uso de la misma facultad: que los Promotores-Fiscales de la Real Hacienda, y en su defecto los Contadores Oficiales Reales donde no hai Audiencia, soliciten de oficio la confirmacion de los que sean de menor quantía; y que arreglados los nuevos Aranceles de derechos sobre este ramo de Oficios por los mismos Gobernadores, los dirijan éstos á las Audiencias Pretoriales de sus respectivos distritos;

pero los que formen los Presidentes de las propias Au- diencias Pretoriales, los remitan éstos directamente al mencionado mi Consejo, y los de las subordinadas á los tres Virreinatos se envíen á los Virreyes para que por tódos se dé cuenta á su tiempo al mismo Tribunal á fin de que recaiga su aprobacion. Por tanto, por la pre- sente mi Real Cédula, derogando, como derogo en la parte que queda sin efecto, la preinserta Órden, mando á mis Virreyes del Perú, Nueva-España y Nuevo-Rei- no de Granada, á los Presidentes de las Audiencias y Gobernadores de los mismos distritos, y á los Fiscales de ellas, á los Jueces de Almoneda de los Oficios ven- dibles y renunciables, á los Oficiales de mi Real Ha- cienda y á los demas Ministros y Justicias que, cada uno en la parte que respectivamente les tocare, guar- den, cumplan y executen, y hagan guardar, cumplir y executar la expresada mi Real resolucion y declaracio- nes puntual y efectivamente, segun y en la forma que va referido; y que así del recibo de esta mi Real Cé- dula, como de haberse puesto desde luego en práctica lo dispuesto en ella, y formádose los correspondientes Aranceles, dén cuenta oportunamente al nominado mi Consejo por mano de mi infrascripto Secretario para ha- llarme enterado de ello, por ser así mi voluntad; y que de la presente se tome razon en la mencionada Con- taduría General, y en las demas Oficinas y parages que en cada Provincia ó Departamento corresponda. Fecha en el Pardo á veinte y uno de Febrero de mil sete- cientos setenta y seis. = YO EL REI. = Por mandado del

Rei nuestro Señor : Don Pedro García Mayoral. =
Posteriormente se vieron en el enunciado mi Consejo
una Carta de dos de Agosto de mil setecientos sesenta
y ocho, y otra de once de Enero de mil setecientos setenta y cinco, con que los Ministros de la Audiencia de
Chárcas que en los dos respectivos tiempos hacían de
Fiscales en vacante de este empléo, remitieron varios
testimonios de remates de Oficios, á fin de que se expidiesen sus Reales confirmaciones en conseqüencia de
lo mandado por Real Cédula de catorce de Noviembre
de mil setecientos y uno sobre que hubiesen de solicitar
los Fiscales las de los Oficios vendibles de aquel distrito
cuyo remate no llegase á tres mil pesos, en cuyo asunto
se expidieron otras Cédulas en cinco de Marzo de mil
setecientos cincuenta y ocho, y catorce de Diciembre de
mil setecientos cincuenta y nueve. Asimismo se ha tenido presente que por Real Cédula de siete de Diciembre de mil setecientos y sesenta se concedió facultad á
mi Virréi del Nuevo-Reino de Granada para que pudiese despachar, sin la calidad de que se hubiese de
ocurrir por mi Real confirmacion, los títulos de todos
aquellos Oficios cuyo valor no excediese de dos mil pesos en su remate. Y visto tódo nuevamente en el enunciado mi Consejo, con lo que informó la Contaduría y
dixo mi Fiscal, he resuelto tenga cumplido efecto en el
distrito de esos dos Virreinatos lo dispuesto en la inserta
Cédula de veinte y uno de Febrero del año próxìmo
pasado, expedida por la Secretaría de Nueva-España,
sin embargo de qualesquiera que hubiere en contrario:

y en su conseqüencia os mando que, cada uno en la parte que os toca, os arregléis puntualmente á ella para su debida observancia y cumplimiento ; y de este Despacho se tomará razon por la enunciada Contaduría General del referido mi Consejo. Fecho en el Pardo á treinta y uno de Enero de mil setecientos setenta y siete. = YO EL REI. = Por mandado del Rei nuestro Señor: Don Pedro García Mayoral. = Tomose razon en la Contaduría General de las Indias. Madrid cinco de Febrero de mil setecientos setenta y siete. = Don Tomas Ortiz de Landázuri.

Número 19

Corresponde al Artículo 168.

Real Cédula de 13 de Abril de 1777.

EL REY.

Por quanto habiéndose suscitado controversia en la Ciudad de la Habana al tiempo de rematarse los Diezmos de los Partidos de San Juan de los Remedios y Santa Clara, entre mis Ministros Reales, el Reverendo Obispo de la Iglesia Catedral de Cuba y el Juez de Diezmos de ella, sobre si éste, como Hacedor de ellos y segun la práctica observada hasta entónces, era, ó nó árbitro y absoluto para executar semejantes arrendamientos, fixar las condiciones, proporcionar la re-

caudacion de la gruesa y su distribucion con independencia de los mismos Ministros, y admitir las fianzas del
Excusado sin manifestarlas ni preceder su aprobacion,
no entregar los Libros que debían formar los Arrendadores, ni pasarse á las Oficinas Reales para que se custo-
diasen en ellas; y tambien para que el mismo Juez Eclesiástico y sus Dependientes se aplicasen los derechos y
costas procesales á su arbitrio, y practicar todos los
asuntos que directa ó indirectamente tocaban al arrendamiento por ante Notario, careciendo de fe pública por
no ser Escribano Real, como piden las Leyes; inten-
tando persuadir el enunciado Juez Hacedor que fuera de
los dos Reales Novenos, con cuyo título asistían á los
expresados remates, no tenían derecho los Ministros Reales para intervenir en el gobierno y intervencion del
producto de los Diezmos, y mucho ménos en los de la
segunda Casa-Excusada destinada á la Fábrica de la
Catedral; y siendo conveniente evitar toda controversia,
y los abusos introducidos en los arrendamientos y distribucion de Diezmos, que me pertenecen en virtud de
concesiones Apostólicas, y arreglar todas las operaciones de estos actos conforme á la disposicion de las Leyes y modernas Reales resoluciones, en virtud de las
quales tienen mis Ministros derecho para calificar las
condiciones de los arriendos, proporcionar la buena administracion, promover el aumento, graduar la seguridad de las fianzas, auxîliar la recaudacion, y intervenir
los repartimientos para que se ajusten al Quadrante, y
no se perjudique á los partícipes: he resuelto, á consulta

de mi Consejo de las Indias de primero de Febrero próxìmo pasado con precedente vista del Fiscal, para que
se logre el fin expresado, y uniformar la práctica mandada guardar últimamente en todas las Iglesias de mis
Dominios de las Indias, que en los remates, administracion, recaudacion y distribucion de Diezmos de los
mismos Dominios, se observe en lo sucesivo el Reglamento formado por la Contaduría General, que es del
tenor siguiente: "Que se han de hacer y publicar las
"condiciones, como todo quanto se obrare en la mate-
"ria, con previa intervencion de los respectivos Virre-
"yes, Gobernadores, Intendentes y demas Ministros
"que deben concurrir al acto: Que no se ha de conmi-
"nar á los deudores para la paga, como está declarado
"por punto general; y que el apremio de los deudores
"morosos legos se haga por la via ordinaria, y con el
"privilegio que compete á la naturaleza de Diezmos:
"Que aunque el ramo de Diezmos no se puede ni debe
"denominar de Real Hacienda, ni tratarse como los
"ótros de ella, conservo Yo el directo dominio; y en
"virtud de él, de la suprema proteccion y Patronato
"que exerzo en todas las Iglesias Metropolitanas y Cate-
"drales de las Indias, de los dos Novenos que pertene-
"cen á mi Real Erario, de las Vacantes mayores y
"menores, y Mesadas, que tambien son mías, del in-
"mediato interes que tengo en que el Noveno y medio
"de Fábrica, y el producto de la segunda Casa-Excusada
"se administren é inviertan en sus legítimos destinos, y
"en que los Hospitales, Curas y demas partícipes en

l

„ la masa de Diezmos perciban lo que les corresponde
„ segun el Quadrante, es forzoso y mui correspondiente
„ que en los arrendamientos, administraciones, recauda-
„ cion y distribucion de los Diezmos, y en las cuentas
„ de Fábrica intervengan con jurisdiccion igual y unida
„ al propio fin el Virréi, Gobernador ó Intendente, los
„ Ministros Reales, y Juez ó Jueces Hacedores de Diez-
„ mos nombrados por el respectivo Arzobispo, ó Obis-
„ po y Cabildo: Que los Rematadores y Administrado-
„ res legos se han de someter á esta jurisdiccion unida
„ de Diezmos, y nó privativamente á la Eclesiástica, co-
„ mo se ha hecho ántes: Que las fianzas principales, y la
„ de segunda Casa-Excusada se han de otorgar á satis-
„ faccion del Virréi, Gobernador ó Intendente, y del
„ Juez de Diezmos: Que los Libros que han de llevar
„ los Administradores ó Arrendatarios para asentar los
„ valores de Diezmos han de ser formales, y se han de
„ presentar á la expresada Junta á la expiracion del
„ arriendo, quedando archivados en parage seguro: Que
„ el Notario que actúe en los remates y diligencias de
„ Diezmos sea precisamente Escribano Real, como está
„ mandado: Que por la misma Junta se forme Arancel
„ en que, con prudente equidad y justicia, se regulen
„ y tasen los derechos que por razon de remates y demás
„ que se actúe deban llevar el Notario y Jueces Hace-
„ dores de Diezmos, con expresa declaracion y prohi-
„ bicion de percibir cosa alguna los Ministros Reales,
„ porque, sobre hallarse bien dotados, es puramente de
„ oficio y de la obligacion de sus empléos su concur-

„ rencia , sucediendo lo mismo á los Jueces Hacedores „ quando son Canónigos ó Prebendados de la misma „ Iglesia , porque trabajan á su beneficio , y el Arzobispo, „ ó Obispo y Cabildo les señala de sus respectivas quar- „ tas la gratificacion o ayuda de costa equivalente ; y „ que el acto de los remates y Juntas se execute fuera „ de la Iglesia en la Sala Capitular , ú otro parage in- „ mediato á ella , como se practica , ó debe practicar- „ se en las Iglesias de Indias , poniéndose de acuerdo „ sobre este punto el Virréi , Gobernador ó Intenden- „ te , y los Arzobispos y Obispos." Por tanto , por la presente ordeno y mando á mis Virreyes del Perú, Nueva-España y Nuevo-Reino de Granada , á los Re- gentes y Audiencias , Gobernadores , Comandantes-Ge- nerales , Intendentes , Tribunales de Cuentas , Oficiales Reales , y á otros qualesquiera Jueces y Ministros de aquellos distritos ; y ruego y encargo á los mui Reve- rendos Arzobispos y Reverendos Obispos de las Igle- sias Metropolitanas y Catedrales , á los Venerables Deanes y Cabildos de sus Iglesias , á los Jueces Hace- dores de ellas y demas personas á quienes correspon- da que , cada uno en la parte que respectivamente le tocare , guarden , cumplan y executen , y hagan guar- dar , cumplir y executar la expresada mi Real resolu- cion puntual y efectivamente , segun y en la forma que va declarado , por ser así mi voluntad ; y que de esta mi Real Cédula se tome razon en la expresada Contaduría General. Fecha en Aranjuez á trece de Abril de mil setecientos setenta y siete. = YO EL REI. = Por mandado del Rei nuestro Señor : Don Pedro García Mayoral. = Tomose razon en la Contaduría General de las Indias. Madrid diez y ocho de Abril de mil setecientos setenta y siete. = Don Tomas Ortiz de Landázuri.

Número 20

Corresponde al Artículo 183.

Real Cédula de 23 de Mayo de 1769.

EL REY.

Por quanto habiendo llegado á noticia de mi Consejo de las Indias el abuso que se ha introducido en las Iglesias Metropolitanas y Catedrales de mis Reinos de las Indias de executarse á costa de los Prebendados y del caudal de la Fábrica los gastos que se ocasionan en el recibimiento de los Prelados de ellas , que suelen ser exôrbitantes , de lo qual resulta grave perjuicio así á los Individuos de los Cabildos , como al enunciado caudal de Fábrica ; teniendo presente lo que sobre el particular informó la Contaduría General del propio mi Consejo , y expuso mi Fiscal , ha parecido encargar á los mui Reverendos Arzobispos y Reverendos Obispos de aquellos mis Dominios que, en uso y exercicio de sus facultades, dispongan que los Mayordomos de Fábrica , Canónigos y demas personas á cuya direccion está puesta la administracion de los expresados caudales , presenten anualmente sus cuentas á los Vice-Patronos para que, vistas y reconocidas por éstos, ó por las personas que diputasen para ello, aprobadas, dén cuenta con testimonio en relacion al mencionado mi Consejo á fin de que se halle instruido, y evitar por este medio los extravíos de caudales que se han experimentado en perjuicio de las mismas Santas Iglesias por el mal uso que de ellos han hecho sus propios Capitulares. Por tanto, por la presente ordeno y mando á mis Virreyes y Gobernadores que en mis Reinos del Perú, Nueva-España y Nuevo-Reino de Granada exercen mi Real Patronato, y ruego y encargo á los mui Reverendos Arzobispos y Reverendos Obispos de las Iglesias Metropolitanas y Catedrales de los mismos Dominios, guarden, cumplan y executen, y hagan guardar, cumplir y executar puntual y efectivamente la expresada mi Real determinacion segun y en la forma que va referido, por ser así mi voluntad; y que de este Despacho se tome la razon en la mencionada Contaduría General. Fecha en Aranjuez á veinte y tres de Mayo de mil setecientos sesenta y nueve. = YO EL REI. = Por mandado del Rei nuestro Señor : Don Tomas del Mello. = Tomose razon en la Contaduría General de las Indias. Madrid treinta y uno de Mayo de mil setecientos sesenta y nueve. = Don Tomas Ortiz de Landázuri.

Número 21

Real Cédula de 19 de Octubre de 1774.

EL REY.

Con el fin de poner en la debida fuerza y vigor las Leyes, Instrucciones y Reales disposiciones sobre administracion de Diezmos de las Iglesias de la América, y justa distribucion, recaudacion y cobro de mis Reales Novenos, Vacantes mayores y menores, y Mesadas eclesiásticas, se han dado las mas activas y eficaces providencias, sin que hasta ahora se haya verificado el cumplimiento de tan necesarias disposiciones, bien sea por el absoluto manejo de esta renta con notorio agravio de mi Real Hacienda, Hospitales y Fábrica, ó por la poca atencion de los Tribunales de Cuentas y Oficiales Reales. Y queriendo precaver en lo sucesivo estos perjuicios, y afianzar enteramente el órden que exîge el ramo de Diezmos, mandé á mi Consejo de las Indias exâminase el punto de si sería útil reservar en mí el nombramiento de los Contadores de las Iglesias Metropolitanas y Catedrales de aquellos Reinos, y dar facultad para que lo executen interinamente los Virreyes y Gobernadores como Vice-Patronos, separando de ella á las mismas Iglesias, no obstante la práctica inconcusa que las favorece, y que las Leyes conformen con ella; y habiéndolo executado con la debida reflexîon y madurez , oyendo ántes al Contador General y al Fiscal , y teniendo presente la propiedad y absoluto dominio que tengo en aquellos Diezmos como bienes patrimoniales que son de esta Corona , la qual nunca abdicó , y ántes sí se reservó el derecho de disponer de ellos á su arbitrio , como puedo hacerlo una vez que señale á las mismas Iglesias dote competente para su manutencion , que es la condicional con que se concedieron á los Reyes Católicos por la Silla Apostólica , me consultó en ocho de Julio próxîmo pasado convendría que Yo nombrase desde ahora en adelante los expresados Contadores de Diezmos , y estimaba que podía nombrarlos en uso de mis Soberanas facultades en este ramo de mi Real Erario. Y conformándome con este dictámen , he resuelto separar , como por la presente mi Real Cédula separo , á las mismas Iglesias de la facultad de nombrar sugetos para estos empléos , y reservarla en mí , limitando sus funciones y exercicio á las propias que ahora tienen , y señalándoles por via de salario el mismo que les está consignado para su manutencion , el qual se les ha de satisfacer del fondo en que lo esté , dándome desde luego por las Iglesias noticia puntual del importe del señalado por cada úna á estos Dependientes: y para que mas bien se logre el fin á que se dirige esta providencia , he resuelto tambien que por ningun acontecimiento se concedan estos empléos por juro de heredad , hagan perpetuos , ni de calidad vendibles y renunciables , pues los he de proveer desde ahora y siempre que vaquen ; á cuyo efecto , y no aventurar el acierto en las elecciones , quiero que , cesando en su exercicio los empleados por los Cabildos , los Virreyes y Gobernadores Vice-Patronos nombren desde luego y en adelante para que los sirvan interinamente aquellos sugetos que consideren á propósito , así como lo hacen en los ótros en que se acostumbran las interinidades, hasta que Yo , con la noticia que me deberán dar inmediatamente de la vacante , y de las circunstancias del interino , pueda confirmarle ó nombrar en propiedad al que fuere de mi Real agrado : bien entendido que nó por esta resolucion han de quedar los Oficiales Reales y demas Ministros á quienes por leyes incumbe la asistencia con los Jueces Hacedores á los hacimientos y repartimientos de Diezmos , relevados de la obligacion que en esta parte les imponen ; y ántes es mi voluntad que en conformidad de ellas , y de lo dispuesto en Reales Cédulas y Órdenes posteriores generales y particulares , concurran precisa y indispensablemente á ellos , sin que los Cabildos puedan con ningun pretexto impedírselo ; en inteligencia de que daré , como doi , por nulos , de ningun valor ni efecto qualesquiera arrendamientos que en adelante se hagan sin su intervencion y asistencia. Para que todo lo referido tenga cumplido efecto , y que en ningun tiempo pueda alegarse ignorancia , ruego y encargo á los mui Reverendos Arzobispos y Reverendos Obispos de las Santas Iglesias Metropolitanas y Catedrales de los Reinos del Perú , Nueva-España , Nuevo-Reino de Granada , Islas Filipinas y de Barlovento ; á los Venerables Deanes y Cabildos de ellas ; y ordeno y mando á los Virreyes , Presidentes y Oidores de mis Reales Audiencias de aquellos distritos , y á los Gobernadores que en ellos tienen el exercicio de mi Real Patronato , á los Tribunales de Cuentas y Oficiales Reales de las respectivas Caxas , que cada uno en la parte que le toca , entendido de esta mi resolucion , la cumpla y execute , haga cumplir y executar en todos los puntos que contiene , sin ir ni venir contra ella en manera alguna; pues de qualquiera morosidad , desidia ó disimulo que tengan , los haré responsables , y experimentarán los efectos de mi Real desagrado , por convenir así á mi Real servicio , y que de este Despacho se tome la razon en la Contaduría General del expresado mi Consejo de las Indias. Dado en San Lorenzo á diez y nueve de Octubre de mil setecientos setenta y quatro. $=$ YO EL REI. $=$ Por mandado del Rei nuestro Señor : Don Pedro García Mayoral. $=$ Tomose razon en la Contaduría General de las Indias. Madrid veinte y quatro de Octubre de mil setecientos setenta y quatro. $=$ Don Tomas Ortiz de Landázuri.

Número 22

Real Cédula de 5 de Octubre de 1737.

EL REY.

Por Decreto señalado de mi Real mano en el Sitio de San Ildefonso en veinte de Septiembre de este año, he venido en tomar la resolucion del tenor siguiente. Hallándose pendiente y sin resolver desde el año de mil seiscientos diez y siete la duda (entónces ocurrida) sobre la pertenencia y aplicacion de las Vacantes de los Arzobispados y Obispados de mis Indias Occidentales, con ocasion de la Consulta que me hizo la Cámara de Indias en trece de Enero de mil setecientos treinta y seis suplicándome me sirviese determinar esta materia por punto general, y prevenirla en ínterin si había de evacuar ó nó las instancias que ocurriesen por parte de los Obispos é Iglesias ; y teniendo presentes los antecedentes que en este asunto pendían en el referido Consejo de la Cámara desde el citado año de mil seiscientos diez y siete (que se pusieron en mis Reales manos) para mejor enterarme de las ocurrencias , y especialmente la resolucion tomada por Real Decreto de quatro de Enero de mil seiscientos ochenta y ocho mandando formar una Junta de Ministros y Teólogos en que se viese con toda reflexion esta materia (que no había tenido efecto) ; con atencion á las reflexiones que tuve presentes en órden á que era igual el derecho de esta Corona sobre las Vacantes menores que sobre las mayores, fuí servido mandar por mi Real resolucion de catorce de Enero de este año se formase una Junta en la Posada del Obispo de Málaga, Gobernador del Consejo, compuesta de Ministros de los Consejos de Castilla, Inquisicion, Indias y Hacienda, y de diferentes Teólogos, para que viéndose en ella la citada Consulta de la Cámara de Indias de trece de Enero de mil setecientos treinta y seis, con los demas papeles y antecedentes que la acompañaban y se expresaban en índice de veinte y quatro de Febrero del mismo año, en el punto que tocaba la Consulta sobre pertenencia y aplicacion no sólo de las Vacantes de Arzobispados y Obispados de la América, sino tambien de las Dignidades, Canongías, Raciones y Medias Raciones, se confiriese y exâminase con la reflexîon que pedía un negocio tan grave, y de cuya decision pendía la puntual asistencia á las Misiones, y el poder desembarazar la Real Hacienda del grueso contingente con que acudía á estas obras-pias, para atender, sin nuevo gravámen de los Pueblos, á las indispensables urgencias de estos Reinos, defensa y seguridad de los de Indias; y se me propusiese por ella el derecho que tuviese al importe de unas y otras Vacantes, y aplicacion que debía darle, para en su vista poder tomar resolucion á la citada Consulta. Y habiendo con efecto formádose la expresada Junta, y vístose en ella los citados antecedentes (de que se formó é imprimió un puntual Extracto), y juntamente las Alegaciones , Votos y Discursos legales que en el propio asunto se habían escrito en los años de mil seiscientos diez y siete , mil seiscientos treinta y cinco , mil setecientos doce , mil setecientos veinte y seis , y últimamente en el presente de mil setecientos treinta y siete , se me ha hecho presente por la citada Junta en Consulta de veinte y nueve de Julio de este mismo año, que perteneciendo á esta Corona los Diezmos de las Indias por la Concesion Apostólica de Alexandro VI. con dominio pleno , absoluto é irrevocable , eran y pertenecían á ella por el mismo derecho todos los frutos y rentas decimales que se causaban por la Vacante de los Arzobispos y Obispos, Dignidades , Canónigos , Racioneros , Medios Racioneros , y demas Ministros que gozan renta decimal en aquellos Reinos , yá procediese de muerte , traslacion ó renuncia , y que podía aplicar estos frutos y rentas á qualesquiera usos y necesidades del Estado como otro qualquier ramo de Real Hacienda , aunque juzgaba sería siémpre lo mas conveniente y piadoso destinarlas á obras pias , especialmente al aviamiento , viático y manutencion de las Misiones empleadas con tanto fruto en la propagacion de la Religion Católica en aquellas regiones , por cuyo medio quedaría la Real Hacienda relevada en parte de las crecidas sumas con que acude á este santo é importante fin. Y sin embargo de que, siendo y perteneciendo á esta Corona los Diezmos de las Indias por la Concesion Apostólica con dominio absoluto, como se me ha informado , podría aplicar justa y lícitamente á usos temporales y profanos convenientes á la conservacion, defensa y seguridad de estos Reinos y los de las Indias, las rentas asignadas á los Arzobispos, Obispos, Dignidades, Canónigos, Racioneros, Medios Racioneros y demas Ministros Eclesiásticos de mis expresadas Indias Occidentales é Islas adyacentes en el tiempo de sus Vacantes por muerte, traslacion ó resignacion : con tódo, conformándome con lo propuesto por la referida Junta de Ministros y Teólogos en su citada Consulta, y deseoso de que los caudales que procedieren de unas y otras Vacantes se apliquen y distribuyan en usos y obras-pias, y por este medio terminar las varias disputas, dudas y opiniones que se han ofrecido y continuado por mas de un siglo, para que jamas se pueda volver á poner en qüestion este derecho, he resuelto por punto general y regla fixa, perpetua y constante (la que con ningun pretexto se deberá alterar sin que preceda órden mía), que todos los caudales procedentes de las Vacantes de Arzobispos y Obispos que se hubieren causado en mis Reinos de las Indias y sus Islas adyacentes por muerte, traslacion ó resignacion de los Prelados, hasta la confirmacion de los Sucesores, desde el dia primero de Enero del año próximo pasado de mil setecientos treinta y cinco en adelante, los quales, segun la disposicion de la lei 37 título 7 libro 1, deben existir en poder de Oficiales Reales por cuenta aparte para distribuirlos segun mis órdenes; y los que se causaren y procedieren desde el dia de la fecha de este Decreto en un año de las Dignidades, Canongías, Raciones, Medias Raciones, y demas Ministros Eclesiásticos que gozan por asignacion para sus alimentos rentas en los Diezmos de ellos, y vacaren por muerte natural ó civil de tódos ó qualquiera de estos Ministros en lo sucesivo, perpetuamente sirvan, se apliquen, destinen y distribuyan precisamente, como Yo desde luego las asigno, aplico y destino á obras-pias, que han de ser las que Yo mandare se hagan, atiendan y socorran en estos Reinos y en los de las Indias, segun la preferencia y grado con que tengo ordenado se executen, y en adelante ordenare, y para costear, en la parte que alcanzaren, el viático, conduccion, transporte y manutencion de los Misioneros Apostólicos que de todas Religiones pasan de estos Reinos, y existen en los de Indias con el santo fin de entender en la reduccion, conversion, predicacion y enseñanza de los Indios gentiles que cada dia, favoreciendo Dios mis religiosos y católicos designios, se conquistan y reducen, á expensas de la Real Hacienda, al gremio de nuestra Santa Madre Iglesia, y obediencia de la suprema Cabeza, como obra-pia en grado eminente la mas acepta y recomendada por todos derechos, y de la primera y mas principal atencion en los Señores Reyes Católicos y sus gloriosos Sucesores desde que la Divina Providencia quiso engrandecer esta Monarquía con el descubrimiento y ocupacion de aquellos Imperios. Y para que en la práctica y execucion de esta mi Real resolucion no se ofrezcan embarazos que la atrasen ó dificulten, se darán por la Cámara de Indias las órdenes mas precisas á los Virreyes, Presidentes, Audiencias y Gobernadores de ambos Reinos y sus Islas adyacentes para que, haciéndose cargo de que mi principal fin es que estos efectos se empléen en las obras-pias que he señalado y señalare en España y en las Indias, y á la conversion de los Naturales de aquellas tierras á nuestra Santa Fe Católica, como tienen entendido, lo que no se puede lograr sin Misioneros y caudales para su aviamiento y subsistencia, dispongan que por los Oficiales Reales de sus distritos, y con la distincion de tiempos que va expresada, se lleve cuenta y razon mui exâcta y puntual en libros particulares (que á este fin formarán á costa de la Real Hacienda) del producto de dichas Vacantes mayores y menores, con la misma formalidad y justificacion que lo han debido hacer por lo pasado en lo respectivo á las mayores, y lo hacen con los demas ramos de mi Real Hacienda, sin que por los Virreyes, Presidentes, Audiencias, Gobernadores, ú otros qualesquiera Ministros se libre, ni satisfaga por los Oficiales Reales, libranza alguna sobre este caudal que no sea precisamente para acudir á las asignaciones que estuvieren hechas, ó se hicieren en adelante á favor de las expresadas Obras-pias y Misiones, su transporte y viático, ó lo que con órdenes mías se mandare satisfacer de él á las Iglesias ó Prelados en los casos que irán declarados. Y mando al Consejo y Cámara que hasta que en este negocio se tomen y tengan todas las noticias necesarias para regular el producto de este ramo y el costo de las Misiones , no me consulte sobre él gracia ni merced alguna , aunque Yo remita algun Memorial con semejante instancia , haciéndome presente en su respuesta esta órden , á excepcion de las de los Prelados é Iglesias en los términos que irá declarado, segun está prevenido en Decreto de nueve de Mayo de mil setecientos y doce. Tambien se expedirán órdenes á los Prelados y Cabildos de las Iglesias Metropolitanas y Catedrales de ambos Reinos para que la renta que correspondiere , segun la distribucion y repartimiento de cada úna , á las Dignidades , Canónigos, Racioneros , Medios Racioneros , y demas Ministros de ellas por razon solamente de la gruesa y masa decimal , dispongan que por el tiempo de la Vacante de qualquiera de los expresados Ministros desde su muerte hasta el dia de la posesion del que fuere por mí presentado en su lugar , éntre por cuenta aparte y en caxa separada en poder de los Oficiales Reales del distrito; cuya providencia no se debe entender para con aquellas Iglesias que presentemente tienen la asignacion de su congrua en caxas , por quedar , como ha quedado siémpre , á beneficio de ellas por la muerte de los Ministros la congrua con que durante su vida se les asistía de cuenta de mi Real Hacienda , ni para con aquellas porciones que por razon de obvenciones , aniversarios ú otros títulos se distribuyen entre los Prebendados y Ministros. Asimismo se expedirá Cédula general á todos los Arzobispos y Obispos encargándoles remitan luego que la reciban (sino es que la haya en el

Consejo ó Cámara) una relacion fiel, puntual y ajustada de todo el valor y producto de las rentas y emolumentos de sus Prelacías, con distincion de la renta decimal, y lo que proviene de obvenciones, derechos del Sello y Audiencia, y demas eventuales, manifestándoles ser mi Real ánimo hallarme con estas noticias para verificar la justificacion con que se envían las cuentas de las mismas rentas por Oficiales Reales en tiempo de Vacante, por los fundados rezelos que se tienen de su extravío y atraso, de que ha resultado en gran parte no tener cabimiento muchas de las mercedes que se han hecho sobre estas rentas á diferentes obras-pias, cuyos inconvenientes deséo se eviten á las obras-pias y á los Misioneros, que deben ser mirados por los Prelados como Coadjutores de su pastoral solicitud. Mediante que sobre los efectos de Vacantes de Arzobispos y Obispos de Indias están concedidas diferentes mercedes á Iglesias, Monasterios, Comunidades y otras obras-pias, ordeno á la Cámara ponga en mis Reales manos con la mas posible brevedad una puntual relacion de estas libranzas, expresándose en ella la cantidad de cada úna, la persona á quien se concedió, en qué año, por qué causa, en qué Obispado, y lo que por cuenta de cada úna constare haberse cobrado, para que en inteligencia de ello pueda tomar la providencia que convenga; y otra igual relacion se pedirá á los Oficiales Reales de Indias, y pondrá en mis manos, por lo respectivo á las cantidades y porciones de Vacantes de Prelados que hubieren entrado en su poder, y su distribucion, desde primero de Enero de mil setecientos treinta hasta fin de Diciembre de mil setecientos treinta y quatro, para que Yo me halle enterado del caudal que en cada parte exîste perteneciente á este ramo, y pueda reglar con entero conocimiento el fondo necesario para las obras-pias mencionadas, el avío, transporte y manutencion de las Misiones ; en inteligencia de que no se ha de tolerar con ningun motivo á los Oficiales Reales el que dexen de remitir en todas las ocasiones de navíos, como son obligados por leyes, la cuenta certificada con cargo y data de lo que en cada un año, desde primero de Enero de mil setecientos treinta y ocho en adelante, entrare en su poder del mismo ramo de Vacantes, así mayores como menores, y su distribucion, como medio preciso para entender lo que deberá suplirse anualmente de los demas ramos de la Real Hacienda para que sea efectivo, pronto y sin contingencia en cada Obispado el capital de sus Misiones, que destinadas y establecidas en las partes mas convenientes (de que me informará la Cámara, tomando las noticias necesarias de los Virreyes, Audiencias y Prelados, con reflexîon á que estén unidos los Continentes, franqueando la segura comunicacion y comercio de las poblaciones para evitar los insultos y estragos experimentados, se puede esperar ver logrado en pocos años la pacificacion de las Provincias de la *Nueva-Vizcaya* y *Guazteca*, el descubrimiento del Continente de las *Californias*, la reduccion de las bárbaras Naciones del *Orinoco*, y de los Indios *Motilones* de las Gobernaciones de *Maracaibo*,

Santa Marta y *Río de la Acha*, y la sujecion, poblacion, cultura y fecundidad de tan extendido pais como resta por conquistar, con acrecentamiento de la Religion Católica y de aquellos Dominios. Por la Contaduría del Tribunal de la Contratacion de Cádiz se remitirá asimismo á la Cámara en principio de cada año una puntual y distinta relacion del caudal que en el año antecedente se hubiere aplicado para la satisfaccion del viático, aviamiento y transporte de las Misiones que se hubieren despachado á las Indias, con expresion del número de sugetos, su Religion, Naciones, Provincias á que se destinan, y navíos en que se hubiesen embarcado, las que se copiarán en libros separados que para ello deberán formarse en la Contaduría del Consejo, para que se tengan y hagan presentes quando convenga. Tambien se formará y pondrá en mis manos una relacion del número de Misioneros que hai en cada Provincia de Indias, expresando sus Religiones y Naciones, parages á que están destinados, cantidad que le está asignada á cada uno por via de congrua para su manutencion durante el ministerio de Misionero, en qué caxas, y de qué ramo; y otra igual relacion se pedirá por Cédula general á los Virreyes, Presidentes, Gobernadores, Arzobispos y Obispos de ambos Reinos, encargándoles con mucha recomendacion la observancia de las leyes que disponen pasen á Doctrina los Indios de Mision luego que hayan cumplido los diez años asignados, para que de este modo se adelante la conquista espiritual que tanto importa, y no resfrien los

Religiosos en el fervor de la reduccion: encargando mui particularmente al Consejo cuide con el zelo que lo ha hecho hasta aquí de consultarme, quando se ofrezca, el número conveniente de Misioneros que se deberán enviar á cada parte, sobre el supuesto cierto de la necesidad que tenga de ellos, y el estado y progreso que hubieren hecho en los parages de su destino; pues aunque ha de quedar á mi arbitrio y eleccion (como ha sido siémpre) el número de sugetos y ocasiones, quiero que quando el Consejo me lo proponga practique la mayor atencion sobre este punto. Para que por todos medios se ocurra al extravío y confusion que pueda padecer en adelante la recaudacion y distribucion de las Vacantes, y se tengan en la Cámara con puntualidad estas noticias, se encargará con las mas fuertes expresiones á los Tribunales de Cuentas de México, Lima y Santa Fe, y á los Contadores Mayores de las demas Provincias el cuidado en ver, anotar y glosar en principios de cada un año las cuentas de este ramo que deben llevar, como se ha expresado, los Oficios Reales de sus respectivos distritos, procediendo á la cobranza de los alcances y resultas, y dando anualmente aviso á la Cámara de lo que resultare y se ofreciere en esta razon. Habiéndose cometido por mi Real Decreto de nueve de Mayo de mil setecientos y doce á los Oidores Subdecanos de las Audiencias de Indias la averiguacion de los atrasos que habían padecido las Vacantes en manos de Oficiales Reales, y su recaudacion para en adelante, en cuya comision se les mandó cesar por otro Decreto de Enero de mil setecientos diez y ocho, deséo saber el efecto y frutos que produxeron estas órdenes; y para que la Cámara me pueda informar sobre ello con la distincion y claridad conveniente, dispondrá se junten todos los autos, informes y papeles que se hubieren causado y hallaren en las Secretarías, tocantes á este asunto, y que viéndolos el Fiscal á quien toque lo indiferente, pida y represente en la Cámara lo que sea de justicia para el recobro de estos caudales hasta el año en que constare haber vuelto los Oficiales Reales á su manejo, practicando lo mismo por lo respectivo al tiempo de la administracion de estos Ministros desde que cesó la intervencion de los Subdecanos hasta fin del año de mil setecientos veinte y nueve, poniendo en mi Real noticia lo que resultare de esta inspeccion y reconocimiento. Respecto de que siempre que ha ocurrido Vacante de Arzobispo ú Obispo han acudido sus Iglesias respectivas suplicándome las concediese la tercera parte de las Vacantes, ó lo que fuese mi merced, para sus necesidades y reparos, y Yo he condescendido en ello sin mas justificacion que su mera narrativa; ordeno á la Cámara que en lo sucesivo no oiga ni me consulte estas instancias en poca ni en mucha cantidad sin que conste por justificacion que se presente, é informe de los Virreyes, Presidentes y Gobernadores de los respectivos distritos, como mis Vice-Patronos, necesitarse efectivamente de alguna porcion para sus reparos, ornamentos, ú otra cosa conveniente á la mayor decencia del culto divino , que es mi ánimo mantener; pues no es regular que sin algun extraordinario accidente de incendio , ruina , ú otro semejante caso , y habiendo buena administracion en los Mayordomos ó Ecónomos , se hallen mis Iglesias necesitadas , entrando , como entra , en su poder la considerable parte que en los Diezmos les está asignada por las leyes para su fábrica material y formal , y los Expolios de los Prelados difuntos , sin otras fundaciones particulares que en muchas Provincias están hechas á su favor. Por lo que mira á los Prelados provistos para las Iglesias de Indias , á quienes igualmente he acordado la merced de la tercera parte de sus Vacantes , mas ó ménos segun el tiempo y las circunstancias , para ayuda del costo de Bulas , Pontifical y transporte, sin mas êxámen que su representacion y súplica ; prevengo asimismo á la Cámara excuse absolutamente toda instancia en esta materia para con los provistos por traslacion , y tambien para con los de primera promocion que no fueren Obispados de Caxas , quando despues del *fiat* de Su Santidad se hubieren mantenido sin pasar á servir sus Iglesias por mas de un año , yá sea por falta de vaxel , ó yá por otro legítimo impedimento , exceptuando con tódo aquellos Obispados que fueren de tan cortas rentas , que se considere prudentemente no poder con sólo la devengada en un año subvenir á los gastos de Bulas , Pontifical y transporte ; pues en estos casos es mi ánimo concederles , como les concederé , sobre las mismas

rentas Vacantes , si tuviere cabimiento , ú otro qualquier ramo de mi Real Hacienda , la parte y porcion
que baste para que puedan aviarse decentemente sin
contraher empeños que excedan á la renta vencida , con
la consideracion y distincion que es justo se tenga presente entre el Provisto Regular y Secular , puesto que
en los priméros son siémpre con mayor limitacion los
gastos por la pobreza que profesan y moderacion en
que están impuestos. Tendráse entendido en el Consejo y Cámara de Indias , y se expedirán por ella todos los Despachos correspondientes , haciendo notar
esta mi Real resolucion en la Contaduría del Consejo
y demas partes que convenga. Por tanto, por la presente mando á mis Virreyes de los referidos Reinos
del Perú y Nueva-España , á los Presidentes y Oidores de mis Reales Audiencias , Gobernadores , Corregidores , Alcaldes Mayores , Tribunales de Cuentas de
ambos Reinos , Contadores Mayores de sus Provincias
y Oficiales de mi Real Hacienda de ellos ; y ruego
y encargo á los mui Reverendos Arzobispos y Reverendos Obispos de las Iglesias Metropolitanas y Catedrales , á sus Cabildos , Provisores , Vicarios-Gene-
rales y demas Jueces Eclesiásticos y Seculares de todas
las dichas mis Indias de los referidos Reinos, observen,
cumplan y executen cada uno en su distrito y jurisdiccion , y en la parte que respectivamente le pertenece,
lo contenido en el referido Real Decreto , sin excusa,
réplica , dilacion ni impedimento alguno , de forma
que tenga cumplido efecto todo lo en él prevenido,

dando puntual cuenta, por lo que á cada uno pertenece y se le manda, en todas las ocasiones que se ofrecieren, de lo que se observare y resultare de este tan principal encargo, porque lo contrario será de mi desagrado. Dada en San Ildefonso á cinco de Octubre de mil setecientos treinta y siete. = YO EL REI. = Por mandado del Rei nuestro Señor: Don Simon Mozo de la Torre.

Número 23

Corresponde al Artículo 205.

Real Cédula de 16 de Noviembre de 1785.

EL REY.

Virreyes, Presidentes de mis Reales Audiencias, Intendentes, Gobernadores con exercicio de mi Real Patronato en mis Reinos de las Indias y en las Islas Filipinas, Prelados Diocesanos y Cabildos de las Iglesias Metropolitanas y Catedrales, y demas Ministros de aquellos mis Dominios á quienes en qualquiera modo tocare. Por Real Cédula de treinta y uno de Julio de mil setecientos y ochenta mandé se me informase si las Vacantes de Curatos y Sacristías Mayores que percibían Diezmos se consideraban comprehendidas en la de cinco de Octubre de mil setecientos treinta y siete, en que se resolvió entrase en Caxas Reales el importe de todas las Vacantes de los Arzobispados y Obispados, Dignidades , Canongías , Raciones enteras y medias , y las de los demas Ministros Eclesiásticos de aquellos Reinos que gozan por asignacion para sus alimentos renta en los Diezmos. Entre otros informes que se han recibido , han llegado los que pidió mi Virréi de Santa Fe contenidos en el Testimonio que con el suyo ha dirigido con Carta de seis de Noviembre de mil setecientos ochenta y dos ; y habiéndose visto en mi Consejo de las Indias , con lo informado por su Contaduría y expuesto por mi Fiscal , y consultádome sobre ello , y sin embargo de pertenecerme todos los frutos y rentas decimales tocantes en sus Vacantes á los Curatos y Sacristías Mayores de esos Dominios, he resuelto que los respectivos á los Curatos y Doctrinas no entren en Caxas Reales , sino que queden aplicados á los sugetos que interinamente sirvan estos ministerios , no sólo por los quatro meses que con arreglo á la lei se prescribe de término para la provision del Beneficio , sino tambien con respecto á todo el tiempo que media desde la vacante hasta la provision del interino , y desde que éste cumplió los quatro meses hasta que tome posesion el propietario. Y mediante que las razones y fundamentos que he tenido presentes para esta determinacion respectiva á los Curatos nó versan en las Sacristías Mayores , he resuelto asimismo nó exceptuarlas de la regla general , y de consiguiente que entren en mis Reales Caxas los Diezmos correspondientes á ellas en el tiempo de sus Vacantes , las quales deben contarse desde la muerte del propietario hasta que el nuevo provisto en clase de tal tome posesion. En su conseqüencia os lo prevengo para que cada uno en la parte que os toque concurrais al puntual cumplimiento de esta mi Real deliberacion; y de esta Cédula se tomará razon en la enunciada Contaduría General del propio mi Consejo. Fecha en San Lorenzo el Real á diez y seis de Noviembre de mil setecientos ochenta y cinco. = YO EL REI. = Por mandado del Rei nuestro Señor : Don Manuel de Nestares. = Tomose razon en la Contaduría General de las Indias. Madrid veinte y nueve de Noviembre de mil setecientos ochenta y cinco. = Por ocupacion del Señor Contador General : Don Pedro de Gallarreta.

Número 24

Corresponde al Artículo 207.

Real Cédula de 13 de Diciembre de 1777.

EL REY.

Por Real Cédula circular de veinte y tres de Abril de mil setecientos setenta y cinco se previno la forma en que debían cobrarse y remitirse á estos Reinos los quarenta mil pesos de pension que tuve á bien consignar sobre las Mitras y Prebendas de las Santas Iglesias de Indias para la Real y Distinguida Órden Española instituida con mi augusto nombre ; y habiéndola recibido Don Juan Antonio de Acilona y Don Diego de Aranda, Oficiales Reales de Durango en la Provincia de la Nueva-Vizcaya, me hicieron presente en carta de once de Enero de este año la duda que les ocurría en punto á si debían ó nó exîgir en las Vacantes mayores y menores la quota señalada á cada pieza Eclesiástica para la referida pension, y lo conveniente que sería dar una regla que sirviese de norma para el modo de su exâccion por lo respectivo á este punto por no haberse hecho mérito expreso de él en la misma Real Cédula. Y visto en mi Consejo de las Indias, con lo informado por la Contaduría General, y expuesto por mi Fiscal; queriendo atender á la permanencia y perpetuidad de la dote anual de los expresados quarenta mil pesos señalada á los Caballeros de la enunciada Distinguida Órden, la qual no podría verificarse no deduciéndose á prorata lo que corresponde en las Vacantes mayores y menores que me pertenecen de las Mitras y Prebendas de aquellas Santas Iglesias: he resuelto, á consulta de nueve de Octubre último, declarar (como por la presente mi Real Cédula declaro) que la deduccion de los insinuados quarenta mil pesos señalados para la mencionada Órden se haga con inclusion de las nominadas Vacantes, no obstante que pertenezcan á mi Real Hacienda, y habérselas libertado de todo descuento al tiempo de su incorporacion á mi Corona; y en su conseqüencia ordeno y mando á mis Virreyes, Presidentes de las Audiencias, y Gobernadores de mis Reinos de las Indias que tienen el exercicio de mi Real

Patronato , igualmente que á los Oficiales Reales de ellas , guarden , lo tengan así entendido , y que cumplan y executen , y hagan guardar , cumplir y executar en la parte que les toque ó tocar pueda , la expresada mi Real resolucion , por ser así mi voluntad , y que de esta mi Real Cédula se tome razon en la Contaduría General del referido mi Consejo , y en los demas Oficios adonde corresponda. Fecha en Aranjuez á trece de Diciembre de mil setecientos setenta y siete. ═ YO EL REI. ═ Por mandado del Rei nuestro Señor : Don Antonio Ventura de Taranco. ═ Tomose razon en la Contaduría General de las Indias. Madrid quince de Diciembre de mil setecientos setenta y siete. ═ Don Francisco Machado.

Número 25

Corresponde al Artículo 208.

Real Cédula de 31 de Julio de 1779.

EL REY.

Virreyes , Presidentes de mis Reales Audiencias, Gobernadores , Tribunales de Cuentas , Contadores Mayores (que hacen el Oficio de éstos) y Oficiales Reales , mui Reverendos Arzobispos y Reverendos Obispos , y Venerables Cabildos de las Iglesias Metropolitanas y Catedrales de mis Reinos de las Indias. Conformándome con los medios que me propuso la Junta extraordinaria en Consulta de treinta y uno de Marzo de mil setecientos setenta y siete para ocurrir á las actuales urgencias del Monte-pio Militar , y precaverlas para lo sucesivo en lo posible , determiné que se entregasen del fondo de Temporalidades los seiscientos mil reales de vellon vencidos en los años de mil setecientos setenta y quatro , setenta y cinco y setenta y seis , por la consignacion hecha de doscientos mil reales en cada uno á favor del Monte , y que se continuase en adelante : que en lugar de los cinco mil pesos asignados sobre los Expolios y Vacantes mayores y menores de las Indias perciba el Monte , como se practica en España , el quinto del líquido importe de su total producto , deducidas todas las cargas legítimas , y que los Oficiales Reales remitan noticia autorizada á la Junta de Gobierno: que del fondo existente del uno por ciento que cobra el Consulado de Cádiz se entregase á la Caxa del Monte con calidad de reintegro , quando tenga fondos para hacerlo , un millon de reales : que los dos millones quatrocientos y ocho mil doscientos cincuenta y quatro reales y veinte y quatro maravedis y un sexto de ótro que hasta fin del año de mil setecientos setenta y seis se habían suplido por las Tesorerías Generales de Exército , se abonasen á los respectivos Tesoreros , y quedasen por entónces en crédito contra el Monte hasta que , con los auxîlios reglados y demás que se providenciase , se hallase en estado de satisfacerlos : que para evitar en lo futuro el considerable perjuicio que experimenta el Monte en la retencion de la mitad de pension que conservan las Viudas y Huérfanas que se casan ó entran Religiosas , y las que de esta clase no tomasen estado de por vida , se reforme esta constitucion; y que sin perjudicar el goce y continuacion de las que actualmente obtienen este auxilio , cese en adelante la pension á todas las Viudas y Huérfanas que se casen ó entren Religiosas ; y asimismo á las Huérfanas que cumpliesen veinte y cinco años sin haber tomado estado: que de todos los Individuos que por sus empléos ó ascensos pasen del Monte-pio de Oficinas al Militar , ó de éste á aquél , se entregue desde una Caxa á ótra el caudal que se les haya descontado en el Monte de su primer ingreso , á efecto de que no se perjudique , como se experimenta , el Monte donde se ha de verificar la pension : que desde el propio año de mil setecientos setenta y siete se pagasen las pensiones por entero ; y si para el siguiente no sufragase la entrada de caudales , reglase el Gobierno del Monte lo que á cada Pensionista podía entregarse por cuenta de su haber , con reserva de completar el pago por entero luego que hubiese fondos suficientes. Esta mi Real resolucion se comunicó á mi Consejo de las Indias por la Secretaría de Estado y del Despacho de esta Negociacion en seis de Junio del mismo año de mil setecientos setenta y siete para que expidiese la Cédula correspondiente con insercion de ella , á fin de que tuviese efecto en todos aquellos mis Dominios en la parte que les competa , singularmente la deduccion del quinto de Expolios y Vacantes mayores y menores desde la fecha de la misma Cédula en adelante, haciendo la remesa de su importe los Oficiales Reales, y dando noticia á la Junta de Gobierno del Monte por la mencionada mi Secretaría del Despacho. Y habiéndose visto en el referido mi Consejo, con lo que informó su Contaduría General y dixeron mis Fiscales, y consultádome sobre su asunto en diez de Febrero de este año, he venido en conceder por ahora en beneficio y socorro del Monte-pío Militar de España y América la tercera parte del producto de Vacantes mayores y menores de Indias, baxadas las cargas legítimas de todo el ramo; y la pension de cinco mil pesos sobre Expolios, exceptuadas las Mitras de Caxa, para que tódo se recaude allá como los demas fondos del Monte. Todo lo qual os prevengo para que cada uno concurráis en lo que os tocare al mas puntual debido cumplimiento de dicha mi Real determinacion en todas sus partes. Y de este Despacho se tomará razon en la enunciada Contaduría General del referido mi Consejo. Dado en San Ildefonso á treinta y uno de Julio de mil setecientos setenta y nueve. = YO EL REI. = Por mandado del Rei nuestro Señor: Don Antonio Ventura de Taranco. = Tomose razon en la Contaduría General de las Indias. Madrid nueve de Agosto de mil setecientos setenta y nueve. = Por ocupacion del Señor Contador General: Don Pedro de Gallarreta.

Número 26

*Corresponde al Artículo 209, y tambien
á los 211, 214, 215 y 219.*

Real Cédula de 26 de Enero de 1777.

EL REY.

Virreyes, Presidentes de mis Reales Audiencias, Gobernadores, Tribunales de Cuentas, Contadores Mayores (que hacen el oficio de éstos) y Oficiales Reales de mis Reinos de Indias, mui Reverendos Arzobispos, Reverendos Obispos y Venerables Cabildos de las Iglesias Metropolitanas y Catedrales de ellos. En veinte y tres de Octubre de mil setecientos setenta y cinco expedí el Real Decreto del tenor siguiente. „A Consultas de ese Consejo (de Indias) de treinta „de Junio de mil setecientos cincuenta y cinco, y „veinte y siete de Noviembre de mil setecientos cin-„cuenta y ocho resolví en el año de mil setecientos y „sesenta que no se pusiese por entónces en práctica en „mis Reinos de las Indias la Bula del Papa Benedicto „XIV. de diez de Mayo de mil setecientos cincuenta „y quatro, por la qual concedió al Rei Don Fernan-„do mi Hermano y á sus Sucesores la gracia y fa-„cultad perpetua de poder percibir una Media-anata „Eclesiástica de tódos y cada uno de los provistos á „nominacion Real en los Beneficios, Pensiones y Ofi-

" cios Eclesiásticos de éstos y aquellos Dominios siem-
" pre que llegasen sus frutos y proventos ciertos é in-
" ciertos al valor anual de trescientos ducados de la mo-
" neda corriente en los respectivos paises de su situa-
" cion ; y mandé continuase la exâccion de la Mesa-
" da Eclesiástica en la conformidad que se estaba ha-
" ciendo en virtud de la concesion temporal de Urba-
" no VIII. y prorogaciones de sus Sucesores , cada uno
" en su respectivo tiempo ; mas considerando ahora los
" inmensos tesoros que franquea con gusto mi Real Era-
" rio para concurrir en aquellos vastos Dominios á los
" incesantes continuos gastos que cada dia se aumentan
" en la propagacion , conservacion y defensa de nues-
" tra Religion Católica , en la manutencion de Misio-
" neros Evangélicos , Ministros y Dependientes del San-
" tuario , dedicados á instruir y fortificar en la Fe á los
" Indios , á dar las alabanzas debidas al verdadero
" Dios , y á mantener su divino culto con toda la de-
" cencia que conviene en aquellas vastas y remotas par-
" tes , sin dexar por eso de atender á las demas indis-
" pensables obligaciones del Estado : con el fin de sos-
" tener estos importantes objetos , he creido no deber
" suspender por mas tiempo el uso y execucion de
" aquellas gracias Apostólicas que , dirigidas á los san-
" tos fines de religion y culto , aplican alguna parte del
" patrimonio de la Iglesia á su conservacion y defen-
" sa. Por tanto mando que desde ahora en adelante se
" ponga en execucion en mis Reinos de las Indias la ci-
" tada Bula de Benedicto XIV. , y que en su virtud se

p

”proceda á la exâccion de la Media-anata Eclesiásti-
”ca baxo las reglas de equidad y justicia con que se
”practica en España , y con todas las precauciones
”convenientes para que no se defraude ni perjudique
”el culto y servicio de las Iglesias. Por un efecto de
”mi benignidad y del amor que me merecen aquellos
”Vasallos , les hago remision de todas las Medias-anatas
”Eclesiásticas adeudadas desde diez de Mayo de mil se-
”tecientos cincuenta y quatro , en que se expidió la Bu-
”la de su concesion , hasta el dia de la publicacion
”de este Decreto , en que se ha de dar principio á su
”exâccion ; y ademas de esto declaro en beneficio de
”los Provistos , que los que satisfagan Media-anata no
”han de pagar Mesada , y los que contribuyan con
”ésta no han de pagar aquélla ; de modo que estas dos
”gracias y obligaciones distintas no han de concurrir á
”un mismo tiempo , ántes bien el que deba satisfacer
”la úna ha de quedar exênto de la ótra. No obstante
”que la gracia de la Media-anata comprehende tambien
”á los Párrocos siempre que sus frutos y productos
”ciertos é inciertos llegan al valor anual de trescien-
”tos ducados , atendiendo al mérito de su ministerio,
”y á que puedan socorrer sus Feligreses , les conce-
”do el beneficio de reducir su Media-anata á una so-
”la Mesada ; y encargo al Comisario General de Cru-
”zada , actual Executor de la expresada Bula , que
”acuerde á los Provistos los plazos que considere opor-
”tunos y equitativos , entendiéndose para lo que ocur-
”ra directamente con mi Real Persona por la Via reser-

" vada de Indias hasta que los caudales , que quiero
" sean libres de derechos , se pongan en Cádiz á dis-
" posicion del mismo Comisario á fin de que , con la
" debida cuenta y razon , los haga entregar para los
" piadosos fines á que están destinados. Los Arzobispos,
" Obispos, y los Provistos en piezas Eclesiásticas cuyo
" valor no llega á trescientos ducados anuales, aunque
" no han de pagar Media-anata , no por eso están exên-
" tos, ántes bien deben considerarse mas obligados á
" continuar la paga del derecho de la Mesada, que pro-
" viene de otras distintas concesiones y prorogaciones
" Apostólicas ; y siendo mi voluntad que subsista su co-
" branza, mando al Consejo que, conforme me lo ha
" propuesto en su Consulta de primero de Agosto pró-
" xîmo y estaba resuelto en la mencionada de veinte
" y siete de Noviembre de mil setecientos cincuenta y
" ocho, encargue á mi Ministro, residente en Roma,
" impetre de Su Santidad la gracia perpetua del dere-
" cho de Mesada, ó su prorogacion por todo el tiem-
" po que subsistan las justas y piadosas causas que mo-
" vieron al Pontífice Urbano VIII., y á sus Sucesores, á
" concederla sin intermision , aunque temporalmente ; y
" en caso de que no pueda con esta extension , procure
" sea por el mas largo término posible respecto de ser
" mui limitado el de las concesiones antecedentes, ins-
" truyéndole de quanto conduzca á facilitar su logro, y
" previniéndole que al mismo tiempo pida á Su Santi-
" dad indulte y condone todo lo que se haya cobrado y
" cobre en razon de esta Mesada Eclesiástica despues

»que expiró la última prorogacion concedida por el »Papa Clemente XIII. en diez y nueve de Noviembre »de mil setecientos sesenta y tres. He encargado al Co- »misario General de Cruzada forme y pase á mis manos »las Instrucciones con que deben proceder los Subdele- »gados que nombre al cobro de la Media-anata Ecle- »siástica, y remision de su importe á la Depositaría de »Indias de Cádiz. Todo lo qual se tendrá entendido en »el Consejo y Cámara de Indias, y se expedirán las »órdenes conducentes á su puntual cumplimiento." Pu- blicado este Real Decreto en el enunciado mi Consejo, ocurrió la duda de si, ademas de la Media-anata, debían satisfacer los Provistos el diez y ocho por ciento de su importe por la conduccion á estos Reinos, como le pa- gaban del de las Mesadas. Y exâminado este punto, con lo que informó la Contaduría y expusieron mis Fisca- les, me consultó el referido mi Consejo en cinco de Octubre próximo pasado lo que tuvo por conveniente; y en inteligencia de tódo he venido en declarar, que por ahora no debe exigirse el referido diez y ocho por ciento de conduccion, sino únicamente el importe de la Media-anata de las piezas Eclesiásticas que señala el inserto mi Real Decreto, sin hacerse novedad en quan- to al cobro de la Mesada que deben satisfacer los Pre- lados y Párrocos, y remitirse el procedido de ambos ramos á estos Reinos con Relaciones específicas de su importe, que deberán dar los Oficiales Reales, con ex- presion de su importe, como de los sugetos y piezas Eclesiásticas de que dimanan. Todo lo qual os prevengo para que, cada uno en la parte que os tocare, concurrais al mas puntual debido cumplimiento de dicha mi Real determinacion en todas sus partes. Y de este Despacho se tomará razon en la enunciada Contaduría General del referido mi Consejo. Dado en el Pardo á veinte y seis de Enero de mil setecientos setenta y siete. = YO EL REI. = Por mandado del Rei nuestro Señor : Don Pedro García Mayoral. = Tomose razon en la Contaduría General de las Indias. Madrid catorce de Febrero de mil setecientos setenta y siete. = Don Tomas Ortiz de Landázuri.

Real Cédula de 31 de Julio de 1777.

EL REY.

Virreyes , Presidentes y Regentes de mis Reales Audiencias , Gobernadores , Tribunales de Cuentas, Contadores Mayores (que hacen el oficio de éstos) y Oficiales Reales de mis Reinos de Indias , mui Reverendos Arzobispos , Reverendos Obispos , Venerables Cabildos de las Iglesias Metropolitanas y Catedrales de ellos , y demás á quienes esta mi Real resolucion tocare ó tocar pueda : Sabed que por mi Real Decreto de veinte y tres de Octubre de mil setecientos setenta y cinco tuve á bien no suspender por mas tiempo el uso de las facultades acordadas por el Papa Benedicto XIV. en su Bula de diez de Mayo de mil setecientos cincuenta y quatro para poder percibir una Media-anata Eclesiástica de tódos y cada uno de los Provistos á mi Real nominacion en mis Dominios de

España y de las Indias ; y con el fin de que se proceda en su execucion con la equidad y justicia que corresponde á los santos fines de religion , culto divino y piedad á que está destinado su producto , he encargado al Comisario General de Cruzada , Executor de estas gracias , que formase y pasase á mis manos la Instruccion con que debe procederse al cobro de la referida Media-anata Eclesiástica con toda la benignidad y alivio que mi Real clemencia ha dispensado á favor de los Provistos ; y habiendo merecido mi Real aprobacion , mando que se lleve á debido efecto , segun se expresa en los Capítulos siguientes.

I. El Comisario General de Cruzada , encargado de la colectacion de Medias-anatas Eclesiásticas , procederá por sí y sus Subdelegados á la exâccion de las que se causaren en mis Dominios de las Indias con arreglo al expresado Breve de Benedicto XIV. y mi Real Decreto de veinte y tres de Octubre de mil setecientos setenta y cinco , y con la equidad y alivio que he dispensado á favor de todos los Provistos á mi Real nominacion en éstos y aquellos Reinos.

II. Usará de todas las facultades Apostólicas que le conceden los Breves , y de todas las Reales que sean necesarias y oportunas para llevar á su debido efecto la satisfaccion de la Media-anata Eclesiástica , con las mismas prerogativas con que exerce las de Cruzada, con inhibicion de los Tribunales Reales y otros qualesquiera Jueces , reservando á mi Soberana autoridad por la Via del Despacho Universal de Indias los re-

-cursos que puedan ofrecerse, segun tódo está dispuesto en el Real Decreto de once de Noviembre de mil setecientos cincuenta y quatro.

III. En cada Diócesi habrá uno ó dos Subcolectores, que me propondrá el Colector General; y con mi Real aprobacion, y nó sin ella, usarán de las mismas facultades privativas, y procederán executivamente á la exáccion de la Media-anata, con las apelaciones correspondientes al Colector General.

IV. Miéntras se nombren otros Subdelegados servirán esta comision los de Cruzada; y el Colector General les remitirá su nombramiento, con una copia de mi citado Real Decreto y esta Instruccion, por la Via reservada de las Indias.

V. Si bien el Breve de la Media-anata dispone que la satisfagan todos los que á mi Real nominacion fueron provistos desde el mes de Octubre de mil setecientos cincuenta y tres, y así lo executaron los de España, he remitido, por un efecto de mi benignidad, á favor de los Provistos Eclesiásticos de Indias lo que han adeudado por lo pasado hasta veinte y tres de Octubre de mil setecientos setenta y cinco, en que expedí mi citado Real Decreto; y en su conseqüencia mando que solamente á los Provistos desde entónces se les exîja la Media-anata.

VI. Conformándome con lo dispuesto en el expresado Breve de Benedicto XIV., quiero que la Media-anata solamente se entienda en el primer año de cada una de las Provisiones que se hiciesen á nominacion

mía en qualesquiera Dignidades , Canonicatos , Prebendas , Raciones , Beneficios y Pensiones Eclesiásticas,
siempre que sus frutos y proventos ciertos é inciertos
llegasen al valor anual de trescientos ducados de la moneda corriente en los respectivos paises donde están sitos los Beneficios ; de cuya regla exceptúo á los Párrocos , que por la especial recomendacion que me merecen sus Oficios Pastorales quiero que cumplan con satisfacer una sola Mesada , aunque las rentas de sus Parroquias lleguen y excedan de la expresada suma.

VII. No debiendo pagar Media-anata los Arzobispados y Obispados de las Indias , ni las pensiones y piezas
Eclesiásticas que no llegan al valor de trescientos ducados anuales , mando que se continúe la gracia y exâccion de la Mesada de estas Provisiones en la misma
forma que se practicó hasta aquí , sin hacer novedad
alguna , en conseqüencia de la Bula de Urbano VIII.
y prorogaciones de los Pontífices sus Sucesores , para
que no se perjudiquen los piadosos fines á que están
destinados estos auxîlios con que concurre el patrimonio de la Iglesia á su propia defensa y conservacion.

VIII. Si ocurriese alguna duda sobre si el valor anual
de las piezas Eclesiásticas llega ó nó á trescientos ducados en la forma que queda expresado , la decidirá
breve y sumariamente el Colector General , y sus Subdelegados en sus respectivas Diócesis , sólo para el fin
de si debe exîgirse la Media-anata.

IX. Declaro por punto general en beneficio de los
Provistos , que los que satisfagan Media-anata no han de

pagar Mesada, ni los que deban contribuir con ésta, según queda expresado, han de pagar aquélla, de modo que no ha de poder verificarse que por una misma Provision se paguen Mesada y Media-anata.

X. Se conceden dos años de término, que deberán comenzar á correr desde el dia de mi Real presentacion, para la paga de la Media-anata; y si ocurriesen tales circunstancias que exijan algun tiempo más, lo podrán prorogar el Colector General y sus Subdelegados, con tal que no exceda de un año la prorogacion.

XI. Para que se pueda tener puntual razon de tódas y cada una de las Provisiones Eclesiásticas que á nominacion mía se hagan en mis Dominios de las Indias, de sus valores y circunstancias, mando que los Secretarios de este Supremo Consejo y su Contador pasen con la brevedad mas posible al Colector General relaciones individuales por Diócesis de las piezas Eclesiásticas que hubiese en cada úna, sus valores ciertos é inciertos, y demas circunstancias, y de quánto por lo pasado han contribuido por razon de la Mesada.

XII. Ademas de ésto, pasarán al Colector General los referidos Secretarios razon de cada una de las piezas Eclesiásticas que se han provisto desde veinte y tres de Octubre de mil setecientos setenta y cinco, y de las demás que Yo fuese proveyendo en lo futuro, con individual expresion de lo que constase de sus valores.

XIII. Los Provistos, antes de presentar las Cédulas de mi Real nominacion á los Ordinarios, las exhibirán á los Subcolectores de la Media-anata, y harán allanamiento por sí ó sus Procuradores de satisfacerla á los plazos que se les concedan: todo lo qual se executará brevemente sin detenerlos, llevarles, ni permitir que se les lleven derechos algunos; y sin esta previa diligencia no les darán los Ordinarios Eclesiásticos la Institucion y Colacion Canónica.

XIV. Los pagamentos se harán en Caxas Reales, llevando los Oficiales Reales cuenta y razon separada de este ramo para no confundirlo con los demas efectos de mi Real Corona, y á este fin les pasarán los Subcolectores noticia individual de lo que deba entregar cada uno de los Provistos; y en caso que éstos no cumplan á los plazos señalados, lo avisarán los Oficiales Reales á los Subcolectores para que procedan á hacer efectivo el pago.

XV. Al principio de cada año pasarán los Oficiales Reales á los Subcolectores relaciones de todo lo que estuviese cobrado para que, con arreglo á mi citado Real Decreto de veinte y tres de Octubre de mil setecientos setenta y cinco, se remita su importe libre de derechos á la Depositaría General de Cádiz á disposicion del Colector General, acompañando relacion individual de todo lo adeudado y de lo cobrado, con las diligencias practicadas para su pago; y con la misma cuenta y razon lo pasará á mi Real noticia el Colector General, con la de haber entregado estos efectos á los fines piadosos á que los tengo destinados.

XVI. Para que no se multipliquen Oficinas, ni se divida la exâccion de la Media-anata Eclesiástica, mando que la misma Contaduría de Expolios, Vacantes y Medias-anatas, establecida para la cuenta, razon y aplicacion de las que se causan en España, entienda en la cuenta y razon de las Medias-anatas de Indias. Y deseando que tódo se execute con la justificacion y formalidad que merecen los santos y piadosos fines á que están destinados estos productos Eclesiásticos, encargo al Comisario General de Cruzada que forme el Reglamento que sus experiencias le dictasen mas conveniente para el mejor gobierno de la Contaduría General, proponiéndome los Oficiales que se necesitan, y los sueldos que deban gozar en recompensa de sus respectivos trabajos, y, executado, me lo remitirá por la Via que corresponde para mi Real aprobacion. Todo lo qual es mi Real voluntad se guarde, cumpla y execute; y que así los Virreyes, Presidentes, Regentes de mis Reales Audiencias, Gobernadores, Tribunales de Cuentas, Contadores Mayores (que hacen oficio de éstos) y Oficiales Reales de dichos mis Reinos, auxilien en los casos y cosas en que hubiere necesidad las providencias de los que el Comisario General de Cruzada y Colector Juez Exâctor General de las expresadas Medias-anatas Eclesiásticas nombrare, con mi Real aprobacion, para que en calidad de Subcolectores Jueces Exâctores cuiden de la exâccion de las adeudadas y que se adeudaren en dichos mis Reinos desde el expresado dia veinte y tres de Octubre y año de mil setecientos setenta y cinco en adelante por los Provistos á nominacion mía. Fecha en San Ildefonso á treinta y uno de Julio de mil setecientos setenta y siete. ⹀ YO EL REI. ⹀ Josef de Gálvez.

Número 27

Corresponde al Artículo 214, y tambien á los 215, 217, 219 y 220.

La Cédula de 26 de Enero de 1777 que dicho primer Artículo cita, se halla baxo del Número próxîmo anterior.

Real Cédula de 12 de Octubre de 1777.

EL REY.

Virreyes, Presidentes de mis Reales Audiencias, y Gobernadores de mis Reinos de las Indias y de las Islas Filipinas que tenéis en vuestros distritos el exercicio de mi Real Patronato. Por Real Cédula de veinte y seis de Enero del corriente año os previne lo conveniente, así sobre el modo y términos en que se debía poner en práctica el Breve expedido en diez de Mayo de mil setecientos cincuenta y quatro por el Papa Benedicto XIV. para que pudiese exîgirse la Media-anata (ó seis Mesadas) de todas las Dignidades, Prebendas, Beneficios y Oficios Eclesiásticos de todos mis Dominios, como los Provistos que debían continuar pagando solamente una Mesada. Al mismo tiempo tuve por conveniente ocurrir al actual Sumo Pontífice Pio VI. á fin de que se dignase prorogar la gracia que desde el tiempo del Papa Urbano VIII. se ha concedido á los Reyes mis Predecesores para cobrar una Mesada de todas las mencionadas Dignidades, Prebendas y Beneficios , y condonar lo que por razon de este derecho se hubiere cobrado despues que expiró el tiempo de la última prorogacion concedida por el Papa Clemente XIII. en su Breve de diez y nueve de Noviembre de mil setecientos sesenta y tres. A esta súplica ha condescendido benignamente Su Santidad por Breve de catorce de Abril proximo pasado , prorogando por otros diez años, que han de empezar á correr y contarse desde el dia de su fecha , la facultad de cobrar la dicha Mesada Eclesiástica. Y visto en mi Consejo de las Indias , con lo que dixo mi Fiscal , he resuelto remitiros el adjunto trasunto del mismo Breve para que , cada uno en vuestra jurisdiccion , expidáis , como os lo mando , á los Oficiales de mi Real Hacienda , y demas Ministros ó personas á quienes corresponda , las órdenes convenientes á fin de que , con arreglo á él , se cobre la Mesada de aquellos Provistos que deban satisfacerla , segun lo prevenido en la citada mi Real Cédula de veinte y seis de Enero del corriente año (pues los demás deben pagar Media-anata en la forma y términos dispuestos en ella) , teniendo presente que para la regulacion de su importe debe observarse puntualmente lo prevenido en ótra de veinte y uno de Diciembre de mil setecientos sesenta y tres en quanto no se oponga á la citada de veinte y seis de Enero. Y de este Despacho se tomará razon en la Contaduría General del referido mi Consejo. Fecho en San Lorenzo á doce de Octubre de mil setecientos setenta y siete. = YO EL REI. = Por mandado del Rei nuestro Señor : Don Antonio Ventura de Taranco. = Tomose razon en la Contaduría General de las Indias. Madrid diez y siete de Octubre de mil setecientos setenta y siete. = Don Francisco Machado.

NOTA. No se pone el Breve Pontificio que la Cédula precedente cita, por ser substancialmente lo mismo el que se obtuvo después, é irá inserto.

Real Cédula de 21 de Diciembre de 1763.

EL REY.

Por quanto por mis Reales Cédulas de veinte y cinco de Junio del año de mil setecientos y sesenta y uno mandé á todos los Oficiales de mi Real Hacienda de la América cobrasen de los Provistos en Dignidades, Canongías, Prebendas y demas Beneficios Eclesiásticos, desde el año de mil setecientos cincuenta y quatro hasta aquella fecha, la Mesada Eclesiástica que por concesiones Apostólicas me pertenece de todos ellos, y que continuasen sin novedad en su cobranza hasta nueva órden mía, sin embargo de que el Papa Benedicto XIV. de feliz memoria por su Breve de diez de Mayo del mismo año me hizo la gracia de las seis primeras Mesadas de todos los Provistos en los referidos Oficios y Beneficios Eclesiásticos de todos mis Dominios, así de España como de las Indias, y Yo por un efecto de mi generosa Real piedad quise que no se entendiese por ahora con el Estado Eclesiástico de esos mis Reinos, previniendo al propio tiempo á los enunciados Ministros me remitiesen anualmente una relacion puntual y justificada de lo que haya importado é importase en adelante el Derecho de la Mesada , segun mas latamente se expresa en los citados Despachos ; y habiéndose reconocido por las relaciones que en su cumplimiento me han dirigido distintos Oficiales Reales , que aunque por la lei 1 título 17 del Libro 1 de la Recopilacion de esos mis Reinos está mandado que para la cobranza de las Mesadas de todos los Provistos en Dignidades , Canongías , Raciones , y Medias Raciones , Oficios y Beneficios Eclesiásticos , Curatos y Doctrinas que hubieren vacado y vacaren en los enunciados mis Reinos se espere hasta pasados quatro meses de la posesion , regulándose su valor conforme á lo que hubiesen valido y rentado sus frutos y rentas en los cinco años antecedentes al tiempo en que se tomare ó hubiese tomado la colacion de los mencionados Oficios y Prebendas , entrando en este cómputo no sólo el valor de las rentas , diezmos y gruesa , sino tambien de lo que hubiesen valido las obvenciones y otros proventos y emolumentos en el mismo quinquenio , haciendo para esto todas las diligencias y averiguaciones necesarias , y que lo que montare , lo junten y repartan por iguales partes en cada uno de los meses que contienen los cinco años , de forma que quede claro y líquido su importe para cobrar la Mesada que me corresponde de la persona que se presentare , y de sus frutos y rentas , con más las costas que pudiere tener de fletes , derechos, averías y ótros hasta que llegue á estos Reinos ; no se ha observado esta disposicion en la percepcion de Mesadas Eclesiásticas , en grave detrimento de mi Real Erario ; pues sólo se han cobrado , por lo que toca á Prebendas , del líquido de los Diezmos , pasando por las relaciones dadas por los mismos interesados , y por lo que corresponde á Curatos y Doctrinas , calculándolas por la cantidad que los Curas y Doctrineros pagan de pension conciliar á los Colegios Seminarios conforme la regulacion hecha por los Obispos , sin hacer cuenta del importe de las obvenciones , y otros proventos y emolumentos , ni ménos cargarles , como se debe , el de la conduccion á estos Reinos , como está mandado en la mencionada lei : conviniendo corregir para en adelante un defecto tan reprehensible en unos Ministros encargados de la recaudacion y aumento de mi Real Hacienda , he resuelto que se observe puntual y literalmente su contenido. Por tanto ordeno y mando á los Oficiales de mi Real Hacienda de los Reinos del Perú, Nueva-España , Nuevo-Reino de Granada , y Islas de Barlovento y Filipinas , que en obedecimiento de lo expresado en la citada lei cobren y perciban , pasados los quatro meses de la posesion , las Mesadas de todos los Provistos en Dignidades , Canongías y demas Prebendas de las Iglesias Metropolitanas y Catedrales , y en los otros Oficios y Beneficios Eclesiásticos , Curatos y Doctrinas que vacaren en adelante en los enunciados mis Reinos , haciendo la cuenta para su cobranza por lo que en el quinquenio anterior al de la vacante hubiesen importado las rentas decimales de las mismas Iglesias , á cuyos arrendamientos deben asistir segun lo dispuesto en la lei 28 título 16 del Libro 1 de la Recopilacion, agregando á su gruesa el valor de las obvenciones y otros proventos á fin de hacer del tódo la regulacion de la Mesada que me pertenece de las Dignidades y Prebendas, averiguando en la misma forma el valor de los frutos y otros emolumentos de los Oficios y Beneficios Eclesiásticos, Curatos y Doctrinas en el modo que queda prevenido, con más el diez y ocho por ciento por razon de fletes y averías, sin embargo de qualesquiera órdenes que haya en contrario. Y tambien les mando remitan anualmente á mi Consejo de las Indias, como está prevenido por la citada Real Cédula de veinte y cinco de Junio del año de mil setecientos y sesenta y uno, puntual relacion de lo que hubiesen cobrado por razon de Mesadas Eclesiásticas, explicando con claridad y separacion qué cantidad es la que me corresponde por razon de la gruesa de los Diezmos; quánta por la de obvenciones y otros emolumentos; y últimamente lo que importare el diez y ocho por ciento de la conduccion del tódo á estos Reinos, arreglándose en lo demás en este particular á lo que se previene en la lei 66 título 4 del Libro 8 de la Recopilacion, por ser así mi voluntad, y que de este Despacho se tome la razon por la Contaduría General del expresado mi Consejo. Fecha en el Buen-Retiro á veinte y uno de Diciembre de mil setecientos y sesenta y tres. = YO EL REI. = Por mandado del Rei nuestro Señor : Don Josef Ignacio de Goyeneche. = Tomose razon en la Contaduría General de las Indias. Madrid veinte y tres de Marzo de

r

mil setecientos sesenta y quatro. = En vacante de Contador General : Domingo de Marcoleta.

Breve Pontificio de 16 de Junio de 1778.

Á NUESTRO MUI AMADO EN CRISTO HIJO CÁRLOS
REI CATÓLICO DE ESPAÑA.

PIO VI. PAPA.

Mui amado en Cristo Hijo nuestro, Salud y la Bendicion Apostólica.

El zelo de la conservacion de la Fe Católica , la singular devocion á Nos y á la Sede Apostólica , y los demas insignes méritos que por la misericordia de Dios resplandecen en Vuestra Magestad , como Rei que con tan justa razon goza el renombre de Católico , exìgen de Nos que estemos propensos á hacerle gracias.

2 Ántes de ahora el Papa Urbano VIII. de feliz memoria , Predecesor nuestro , en atencion á que Felipe IV. de esclarecida memoria , Rei Católico que fue, miéntras vivió , de España , deseoso de servir á la Cristiandad y ocuparse con todo esfuerzo no solo en la defensa sino tambien en la propagacion de la Fe Católica , á exemplo de su Abuelo y Padre Felipe II. y Felipe III. , tambien de esclarecida memoria , Reyes Católicos que igualmente fueron de España , y de los demas Progenitores suyos , había hecho tan excesivos gastos , que no sólo llegó á consumir las rentas ordinarias de sus Reinos , sino que tambien había agota-

do casi todos sus Erarios ; y contemplando el dicho Predecesor nuestro con paternal afecto los singulares méritos de los mencionados Reyes, queriendo coadyuvar á los conatos loables, y mui aceptos á los ojos de Dios, de dicho Rei Felipe, le concedió y asignó por los quince años inmediatos siguientes al dia de la concesion una Mesada íntegra de tódos y cada uno de los frutos, rentas y productos, derechos, obvenciones y emolumentos de las Iglesias, Prebendas y demas piezas Eclesiásticas que aquí adelante se dirán, quedando tambien obligadas á la paga de la misma Mesada las pensiones anuales, por mas libres, indemnes y exêntas que fuesen, que aconteciese reservarse en lo sucesivo con la autoridad Apostólica sobre ellas, la qual Mesada se había de empezar á contar desde el dia en que los Provistos é instituidos en las enunciadas Iglesias, Prebendas y demas piezas Eclesiásticas, hubiesen tomado la posesion de ellas, ó desde el dia en que, habiendo podido, no la hubiesen tomado ; debiéndose regular á prorata del valor de un año, ó sea de la verdadera renta anual, deducidas las cargas, la qual Mesada habían de pagar los dichos Pensionistas y los Provistos en las Iglesias Patriarcales, Primadas, Metropolitanas, Catedrales, Colegiatas, Parroquiales y otras qualesquiera ; y tambien en los Monasterios, Mesas Abaciales, Prioratos, Preposituras, Preceptorías y Dignidades, aunque fuesen las mayores y principales, Canonicatos y Prebendas, Personados, Administraciones, Oficios y demas Beneficios Eclesiásticos Seculares con *cura anima-*

rum, ó sin ella (á excepcion de las Patriarcales, Metropolitanas y demas Iglesias Catedrales cuyos frutos, rentas y productos no excediesen del valor anual de tres mil escudos, y de los Beneficios Curados que no ascendiesen á mas del valor anual de cien ducados de oro de Cámara, y de los Simples que no pasasen del valor anual de veinte y quatro ducados de la misma moneda), como asimismo en los de la Órden de San Benito, San Agustin, Cluniacense, Cisterciense, Premonstratense, y otras qualesquiera Órdenes Regulares, y tambien en los de las Militares (exceptuada la de San Juan de Jerusalen), y en los demas Lugares pios aunque fuesen exêntos, tódas y tódos sitos en los Reinos de España y sus Islas adyacentes, ó en las Indias Occidentales y sus Islas adyacentes, y que eran de Patronato del mismo Rei Felipe IV., ó se acostumbraban dar por la nominacion que le competía legítimamente á dicho Rei, siempre que de qualquier modo que vacaban, aun por traslacion, se conferían ó proveían en qualesquiera personas, aunque estuviesen condecoradas con qualquiera dignidad, sin exceptuar la Cardenalicia, á presentacion ó nominacion del dicho Rei Felipe IV., y se instituía como quiera en ellos á qualesquiera personas, ó se reservaban á favor de ellas las enunciadas pensiones, como va dicho; la qual Mesada concedida de tódos y cada uno de los dichos frutos, rentas, productos, derechos, obvenciones y emolumentos, se había de percibir, exìgir y cobrar por las personas constituidas en dignidad Eclesiástica

que se diputasen especialmente para ello por el que entónces era Nuncio suyo y de la Sede Apostólica en los
Reinos de España, de qualesquiera Patriarcas, Primados,
Arzobispos, Obispos, Abades, Priores, Prepósitos, Pre-
ceptores, Canónigos, Prebendados, Curas Párrocos, y
de qualesquiera personas Eclesiásticas Seculares y Regulares, inclusas las de las enunciadas Órdenes Militares, é igualmente de los dichos Pensionistas de qualquiera condicion ó dignidad que fuesen, inclusa la Cardenalicia, y pagar íntegramente al dicho Rei Felipe IV.

3 Además de ésto fue su voluntad, y ordenó y
mandó en virtud de santa obediencia, que las personas que en qualquier tiempo fuesen presentadas ó nombradas por el sobredicho Rei Felipe IV. para las enunciadas Iglesias, Prebendas y demas piezas Eclesiásticas
aquí antecedentemente expresadas, al tiempo de despa-
charles su presentacion ó nominacion estuviesen obligadas á asegurar, y con efecto asegurasen por medio
de Cédula Bancaria, ú ótro competente, hacer la paga de una Mesada íntegra de tódos y cada uno de los
frutos, rentas y productos, derechos, obvenciones y
emolumentos de las dichas Iglesias, Prebendas y demas
piezas Eclesiásticas á prorata del valor á que aquéllos
hubiesen ascendido anualmente en el quinquenio próxîmo anterior, dentro de quatro meses contados desde
el dia en que tomasen la posesion de las enunciadas
Iglesias y demas Prebendas y piezas Eclesiásticas, á la
primera órden que tuviesen para ello del mismo Rei Felipe IV., ó de sus Ministros.

4. Y habiéndose expuesto después al Papa Inocencio X. de feliz memoria , tambien Predecesor nuestro, por parte de dicho Felipe IV., que sin embargo de haber espirado poco ántes los quince años por los quales se había hecho la enunciada concesion y asignacion por el sobredicho Urbano , Predecesor nuestro , mediante que aun duraban las causas por las quales le fue hecha la dicha concesion y asignacion , había continuado exîgiendo , ó haciendo exîgir de las personas presentadas, ó nombradas después por él á las sobredichas Iglesias, Prebendas y demas piezas Eclesiásticas , que afianzasen por medio de Cédulas Bancarias , ú ótro competente la paga de la Mesada íntegra de tódos y cada uno de los frutos , rentas , productos , derechos , obvenciones y emolumentos , regulada segun va dicho , habiéndose por lo demás observado el tenor de las Letras del mencionado Urbano , Predecesor nuestro , expedidas sobre lo que va expresado ; por cuya razon deseaba en gran manera que por el dicho Inocencio X., Predecesor nuestro, se le diese facultad para cobrar las cantidades cuya paga estaba asegurada por medio de Cédulas Bancarias , ú otras seguridades competentes ; y asimismo que por las sobredichas causas , y ótras mucho mas urgentes que desde el tiempo en que se hizo la enunciada gracia en adelante habían sobrevenido , se le extendiese y prorogase por el tiempo que fuese de la voluntad del dicho Inocencio X., Predecesor nuestro , la sobredicha concesion y asignacion , y todas las demas cosas concedidas, en las enunciadas Letras al referido Rei Felipe IV.; y

el enunciado Inocencio, Predecesor nuestro, con la sobredicha autoridad dió facultad al mencionado Rei Felipe IV. para que pudiese libre y lícitamente exìgir ó hacer exìgir en virtud de la dicha concesion y asignacion todas y cada una de las cantidades cuya paga estaba asegurada por medio de Cédulas Bancarias, ú ótro competente, de las personas nombradas ó presentadas por el mismo Rei Felipe IV. para las Iglesias, Prebendas ó piezas Eclesiásticas sobredichas desde que habían espirado los enunciados quince años hasta aquel dia, y le condonó desde entónces todas las cantidades aseguradas para quando las cobrase.

5 Y además de ésto prorogó, extendió y concedió de nuevo al dicho Rei Felipe IV., sólo por el decenio próxîmo siguiente, la sobredicha asignacion y concesion del mismo modo y forma que el enunciado Urbano, Predecesor nuestro, se la había hecho y concedido al mismo Rei Felipe IV., y segun la serie, contenido y tenor de las sobredichas Letras del mismo Urbano, Predecesor nuestro.

6 Y sucesivamente algun tiempo después que ya había espirado el sobredicho decenio, mediante que aun duraban las causas por las quales se había hecho la enunciada concesion, asignacion y prorogacion, y por tanto se había igualmente continuado exìgiendo las dichas Cédulas Bancarias, ú otras seguridades competentes; el Papa Alexandro VII., tambien Predecesor nuestro, le concedió facultad al dicho Rei Felipe IV. para que pudiese exìgir ó hacer exìgir todas y cada

una de las cantidades aseguradas hasta entónces con las dichas Cédulas ó seguridades. Y asimismo prorogó ó concedió de nuevo al mismo Rei Felipe IV. la sobredicha asignacion y concesion sólo por el quinquenio próxîmo siguiente en el modo y forma que entónces se expresaron.

7 Y posteriormente el Papa Clemente IX. de feliz memoria , tambien Predecesor nuestro , despues que ya había concluido el quinquenio concedido , segun va dicho, por el enunciado Alexandro , Predecesor nuestro, precediendo igual facultad para exîgir las cantidades cuya paga se había asegurado por medio de Cédulas Bancarias ú ótros competentes ; despues que el dicho quinquenio había espirado , prorogó ó concedió de nuevo igualmente á Cárlos II. , tambien de esclarecida memoria , Rei Católico que fue , miéntras vivió , de España , la enunciada concesion y asignacion por el decenio próxîmo siguiente , que se había de contar desde el dia de la dicha prorogacion , ó nueva concesion, del modo y forma expresados en las Letras que se expidieron entónces sobre ello.

8 Y después el Papa Clemente X. , tambien de feliz memoria y Predecesor nuestro , hizo igual prorogacion ó nueva concesion sólo por un quinquenio.

9 Y sucesivamente el Papa Inocencio XI. de feliz memoria , asimismo Predecesor nuestro , hizo igual prorogacion ó nueva concesion , priméro sólo por otro quinquenio , y después por un decenio.

10 Y posteriormente el Papa Alexandro VIII. de

feliz memoria , tambien Predecesor nuestro , hizo igualmente otra prorogacion ó nueva concesion sólo por un quinquenio.

11 Y después el Papa Clemente XI. de pia memoria , tambien Predecesor nuestro , hizo otra igual prorogacion ó nueva concesion á Felipe V. de esclarecida memoria , Rei Católico que fue de España , dos veces , por un quinquenio cada úna solamente.

12 Y el Papa Inocencio XIII. , de feliz memoria, tambien Predecesor nuestro , hizo otra igual prorogacion ó nueva concesion por otro quinquenio.

13 Y el Papa Benedicto XIII. , tambien de feliz memoria y Predecesor nuestro , hizo otra prorogacion ó nueva concesion por otros cinco años.

14 Y después el Papa Clemente XII. , tambien de feliz memoria y Predecesor nuestro , hizo otra prorogacion ó nueva concesion dos veces , cada úna por un quinquenio.

15 Como igualmente el Papa Benedicto XIV. , tambien Predecesor nuestro , hizo dos veces otra igual prorogacion ó nueva concesion , cada vez por un quinquenio , segun mas extensamente se contiene en las respectivas Letras de los mismos Urbano, Inocencio X. , Alexandro VII. , Clemente IX. , Clemente X. , Inocencio XI. , Alexandro VIII. , Clemente XI. , Inocencio XIII. , Benedicto XIII. , Clemente XII. , Predecesores nuestros ; y últimamente en las de Benedicto XIV. , tambien Predecesor nuestro , del dia diez de Julio de mil setecientos cincuenta y uno , tódas expedidas en igual forma de Bre-

ve , cuyos tenores queremos que se tengan por expresados en las presentes.

16 Y mediante que , segun se nos ha expuesto por parte de Vuestra Magestad , hace mucho tiempo que ha espirado el quinquenio prorogado , como va dicho, por el Papa Benedicto XIV. de feliz memoria , Predecesor nuestro , y que aún duran las causas por las quales se concedieron las enunciadas Letras á los sobredichos Reyes Felipe IV. , Cárlos II. y Felipe V. , y que por tanto deséa Vuestra Magestad que por las sobredichas y otras mas urgentes causas que desde entónces hasta ahora han sobrevenido , las quales es de rezelar que subsistan todavía por mucho mas tiempo , y que precediendo la subsanacion de todo lo obrado despues que espiró el sobredicho quinquenio , se prorogue por Nos, por el tiempo que fuere de nuestro agrado , la sobredicha concesion y asignacion : Nos , queriendo hacer especial favor y gracia á Vuestra Magestad , motu propio , de nuestra cierta ciencia , con madura deliberacion , con la autoridad y con la plenitud de la potestad Apostólica , por el tenor de las presentes prorogamos y extendemos , ó concedemos de nuevo á Vuestra Magestad por todo el tiempo de su vida la sobredicha asignacion y concesion del mismo modo y forma que respectivamente la hicieron, concedieron y prorogaron á los mencionados Reyes Felipe IV. , Cárlos II. y Felipe V. , los sobredichos Urbano , Inocencio X. , Alexandro VII. , Clemente IX. , Clemente X. , Inocencio XI. , Alexandro VIII. , Clemente XI. , Inocencio XIII. , Bene-

dicto XIII., Clemente XII. y Benedicto XIV., Predecesores nuestros, segun la serie, contenido y tenor de las enunciadas Letras de los sobredichos Predecesores nuestros, subsanando y condonando en primer lugar todo lo que nulamente se ha obrado despues del quinquenio prorogado ó concedido de nuevo por el sobredicho Benedicto XIV., Predecesor nuestro.

17 Declarando que durante la vida de Vuestra Magestad, que es el espacio de tiempo por el qual va hecha la prorogacion de esta gracia por las presentes, los Patriarcas, Primados, Arzobispos, Obispos, Abades, y generalmente todo el sobredicho Clero Secular y Regular, como tambien qualesquiera á quienes aconteciere que con la autoridad Apostólica se les reserven pensiones anuales sobre los enunciados frutos, rentas, productos, derechos, obvenciones y emolumentos, séan y estén obligados á pagar los únos la Mesada sobredicha, y los ótros la prorata de su pension; y que no puedan diferir ni eximirse en tódo ni en parte de pagar y satisfacer la dicha Mesada ó prorata de pension, ni aunque séa por causa de haber sufrido contribuciones, impuestos, gravámenes ó perjuicios en lo pasado, ni tampoco por la de lesion enorme ó enormísima, ni con qualquiera otro pretexto; y que los enunciados Patriarcas, Primados, Arzobispos, Obispos, Abades, y todo el sobredicho Clero Secular y Regular puedan descontar y retener la porcion y parte que les tocare pagar á sus Pensionistas respectivos, á efecto de hacer la sobredicha paga.

18 Y que de ésta , y nó de otra suerte, se deba sentenciar y determinar en lo que va expresado por qualesquiera Jueces Ordinarios y Delegados , aunque séan Auditores de las Causas del Palacio Apostólico , y Cardenales de la Santa Iglesia Romana , y aunque séan Legados á Latere y Nuncios, y tengan qualquiera autoridad , quitándoles á tódos y á cada uno de ellos qualquiera facultad de sentenciar é interpretar de otro modo ; y que séa nulo y de ningun valor lo que de otra suerte aconteciere hacerse por atentado sobre esto por alguno, con qualquiera autoridad , sabiéndolo ó ignorándolo.

19 Por tanto , por las presentes damos comision al amado Hijo, el que al presente es y en qualquier tiempo fuere Executor de la Cruzada en los sobredichos Reinos , y le mandamos que por sí , ó por otras personas constituidas en dignidad Eclesiástica que diputare para ello en donde y quando fuere necesario , y siempre que por parte de Vuestra Magestad fuere requerido, publicando solemnemente estas Letras , y todo lo contenido en ellas , por nuestra autoridad haga que se os paguen íntegramente , ó se entreguen á los sugetos que fuere de vuestro agrado, por los Patriarcas , Primados , Arzobispos , Obispos , Abades , y generalmente por todo el Clero Secular y Regular , y cada uno de ellos, la sobredicha Mesada y prorata de las pensiones de los enunciados frutos , rentas , productos , derechos, obvenciones y emolumentos , aunque séa procediendo por embargo y seqüestro de los dichos , ó de otros bienes,

exceptuados los sagrados , apremiando á qualesquiera desobedientes y contumaces por sentencias , censuras y penas Eclesiásticas , y los demas remedios conducentes de hecho y derecho, sin admitir apelacion , invocando tambien para ello , si fuere necesario , el auxilio del Brazo seglar.

20   Sin que obste en quanto sea necesario la Constitucion del Papa Bonifacio VIII. de feliz memoria , tambien Predecesor nuestro, que dispone que á ninguno se le obligue á parecer en juicio á mas de una jornada , ni la disposicion del Concilio General que prescribe dos, con tal que á ninguno , en virtud de las presentes , se le saque á ser juzgado á mas de tres , ni las reglas de la Cancelaría Apostólica , especialmente la de *jure quæsito non tollendo* , ni las demas constituciones y disposiciones Apostólicas , ni los estatutos y costumbres de las Iglesias , Monasterios , Órdenes Militares y demas Lugares pios , aunque estén corroborados con juramento, confirmacion Apostólica , ó con otra qualquiera firmeza, ni los privilegios , indultos y Letras Apostólicas de qualesquier tenores y formas que séan , aunque estén concebidas con qualesquiera cláusulas , aunque séan derogatorias de las derogatorias , y éstas séan de las mas eficaces , y no acostumbradas é irritantes , ni otros Decretos generales ó especiales , concedidos , confirmados é innovados , ó qualesquiera otras cosas que séan en contrario de lo que va expresado. Tódas y cada úna de las quales dichas cosas , aunque para su suficiente derogacion se debiese hacer especial , individual y expresa mencion de ellos y de

ellas, y de todos sus tenores palabra por palabra, y nó por cláusulas generales equivalentes, ó de ellos se hubiese de hacer otra qualquiera expresion, teniendo los tenores de tódos por plena y suficientemente expresados é insertos, como si lo estuviesen palabra por palabra, y sin omitir cosa alguna en las presentes, y se hubiese observado la forma expresada en ellas, habiendo de quedar por lo demás en su vigor; por esta sola vez, para el efecto de lo que va expresado, las derogamos especial y expresamente, y otras qualesquiera cosas que séan en contrario.

21   Y es nuestra voluntad que el dinero que percibiere Vuestra Magestad por razon de la presente concesion no se invierta en otros usos que en los de la defensa y propagacion de la Religion Católica, y de la conservacion de la obediencia á la Iglesia Romana, para cuyos fines solamente se hace esta concesion, sobre lo qual gravamos la conciencia de Vuestra Magestad y de vuestros Ministros.

22   Y que á los trasuntos ó exemplares de estas Letras, aunque séan impresos, firmados de mano de Notario Público, y sellados con el sello de alguna persona constituida en dignidad Eclesiástica, se les dé plenamente la misma fe, en juicio y fuera de él, que se daría á las mismas presentes si fueran exhibidas ó mostradas.

23   Y que hayan de valer las presentes sólo durante la vida de Vuestra Magestad, como va dicho: siendo nuestra intencion que por las presentes no queden per-

judicados de ningun modo los derechos de la Cámara Apostólica por lo respectivo á los frutos de las vacantes, sino que hayan de quedar ilesos y preservados.

Dado en Roma en San Pedro, sellado con el sello del Pescador el dia diez y seis de Junio de mil setecientos setenta y ocho. Año quarto de nuestro Pontificado. ═ Inocencio Cardenal Conti. ═ Lugar del sello ✠ del Pescador.

Número 28

Corresponde al Artículo 221.

Real Cédula de 1 de Febrero de 1753.

EL REY.

Reverendo en Cristo Padre Obispo de la Santa Iglesia de &c. de mi Consejo. El incesante desvelo con que mis gloriosos Predecesores atendíeron al establecimiento y propagacion de nuestra Santa Fe Católica en mis Dominios de América desde que la Divina Providencia eligió á esta Monarquía por instrumento de su conquista, y la conversion de tantas almas sumergidas en los detestables errores de la idolatría, ha movido siémpre mi Real ánimo á perfeccionar esta obra tan grande, proveyendo oportunamente á quanto la constitucion y circunstancias de los tiempos no facilitó poder arreglar, yá porque el primer objeto de la reduccion no permi-

tía disposicion á fixar los Pueblos con el regular méto:
do de Párrocos y demas Ministros necesarios á la administracion de Sacramentos, y yá porque el corto número de Clérigos Seculares obligó á encargarlos á los
Regulares por la consideracion tambien de que serían
mas bien recibidos de los mismos que debieron á su
predicacion los primeros documentos de la Lei y la Religion. Atendiendo en este concepto á que en la mayor
parte ha cesado el motivo de tan prudentes consideraciones, y al mismo tiempo á los graves irreparables inconvenientes que resultan de que, apartados los Regulares de su instituto, vivan sin la vista y subordinacion
de sus Superiores los aplicados á estos ministerios; á
que es á las mismas Religiones sensible su dispersion
por el riesgo inminente de que algúnos se retraigan ó
entibien en la observancia; y á que múchos de virtud
y moderacion, á quienes la obediencia destina á los mismos encargos, vivirán mortificados fuera del claustro á
que les conduxo su vocacion: y teniendo seguras noticias de que hai ya en tódas ó las más Diócesis de
mis Dominios de América suficiente copia de Clérigos
Seculares adornados de las prendas de suficiencia, literatura, loables costumbres y demás correspondientes á
su estado, en quien poder con seguridad fiar la cura de
almas, exônerando por este medio á las Religiones del
grave cargo que han tenido, y se les confió precariamente, y evitando los males que puede haber causado
en alguno de sus individuos la ausencia de sus Prelados, la falta del visible exemplo de sus Hermanos, y tal

vez la distraccion de las costumbres y vida religiosa : mandé formar, para no fiar á sola mi determinacion materia de tanta gravedad, una Junta de Teólogos y Ministros de la mayor satisfaccion y literatura que me propusiesen los medios que en conciencia discurrían mas adequados para asegurar el servicio de Dios y mío, el decoro del estado Regular, y la asistencia espiritual de aquellos mis Vasallos. Enterado de lo que la Junta me consultó con presencia de varios antecedentes, y de quanto por experiencia de repetidos sucesos y práctico conocimiento habían representado hasta entónces mis Virreyes y Gobernadores, y algunos Arzobispos y Obispos, y otros varios Ministros Eclesiásticos y Seculares de notoria sabiduría y crédito, que influían, y aun clamaban por precisa competente providencia, despues de tratado, conferido y bien exâminado el asunto con precaucion y maduro acuerdo, apliqué la interina providencia de que se diese principio en los tres Arzobispados de Lima, México y Santa Fe á proveer en Sacerdotes Seculares, segun fuesen vacando, los Curatos que habían estado á cargo de los Regulares, executándolo por los medios mas fáciles y adequados á la situacion actual que en cada parage les manifestase la experiencia y juicio de los Arzobispos y Virreyes, respecto de que su presencia, y la de tan autorizados respetables Tribunales que residen en las tres Capitales, facilitaría el establecimiento universal con la aquiesciencia de las Religiones y gustosa aceptacion de los Feligreses. Correspondió á mis piadosos deséos la providencia en su práctica; y mediante ella, teniendo presentes todas las bien premeditadas razones é incontrastables supuestos que concurren para continuarla, he resuelto advertiros que mi ánimo y deliberacion es se exônere enteramente á las Religiones de este cuidado, y que siempre que creáis se puede conseguir sin el menor riesgo de inquietud, violencia ni alboroto, será mui de mi satisfaccion lo executéis por todos los medios que vuestro zelo y prudencia hallare convenientes, tanto en los Curatos que estén vacantes ó vacaren, como en los demás que comprehendieseis se debe, ó conviene desde luego aplicar esta providencia, proveyéndolos en sugetos del Clero Secular de sabiduría y acreditada vida y costumbres, que atiendan á la cura y pasto de las almas debaxo de vuestra direccion y jurisdiccion, debiendo vos zelar, como no lo dudo de vuestro pastoral ministerio, que cumplan exâctamente, y desempeñen las obligaciones de su encargo. Sin embargo de que no debo ni puedo persuadirme que por parte de las Religiones se resista ó dilate el cumplimiento de mi resolucion, pues ántes bien considero la reciban y abracen con la mas espontanea voluntad y avenencia por las mismas rectas, prudentes y cristianas reflexîones que me la han influido, para en el caso de que se interponga alguna contradiccion ó recurso con qualquiera recurso ó motivo, les haréis entender que he reservado precisa y privativamente en mi Persona el oir y declarar lo justo y conveniente sobre este asunto, y toda incidencià suya de qualquiera naturaleza, sin distincion alguna, con absoluta inhibicion de mi Consejo y Cámara de Indias , de las Audiencias y demas Tribunales y Ministros Reales que con qualquiera pretexto quisiesen ó pudiesen tomar conocimiento en esta materia ; y estaréis advertido de que á su conseqüencia mando á mis Virreyes , Presidentes y Gobernadores , á quienes está cometido el exercicio de Vice-Patronos míos , no admitan ni oigan recurso alguno , y que , conforme á mi resolucion y determinacion , no se presenten en lo sucesivo para los Curatos que precariamente han obtenido las Religiones , ni para los demás que ya se sirven por los Regulares , á Individuos de ellas , fixándose desde luego Edictos á los vacantes y que vacaren , ó que se hallen ocupados contra las reglas de Patronato , nó colacionados y canónicamente instituidos , ó con otros defectos , disponiendo de acuerdo con los respectivos Prelados Diocesanos en este caso que los desocupen , y se pongan interinamente Ecónomos , y procediendo con el pulso correspondiente á obviar disturbios y violencias por los medios mas equitativos y suaves , dictados por la prudencia , que aseguren la práctica de la separacion , en la qual no se ha de desistir , no obstante qualquiera excepcion ó reserva que se oponga ó alegue , y de que quiera tomar conocimiento , ó piense poderlo hacer qualquiera de mis Tribunales ó Ministros , interpretando ó dificultando en algun modo la absoluta inhibicion que les impongo ; pues de mi propia autoridad y cierta ciencia declaro por nulo y de ningun valor y efecto quanto en contrario se hiciere y actuare , siendo mi expreso y deliberado ánimo que las **Parroquias** y sus Curas queden omnímodamente sujetas á los respectivos Diocesanos, y á cargo de Clérigos Seculares que dependen de sus Juzgados. Aunque la misma consideracion que espero hagáis de quánto en esta providencia interesa el servicio de Dios y mío, el mas conveniente uso de vuestro pastoral ministerio, el bien y lustre de las Religiones, y la utilidad espiritual de esos mis Vasallos, no dudo promoverá vuestro zelo y eficaz cuidado al exâcto cumplimiento de mis intenciones ; no obstante os ruego y encargo concurráis por todos los medios mas prudentes y adequados á que se logre en todos sus términos, de que seré mui complacido, como tambien de que procedáis con la conveniente uniformidad y acuerdo con mis Ministros Reales que exercen el cargo de Vice-Patronos; que tal es mi voluntad, y que me déis cuenta en primera ocasion del recibo de esta Cédula por mano de mi infraescrito Secretario de Estado y del Despacho universal de Indias, y en tódas las que se presenten, de quanto ocurra en el asunto digno de mi noticia. Dada en Buen-Retiro á primero de Febrero de mil setecientos cincuenta y tres. = YO EL REI. = Don Cenon de Somodevilla.

Real Cédula de 23 de Junio de 1757.

EL REY.

Por algunos inconvenientes que entiendo se pueden seguir de llevarse á efecto con la execucion y prontitud que previene mi Cédula de primero de Febrero de mil setecientos cincuenta y tres , por la qual resolví la universal separacion de los Regulares de los Curatos y Doctrinas que servían en todos mis Dominios de las Indias mediante haber faltado los motivos que hubo para encargárselas precariamente en el principio , precediendo dispensacion y facultad de la Santa Sede , y queriendo tambien que mis providencias se executen siémpre con la suavidad posible , he resuelto que el cumplimiento de mi citada Cédula séa y se entienda por ahora y hasta tanto que otra cosa mande , y en los términos y con las modificaciones siguientes. Que no se provéa de ninguna manera en Clérigo Secular Curato alguno de los que administran los Regulares hasta su efectiva vacante , y entónces acuerden el Virréi con el Arzobispo y Obispo respectivamente si es útil , ó nó , la provision en el Clérigo Secular , haciendo consideracion á la mayor idoneidad de los que han de ser provistos , á la aspereza del terreno y distancia de los Curatos , y principalmente á que los Curas estén con perfeccion instruidos en los idiomas de los Naturales , ó éstos en el Castellano , executándose inviolablemente el dictamen de los dos. En atencion á que ni aun este medio puede ser por sí sólo bastante á obviar los perjuicios que de necèsidad causaría á las Religiones , y aun al Estado , el excesivo número de Individuos ocupados en los Curatos y Doctrinas , habiendo quizá de andar dispersos los ya separados sin destino , y acaso en exercicios opuestos al honor de su instituto por faltar á las Religiones

medios y facultades con que ocurrir á su sustento ; es
mi voluntad que el Virréi, de acuerdo con el Arzobispo y Obispo, determine la execucion de mi citada Cédula de primero de Febrero de mil setecientos cincuenta y tres de modo que en cada Provincia disponga á
cada Religion una ó dos Parroquias de las mas pingües,
y en las que tienen Convento de los que hacen cabeza : todo á efecto de recoger en ellos los Frailes separados de los Curatos, y de educar Religiosos que se em-
pleen en las Misiones vivas y nuevas reducciones de Gentiles, que decaerían mucho no facilitándoles este medio;
entendiéndose que ninguna de estas providencias se ha de
verificar en los Curatos que estén en posesion de Seculares, aunque ántes fuesen de Regulares, porque en
ellos no se ha de hacer novedad. Que habiendo en la
Parroquial formal Convento que se haya fundado con
las solemnidades prevenidas en las leyes y constituciones, y en que se observe la conventualidad de ocho Religiosos de continua habitacion, se les mantenga en la
posesion del Convento, sus rentas, bienes y alhajas, sin
embargo de que en sucediendo la vacante se les haya de
separar del Curato y Parroquia, acordando los mismos
Virréi y Arzobispo ó Obispo se haga la entrega á la
Parroquia de las alhajas, vasos sagrados y ornamentos
de su uso propio, y demás que estimen pertenecerla
atendida la voluntad de los bienhechores; y á la Iglesia del Convento aquellos que por los mismos principios entiendan haberse adquirido por los Regulares, ó
dexádose á los Conventos sin respecto á la Parroquia ; en

lo qual se ha de proceder con la juiciosa consideracion de no llevar en todo rigor la interpretacion contra los Religiosos desposeidos, reflexionando el estado, fondos ó limosnas de que subsisten los Conventos. Que en ningun tiempo han de poder alegar las Religiones mis presentes disposiciones para fundar derecho á los Curatos que sirven precariamente, por haberlas meditado mi benignidad sólo á fin de promover la dilatacion de la Santa Fe en aquellos Dominios, y para mas bien asegurarse mi conciencia de que, en quanto permite la distancia, provéo de todos los remedios mas conducentes al alivio espiritual de los Indios, y á la subsistencia de las Religiones tan útiles en aquellas remotas Provincias; y espero del Estado Regular que, correspondiendo con la debida sumision, respeto y gratitud á los continuos favores que con liberal mano le reparto, dará las mas eficaces providencias para que no se reciban mas Novicios que aquellos que fuesen bastantes para mantener la disciplina Regular en los Conventos, y surtir de Operarios las Misiones vivas que están respectivamente al cuidado de cada Religion; y quiero se les encargue en mi nombre que se apliquen á tan santo exercicio aquellos Religiosos separados de las Doctrinas que séan útiles, y á quienes llame su zelo al empléo de una obra tan del agrado de Dios, y propia de un Religioso; sobre lo qual se hará particular encargo á los Prelados de las Religiones, así para que se abstengan de recibir número excesivo de Novicios, como para lo demas que comprehende este Artículo. Finalmente que el Consejo de Indias, sin admitir recurso alguno que se dirija á impedir la execucion de estas mis resoluciones, oiga á las partes sobre los incidentes que se han ofrecido , y en adelante puedan suscitarse. En conseqüencia de todo lo expresado mando á mis Virreyes , Presidentes y Gobernadores , Audiencias y demas Tribunales y Ministros Reales , y ruego y encargo á los mui Reverendos Arzobispos , Reverendos Obispos , y demas Prebendados Eclesiásticos á quienes toque , ó en algun modo tocar pueda el cumplimiento de mis referidas resoluciones y declaraciones , que por sí ó por sus Ministros inferiores y subalternos observen y hagan cumplir exâcta y puntualmente quanto en la presente mi Cédula queda declarado , sin réplica ni contradiccion , óbice ni interpretacion; que tal es mi voluntad , y que las providencias que al tenor de ella corresponde á los Virreyes aplicar acordándose con los Arzobispos y Obispos respectivamente, séa y se entienda que adonde por la distancia ó otra equivalente causa ó razon no puedan alcanzar , las han de dar los Presidentes de las Audiencias , y los Gobernadores , de acuerdo con los respectivos Prelados Diocesanos á que alcancen sus jurisdicciones ; pero recibiendo ántes de los mismos Virreyes aquellas órdenes é instrucciones que les parezca comunicarles. Dada en Aranjuez á veinte y tres de Junio de mil setecientos cincuenta y siete. = YO EL REI. = El B. Fr. D. Julian de Arriaga.

Real Cédula de 7 de Noviembre de 1766.

EL REY.

Virréi, Gobernador y Capitan-General de la Nueva-España, y Presidente de mi Real Audiencia de la Ciudad de México. En carta de trece de Diciembre de mil setecientos sesenta y cinco participó mi Virréi del Perú la duda que allí se ofreció en órden á si las dos Doctrinas ó Curatos que por mi Real Cédula de veinte y tres de Junio de mil setecientos cincuenta y siete se mandan dexar á los Regulares en cada Provincia, deben ser en las Provincias Seculares, ó en el distrito de la que gobierna un Provincial; con cuyo motivo expone que, habiendo vacado dos Doctrinas de la Religion de San Francisco, suspendió, de acuerdo con aquel mui Reverendo Arzobispo, ponerlas en Clérigos Seculares, y se continuaba en ellas á los Religiosos ínterin no determinase Yo otra cosa. Y visto en mi Consejo de las Indias con lo que dixo mi Fiscal, y teniendo presente que por Real Despacho dirigido al propio mi Virréi con fecha de tres de Julio de este año declaré que la gracia concedida á cada Religion de poder gozar en una Provincia una ó dos Doctrinas debe entenderse regulando por Provincia nó el distrito de cada Corregimiento, sino el del gobierno de los Conventos que están debaxo del mando y potestad de cada Provincial, he resuelto que precisamente se siga esta regla en todos los casos que ocurran; y os lo participo para que en la parte que os toca concurráis, como os lo mando, á su puntual cumplimiento. Fecha en San Lorenzo á siete de Noviembre de mil setecientos sesenta y seis. = YO EL REI. = Por mandado del Rei nuestro Señor: Don Tomas del Mello.

Número 29

Corresponde al Artículo 223.

Real Cédula de 21 de Enero de 1772.

EL REY.

Por quanto por incidencia de los fundados motivos que tuve para resolver que se procediese á la reforma prudente y juiciosa del Clero de mis Dominios de las Indias y Islas Filipinas por el medio determinado en mi Real Decreto expedido á mi Consejo de aquellos Reinos en veinte y siete de Julio del año de mil setecientos sesenta y nueve se me representó que, no obstante que los Cabildos de las Iglesias Catedrales y demas Perceptores de Diezmos estaban obligados á dotar los Curatos quando dichos efectos son suficientes á úno y ótro, no se cumplía en los mismos Dominios con la puntualidad debida, en agravio de los Párrocos y de mis Caxas Reales, de quienes indebidamente se cobraba el Sínodo; y siendo punto digno de remedio, deliberé por otro Real Decreto de la propia fecha que por providencia separada expidiese el nominado mi Consejo las Cédulas correspondientes, con mui estrecho encargo á los Virreyes, Presidentes de mis Audiencias y Gobernadores de los expresados Reinos, para su observancia; lo qual se practicó circularmente con fecha de veinte y uno de Agosto siguiente. Después dió cuenta con testimonio el Reverendo Obispo de Cuba en carta de veinte de Agosto del año de mil setecientos y setenta del oficio que, en cumplimiento de lo dispuesto por la citada Real Cédula, le pasó Don Estévan de Olóriz, siendo Gobernador interino de aquella Ciudad, para que dotase á los Curas que percibían Sínodo de Caxas Reales, y de lo demás ocurrido en el particular: y visto lo referido en el enunciado mi Consejo, con lo que en su inteligencia, de otras siete cartas del Virréi de Nueva-España, la Audiencia de Guadalaxara, y los Gobernadores de Yucatan, Guatemala, Habana, Cuba y Caracas, y de lo informado por la Contaduría General de él, expusieron mis Fiscales con presencia de todos los antecedentes del asunto, y consultádome sobre ello en catorce de Octubre último; teniendo presentes los diferentes abusos y desórdenes que generalmente se están experimentando no sólo en la excesiva cantidad de los Sínodos que se pagan á los Curas, sino tambien en aquellos con que se les asiste sin preceder la necesaria justificacion de su residencia, sin la qual debieran retenérseles á beneficio de mi Real Hacienda, y merecer particular atencion el perjuicio que ésta se halla sufriendo: he resuelto (entre otras cosas) encargar de nuevo mui particularmente á los mui Reverendos Arzobispos y Reverendos Obispos de aquellos Dominios (segun se practica por Cédulas de la fecha de ésta) dispongan la celebracion de Concilios Provinciales con arreglo á lo prevenido en mi Real Cédula ó Tomo Regio expedido el enunciado dia veinte y uno de Agosto de mil setecientos sesenta y nueve ; y asimismo que, conforme á lo dispuesto por el Santo Concilio de Trento, providencien , y expidan las órdenes correspondientes para que tambien se celebren con la brevedad posible Sínodos Diocesanos en que peculiarmente se traten y averigüen estos puntos , y se formalicen con exâctitud los Aranceles de derechos Parroquiales , excluyendo todas aquellas que con nombre de obvenciones son injustas y se cobran con extorsion de los Legos ; y que cada uno de los mismos Arzobispos y Obispos en su respectiva Diócesi forme Aranceles de los derechos y obvenciones que deben percibir los Párrocos que hubiere en ella, y los presenten en mi Real Audiencia del distrito á que corresponda , para que tengan el curso regular y que previenen las Leyes hasta mi Real aprobacion y su debida execucion. Y asimismo he resuelto que desde luego donde hubiese Audiencia se forme igualmente una Junta compuesta del respectivo Prelado , del Presidente , un Oidor que éste nombre , y el Fiscal mas antiguo ; y donde no la hubiere , del Prelado , Gobernador y su Asesor , remitiendo despúes sus Acuerdos á la del Presidente , Arzobispo ú Obispo , y Ministros de su distrito , para su aprobacion ó modificacion ; y en ellas se averigüen las rentas, Diezmos y justas obvenciones que percibe cada Cura ; y deducidos los indispensables gastos , especialmente para la dotacion de los Tenientes que deben tener con arreglo á las Reales Cédulas expedidas sobre este asunto en diez y ocho de Octubre de mil setecientos sesenta y quatro, y primero de Junio de mil setecientos sesenta y cinco, regulen si tienen lo suficiente para su congrua y decente manutencion; y conforme á lo que hallaren, corten, suspendan ó respectivamente moderen el Sínodo que actualmente perciben de mi Real Hacienda, y lo hagan executar las Juntas Principales con la qualidad de por ahora, y en el ínterin que en Sínodo Diocesano se purifica completamente, tomando pronto remedio en los excesos y desórdenes que en esta materia hallaren justificados. Por tanto ordeno y mando á mis Virreyes del Perú, Nueva-España y Nuevo-Reino de Granada, á mis Presidentes, Audiencias y Gobernadores de aquellos distritos, y de las Islas Filipinas y de Barlovento, que cada uno en la parte que respectivamente le tocare y corresponda á sus facultades, promuevan y concurran, de acuerdo con los Arzobispos y Obispos, á que en todas sus partes tenga puntual y debida execucion la enunciada mi Real resolucion: en inteligencia de que por Cédulas de la fecha de ésta se encarga lo conveniente á los mismos Prelados; y de la presente se tomará razon en la referida Contaduría General. Fecha en el Pardo á veinte y uno de Enero de mil setecientos setenta y dos. = YO EL REI. = Por mandado del Rei nuestro Señor: Don Pedro García Mayoral. = Tomose razon en la Contaduría General de las Indias. Madrid veinte y ocho de Enero de mil

setecientos setenta y dos. = Don Tomas Ortiz de Landázuri.

Otra Real Cédula de la misma fecha que la anterior.

EL REY.

Por quanto habiéndoseme representado que no obstante que los Cabildos de las Iglesias Catedrales y demas Perceptores de Diezmos están obligados á dotar los
Curatos quando dichos efectos son suficientes á úno
y ótro, no se cumplía en mis Reinos de las Indias, Islas Filipinas y de Barlovento con la puntualidad debida,
en agravio de los Párrocos y de mis Caxas Reales, de
quienes indebidamente se cobra el Sínodo, y ser punto
digno de remedio; tuve á bien por mi Real Cédula de
veinte y uno de Agosto del año de mil setecientos sesenta y nueve hacer el mas estrecho encargo á los Virreyes, Presidentes y Gobernadores de los expresados mis
Reinos, cuidasen de su puntual y efectiva observancia.
Y habiendo llegado á entender ahora los diferentes abusos y desórdenes que generalmente se están experimentando no sólo en la excesiva cantidad de los enunciados
Sínodos que se pagan á los Curas, sino tambien en
aquéllos con que se les asiste sin preceder la necesaria
justificacion de su residencia, sin la qual debieran retenérseles á beneficio de mi Real Hacienda : he resuelto,
á Consulta de mi Consejo de las Indias de catorce de
Octubre último (entre otras cosas) se prevenga circularmente á todos los Virreyes, Presidentes y Goberna-

dores de aquellos mis Dominios hagan formar un Plan con claridad y separacion de todos los Curatos que hubiese en las Provincias de sus Virreinatos y Gobiernos respectivamente, el qual remitan al nominado mi Consejo; y que los Oficiales Reales de todas las Caxas formen ótro, poniendo por casillas separadas lo que por un quinquenio ha correspondido á cada Cura por sus novenos, obvenciones que tengan reguladas, lo que se le exîge por Mesada Eclesiástica al tiempo de su provision, y lo que cobra por Sínodo: que con la propia separacion pongan ántes en este Plan, que debe ser respectivo á cada Diócesi, el producto que por el mismo quinquenio han tenido los Diezmos aplicados por ereccion y lei á los mui Reverendos Arzobispos, y Reverendos Obispos y Cabildos; y hecho tódo con la posible puntualidad y claridad, saquen dos copias formalizadas, remitan la úna al propio mi Consejo por mano del Virréi, Presidente ó Gobernador de su distrito, y éstos reserven la ótra, para que teniéndola presente en la Junta que por otra Real Cédula de igual fecha se les manda formar con el Arzobispo ú Obispo, un Oidor y el Fiscal de la Audiencia á que corresponda, para los fines que en ella se especifican, resuelvan con mas conocimiento lo que en aquélla se les encarga, y sirva de instruccion quando se celebre el Sínodo Diocesano que en la misma Cédula se previene, á fin de que con pleno conocimiento de tódo se pueda tomar la providencia conveniente á evitar los citados abusos y desórdenes. Por tanto, por la presente ordeno y mando á los nominados mis Virreyes, Presidentes y Gobernadores que, cada uno en la parte que respectivamente le tocare, guarden, cumplan y executen, y hagan guardar, cumplir y executar puntual y efectivamente la enunciada mi Real resolucion segun y en la forma que va referido, sin permitir ni consentir que con pretexto ni motivo alguno se contravenga á ella: en inteligencia de que por Cédulas de la fecha de ésta se previene tambien lo conveniente á todos los Oficiales Reales de aquellos distritos para que igualmente concurran por su parte á que tenga su debida execucion por lo que á ellos toca, que así es mi voluntad; y de la presente se tomará razon en la referida Contaduría General. Fecha en el Pardo á veinte y uno de Enero de mil setecientos setenta y dos. = YO EL REI. = Por mandado del Rei nuestro Señor: Don Pedro García Mayoral. = Tomose razon en la Contaduría General de las Indias. Madrid veinte y ocho de Enero de mil setecientos setenta y dos. = Don Tomas Ortiz de Landázuri.

Otra Real Cédula de la propia fecha que las dos antecedentes.

EL REY.

Oficiales de mi Real Hacienda de los Reinos de las Indias, Islas Filipinas y de Barlovento. Habiendo llegado á mi noticia los diferentes abusos y desórdenes que generalmente se están experimentando en esos mis Dominios no sólo en la excesiva cantidad de los Sínodos que se pagan á los Curas, sino tambien en aquéllos con que se les asiste sin preceder la necesaria justificacion de su residencia, sin la qual debieran retenérseles á beneficio de mi Real Hacienda, y merecer particular atencion el perjuicio que ésta se halla sufriendo: he resuelto á consulta de mi Consejo de las Indias de catorce de Octubre último, entre otras cosas, ordenaros y mandaros (como lo executo) forméis un Plan mui exâcto y puntual de todos los Curatos que hubiese en vuestros respectivos distritos, poniendo por casillas separadas lo que por un quinquenio ha correspondido á cada Cura por sus novenos, obvenciones que tengan reguladas, lo que se le exîge por Mesada Eclesiástica al tiempo de su provision, y lo que cobra por Sínodo: que con igual separacion pongáis antes de este Plan, que debe ser respectivo á cada Diócesi, el producto que por el mismo quinquenio han tenido los Diezmos aplicados por ereccion y lei á los mui Reverendos Arzobispos, Reverendos Obispos y Cabildos; y hecho tódo con la posible puntualidad y claridad, saquéis dos copias formalizadas, y las entreguéis inmediatamente al Virréi, Presidente ó Gobernador de vuestro distrito, para que éstos remitan la úna al enunciado mi Consejo, y reserven la ótra para los fines que por Cédula de la fecha de ésta se les previene; y de haberlo practicado así me daréis cuenta en la primera ocasion que se ofrezca, para hallarme enterado; y de la presente se tomará razon en la referida Contaduría General. Fecha en el Pardo á veinte y uno de Enero de mil setecientos setenta y dos: = YO EL REI. =

Por mandado del Rei nuestro Señor : Don Pedro García Mayoral. $=$ Tomose razon en la Contaduría General de las Indias. Madrid veinte y ocho de Enero de mil setecientos setenta y dos. $=$ Don Tomas Ortiz de Landázuri.

Número 30
Corresponden al Artículo 234.

Instruccion práctica y provisional dispuesta por la Contaduría General con fecha de 27 de Abril de 1784, y aprobada por el Rei en 9 de Mayo del mismo año.

§. 109.

Ademas de la obligacion en que están los Ministros de Real Hacienda, y qualquiera que tiene á su cargo la recaudacion de alguno ó algunos Ramos, de dar la cuenta anual como verdaderos Administradores, esto es de todo quanto valieron los tales Ramos, y se adeudó á ellos cobrado ó nó cobrado, tienen tambien la obligacion de dar cada mes, y en qualquiera dia que extraordinariamente se les pida, una noticia puntual del estado de su manejo, y otra, aun mas exâcta é individual, de lo que les corresponde en quanto Tesoreros. El modo de sacar de los Libros estas dos noticias es fácil y exâctísimo si las cosas se han sentado en ellos como se ha explicado.

§. 110.

El objeto final de ámbas es: lo primero, saber lo que por todos Ramos ha entrado, y lo que por todos gastos ha salido de la Tesorería, para deducir lo que, segun esto, debe haber existente; y lo segundo, saber lo que de cada especie ó materia ha entrado y salido, para deducir lo que de cada una existe.

§. III.

Lo primero se ha de averiguar por el *Libro Mayor*, y lo segúndo por el *Libro de Caxa*. Esto último es lo que primero se ha de executar por ser operacion á que ha de concurrir el Superior á quien pertenece presidir este acto, y así se tratará de él con preferencia, recordando que no solo se reputan y deben reputar especies y materias existentes el dinero, barras de oro y plata, y alhajas preciosas, ú otras qualesquiera cosas que se hayan recibido en pago de derechos, ó comprado para el Real Servicio y estén en los Almacenes, sino tambien las deudas ó créditos activos de la Real Hacienda, que son los adeudos causados en la propia Tesorería ó Administracion, y nó cobrados ó pendientes, y los socorros ó subministraciones hechas á buena-cuenta; baxo cuya denominacion se debe comprehender qualquiera caudal que se haya sacado para algun destino cuya cuenta deba formalizarse después. Estas cosas se han de reputar como especies existentes, porque lo son en cierto modo, como se dixo en el §. 11; y la existencia de éstas y de las especies efectivas ó físicas se deducirá por sus cuentas respectivas del *Libro de Caxa* si puntualmente se hubiese cargado su valor á la entrada, y abonado á la salida, como se dixo al §. 7 (*).

§. 112.

Esto supuesto, se han de poner en medio de una llana los nombres de estas especies segun la division que tuvieren en el *Libro de Caxa*, y ésto puede estar hecho de un mes para ótro, y aun tenerse impresos.

§. 113.

Súmense en el Libro las cuentas referidas en su Debe y en su Haber, poniendo en ellos las sumas, pero sin cerrarlas, porque sobre las de un mes han de continuar las partidas que ocurran en los siguientes. Pónganse á cada especie la suma de su Debe delante, y la de su Haber al otro lado; y, hecho ésto con las sumas de tódas, fórmense de todos los Debes y Haberes sumas totales. Dedúzcase la de los Haberes de la de los Debes, y se verá la existencia total.

§. 114.

Averígüese ésta por partes, y pónganse sus restos en otra coluna, la qual sumará lo mismo que la indicada existencia ó resto total.

§. 115.

Este Plan , que es el que pertenece á Tesorería , mostrará la existencia individual y totalmente. Se contará el dinero , se verán las alhajas preciosas , y se pesarán si su calidad lo requiriese : de modo que se aseguren ser las que deben , y las que tienen aquel valor que se las dió en su cuenta.

§. 116.

Se reconocerán las sumas de las otras especies físicas de Almacenes , porque la brevedad de esta diligencia no permite , ni su objeto pide su menudo reconocimiento no habiendo algun particular motivo para ello.

§. 117.

Esto mismo se hará con las deudas ó créditos activos por la propia razon.

§. 118.

Hecho el reconocimiento explicado , podrá el Superior que preside esta diligencia afirmar y poner su Visto-bueno en el Estado ó Plan que se le ha de presentar , y él retener , de las existencias , y quedar responsable á qualquiera fraude que se probare en adelante contra las existencias y contra la verdad de las sumas que ha debido reconocer en el Libro.

Número 31

Corresponden al Artículo 235.

La misma Instruccion práctica.

§. 119.

Evacuada esta diligencia en el primer dia de cada mes precisamente, se dedicarán los Ministros de la Tesorería á formar y dar dentro de los tres siguientes dias (que bastan aun para la Tesorería de mayores negocios) el Estado de su manejo, deduciéndole del *Libro Mayor.*

§. 120.

Pondránse en otra llana ó pliego los nombres de los ramos y cuentas del dicho Libro, y se sumarán los Debes y Haberes de cada una, tomando de los ramos que, segun lo dicho en el §. 50 (*), deben tener dos colunas, sólo la suma de la interior. Se pondrán las sumas sin cerrarlas, como se dixo de las del *Libro de Caxa.* Se sumarán todos los Debes y todos los Haberes; y deducidos aquéllos de éstos se verá la suma total que debe exîstir, que es el objeto de esta segunda parte de la Operacion explicada, y lo que es propio de la Administracion.

(*) *No se pone por no ser aquí necesario.*

§. 121.

Si los asientos se hicieron bien durante el mes, la conseqüencia necesaria será que este total iguale perfectamente con las existencias; y si hubo error ú omision, será por el contrario indispensable la discordancia, y consiguientemente la necesidad de buscar la causa reconociendo con mucho cuidado las sumas, y exâminando el *Manual* y el paso de sus partidas á los otros Libros, hasta encontrar el error, y corregirle como queda explicado.

§. 122.

Se advierte que á los Estados mensuales no se han de traher las cuentas de los Recaudadores Subalternos ni casi Subalternos de que se trató en el §. 51 (*), porque estas sólo tienen dependencia de la liquidacion final de la administracion del año.

(*)
No se pone por no ser preciso.

§. 123.

Tampoco se traherán las cuentas de especies estancadas que se llevan en el *Libro Mayor* y en el de *Caxa* en su misma especie, como se dixo en los §§.68 y 70 (*), sino sólo las de sus productos, que es lo que hace al caso para estos Estados.

(*)
No se ponen aquí por no ser necesarios.

§. 130.

Para mayor y mas fácil inteligencia del modo de formar dichos Estados se acompaña el modelo de uno al fin del *Libro Mayor*.

Número 32

Corresponde al Artículo 236.

La mencionada Instruccion práctica.

§. 125.

El Intendente en la Tesorería de la Capital, y sus Subdelegados en las Foraneas son los que han de presidir estas diligencias, y los que han de recoger á su poder los Estados. Los Subdelegados tomarán tres copias que les deben dar en la Tesorería respectiva firmada por sus Ministros. De ellas retendrán una en su poder, y remitirán las dos restantes al Intendente. Éste por lo tocante á la Tesorería de la Capital tomará dos copias, y pasará una de ellas, y otra de las de cada Tesorería de fuera, al Tribunal de Cuentas para que de los Estados de todas las de su distrito forme uno general, con distincion de Caxas, ramos, gastos y exîstencias. El Tribunal retendrá los Estados particulares, y dará al Intendente tres copias del general autorizadas, una para su gobierno, y las dos para que las remita al Rei por principal y duplicado. Los dichos Estados particulares servirán al Tribunal para el juicio de la cuenta de cada Tesorería.

Número 33

Corresponde al Artículo 240.

Del Libro 8 título 17, las leyes 1 y 9: las 1, 2, 15, 24, 25, 32 y 54 del título 33 del mismo Libro; y del 9 título 38, las leyes 4, 10, 11, 20, 21 y 22.

Del Reglamento y Aranceles Reales de 12 de Octubre de 1778 para el Comercio libre de España á Indias, los Artículos 18, 27, 29, 30, 34, 35, 38, 39 y 41.

Número 34

Corresponde al Artículo 253.

Ordenanzas del Exército ya citadas,

TRATADO I TÍTULO 9.

ARTÍCULO 9.

Siempre que el Habilitado perciba caudales de la Tesorería, bien séa por ajuste final, ó buenas cuentas, deberá notar el Tesorero en un quaderno que el Habilitado ha de tener para su registro la cantidad que se libra, y en qué especie, rubricando esta noticia; y nunca será el Cuerpo responsable sino de lo que en el Libro se halle rubricado.

Número 35

Corresponde al Artículo 254.

Real Órden circular de 6 de Agosto de 1776.

Habiendo notado la variedad con que se regula en los Oficios de Real Hacienda de América el valor de la Moneda, y correspondencia que tiene la de esos Reinos con la Provincial ó de Vellon de España, practicándose en algúnos los descuentos, ó retenciones que se hacen de aquellas asignaciones que tienen señaladas á sus familias en estos Reinos á pagar de sus sueldos muchos de los empleados en esos Dominios, al respecto de peso de América por veinte reales de vellon de España, con notorio perjuicio de la Real Hacienda en la diferencia que hai desde quince reales y dos maravedis de vellon que tiene el peso de ciento veinte y ocho quartos de España, y á que equivale el peso de América, hasta los veinte reales por que se ha considerado el valor de éste; prevengo á V. de órden del Rei disponga lo conveniente á efecto de que en los Oficios de Real Hacienda de su Jurisdiccion se observe inviolablemente la práctica inconcusa que se observa en éstos, de regular el peso de América por el peso de ciento veinte y ocho quartos, ó de quince reales y dos maravedis de vellon de España, y que á este respecto se practiquen así los descuentos de las relacionadas asignaciones que están en el dia corrientes, como los ajustes que se hagan de sueldos devengados en estos Reinos, sin excepcion de la Tropa ni otra alguna clase de empleados, siguiéndose la misma regla en todo abono ó pago que se haga en Caxas Reales de qualquiera especie que sea, sin embargo de qualesquiera otra órden ó práctica que haya en contrario. Dios guarde á V. muchos años. San Ildefonso seis de Agosto de mil setecientos setenta y seis. = Josef de Gálvez.

Número 36

Corresponde al Artículo 262.

Las mismas Ordenanzas,

TRATADO 8 TÍTULO 10.

ARTÍCULO 87.

Los Proveedores y Municioneros que cometieren semejante delito de falsificar el peso ó medida de los géneros que distribuyeren á la Tropa, serán condenados á seis años de Presidio cerrado de África para ser empleados en los trabajos, y se les confiscarán sus bienes para satisfacer á las Partes lo que legítimamente hicieren constar que se les hubiere defraudado, y lo restante á favor de mi Real Hacienda; pero si maliciosamente adulteraren los víveres mezclando en ellos alguna especie notoriamente dañosa á la salud pública, serán castigados éllos y los cómplices en semejante delito con la pena de Presidio perpetuo, ó de la vida, segun la gravedad del daño que hubiesen ó pudieren haber ocasionado; y la misma pena se les impondrá si se verificase que, siendo los géneros por sí mismos de calidad dañosa y perjudicial al público, lo disimularen dolosamente con el fin de utilizarse en el beneficio de su distribucion, y antes de repartirlos no lo advirtieren al Ministro de Hacienda de quien dependan, ó al Gefe Militar que en el mismo parage residiere, los quales, en el caso de ser advertidos, serán responsables (en su propio nombre) del daño que de su omision resultare; y el conocimiento de este delito corresponderá al Intendente: si éste no tomase providencia, se recurrirá al Comandante Militar; y si de sus diligencias no resultare remedio, se acudirá á mi Secretario del Despacho de la Guerra.

Circular de 23 de Diciembre de 1776 expedida por acuerdo del Supremo Consejo de Guerra, declarando el tiempo por que, conforme á Real Pragmática posterior á la Ordenanza que antecede, se pueden aplicar Réos á Presidio ó trabajos de obras públicas.

Informado el Consejo de que por algunos Regimientos se ha destinado á Individuos suyos á los trabajos de obras públicas sin señalarles tiempo, y ser esto opuesto á lo mandado por S. M. en Real Pragmática de doce de

Marzo de mil setecientos setenta y uno, y últimas Reales resoluciones para el Exército, ha acordado que se haga saber á los Capitanes-Generales y demás á quien corresponda, que no debe destinarse Réo alguno á los Presidios ni trabajos por mas tiempo que el de diez años, y que se entienda éste para todos los que se hallen confinados sin él, de qualquiera clase que séan: lo que de su órden participo á V. para su inteligencia, y que prevenga lo conveniente á su cumplimiento en la parte que le toca, dándome aviso del recibo de ésta para noticia del Consejo. = Dios guarde á V. muchos años. Madrid veinte y tres de Diciembre de mil setecientos setenta y seis. = Josef Portugués.

Otra Circular de 10 de Abril de 1778 sobre el mismo asunto.

A consulta del Consejo Supremo de Guerra se ha dignado S. M. señalar á Josef Fernandez, confinado por toda su vida á las bombas del Arsenal de Cartagena por el delito de desercion al campo del Moro, de donde se volvió antes de las veinte y quatro horas, el tiempo de seis años sobre los quatro que ha sufrido; mandando al mismo tiempo que á los Réos á quienes se dé el citado destino de bombas, no séa por mas tiempo que el de diez años, como está mandado para todos los que se hallen sin él, de qualquiera clase que séan, exceptuándose sólo los que por especial órden de S. M. se hallasen reclusos, ó se destinen perpetuamente, ó á su Real voluntad ; y que no salgan los cumplidos sin que preceda licencia con informe de los Gefes , para darla con conocimiento de la gravedad del delito y de la conducta.

Publicada en el Consejo esta Real resolucion ha acordado la participe á V. para su inteligencia y cumplimiento en la parte que le toca. = Dios guarde á V. muchos años. Madrid diez de Abril de mil setecientos setenta y ocho. = Josef Portugués.

Número 37

Corresponde al Artículo 278.

Las propias Ordenanzas,

TRATADO 6 TÍTULO 14.

ARTÍCULO 3.

Para que en el punto de Alojamiento se observe una oportuna regla fixa que asegure á mis Tropas y Oficiales la posible comodidad en los tránsitos de sus marchas , y evite á los Pueblos la vexacion que suele ocasionarles la consideracion con que los vecinos sufren esta carga , ordeno que los Alojamientos se repartan en las casas de la clase del Estado llano que tengan las precisas conveniencias para las personas destinadas á ellas ; y si ésas no bastaren , se completará con la de los exceptuados por Dependientes de Tribunales , Rentas ú otros motivos , y después con las de los Hidalgos , el número de las que se necesitaren ; pero si únas y ótras de estas clases destinadas á este fin no alcanzaren , pasarán las Justicias su oficio á los Eclesiásticos para que admitan en sus casas el Alojamiento , siempre que las habiten como dueños propios de ellas ; mas si estuvieren con Padre ó Pariente obligado á este servicio , en ningun caso se entienda que puede servir de exêncion el domicilio casual del Eclesiástico ; pues solamente con ellos , siendo notoriamente inquilinos de la casa que habiten , se ha de observar la excepcion hasta no haber el recurso de ótras ; y quando hubiese resistencia , deberá el Oficial comisionado hacer tomar testimonio que acredite la repugnancia , y oficios políticos que hayan precedido , para que con su remision al Comandante-General de la Provincia respectiva , y de éste á mi Secretario del Despacho de la Guerra para noticiármelo , tome Yo providencia con aquel Vasallo que se distrahe de concurrir á mi servicio en las urgencias.

Número 38

Corresponde al Artículo 280.

Las mencionadas Ordenanzas,

TRATADO 6 TÍTULO 14.

ARTÍCULO 2.

En el Alojamiento debe entenderse la obligacion de proveer una cama para cada dos Soldados, compuesta de xergon ó colchon, cabezal, manta y dos sábanas; y para los Sargentos con colchon precisamente, luz, sal, aceite, vinagre y leña, ó lugar á la lumbre para guisar.

TRATADO 6 TÍTULO 13.

ARTÍCULO 4.

Los desórdenes que se cometieren por las Tropas en las marchas ó tránsitos que hicieren, se pagarán á costa del Cuerpo de que fueren; y el Comandante impondrá al que se verifique delinqüente la pena que le corresponda: bien entendido que si el daño procediese de Oficiales, lo ha de desembolsar el Cuerpo á cuenta de sus pagas sin la menor dilacion; y si proviniese de exceso de los Soldados, lo ha de suplir desde luego igualmente: y quando el Soldado no tuviese de qué, ha de ser de cuenta de los Oficiales y Sargentos de aquella Compañía que no estuviesen ausentes, á prorbatéo segun proporcion de sus sueldos.

TRATADO 6 TÍTULO 14.

ARTÍCULO 10.

Ningun Oficial ni Soldado pedirá, ni obligará á sus Patrones á que le subministren con pretexto de utensilio, ó en otro modo, cosa que exceda á lo arreglado por la Ordenanza, ni los maltratarán en sus personas, familias y muebles; pues si lo hicieren, padecerán los castigos establecidos en el Título de Penas.

TRATADO 8 TÍTULO 10.

ARTÍCULO 68.

Prohibo á los Oficiales y Soldados de Infantería, Caballería y Dragones, que puedan pedir y obligar á sus Patrones (con el pretexto de utensilios, ó en otra forma) á que les subministren otra cosa que lo prevenido en la presente Ordenanza, pena de suspension de empléo, y confiscacion de paga al Oficial, y de castigo corporal á los Soldados, con restitucion á favor del Paisano damnificado de cuenta del culpado, anticipándola el Cuerpo, y cargándola después á éste.

ARTÍCULO 69.

El Soldado que en Guarnicion, Marcha ó Quartel maltratare de palabra ú obra á sus Patrones ó familia, ó qualquiera otra persona de uno ú otro sexô, será castigado corporalmente, ú con otra pena mas grave, segun la entidad del daño que hubiere ocasionado; pero si del mal-

z

trato resultare muerte ó mutilacion de miembro, será pasado por las armas; y á fin de que la execucion pronta de la menor pena no le redima de la mas grave, se suspenderá el castigo corporal hasta que, reconociendo un Cirujano á la persona maltratada, dé fe de que no es la herida de aquellas circunstancias.

ARTÍCULO 73.

El Soldado que rompiere ó maltratare por voluntaria vexacion mueble alguno, derramare ó destruyere las provisiones domésticas en casa de sus Patrones, ó de qualquiera otro Paisano, sufrirá un mes de prision, y pagará (de sus alcances, ó con la mitad de su socorro diario hasta la entera satisfaccion) el perjuicio que hubiere causado, adelantándolo el Cuerpo, y cargando el importe al Soldado; pero si el daño excediere á lo que pudiere pagar con la retencion del medio socorro de quatro meses, sufrirá la pena de baquetas y destino á obras por el tiempo de su empeño.

ARTÍCULO 75.

El Soldado que separado del Cuerpo y distrito del Lugar en que éste se halle, ó Destacamento del de que dependa, marchando sólo con Pasaporte ó sin él, ultrajare, robare, hiriere ó matare á alguno de mis Vasallos, ú á otra qualquiera persona, podrá ser aprehendido por las Justicias del territorio en que cometa el delito, y lo entregarán á su respectivo Gefe si se hallare dentro de la misma Provincia; y en caso de estar mas

léjos, sustanciará la causa la Justicia que lo hubiere aprehendido hasta ponerla en estado de sentencia: lo que deberán practicar en el término de ocho dias, y remitir el
proceso al Capitan ó Comandante-General de la Provincia para que la determine, cuidando este Gefe de
hacer conducir con seguridad el Reo; y si el Soldado
Agresor que se aprehendiere hubiere sido despachado
con pliego de mi servicio, quedará al cargo de la
Justicia Ordinaria el cuidado de dirigirle á su destino
sin la menor dilacion.

ARTÍCULO 76.

Los Soldados que al tiempo de marchar con sus Cédulas de Inválidos al destino que señalan cometieren el
delito ó excesos de que trata el antecedente Artículo, serán tambien aprehendidos por la Justicia Ordinaria baxo
de la misma regla que los Soldados efectivos que mar-
chan sueltos; pero los que, usando de licencia, se retiran despedidos del servicio, y sobre su marcha cometieren algun desórden, serán juzgados y castigados por
las mismas Justicias Ordinarias en la forma que executan sus sentencias contra los súbditos Paisanos.

ARTÍCULO 78.

El que tirare contra las palomas, conejos, gallinas
ú otros animales domésticos, sufrirá un mes de prision,
y para el pago del daño se le retendrá la mitad de su
socorro diario hasta la entera satisfaccion; pero si este
descuento no alcanzare á completarla en quatro meses, se

le impondrá la pena de baquetas, y destino á obras públicas por el tiempo de su empeño; y el que sin autoridad para ello mandare executar lo que prohibo en este Artículo y el antecedente, indemnizará el daño, y sufrirá la pena de que segun las circunstancias fuere digno.

Número 39

Corresponde al Artículo 284.

Las dichas Ordenanzas,

TRATADO 3 TÍTULO 9.

ARTÍCULO 12.

En el mismo dia en que se execute la Revista pasará el Comisario al Hospital para reconocer las plazas que en él hai existentes del Cuerpo revistado, y comprobar si corresponden en número y clases á las que en los pies de lista de las Compañías se consideran como enfermos; y para el abono de los que lo estuvieren fuera de la Plaza ó Quartel en que reside el Cuerpo, deberá el Sargento Mayor presentar al Comisario Certificacion del Contralor del Hospital en que estuvieren, que justifique su existencia, con expresion del nombre del Oficial, Sargento ó Soldado, y de la Compañía de que fuere, explicando el dia en que entró: cuya Certificacion firmará tambien el Comisario que en aquel parage tuviere á su cargo la inspeccion del Hospital; y donde no le hubiere, prevendrá en su Certificacion el Contralor que por este motivo falta en ella el expresado requisito.

ARTÍCULO 13.

Para el abono de Oficiales y Soldados que en las marchas queden enfermos en Pueblos donde no haya Hospitales Reales, se presentará por parte del Regimiento testimonio del Escribano de Ayuntamiento del mismo Pueblo, firmado tambien del Corregidor ó Alcalde de él, en que se exprese el nombre, apellido, Compañía y Regimiento del individuo enfermo, con declaracion del Médico ó Cirujano que le asista en que explique la dolencia que padece.

ARTÍCULO 14.

En el supuesto de que todo Destacamento ó Partida que salga de un Regimiento á comision de mi servicio debe presentarse, antes de emprehender su marcha, al Comisario, y éste anotar el número, clases y nombres de las plazas que le forman, con expresion del dia en que sale, destino á que va y fin del servicio en que se empléa; para el abono de su haber en la Revista de aquel mes (si saliere antes de pasarla) deberá el Sargento Mayor prevenirse, para que se acredite el haber de estas plazas en los meses sucesivos, de Certificacion que el Comandante de aquella Partida ó Des-

tacamento debe remitirle en cada mes , con extension
de las filiaciones de las plazas de su cargo firmada de
Comisario de Guerra que las reviste , y en su defecto
del Corregidor ó Alcalde del Pueblo en que residan , para justificacion de su existencia.

ARTÍCULO 15.

Siempre que (por urgente motivo de mi servicio , ó
reservado fin que obligue al Gobernador ó Comandante de las Armas á mandar salir de la Plaza ó Quartel
alguna Tropa con celeridad ó disimulo) dexare de presentarse al Comisario , pedirá el Sargento Mayor al Gefe que dispuso su salida Certificacion que exprese la
fuerza , clases y nombres de la Tropa destacada , y en
virtud de este instrumento se abonará por una Revista.

ARTÍCULO 16.

La concesion de las licencias temporales de Soldados se limitará á la décima parte de los presentes efectivos que tenga en Revista cada Compañía , y el término de los tres meses de su uso á los de Junio , Julio y
Agosto en únos mismos , y á los de Diciembre , Enero y
Febrero en ótros diferentes ; y si las justificaciones para su
abono no. hubieren llegado al tiempo de la confronta-
cion en el mes á que corresponden , se anotarán en el
Extracto *ausentes sin justificacion* , y en el de la Revista sucesiva (si en el intermedio de úna á ótra se recibieren dichos Documentos) pondrá el Comisario por
aumento (en nota que lo explique , exhibiéndoselos el

Sargento Mayor) la prevencion que corresponde para el abono del haber nó acreditado en el mes antecedente; pero siempre que se retardaren mas de un mes las justificaciones expresadas, no se procederá al abono sin Real habilitacion solicitada por los conductos de Coronel é Inspector, con legítimos documentos que funden el recurso; siguiéndose igual regla con toda otra plaza nó existente en Revista.

ARTÍCULO 17.

Los presos que en el destino del Regimiento hubiere por delitos leves, han de presentarse en el acto de Revista: los que lo estuvieren por crímenes graves, cuya reclusion séa precisa, se abonarán por Certificacion del Gobernador ó Gefe de cuya órden se hubieren arrestado; y los que se hallaren refugiados en las Iglesias por contumaces, ó delitos que no merezcan extraherlos con caucion, se considerarán excluidos, y de ningun modo se procederá al abono de sus plazas.

ARTÍCULO 18.

Las de Criados que considero á los Oficiales de mi Exército se abonarán por Certificacion del Sargento Mayor, visada del Coronel ó Comandante.

ARTÍCULO 19.

A todo Oficial suspenso de su empléo se pondrá ausente en el Extracto, con la nota en tódos (durante el tiempo de su suspension) en que se explique el término de ella, la órden que la impuso, su fecha y el Gefe ó Via por que fue comunicada.

ARTÍCULO 20.

Al Oficial, Sargento, Cabo, Cadete ó Soldado que, estando empleado en comision de mi servicio, enfermo, ó fuera del Cuerpo con licencia, fuere promovido á otro empléo, se le dará (por nota en el Extracto con justificacion de su exìstencia) la entrada en el de su ascenso con abono del haber que por él le corresponde considerado de este modo : si fuere de Oficial, desde el dia en que á su nuevo Despacho se haya puesto el Cúmplase, y tomado la razon; y si de Sargento ó Cabo, desde la fecha de la aprobacion de su nombramiento respectivo, porque en los empleados y enfermos es involuntaria su ausencia del Cuerpo, y á los que usan de Real licencia mía tampoco debe perjudicarles la separacion que les permito, ni causar á los que hayan de promoverse en las resultas retardo en sus ascensos : bien entendido que á todo el que sin personal posesion se considere en el modo expresado el haber de su ascenso, se le ha de dar á reconocer en la órden por entónces, y formalizarse, quando se presente en el Cuerpo, el acto de su posesion con el ceremonial prevenido en Ordenanza.

ARTÍCULO 21.

Al que denunciare una plaza supuesta se le darán doscientos pesos y su licencia, cuya cantidad á prorata de sueldos se cargará al que estuviere mandando la Compañía en que se hiciere, al Sargento Mayor y al actual Comandante del Cuerpo; y si la plaza supuesta se presentase sobre las armas, desde el Cabo de la Esquadra en que se incluyese todos los Sargentos y Oficiales de la Compañía que se hallasen presentes en aquel acto serán depuestos de sus empléos y presos á nuestra voluntad, como tambien el Coronel del Cuerpo, y el Sargento Mayor, ó quien haga las veces de ámbos. Igual pena de privacion de empléo y prision sufrirá el que en qualquiera tiempo se averiguase haber contribuido, ó, sabiéndolo, no haya dado cuenta al Gobernador, ó Comandante del Quartel ó Tropa, de qualquiera plaza supuesta que se hiciere.

Artículo 22.

Las Revistas de Caballería y Dragones, y la formalidad de tomar el juramento de fidelidad á los Estandartes antes de pasarlas, se arreglarán á lo explicado por Infantería, con aumento en las Libretas y justificaciones (por lo perteneciente á la Tropa montada) de los Documentos que correspondan á la variedad de su instituto.

Real Órden circular, reformatoria de la permanencia de Réos refugiados que supone el Artículo 17 que va inserto.

Para que en la extraccion y destino de los Réos refugiados no continúen los graves abusos que se han experimentado por mucho tiempo en perjuicio de la recta administracion de justicia y de la veneracion y decoro debido á los lugares sagrados, es la voluntad del Rei que en todos sus Dominios de América se observe y cumpla lo resuelto por S. M. á consulta de su Consejo de Guerra, que se publicó para estos Reinos de España en la Órden circular del tenor siguiente.

»Para precaver el retardo que sufre la recta administracion de justicia, el perjuicio del Real Erario »y mal exemplo de la Tropa en la arbitraria regula-»cion de causas y delitos de los Individuos del Exérci-»to que se retiran á sagrado, formándose desde luego »la competencia con la jurisdiccion Eclesiástica, ó subs-»tanciándose las causas en rebeldía : á consulta del Con-»sejo ha resuelto el Rei por punto general para la Tro-»pa de Tierra y Mar, Milicias y demas Individuos su-»jetos al fuero de Guerra, que todos los Réos milita-»res refugiados, ó que se refugiaren á la Iglesia, y »que, segun la Ordenanza, estén ó deban ser proce-»sados, se extraigan inmediatamente con la caucion de »no ofender ; que se les ponga en prision segura ; que »se les forme el correspondiente sumario, y que, to-»mada su confesion con las citas que de ella resulta-

»ren en el preciso término de tres dias, quando no ha-
»ya motivo urgente que exîja alguna dilacion, se re-
»mitan los Autos á este Supremo Tribunal por mi ma-
»no para que, en su vista, y segun las qualidades del
»delito, providencie el destino del Réo, ó que se pida
»la consignacion formal de su persona, ó que se forme
»la competencia con la jurisdiccion Eclesiástica sobre el
»goce de inmunidad; encargándose en este caso por el
»Consejo á los respectivos Jueces y Prelados Eclesiás-
»ticos el pronto despacho. Y de su órden lo comunico
»á V. para su inteligencia y cumplimiento en los Juz-
»gados y Cuerpos de su cargo y comando, previnién-
»dole que si exîstiesen en sagrado algunos Réos senten-
»ciados en rebeldía, los haga extraher desde luego con
»la expresada caucion, y remita los Autos con las cir-
»cunstancias prescriptas al Consejo. = Dios guarde &c.
»Madrid siete de Octubre de mil setecientos setenta y
»cinco. = Josef Portugués.

A fin de que esta Real resolucion tenga en esos
Dominios la proporcionada y debida observancia, manda S. M. que la remision del sumario que en España se
hace al Consejo, se haga en Indias á los Virreyes, Capitanes-Generales, Comandantes ó Gobernadores inde-
pendientes, siendo los Réos militares; pero no siéndolo, se han de hacer las remisiones á las Audiencias respectivas. Tambien manda S. M. á V. y á todos los demas Gefes de esos Dominios donde no haya trabajos
públicos para las penas correctivas, establezcan, si conviniere, á exemplo de lo practicado en estos Reinos,

algun destino ó aplicacion de los Réos á la composicion de calles, fuentes, caminos ú otros objetos del bien público, de suerte que se consiga la utilidad comun, y se eviten los perjuicios que pueden resultar de los arrestos ó destinos privados, ó de la perpetua ociosidad en las cárceles.

Prevéngolo á **V.** de órden de **S. M.** para que en todo el distrito de su mando haga publicar esta Soberana resolucion, y cuide de su exâcto cumplimiento en todas sus partes, dándome desde luego aviso de quedar en esta inteligencia. = Dios guarde á **V.** muchos años. Aranjuez á quince de Mayo de mil setecientos setenta y nueve. = Josef de Gálvez.

Número 40

Corresponde al Artículo 239.

Las referidas Ordenanzas,

TRATADO 2 TÍTULO 28.

ARTÍCULO 2.

La Relacion de enfermos de que trata el Artículo antecedente ha de formarla el Oficial comisionado, precediendo su visita personal; pues si se verificare que sin haberla hecho tomó esta noticia del Contralor, ó Comisario de entradas, sufrirá la pena de quince dias de arresto, y la misma el Contralor ó Comisario, imponiéndosela á éste el Intendente, ó Ministro de Hacienda que exerza sus funciones, en consequencia del aviso que le diere el Coronel ó Comandante.

Número 41

Corresponde al Artículo 301.

Reales Ordenanzas de 22 de Octubre de 1768
para el Cuerpo de Ingenieros.

TRATADO I TÍTULO 6.

ARTÍCULO 4.

En las Plazas donde hubiere Junta de Fortificacion, y se hallare el Ingeniero General, podrá asistir á ella. El Capitan-General de la Provincia la presidirá, y donde no resida éste, el Gobernador; pero en uno y otro caso tomará el Ingeniero General el lugar que siga al que presidiere: de modo que en el primer caso corresponderá al Gobernador el tercer lugar, el quarto al Intendente, y sucesivamente los demas Vocales por el órden que hoi se observa.

Número 42

Corresponde al Artículo 302.

Las citadas Ordenanzas del Exército,

TRATADO 3 TÍTULO 4.

ARTÍCULO 8.

Los Intendentes de Exército tendrán en la Provincia ó Exército donde sirvan su ministerio honores y Guardia correspondientes á la clase de Mariscales de Campo; y esta Guardia los hará á todos los Generales que se hallen en el propio destino, sin derecho á la recíproca.

TRATADO 3 TÍTULO I.

ARTÍCULO 40.

Todo Mariscal de Campo tendrá una Guardia de quince hombres y un Sargento, con Tambor que sólo servirá para acompañarla, y ésta pondrá Armas al hombro formando en ala, siempre que éntre ó salga de su casa; cuyo honor le harán todas las Guardias de la Plaza, y las de personas de igual é inferior grado.

TRATADO 3 TÍTULO 5.

ARTÍCULO 48.

A un Mariscal de Campo acompañará un Brigadier, un segundo Batallon con su Teniente Coronel, y un Esquadron de Caballería ó Dragones montados con el suyo, que cerrará la retaguardia.

TRATADO 3 TÍTULO 6.

ARTÍCULO 3.

El de Señoría (el tratamiento) desde Mariscales de Campo hasta Coroneles inclusive, aunque fuesen Graduados solamente, á los Intendentes y Comisarios Ordenadores, y á todo Título é hijos de Grandes aunque empezasen á servir sin ser Oficiales; entendiéndose esta regla inalterablemente tanto entre iguales tratamientos, quanto de mayor á menor, ó de éste á mayor: de modo que á los expresados nadie ha de negar lo establecido, y ellos tampoco han de arbitrar por complacencia ú otra razon la regla prescripta; debiéndose entender que en el tratamiento de Merced quedan comprehendidos todos los nó exceptuados.

TRATADO 3 TÍTULO 1.

ARTÍCULO 43.

Todo Coronel Comandante de una Plaza ó Quartel tendrá una Guardia de un Cabo y quatro hombres; y siempre que entrare ó saliere de su casa se le presentará en ala la gente sin tomar las armas.

TRATADO 3 TÍTULO 5.

ARTÍCULO 52.

A un Coronel Reformado ó Graduado acompañará un Teniente Coronel con quatro compañías; pero los Tambores no llevarán las caxas enlutadas, y en lo demás se observará lo prevenido.

ARTÍCULO 50.

DEL MISMO TRATADO Y TÍTULO,

y al qual se refiere el que antecede.

A un Coronel en propiedad acompañará su primer Batallon, ó Esquadron, con las Vanderas ó Estandartes arrollados, y en la Coronela se pondrá corbata negra: los Tambores ó Timbales irán enlutados; y en la marcha se seguirá el órden de ir la Compañía de Granaderos ó Carabineros á la cabeza de las Comunidades; el Teniente Coronel delante del Batallon ó Esquadron nombrado con inmediacion al cadáver; y á los lados de éste irá la Guardia de un Cabo y quatro hombres, que se mantendrá hasta darle sepultura; y quando la Tropa haya llegado á la Plaza ó parage mas proporcionado á su formacion cerca de la Iglesia en que haya de hacerse el entierro, formará en batalla, y dará una descarga quando llegue el caso de dar sepultura al cadáver. Executado ésto, se quitará el luto á las caxas, y pasando por delante de la Iglesia se retirará el Batallon ó Esquadron á su Quartel.

RAZON
DE LAS JURISDICCIONES
Y TERRITORIOS

Que se deben comprehender en el distrito de cada una de las Intendencias de Provincia en el Reino de la Nueva-España; entendiéndose cada Jurisdiccion de las que se expresarán segun y como se arreglaron en el Plan de graduacion de las Alcaldias Mayores de dicho Reino que, á conseqüencia de Real Cédula de 1.º de Marzo de 1767, y en virtud de comision de la Junta mandada por ella erigir en México, formaron el Superintendente que entónces era de aquella Real Casa de Moneda, y el Contador General de Reales Tributos, cuyo documento existe original en aquel Superior Gobierno.

INTENDENCIA DE MÉXICO:
SU DISTRITO.

La Ciudad de su título, Capital del Reino, con las Parcialidades de San Juan y Santiago, segun y como se especifica en el citado Plan de graduacion de las Alcaldias.

DIÓCESIS
á que cada Jurisdiccion corresponde.

Arz.do de México.

Idem.	La Jurisdiccion de la Alcaldía Mayor de Mexicaltcingo.
Idem.	La de la Alcaldía de Chalco y Tlayacapa.
Idem.	La de la Alcaldía de Cuyoacan, *que corresponde al Marquesado del Valle.*
Idem.	La de la Alcaldía de Tacuba.
Idem.	La de la Alcaldía de Coautitlan.
Idem.	La de la Alcaldía de San Cristobal Ecatepeque.
Idem.	La de la Alcaldía de Tula, *que pertenece al Ducado de Atlixco.*
Idem.	La del Corregimiento de Querétaro, con la de la Alcaldía de Cadereita y Escanela.
Idem.	La de la Alcaldía de Yagualica, con su agregado de Zochicoatlan.
Idem.	La de la Alcaldía de Huexutla, agregándole el Pueblo de Xaltocan.
Idem.	La de la Alcaldía de Mestitlan.
Idem.	La de la Alcaldía de Cimapan.
Idem.	La de la Alcaldía de Tulancingo.
Idem.	La de la Alcaldía de Xilotepeque y Guichiapa.
Idem.	La de la Alcaldía de Tetepango, Misquiahuala y Atitalaquia.
Idem.	La de la Alcaldía de Octupan.
Idem.	La de la Alcaldía de Otumba, y unida la de San Juan Teotihuacan.
Idem.	La de la Alcaldía de Pachuca y Zempoala.
Idem.	La de la Alcaldía de Ixmiquilpan.
Idem.	La de la Alcaldía de Tezcuco.
Idem.	La de la Alcaldía de Xuchimilco.

La de la Alcaldía de Cuernabaca, *que pertenece al Marquesado del Valle*.   *Idem.*

La de las Alcaldías de Tixtla y Chilapa.   *Id. y al de Puebla.*

La del Gobierno de la Ciudad de los Reyes y Puerto de Acapulco.   *Arzobispado.*

La de la Alcaldía de Malinalco.   *Idem.*

La de la Alcaldía de Zultepec y Temascaltepec.   *Idem.*

La de la Ciudad y Corregimiento de Lerma.   *Idem.*

La de la Ciudad y Corregimiento de Toluca, *que pertenece al Marquesado del Valle*.   *Idem.*

La de la Alcaldía de Tetela del Rio.   *Idem.*

La de la Alcaldía de Zacualpa y Escateópan.   *Idem.*

La de la Alcaldía de Tenango del Valle.   *Idem.*

La de la Alcaldía de Metepeque.   *Idem.*

La de la Alcaldía de Ixtlahuaca.   *Idem.*

La de la Alcaldía de Taxco é Iguala.   *Idem.*

La de la Alcaldía de Tlapa.   *Ob.^{do} de Puebla.*

La de la Alcaldía de Igualapa.   *Idem.*

La de la Alcaldía de Zacatula.   *Ob.^{do} de Mechoacan.*

Y la de la Alcaldía de Apa y Tepeapulco.   *Arzobispado.*

INTENDENCIA DE LA PUEBLA:

SU DISTRITO.

La Ciudad Capital de su título, con la Jurisdiccion de su Gobierno segun se halla arreglada en el Plan de graduacion ya citado.   *Ob.^{do} de Puebla.*

La Jurisdiccion de la Alcaldía Mayor de Tepeaca, *perteneciente al Ducado de Atlixco*.   *Idem.*

Idem.	La de la Alcaldía de Zacatlan de las Manzanas.
Idem.	La de la Alcaldía de San Juan de los Llanos.
Idem.	La del Gobierno de la Ciudad de Tlaxcala.
Arzobispado.	La de la Alcaldía de Guauchinango, *perteneciente al Ducado de Atlixco.*
Ob.^{do} de Puebla.	La de la Alcaldía de Tetela y Xonotla.
Idem.	La de la Alcaldía de Santiago Tecali.
Idem.	La de la Alcaldía de Tepexi de la Seda, y su agregado de Guatlatlahuca de la Puebla.
Idem.	La de la Alcaldía de Chiautla de la Sal, con el agregado de Teotlalco y Xolalpa.
Idem.	La de la Alcaldía de Acatlan y Piastla.
Idem.	La de la Alcaldía de Atlixco, *perteneciente al Ducado de su nombre.*
Idem.	La de la Alcaldía de Tehuacan de las Granadas.
Idem.	La de la Alcaldía de Cholula, con la de Huexotzingo.
Idem.	La de la Alcaldía de Izucar, con sus agregados de Ahuatlan, Teopantlan y el Corregimiento de Chietla.
Idem.	La de la Alcaldía de Guayacocotla y Chicontepec.
Arzobispado.	La de la Alcaldía de Teusitlan y Atempan.
Idem.	Y la de la Alcaldía de Coautla-Amilpas, con los agregados de Tetela del Bolcan y Tochimilco.

INTENDENCIA DE VERACRUZ:

SU DISTRITO.

Ob.^{do} de Puebla.	La Ciudad Capital de su título, con la Jurisdiccion de su Gobierno conforme al citado nuevo arreglo ó graduacion.

La Jurisdiccion de la Alcaldía Mayor de Xalapa de la Feria y Xalatzingo, y el Pueblo de Perote.   *Idem.*

La de la Alcaldía de Acayucan, alias Goazacoalcos.   *Idem.*

La de la Alcaldía de Tixtla y Cotaxtla, *perteneciente al Marquesado del Valle.*   *Idem.*

La de la Alcaldía de Papantla.   *Idem.*

La de la Alcaldía de Panuco y Tampico.   *Arzobispado.*

La de la Alcaldía de Cosamaluapa.   *Puebla.*

La de la Alcaldía de Orizaba.   *Idem.*

Y la de la Alcaldía de San Antonio Goatuzco, ó Villa de Córdoba.   *Idem.*

INTENDENCIA DE MÉRIDA DE YUCATAN:

SU DISTRITO.

Ha de constar de toda la Provincia de su nombre, con mas la Laguna de Términos, la Provincia de Tabasco, Villa-Hermosa, Acapala, Chiltepeque, Escobar y Cupilco.   *Ob.^{do} de Yucatan.*

INTENDENCIA DE ANTEQUERA DE OAXACA:

SU DISTRITO.

La Ciudad Capital de su título, con la Jurisdiccion de su Corregimiento, y de los agregados de Atlatlahuca de Oaxaca y Guexolotitlan, conforme al citado Plan.   *Ob.^{do} de Oaxaca.*

La Jurisdiccion de la Alcaldía Mayor de las Quatro Villas, *perteneciente al Marquesado del Valle.*   *Idem.*

Idem. La de la Alcaldía de Chichicapa y Zimatlan.

Idem. La de la Alcaldía de Ixtepexi, *perteneciente al Ducado de Atlixco.*

Idem. La de la Alcaldía de Teposcolula, con la de Tuxtlahuaca.

Idem. La de la Alcaldía de Teutitlan del Camino, con las de las agregadas de Cuicatlan y Papalotipac.

Idem. La de la Alcaldía de Ixcuintepeque-Peñoles, con las de sus agregadas de Teosacualco y Teococuilco.

Idem. La de la Alcaldía de Miahuatlan.

Idem. La de la Alcaldía de Nexapa.

Idem. La de la Alcaldía de Xicayan.

Idem. La de la Alcaldía de Teutitlan del Valle, alias Macuilsuchil, con las de sus agregadas de Mitla y Tlacolula.

Idem. La de la Alcaldía de Yanguitlan, con la de su agregada de Nochistlan.

Idem. La de la Alcaldía de Xalapa del Estado, *perteneciente al Marquesado del Valle.*

Idem. La de la Alcaldía de Tehuantepeque.

Idem. La de la Alcaldía de Teutila, con la de su agregada de Chinantla.

Idem. La de la Alcaldía de Villalta.

Idem. Y la de la Alcaldía de Huaxuapa y Tonalá.

INTENDENCIA DE VALLADOLID
DE MECHOACAN:
SU DISTRITO.

La Ciudad Capital de su título, con la Jurisdiccion de su Alcaldía Mayor, inclusos los agregados de Pásquaro, Xaso y Teremendo. } *Ob.^{do} de Mechoacan.*

La de la Alcaldía de Charo ó Matlatzingo, *que pertenece al Marquesado del Valle.* Idem.

La de la Alcaldía de San Juan Zitáquaro. *Idem.*

La de la Alcaldía de Tlalpuxahua. *Idem.*

La de la Alcaldía de Cuiséo de la Laguna. *Idem.*

La de la Alcaldía de Xacona, Villa de Zamora, con la de sus agregadas de Tlazazalca y Chilchota. *Idem.*

La de la Alcaldía de Colima. *Idem.*

La de la Alcaldía de Tanzíntaro y Pizándaro, con Motines de Oro, y el agregado de Zinagua y la Aguacana. *Idem.*

La de la Alcaldía de Guiméo y Zirándaro. *Idem.*

Y la de la Alcaldía de Xiquilpa y Periban, con su agregado de Tinguindin. *Idem.*

INTENDENCIA DE SANTA FE
DE GUANAXUATO:

SU DISTRITO.

La Ciudad Capital de su título, con la Jurisdiccion de su Alcaldía Mayor. } *Ob.^{do} de Mechoacan.*

La de la Alcaldía de la Villa de Leon. *Idem.*

Idem.	La de la Alcaldía de Zelaya, con la del Corregimiento de Salvatierra, Villa de Salamanca y Valle de Santiago.
Idem.	La de la Alcaldía de San Luis de la Paz.
Idem.	Y la de la Alcaldía de San Miguel el Grande.

INTENDENCIA DE SAN LUIS POTOSI:

SU DISTRITO.

Ob.^{do} de Mechoacan.	La Ciudad Capital de su título, con la Jurisdiccion de su Alcaldía Mayor y de su agregado del Real y Minas de San Pedro de Guadalcazar.
Arzobispado.	La Jurisdiccion de la Alcaldía de la Villa de los Valles.
Ob.^{do} de Guadalax.^a	La Jurisdiccion de Charcas, con los Pueblos del Venado y la Hedionda.
Idem.	La de las Salinas del Peñol-Blanco.
Obispado de Leon.	El Gobierno y Jurisdiccion del Nuevo-Reino de Leon.
Idem.	Y la Colonia del Nuevo-Santander.

INTENDENCIA DE GUADALAXARA:

SU DISTRITO.

Ob.^{do} de Guadalax.^a	La Ciudad Capital de su título, con su correspondiente Territorio ó Jurisdiccion.
Idem.	La del Corregimiento de Tonalá.
Idem.	La del Corregimiento de Colimilla y Matatán.
Idem.	La del Corregimiento de Euquio.
Idem.	La del Corregimiento de San Cristobal de la Barranca.

La del Corregimiento de Tala. *Idem.*

La del Corregimiento de Tequila. *Idem.*

La del Corregimiento de Caxitlán. *Idem.*

La del Corregimiento de Tlaxomulco. *Idem.*

La de la Alcaldía de la Barca. *Idem.*

La de la Alcaldía de Lagos, con el agregado de Teocaltchi. *Idem.*

La de la Alcaldía de Hostotipaquillo. *Idem.*

La de la Alcaldía de Ahuatlan y Xala. *Idem.*

La de la Alcaldía de Santa María Tequepespam. *Idem.*

La de la Alcaldía de Tepique. *Idem.*

La de la Alcaldía de Centipac. *Idem.*

La de la Alcaldía de Acaponeta. *Idem.*

La de la Alcaldía de Guauchinango y Mascota. *Idem.*

La de la Alcaldía de San Sebastian y Xolapa. *Idem.*

La de la Alcaldía de la Villa de la Purificacion. *Idem.*

La de la Alcaldía de Aguas-Calientes, con el agregado de Xuchipila. *Idem.*

La de la Alcaldía de Autlan, Puerto de la Navidad, subalternada á aquella Real Audiencia. *Idem.*

La de la Alcaldía de Zayula, id. *Idem.*

La de la Alcaldía de Amula, id. *Idem.*

La de la Alcaldía de Zapotlán el Grande, id. *Idem.*

Y la de la Alcaldía de Isatlán y la Magdalena, id. *Idem.*

INTENDENCIA DE ZACATECAS:

SU DISTRITO.

Ob.^{do} de Guadalax.^a { La Ciudad Capital de su título, con la Jurisdiccion de su Alcaldía Mayor.

Idem. La de la Alcaldía de Sierra de Pinos.

Idem. La de la Alcaldía del Fresnillo.

Idem. La de la Alcaldía de Mazapil.

Ob.^{do} de Durango. Y la de la Alcaldía de Sombrerete.

INTENDENCIA DE DURANGO:

SU DISTRITO.

Ob.^{do} de Durango. { La Ciudad Capital de su título, con la Jurisdiccion del Gobierno de la Nueva-Vizcaya, y la de la Alcaldía Mayor de la Villa del Nombre de Dios.

INTENDENCIA DE ARISPE:

SU DISTRITO.

Ob.^{do} de Arispe. { La Ciudad Capital de su título, con la Jurisdiccion ó Territorio del Gobierno de las dos Provincias de Sonora y Sinalóa, en que se incluye la Alcaldía Mayor llamada de Sonora, y en ésta la de San Antonio de las Huertas.

Real ordenanza para el establecimiento e instrucción de intendentes de ejército y provincia en el Reino de la Nueva España 1786, editado por la Dirección General de Publicaciones, se terminó de imprimir en los talleres de Editorial Melo, S. A., el 4 de febrero de 1984. La edición consta de 1 300 ejemplares.